Sainte et Pécheresse

Du même auteur
dans la même collection

Corps et Âme (1994)

Le Pacte du silence (1997)

Marcelle Bernstein

Sainte et Pécheresse

traduit de l'anglais
par Élisabeth Renaud et Yvan Comeau

Données de catalogage avant publication (Canada)

Bernstein, Marcelle

Sainte et pécheresse

(Super Sellers)

Traduction de : Saints & sinners

ISBN 2-89077-185-7

I. Renaud, Élisabeth. II. Comeau, Yvan. III. Titre.

PR6052.E6415S2414 1999 823'.914 C99-940118-1

Illustration de Bernard Duchesne

Graphisme de la couverture : Création Melançon

Révision : Paulette Villeneuve

Titre original : Saints & Sinners

Éditeur original : Bantam Book

ISBN 2-89077-185-7

Dépôt légal : 1er trimestre 1999

Imprimé au Canada

À Eric, en souvenir de cette promenade au bord de la mer.
À Lesley. Et à Helena.

Chapitre un

Ceux qui croyaient en elle disaient que ces phénomènes s'étaient vraiment produits et qu'ils étaient la manifestation du mystère éternel. Ses détracteurs affirmaient que cette femme trompait les gens. Il n'y a pas si longtemps, elle aurait même été accusée de sorcellerie.

Voici les faits :

À quinze heures trente précises, le 17 mars 1946, une minuscule boule nuageuse apparut dans un ciel d'azur au-dessus de la palpitante et cahotique agglomération de São Paulo. La masse vaporeuse était suspendue exactement au-dessus de la vallée de la rivière Anghangabau, presque entièrement masquée aujourd'hui par les viaducs et les ponts récemment construits. Ici, au cœur de la ville, le parfum des eucalyptus et les émanations de carburant imprégnaient lourdement l'air. Les autobus délabrés avançaient au ralenti parmi la foule des humains et des animaux. Des femmes aux cheveux noirs nattés, avec leur bébé attaché sur le dos dans un ample châle, vendaient des cigarettes et des friandises. Assis devant les édifices au stuc lépreux, les vendeurs de fleurs surveillaient leurs bouquets odorants. Des hommes à la peau foncée et aux yeux brun pâle conduisaient des ânes faméliques, lourdement chargés, à travers les places aux pavés poussiéreux.

C'était une journée humide. Réchauffé au contact de la terre brûlante, l'air gorgé d'eau montait rapidement à de grandes hauteurs, à travers une atmosphère plus fraîche et plus sèche, à la façon des bulles qui s'élèvent dans l'eau bouillante. En moins de quinze minutes, nourri par l'humidité d'un vent lourd provenant de la jungle du Mato Grosso, la boule cotonneuse grossit rapidement pour former un énorme cumulus. Cette masse effervescente avait l'éclat d'un glacier émergeant au-dessus d'une mer d'azur. Un pilote solitaire, qui luttait pour ne pas perdre le contrôle de son biplan secoué par des courants d'air chaud aussi violents qu'imprévisibles, rapporta plus tard que les nuages en forme de champignon poussaient leur chapeau jusqu'à plus de quinze mille mètres d'altitude.

Les lourds nuages semblaient littéralement bouillir alors que des courants d'air ascendants tournoyaient en spirales. De larges arcs semblables à des vagues étaient suspendus, apparemment immobiles, au cœur de la masse tourbillonnante. D'abord blancs comme neige, ils s'assombrirent rapidement, pour prendre d'abord la couleur de l'or dépoli, puis une teinte gris perle dont l'éclat laissait voir d'étranges couleurs. Un vert sinistre couvrit le firmament et fit ensuite place à un violet menaçant. À l'est le ciel était rempli de ces sinistres nuages de tempête, alors qu'à l'ouest il était encore ensoleillé. Mais, subitement, les nuages grossirent au point de couvrir entièrement le ciel. On aurait cru que le soleil s'était couché. Les lampadaires furent rapidement allumés dans les rues cossues de la ville et les écoliers reçurent l'ordre de ne pas rentrer à la maison.

Le sinistre phénomène suspendit, dans un silence étonné, le vacarme coutumier de São Paulo. La musique omniprésente, la rumeur des usines et le tapage des chantiers de construction s'étaient tus. Les magnifiques chevaux de la cavalerie de la Paulista se cabrèrent et rompirent le pas. Au parc zoologique de l'avenue Miguel Estafano, les perroquets d'Amazonie et les jaguars, les grues rouges et les petits singes vert-jaune ne cherchèrent pas comme d'habitude un abri contre la tempête, mais se tapirent ou se perchèrent sur place. Tout hululement, tout hurlement cessa. Même les bêtes de boucherie qui beuglaient frénétiquement dans les abattoirs se turent pendant quelques instants. Même les enfants en haillons qui fouillaient dans les détritus des favelas aux limites de la cité, en quête de nourriture avariée, arrêtèrent de se chamailler.

À la faveur du silence, un nouveau son commença à se faire entendre. D'abord faible, distant, il s'enfla encore et encore jusqu'à ce qu'il devienne un énorme bourdonnement, comme si des millions d'abeilles essaimaient. Les gens, dans la rue, scrutaient le ciel. La dame gantée et chapeautée qui faisait ses courses rue Augusta, le diplomate en habit qui sortait du consulat canadien et le jeune immigrant italien d'une douzaine d'années qui traînait son pied-bot au marché de la rue Carlos de Campos pour y ramasser des déchets de légumes, tous partagèrent le même frisson d'inquiétude. Mais il n'y avait rien à voir, même quand on entendait le bruit résonner directement au-dessus de sa tête. Rien, sauf les nuages terrifiants, majestueux, apocalyptiques. L'obscurité était maintenant totale. Le jour avait fait place à la nuit. Armageddon.

Tout le monde se hâtait de trouver l'interrupteur qui permettrait d'échapper aux ténèbres. Mais il n'y avait personne pour faire de la lumière dans la triste chambre d'un immeuble locatif, au bout de la rue Santa Rita, où une jeune femme polonaise agonisait.

Personne ne se souvenait d'un vent pareil. Un souffle brûlant dévastait São Paulo, arrachant toits et portes. Dans la majestueuse avenue Paulista, les hôtels particuliers nouvellement construits avaient perdu leurs balcons, alors que les vieux édifices du centre-ville se retrouvaient posés de guingois sur leurs fondations. Le fil de fer des clôtures avait été tordu de telle sorte qu'il formait maintenant des câbles ou des balles aux formes grossières. Des panneaux de tôle ondulée enveloppaient les poteaux électriques. Une voiture de tourisme de marque Mercedes, qui circulait dans Bela Vista avec les glaces baissées, fut littéralement arrachée de la route avec son conducteur à lunettes accroché au volant, puis relâchée, comme un simple jouet, d'une hauteur d'environ trois mètres. À Pacaembu, une douzaine de poulets furent dégarnis de leurs plumes comme si le vent les avait préparés pour la casserole. Le cataclysme, sur son étendue, n'avait duré que quelques secondes.

Puis le vent se mit à tourbillonner et l'orage éclata. Des éclairs gigantesques zébrèrent le ciel à un rythme qui, même dans cette région où les perturbations atmosphériques sont souvent violentes, avait de quoi étonner.

La jeune femme couchée dans le lit faisant face à la fenêtre ouverte se déplaça sur son matelas. La lumière du premier éclair traversa la chambre et dessina, de saisissante façon, le corps anguleux en proie à la souffrance. Secouée par le tonnerre, la malade ouvrit lentement ses paupières alourdies, avant de se tourner pour trouver un endroit plus frais sur l'oreiller.

Les éclairs, qui survenaient maintenant en rafales, jetaient une lumière blafarde dans la chambre délabrée. La malade put ainsi voir son image dans le miroir au tain abîmé fixé à la porte de l'armoire ancienne. Elle examina son visage flétri. Ses yeux s'enfonçaient dans leurs orbites. La peau de son visage laissait saillir les os, et les lèvres bien dessinées étaient sèches. L'épaisse chevelure, naguère singulièrement flamboyante, collait à son crâne fiévreux. Cependant, la ligne de ses mâchoires, son nez droit et son large front étaient empreints d'une sévère beauté. Épuisée, elle laissa retomber sa tête sur l'oreiller. Des larmes brillèrent sur ses joues et ses mains fragiles s'agitèrent sur la couverture.

Sur la table se trouvaient, en plus d'un pichet d'eau ébréché, d'une bouteille de médicament et d'une cuillère toute collante, quelques-unes des rares possessions de l'infortunée : un peigne de corne, un poudrier en fausse écaille de tortue et un petit bol de porcelaine dans lequel elle gardait ses épingles à cheveux. Au pied du lit, sur le sol recouvert de carreaux de céramique noirs et roses, un bouquet de fleurs sauvages, manifestement composé par un enfant, avait été placé dans un pot, juste à côté d'un vieux sac à bandoulière. C'était le seul objet qui avait déjà eu une valeur certaine : un cuir souple, abondamment marqué et noirci par l'usage, avec un discret fermoir en or.

La *Polaca* avait emménagé deux mois plus tôt dans cette chambre où elle était couchée depuis plusieurs jours. Seulement quelques personnes de l'immeuble connaissaient son nom. Elle était tombée malade quinze jours auparavant. Elle n'avait jamais reçu de visiteurs auparavant, mais sa mort prochaine lui en avait amené quelques-uns.

La vieille senhora Sayão la conduisait aux toilettes communes. La senhora, qui était très sourde et dont la vue diminuait constamment, n'avait pas grand-chose à faire. De plus, elle était fondamentalement gentille et efficace. Si la *Polaca* survivait, elle en serait heureuse. Et si elle mourait, la senhora prendrait peut-être une babiole pour sa peine.

Cuci Santos, âgée d'à peine vingt-deux ans, dotée de cheveux très noirs et d'un rire rauque, habitait en face avec son jeune fils, Tomas. Elle travaillait chez elle pour un grossiste de la ville. Elle cousait des chemises sur une vieille Singer. Deux ou trois fois par mois, quand elle devait payer le loyer ou que Tomas avait besoin de chaussures ou de médicaments, elle rentrait chez elle avec un homme, autant pour le plaisir que pour gagner cinq cruzeiros.

Six semaines auparavant, elle s'était pris le pouce sous le pied-de-biche de la machine à coudre, et l'aiguille s'était enfoncée dans la chair. La voisine polonaise était accourue rapidement, dès qu'elle avait entendu les cris de Cuci. Elle avait retiré l'aiguille et nettoyé la blessure. Elle s'était montrée froide, réservée au point de paraître rude. Mais Cuci n'y avait pas prêté attention. Son pouce avait guéri à une vitesse étonnante — en une nuit, très exactement — et une étrange amitié avait pris racine dans le terreau insolite du bavardage volubile de Cuci et du silence bienveillant de l'Européenne. Magda Lachowska eut ainsi droit au récit de tous les maux de Cuci et des terrifiantes crises d'épilepsie de Tomas, qui risquait d'avaler sa propre langue chaque fois qu'il tombait. En échange de son papotage, Cuci arrachait à la jeune Polonaise de rares et insignifiants détails de sa vie : son ancien employeur ne voulait plus la garder chez lui, au sein de sa famille, parce qu'il craignait l'infection cutanée dont elle souffrait. Les enfants lui manquaient. Elle n'avait pas d'amis masculins. En réalité, elle n'avait pas d'amis du tout. Cuci lui apportait ses repas, même si elle savait que la *Polaca* ne pouvait plus manger. Elle n'avait trouvé rien d'autre à lui offrir.

Cuci courut sur la galerie métallique qui ceinturait l'édifice, en rabattant les pans de sa jupe. L'escalier de fer, aussi étroit qu'un escalier de secours, descendait en spirale vers la rue. Ces espaces ouverts étaient utilisés comme pièces supplémentaires par les familles entassées dans des intérieurs trop exigus. Au moment où Cuci y passait, les mères attrapaient leurs bébés, ramassaient le linge humide qui séchait sur le garde-fou et rabattaient d'un coup sec les portes des cages à pigeons.

Cuci frappa à la porte de Magda et entra sans attendre qu'on l'y invite.

— Comment vas-tu ? Pas dérangée par l'orage ?

Elle entendit à peine une plainte :

— S'il vous plaît...

— Tu veux peut-être boire ?

À la faible lueur de la seule lampe de la chambre, Cuci remplit un verre d'eau. Puis elle souleva la tête de Magda et attendit qu'elle boive une petite gorgée. Mais la malade, trop faible pour avaler, laissa couler le liquide entre ses lèvres.

— Essaye, l'encouragea Cuci. Ça fait trois jours que tu n'as rien bu ni mangé. Tu dois essayer.

Comme Magda en était incapable, Cuci versa un peu d'eau sur une serviette et essuya le visage et la gorge de la pauvre femme. Ses gestes étaient doux et elle prenait garde de ne pas irriter les zones de démangeaison, où la peau pelée s'était visiblement détériorée au cours des derniers jours. Cuci remarqua que l'épiderme de ses mains rigides était fendillé, comme si la peau avait rétréci sur la chair.

— Je ferais bien de fermer la fenêtre, dit-elle.

La malade se raidit, comme si elle avait voulu protester. Cuci hésita, puis laissa la fenêtre ouverte, exposant la chambre aux coups de vent. Quelle différence cela pouvait-il faire maintenant ? La mort surviendrait dans quelques heures à peine.

— La vieille senhora Sayão va venir te tenir compagnie plus tard.

En disant cela, Cuci pensa qu'il valait mieux que la charitable dame n'attende pas trop.

Les lèvres de Magda bougèrent, mais elle n'était plus en état de prononcer le moindre mot.

Gilberto Freire gagnait sa vie en photographiant des filles presque nues pour les magazines. Pour le fils d'un manutentionnaire au marché de la rue Carlos de Campos, il se débrouillait très bien et pouvait même louer un appartement dans l'un des premiers gratte-ciel construits sur l'Avenida Ipiranga. À quinze heures quarante environ, il soignait une gueule de bois carabinée avec un verre de rhum, quand il prit conscience qu'une secousse ébranlait le séjour, soudain privé de lumière. Il leva les stores.

Il lui fallut un moment pour se rendre compte de ce qui se passait. Il oublia son mal de tête et courut chercher son appareil photo et le trépied, qu'il installa sur le balcon. Tout en sachant qu'il ne disposait pas de l'appareil idoine, il fit la mise au point et prit autant de photos que le lui permettait la pellicule qu'il avait sous la main. Il photographia les masses de nuages noirs et la ville en contrebas, que les éclairs incessants illuminaient de façon surréaliste.

Longtemps avant que le vent de tempête se lève — vraisemblablement deux ou trois heures plus tôt —, le seul bruit dans la chambre nue était celui de la respiration faible, inégale et pénible de la mourante. Au fur et mesure que le vent s'éloignait, le souffle de la jeune femme devenait de plus en plus ténu. Soudain, la malade fit entendre un sinistre râlement, comme si quelque chose obstruait son larynx. Son corps se tordit sous l'effet d'un spasme, une bulle se forma entre ses lèvres comme si son âme cherchait à se libérer. Puis elle se figea dans une attitude complètement détendue.

C'est alors qu'un très bref silence envahit non seulement l'intérieur de la chambre, mais toute la ville. On aurait dit que la terre retenait son souffle. Pendant une seconde, ou peut-être deux ou trois, l'univers sembla pétrifié.

Seul un enfant, qui n'avait pas encore sept ans, fut témoin, du début à la fin, de tout ce qui arriva ensuite. Le petit Tomas Santos, trop malade ce matin-là pour aller à l'école, poussa la porte et jeta un coup d'œil curieux dans la chambre de Magda.

Le vent l'avait tiré d'un sommeil agité. La veille il avait fait une crise, et le bromide qu'on lui avait administré lui donnait encore des étourdissements. La voix de sa mère, qui n'était alors qu'un murmure languissant, émergea du lit que l'enfant avait partagé avec elle la nuit précédente. Il distingua une voix d'homme, une voix qu'il ne reconnut pas. Il était habitué à ces conciliabules derrière les rideaux de l'alcôve; sa mère lui faisait ensuite toujours cadeau d'une pièce de monnaie.

Étant donné l'obscurité, Tomas supposa qu'il était très tard, mais il n'avait plus sommeil. Il se sentait juste un peu lourd et désorienté. Il pensa à la Polonaise, leur voisine. On lui avait interdit de lui rendre visite, mais la curiosité l'emporta sur sa peur : sa mère lui avait appris que la femme était en train de mourir, et il voulait la voir. Il se leva sans faire de bruit et sortit de chez lui.

Il ouvrit la porte de la voisine et la referma à demi derrière lui. Puis il vint se placer contre le mur en se faisant aussi discret et invisible que possible. Il se tenait sur le bout des pieds, tellement l'appréhension le tiraillait.

Quand il fut certain que rien ne bougeait dans la chambre faiblement éclairée, il fit lentement un pas de géant vers le lit aux colonnes de métal torsadées. Il attendit un bon moment avant de faire un deuxième pas. Quand la femme, immobile sous les couvertures, fut à la portée de sa main, il s'arrêta. Il tendit l'oreille pendant au moins deux minutes et conclut avec une certitude absolue que personne d'autre que lui ne respirait dans cette pièce. La forme étendue dans le lit avait déjà la rigidité de la mort.

Sans perdre de vue la morte, Tomas s'approcha de la table. Ses doigts avides écartèrent les épingles à cheveux jetées pêle-mêle au fond du bol et pêchèrent l'objet de sa convoitise. C'était un rang de perles de verre enfilées sur un fil de soie. L'enfant fit miroiter le collier sous la faible lumière et le passa à son cou.

C'est précisément à ce moment-là qu'un bourdonnement, semblable à celui d'un essaim d'abeilles, remplit la chambre. Le petit garçon pressa ses mains contre ses oreilles pour étouffer le bruit perçant. Il était tellement accaparé par ce bruit qu'il ne prêta d'abord pas attention à un autre son. Frissonnant de peur, il reconnut le sifflement infernal des hommes aux masques de démons qui dansaient durant le carnaval. Mais il n'y avait personne dans la chambre, sauf lui-même et la morte. Il était tellement affolé qu'il sentait des picotements dans les doigts. Des éclairs aveuglants jetaient par intermittence une lumière fantasmagorique. Les yeux de l'enfant ne rencontraient rien de stable sur quoi se poser.

Tomas ferma hermétiquement les paupières. Quand il les rouvrit, il fut témoin du plus extraordinaire spectacle de sa vie. Une énorme boule de lumière rouge orangé s'engouffrait dans la chambre par la fenêtre ouverte. Elle flotta dans les airs en zigzaguant en tous sens. Elle était vivante, l'enfant en était sûr : il la voyait, il la sentait vibrer. Plus tard, il affirmera sans jamais fléchir que la boule s'était bel et bien trouvée dans cette chambre. Il soutiendra qu'elle semblait chercher quelque chose ou plutôt quelqu'un, sans doute la Polonaise.

Il entendit en même temps un cri se mêler à un sifflement identique à celui des fusées de la Saint-Jean. Ses jambes flageolèrent. Il se laissa glisser par terre en tremblant et se recroquevilla, le dos au mur. L'état de panique dans lequel il se trouvait ne l'empêcha pas de garder les yeux rivés sur la boule de feu orange.

Un autre éclair surgit, donnant à la chambre une réalité encore plus déconcertante. Dans les mystérieuses profondeurs de la glace de l'armoire, quelque chose bougea. Tomas poussa un cri de terreur. Il se rappela la flamme vacillante des bougies de résine au cimetière, les formes aux masques macabres qui, le jour des Morts, dansaient entre les pierres tombales illuminées, les esprits attirés par les gâteaux à la cannelle...

— Tomas !

Cuci Santos surgit à la porte de la chambre. Sa robe à fleurs bâillait à la taille, ses seins nus ondulaient librement, révélant des mamelons aussi sombres que le grenat. L'homme la suivait, les mains sur la fourche de son pantalon, comme s'il avait maille à partir avec les boutons de sa braguette. Ils s'arrêtèrent soudain, cloués sur place. Tomas se releva tant bien que mal et courut vers eux, renversant au passage les fleurs qu'il avait lui-même cueillies pour la Polonaise. Il se jeta sur sa mère et plaqua sa tête contre son ventre. Quand, d'un geste instinctif, elle posa nerveusement sa main sur la nuque de l'enfant, ses doigts se prirent dans le collier, qui se brisa. Les perles se dispersèrent sur le carrelage.

Comme sa mère ne disait rien, Tomas leva la tête et vit la panique sur son visage, puis sur celui de l'homme. L'enfant se retourna et découvrit ce qui les épouvantait.

La boule de feu semblait s'affaisser brusquement par l'intérieur, en même temps que sa lumière s'estompait. À l'endroit où elle s'était trouvée, à côté du lit de la Polonaise, flottait une étrange vapeur. Ou plutôt un brouillard verdâtre, traînant derrière lui d'épaisses couronnes gazeuses, qui répandait une forte odeur soufrée semblable à celle des allumettes que l'on frotte. L'enfant crut sentir des doigts qui s'enfonçaient dans le fond de sa gorge. Il se mit à tousser jusqu'à ce que les larmes lui montent aux yeux. Sa mère le serra encore plus fort contre elle. Cuci toussait elle-même, ainsi que l'homme.

Ils diront plus tard qu'ils avaient craint de mourir étouffés. On leur donnera alors à entendre qu'avec cette toux incontrôlable, et aveuglés peut-être par la fumée, ils n'avaient pu clairement voir ce qu'ils prétendaient avoir aperçu. Le temps qui s'était écoulé depuis n'avait pas affaibli leur conviction : ils ne mettront jamais en doute l'authenticité de ce qui s'était passé sous leurs yeux.

Ils virent tous trois la gisante, enveloppée dans le nuage gazeux, bouger avec des petits mouvements saccadés aussi peu naturels que ceux d'une marionnette. Puis le corps s'éleva au-dessus du matelas, comme si des mains invisibles l'en avaient détaché pour le maintenir ensuite dans les airs.

Quand elle sera appelée à décrire ce qui s'était passé, Cuci Santos ne pourra confirmer la présence de fumée, mais seulement celle d'une odeur désagréable de soufre. Beaucoup plus tard, elle modifiera son témoignage : pendant que le corps planait au-dessus du lit, il y avait effectivement eu de la fumée. L'homme qui l'avait suivie dans la chambre, un certain Rico Gomez, affirma qu'il avait vu de la vapeur et il put précisément identifier l'odeur des oxydes d'azote produits par les décharges électriques dans la machinerie de la centrale où il travaillait.

Aucun des trois témoins n'avait vu entrer l'oiseau par la fenêtre ouverte. Mais il se trouvait là quand un nouvel éclair avait surgi : c'était un pigeon blanc tacheté. Épuisé après avoir traversé la tempête, il battait quand même frénétiquement des ailes au-dessus de leurs têtes. À moitié assommé, il était allé se poser lourdement sur le pied du lit et s'y était tenu en équilibre, ses ailes ébouriffées largement déployées, un brin de paille accroché à son bec. Tomas avait cru reconnaître un des pigeons de Jorge. Il en sera cependant moins certain plus tard, de sorte qu'il se tiendra coi lorsqu'on discutera de long en large de ce détail.

La morte lança un cri rauque et inarticulé.

Tomas Santos mouilla sa culotte.

Au nouvel observatoire de géophysique situé à une dizaine de kilomètres de São Paulo, on enregistra plusieurs perturbations. On releva des fluctuations importantes dans les courants électriques à l'intérieur de la terre. On observa aussi un changement d'intensité dans le champ magnétique terrestre. De telles variations indiquent ordinairement un flux soudain d'énergie électrique. En l'occurrence, il semble qu'un courant de plus de cent ampères se soit développé pendant une période excédant quinze minutes.

Quand, une heure plus tard, le vent se calma enfin et que la lumière du jour revint, les gens commencèrent à sortir précautionneusement dans les rues. Une extraordinaire impression de soulagement se manifesta dans la population. Des inconnus se souriaient, se donnaient la main, s'étreignaient, riaient tout haut. Ils semblaient soulagés d'avoir échappé à quelque terrible et mystérieuse calamité.

Tout le monde ne s'en était pas tiré indemne, évidemment. Chose étonnante, seulement quatorze personnes avaient trouvé la mort, et de manière insolite pour la plupart. Un homme qui peignait les murs d'un vestibule avait perdu pied lorsque le coup de vent avait fracassé les grands panneaux vitrés. Il était tombé de curieuse façon, de sorte que sa tête s'était prise entre deux échelons. Le vent furieux avait violemment projeté contre le mur opposé l'échelle qui le retenait prisonnier et l'avait littéralement décapité. On trouva un autre homme en train de mourir, un long éclat de bois fiché dans l'estomac comme un trait d'arbalète. Des voisins fouillèrent désespérément les décombres pour y retrouver une femme qui repassait le linge dans sa cuisine juste avant la catastrophe. Ils finirent par apercevoir une tache pâle près du sommet d'un arbre dans un jardin voisin : c'était le corps nu de cette femme, solidement coincé dans la fourche d'un eucalyptus.

Une quarantaine d'autres personnes furent blessées et estropiées : crânes fracturés, mâchoires disloquées, membres arrachés. Trois enfants se retrouvèrent mutilés pour la vie. Plusieurs personnes furent assommées par des objets volants : une feuille de tôle arrachée à un toit, des madriers, une table et, dans un cas, un gros chat toutes griffes sorties.

Cette catastrophe eut quand même un côté positif. Dans les heures qui suivirent immédiatement le retour à la normale, d'anciennes querelles de famille prirent fin. Et plus de mille bébés furent alors conçus, un bon nombre en dehors des liens du mariage.

Gilberto Freire se rendit dans la chambre noire pour examiner les photos qu'il avait prises durant la tempête. Il saisit sa pince et sortit du bain un négatif qui lui sembla gâté par une lumière trop vive. Il se rendit alors compte que la zone embrouillée correspondait à deux bandes lumineuses, plutôt floues, mais nettement circonscrites, contrairement à ce qu'on voit ordinairement sur un mauvais négatif. Plusieurs photos montraient un défaut identique. Il les tourna et les retourna pensivement, craignant que son appareil ou la pellicule ne soit en cause. Il se gratta le crâne en cherchant à comprendre. Puis il tira ces négatifs avec les autres.

Quand il examina ces photos intrigantes, un peu plus tard, il se persuada qu'il était encore complètement soûl. Son appareil avait capté deux gigantesques colonnes lumineuses semblables à des tubes fluorescents géants, dressées dans le ciel tout noir.

Il s'assit, étala les photos à peine séchées sur la table de la salle à manger et prit sa tête entre ses mains. Ces piliers gigantesques ne ressemblaient à rien qu'il puisse identifier. Il était certain qu'ils n'apparaissaient pas dans le ciel au moment où il avait pris ses photos, cet après-midi-là. Il déduisit qu'ils étaient peut-être invisibles à l'œil humain, mais pas à celui d'un appareil photo. Il évaluait leur hauteur en les comparant aux gratte-ciel du centre-ville, qui paraissaient minuscules. Il crut s'évanouir sous l'effet de la peur. Et de l'excitation.

Il se prépara une tasse de café noir et vint se poster à la fenêtre de la cuisine. Tout était redevenu normal ou presque. Le nuage s'effilochait sous l'action des rayons du soleil, il y avait de la fraîcheur dans l'air même s'il n'avait pas plu. Il pouvait voir dans la rue des fragments de céramique rouge et du verre éclaté. Des melons, des gâteaux de miel incrustés d'abeilles mortes, des mangues gisaient encore sur le pavé au pied des éventaires d'où le vent les avait balayés. Une bicyclette, qui avait été projetée à travers la vitrine d'un boulanger, reposait comiquement au milieu de l'étalage de pâtisseries. La porte principale de l'école de samba, de l'autre côté de la rue, avait été arrachée. On entendait, venant de nulle part, une voix, amplifiée par un mégaphone, qui incitait encore les gens à acheter des *tacos*. Une femme criait, des enfants pleuraient.

Gilberto Freire examina encore son travail. Il ne s'était pas trompé. Les tubes géants apparaissaient sur une demi-douzaine de clichés. En prenant les édifices comme point de repère, il se rendit compte que leur localisation était légèrement différente d'une photo à l'autre. Freire calcula qu'en soixante secondes ils avaient progressé d'une centaine de mètres.

Il n'avait pas beaucoup de religion, mais sa mère, qui n'avait jamais appris à lire, avait l'habitude de lui répéter des récits bibliques qu'elle connaissait par cœur. Y inclus celui où il était question des piliers de feu. Son appareil pouvait-il les avoir captés ? Était-ce un signe venu de Dieu ? ou bien d'un autre monde ? Il écarta l'une et l'autre de ces hypothèses, pour arriver à la conclusion que l'armée avait probablement fait des expériences avec une nouvelle arme. De toute façon, il était sûr d'une chose : ses photos valaient une petite fortune. Elles feraient la une de tous les journaux du pays, du monde même !

Il apporta son café dans le séjour, alluma la radio pour écouter les informations. L'orage et les dégâts qu'il avait causés à travers la ville reçurent un large traitement, mais on ne mentionna aucunement la présence dans le ciel de ces étranges colonnes de feu.

Il sortit de son appartement et prit l'ascenseur pour descendre dans le hall d'entrée, où se trouvaient les téléphones publics, et demanda le numéro de la rédaction du *Latin America Daily Post*. Les lignes étaient toutes occupées. Qu'à cela ne tienne, il s'y rendrait en personne.

Il mit soigneusement photos et négatifs dans une chemise. Il écouta encore la radio pendant qu'il coiffait ses cheveux rebelles et aspergeait généreusement sa poitrine d'eau de Cologne. Il endossa une chemise propre et jeta sa veste de cuir sur ses épaules, avec une négligence étudiée.

On diffusait d'autres informations sur la tempête qui avait subitement plongé la ville dans l'obscurité. Rien d'autre. Le fait que ses propres observations, confirmées par les photos, n'aient pas été corroborées ne l'inquiéta aucunement ; au contraire, son exaltation décupla : lui seul, semblait-il, connaissait le véritable phénomène survenu au cours de l'après-midi. Et il détenait des photos pour le prouver.

Gilberto partit avec une telle hâte qu'il laissa sa radio ouverte à plein volume.

Elle continua de se faire entendre pendant deux jours, jusqu'à ce que le concierge la ferme quand il revint de la morgue municipale, où il était allé identifier le corps de Freire. Le vieil homme jeta un coup d'œil sur la photo encadrée de l'ancien locataire, portant cravate blanche et habit de soirée, avec une fille légèrement vêtue à son bras. Il se fit la réflexion que Freire n'avait pas cette apparence sur la table d'autopsie. Les victimes d'accidents de la route étaient souvent les plus difficiles à identifier, lui avait-on dit. Il semblait que Freire avait passé la nuit à célébrer dans les boîtes et qu'il était complètement ivre.

Avec un respect qu'on voit rarement, le concierge décrocha le cadre et le posa à l'envers sur la table. À côté, il mit l'enveloppe scellée qu'on lui avait confiée à l'hôpital. Elle renfermait la montre en or avec la vitre brisée, les papiers que la police n'avait pas jugé bon de garder, un chéquier et de la menue monnaie. Freire devait avoir sur lui une somme plus importante, mais la police ne la lui avait pas remise et il avait été assez sage pour ne rien demander. Il y avait aussi un sac à poignées contenant les chaussures du jeune homme ainsi que sa ceinture. Ses parents aimeraient sans doute les récupérer. On lui avait aussi remis la veste de cuir noire, qu'il donna à son gendre.

La femme ressuscitée retomba sur son oreiller. Elle ouvrit les yeux : tout le monde dans la chambre put en voir l'éclat fiévreux. Des larmes brillaient sur ses joues.

Elle se mit à parler avec la voix grave et rauque d'un homme, pas du tout avec sa vraie voix. Elle devait s'exprimer en polonais, conclut-on plus tard, puisque personne ne pouvait la comprendre. Ses lèvres sèches bougeaient à peine, sa gorge était enrouée. Mais le caractère pressant des quelques mots qu'elle prononça avait quelque chose d'électrisant.

L'homme, la femme et l'enfant l'observaient dans un silence stupéfait, jusqu'à ce que Tomas dise d'une voix chevrotante :

— Mais elle est morte !

Derrière eux la vieille senhora Sayão poussa un sanglot aigu qui traduisait sa terreur. Elle se tenait dans l'embrasure de la porte, une main accrochée au cadre pour se soutenir, l'autre cramponnée à son tablier, au-dessus de son cœur :

— Regardez son visage ! Ses mains !

La peau du visage, de la gorge et des bras nus de la *Polaca* montrait des plaques rouges, de forme irrégulière, comme si elle avait été gravement brûlée. Tandis qu'ils l'observaient, elle pressa les paumes de ses mains sur ses yeux, qui semblaient la faire souffrir, et elle étira les jambes d'un mouvement rapide et convulsif. Le pigeon, effarouché, battit des ailes et vola autour du lit avant de s'y poser, à la tête cette fois. Le brin de paille tomba de son bec sur le drap froissé.

Voyant cela, la vieille senhora Sayão fit entendre un autre sanglot et se signa. Elle se laissa tomber lourdement sur ses genoux et commença à marmotter, puisqu'elle n'avait pas pris le temps de mettre ses dentiers :

— *Minha mãe... Madre de Deus...*

On a dit par la suite que les événements suivants étaient survenus :

Il y a eu des prodiges dans le ciel et des signes sur la terre. À l'heure fatidique, un nuage apparut subitement sur la terre. La ville de São Paulo fut baignée d'une lumière surnaturelle avant d'être plongée dans de profondes ténèbres. *Dans les ténèbres, sache que je suis avec toi.*

Un vent d'une intensité jusque-là inconnue a balayé la ville. Quand le vent souffle, sache que je suis avec toi. Le vent est mon signe. Au milieu de ce grand vent, Magda Lachowska est morte.

Après que le dernier souffle eut quitté son corps, sa chambre fut remplie d'une céleste odeur de lis et illuminée par une lumière rayonnante. Parce qu'à ce moment, les anges étaient venus à sa rencontre, l'avaient enveloppée dans les grandes ailes de l'éternité et l'avaient transportée au paradis. *Les anges de Dieu s'élevant dans le ciel.*

Ces faits ne pouvaient être mis en doute, puisque des témoins avaient affirmé que son corps privé de vie, enveloppé dans un grand nuage de vapeur, était resté suspendu au-dessus de son lit.

Magda Lachowska a décrit plus tard cette expérience religieuse insigne. Elle avait senti que Dieu ne s'emparait pas seulement de son âme mais aussi de son corps. Elle avait contemplé son visage et, au même instant, son cœur avait été transpercé par son amour. En proie à une douleur atroce, elle avait ressenti une grande joie. Elle a parlé d'un mariage mystique, d'une extase indicible, d'un amour incommensurable.

Elle avait vu les tourments des damnés dans la vallée des larmes. Elle croyait hors de tout doute à la vie éternelle, à la naissance d'un monde nouveau.

Parce qu'elle-même avait été ramenée à la vie. *Et je te donnerai une couronne de vie.*

Elle a versé de miraculeuses larmes de cristal. Et il me fit voir la très pure rivière de l'eau de la vie, claire comme le cristal, coulant du trône de Dieu et de l'Agneau.

Sa peau affligée a été parfaitement guérie par des langues de feu qui se posèrent sur elle et qui furent vues par plusieurs. *Et tu fus comme un tison sorti du feu ardent.*

Elle a guéri instantanément Tomas Santos de ses crises d'épilepsie.

Une blanche colombe était venue lui apporter dans son lit, pour la soutenir, un fragment du saint sacrement, pris dans une église distante de plus de huit kilomètres, car elle n'avait rien bu ni mangé pendant quatre-vingt-dix jours.

En même temps, des signes étranges, surnaturels sont apparus. D'abord le chaos dans les masses humides du ciel, puis les ténèbres qui se trouvent au-delà de la lumière. Un monstrueux bourdonnement, qui rappelait le bruissement de milliers de gros insectes, a été entendu. Et, plus terrible que tout, deux piliers lumineux ont surgi dans l'obscurité qui avait enveloppé la ville. Ces piliers, gage d'un pacte céleste, n'avaient été visibles qu'aux justes. (Et, naturellement, aux lecteurs du *Latin America Daily Post.*) *Et alors l'Esprit de Dieu couvrit la face de la terre. Et Dieu dit : « Que la lumière soit. » Et la lumière fut.*

Quatre témoins principaux attestèrent que Magda Lachowska avait communiqué avec le divin. Une voisine et son fils de sept ans, réputés croyants, un homme dans la quarantaine et une vieille femme.

Une prostituée du dimanche, ricanèrent les sceptiques, et son bâtard épileptique. Un fornicateur et une vieille femme sourde et presque aveugle. Tels étaient ses témoins.

Chapitre deux

Janie Paxton fredonnait en sourdine. Elle ne se rappelait que le refrain. *If you can't be with the one you love, then love the one you're with, love the one you're with...* [1]

L'homme dont la tête était enfouie entre ses seins bougea. Elle pinça son épaule et dit :

— Je dois me lever.

Il grogna et serra plus fermement la taille de la jeune femme :

— Non.

— Oui.

C'était tout de même bon de rester allongés sur le drap humide, dans la chaleur de leurs corps. Il flottait dans la chambre un arôme voluptueux de café, de parfum et de sexe. La perspective d'entreprendre la longue route qui la ramènerait au Derbyshire ne lui souriait guère.

— Reste, murmura-t-il. Dors.

— C'est impossible. Une montagne de travail m'attend et Adam rentre à la maison après-demain. Chéri, je t'ai prévenu. Nous avons une liaison à temps partiel.

Évidemment, il l'avait oublié. Les enfants et leurs besoins particuliers ne signifient rien quand on n'en a pas soi-même.

— Tu peux toujours essayer de me séduire, le défia-t-elle.

---

1. Si tu ne peux être avec celui que tu aimes, alors aime celui qui est à tes côtés... (NDT)

— Seigneur ! non. Je n'en peux plus.

Elle pouffa :

— Ah ! vous autres, les jeunots, vous n'avez aucune résistance.

— Je ne suis pas un de tes amants machos, dit-il en reniflant ses seins et en léchant le doux mamelon jusqu'à ce qu'il se raidisse sous sa langue.

— Là-bas dans la jungle, quelque chose bouge... murmura-t-elle en allongeant la main vers lui.

Il résista, mi-rieur, mi-agacé.

— Ne fais pas ça. Je suis sérieux. Je suis éreinté. Je suis arrivé à Heathrow à deux heures, la nuit dernière. Je me ressens encore du décalage horaire.

Il bâilla et roula sur lui-même pour aller pêcher, sous les couvertures, le casque traditionnel du policier londonien qu'il avait acheté d'un vendeur de rue dans Oxford Street et le posa sur sa propre tête.

Elle regardait la pauvre chose noire et argent, ridicule échantillon de la pire camelote destinée aux touristes. Comme elle se sentait particulièrement heureuse ce jour-là, elle n'avait pu résister à ce cadeau de mauvais goût qu'il lui avait offert, avait-il dit, comme gage de son amour.

— Tu ne peux pas espérer que je te prenne au sérieux quand tu portes ça, dit-elle en s'étirant.

Il le retira, en couvrit son pénis tout ramolli et déclama d'une grosse voix de colporteur :

— Par ici, par ici. Voyez ce que nous vous offrons. Notre plus récent stimulateur sexuel, créé dans ce mystérieux Orient et fabriqué par la main-d'œuvre exploitée de Taiwan.

Elle tapota la longue crête argentée du casque :

— Et regardez, dit-elle d'une voix traînante, celui qui se vante.

— Je n'ai pas souvenir qu'on ait formulé des critiques il y a une vingtaine de minutes.

Ce disant, il enfonça le couvre-chef sur la tête de sa compagne et posa un léger baiser sur sa joue :

— Garce ! dit-il affectueusement, en lui donnant une petite tape sur les fesses.

Pendant qu'elle se demandait si elle devait paraître offusquée, il s'assit. En voyant sa valise ouverte sur le plancher, il repoussa brusquement la couette avec son pied :

— Merde ! je voulais passer à la laverie. Elle ferme à huit heures.

— Tu devrais acheter une machine à laver.

Il frictionna vigoureusement sa poitrine. Quand il reprit la parole, il s'était rembruni :

— J'ai besoin de quelqu'un qui s'occuperait de ces tâches pour moi.

— Tu as besoin de l'amour d'une bonne femme.

Le sarcasme produisit son effet :

— Il va falloir que j'en cherche une, dit-il d'un ton sec, sans avoir du tout l'air de plaisanter.

— Ne viens pas t'adresser à moi.

La réplique était partie avant même qu'elle ait eu le temps d'y penser. Elle ne voulait même pas qu'il laisse entendre qu'elle pourrait jouer ce rôle.

Il ne sourit même pas :

— Madame, je n'oserais même pas en rêver.

— Tu as toute ma gratitude pour ces bons sentiments.

Elle avait parlé en souriant, mais elle avait eu l'intention de le piquer.

— Je me rappelle t'avoir entendue déclarer que tu ne faisais plus ce genre de chose, pour aucun mec.

— C'est bien ce que j'ai dit.

Elle avait pesé ses mots. Le problème, songea-t-elle, c'est qu'ils se voyaient toujours en tête à tête, que leur relation avait un caractère occasionnel et strictement privé. L'un ne confiait à l'autre que ce qu'il consentait à lui dévoiler. En conséquence, après six mois, il était encore le jeune et dynamique producteur de télévision, installé dans l'un des édifices les plus prestigieux de la *City,* qui sautait dans le premier avion avec une équipe de journalistes indépendants pour se rendre partout où il y avait de la casse. Il était célibataire, il n'avait aucun souci. De son côté, elle était une des journalistes les plus connues de Londres, exigeante pour elle-même et pour les autres, habituée au succès et mariée. Toutefois sa situation présente — conjugale et professionnelle — ne correspondait plus exactement à cette description.

Janie Paxton était une vedette du journalisme agressif. Elle s'était fait une spécialité des interviews assassines avec les grands de ce monde et les célébrités moins honorables. Elle avait joué un rôle de chef de file, et même d'innovatrice, dans l'exploitation médiatique des petites et grandes misères des personnalités de l'heure. Elle faisait habilement entrer en ligne de compte les enfances malheureuses, les mariages à la dérive, les responsabilités négligées pour expliquer, motiver et justifier les ambitions des hommes et des femmes parvenus au sommet de leur profession. Elle pouvait, semble-t-il, à la lumière des réponses qu'elle obtenait à ses questions toutes simples, tirer des conclusions pénétrantes sur la personne interviewée. On disait que ses invités avaient parfois l'impression de se retrouver sur le divan du psychiatre. (La presse écrite avait vite oublié que Janie elle-même avait été la première à l'affirmer.) Son humour désabusé la distinguait des autres journalistes et rachetait tout. Malgré les vérités cruelles qu'elle mettait au jour, ses interlocuteurs s'enorgueillissaient d'avoir éveillé son intérêt, comme si c'était la preuve de la réussite de leur vie. Parfois l'un ou l'autre se plaignait par la suite, mais la plupart lui écrivaient des lettres de remerciements et faisaient encadrer la photo de l'interview.

Comme c'est souvent le cas, Janie ne pouvait expliquer comment elle parvenait à ces résultats. Elle menait sur ses sujets des recherches très poussées et n'oubliait aucun détail. Elle refusait catégoriquement d'établir un plan de campagne, de dresser une liste de questions ou de partir d'une idée préconçue. Comme un spéléologue qui descend dans les sombres profondeurs de la terre, elle se présentait à chaque entrevue gonflée à bloc, prête à tout. Pourtant, juste avant, l'appréhension la rendait malade. Quand tout était terminé, elle ne songeait qu'à prendre un verre. Une fois qu'elle avait remis son texte et qu'il lui fallait attendre deux ou trois jours avant la publication de son article, elle ne tenait plus en place.

Il semblait que son ascension ne s'interromprait jamais. Elle avait tenu une chronique au *Daily Mail,* puis à l'*Evening Standard,* avant d'accepter l'offre encore plus alléchante du *Times.* Son mari, Paul Land, qu'elle avait rencontré au *Daily Mail,* était devenu l'éditeur du soir au *Guardian,* où il s'était incrusté, tandis qu'elle poursuivait sa montée fulgurante. Leur relation en avait souffert. Ils étaient l'un et l'autre constamment surmenés, et la moindre discussion dégénérait en dispute. Elle pensait maintenant que cette situation découlait du stress engendré par la vie trépidante qu'elle s'était imposée et de sa propre incapacité à le gérer.

Sa concentration et la confiance qu'elle avait en elle-même fléchirent. Ses entrevues perdirent leur mordant, elle fut délaissée par un certain nombre de lecteurs. Elle avait quitté le journal, avant d'être invitée à le faire, quand elle avait entendu par mégarde le directeur des chroniques dire à son assistant, avec qui il discutait de la mise en page de son article :

— ... sur son déclin. Quelle misère !

Elle s'était tout de suite enfermée dans son bureau pour écrire sa lettre de démission.

Paul faisait de son mieux pour comprendre sa rage et son désespoir. Il la voyait avec tristesse commencer à boire de plus en plus tôt chaque jour. Elle avait toujours une raison : elle avait besoin de ça pour se réveiller. Pour se calmer. Il l'encourageait à chercher un autre travail, à se tourner du côté de la télévision. Il lui fit remarquer, de façon très opportune, qu'il était regrettable qu'elle soit incapable d'adapter à sa vie familiale l'humour désabusé de ses chroniques. Il s'ensuivit une autre querelle, la plus virulente de leur vie conjugale.

La semaine suivante, elle coucha avec un homme qu'ils connaissaient tous deux. Ce n'était pas sa première infidélité et elle ne se donna pas grand-peine pour la camoufler. Peu après, elle déménagea dans la maison du Derbyshire qu'ils louaient chaque année pour leurs vacances d'été.

Elle était assez connue pour se voir confier passablement de travail. Elle avait fait office de nègre pour deux best-sellers, signés par des vedettes de séries télévisées en mal de confidences, et travaillait à un troisième. C'était facile. Deux semaines enfermée dans une chambre d'hôtel avec la comédienne concernée, dont elle enregistrait à mesure les propos. Ensuite trois mois de rédaction et de traitement de texte. Du travail fort bien payé. Il est vrai qu'elle en tirait peu de plaisir et encore moins de gloire. Mais elle était désormais maîtresse de son temps. Puis elle prit un autre amant.

Pendant qu'il était sous la douche, elle passa son ample veste de pyjama, s'assit en tailleur sur le lit, un miroir entre les genoux, et commença à se maquiller. Quand il revint dans la chambre, une serviette autour des reins, elle jeta sur lui un regard appréciatif : il était svelte et musclé. Il prit son verre de jus d'orange et s'assit devant la coiffeuse à miroir inclinable. Sans se retourner, il dit d'un ton neutre :

— Cesse de chanter cette maudite rengaine, veux-tu ?

Elle ne s'était même pas rendu compte qu'elle fredonnait : *If you can't be with the one you love, then love the one you're with...*

— Désolée, désolée, mon chéri, répondit-elle d'une voix traînante pour le taquiner. Ne le prends pas mal, n'en fais pas une affaire personnelle.

— Ce n'est jamais personnel avec toi, hein ?

— De quoi parles-tu ?

Il haussa les épaules :

— J'ai parfois l'impression que je ne suis pour toi que l'instrument de ton plaisir.

Elle sourit à son image dans le miroir et leva les sourcils :

— N'en sois pas si sûr.

Elle mit ses lunettes sur le bout de son nez, de façon à mieux voir pour se maquiller les yeux.

— Dans une minute, tu vas me dire que je ne fais que me servir de toi, ajouta-t-elle en commençant à étendre de l'ombre à paupières avec son majeur.

Il se regarda dans le miroir, se pencha et arracha un cheveu blanc visible sur sa raie.

— Tu vas empirer les choses, remarqua-t-elle d'un air absent. Il y en a deux maintenant qui vont pousser.

— Tu n'écoutes pas, dit-il d'un ton glacial. Ta chanson, c'est une histoire de bonne femme.

Elle pensa qu'il allait ajouter autre chose, et attendit la suite. Le non-dit résonnait comme un avertissement au fond de son crâne, mais elle n'en tint pas compte et chercha plutôt son crayon brun foncé dans sa trousse de maquillage.

— Chéri, tu viens juste de rentrer à la maison. Tu as travaillé sans arrêt pendant deux semaines. Tu es fatigué.

Elle commença à tracer une mince ligne juste au-dessus des cils de son œil gauche, sa langue pointant contre sa joue sous l'effet de la concentration.

— Regarde les faits en face, bougonna-t-il en s'adressant au reflet de la jeune femme dans le miroir de la coiffeuse. Ce petit jeu ne nous conduira nulle part. Te rends-tu compte que tu ne m'appelles jamais par mon nom ?

Elle éclata de rire :

— J'ai donc péché par omission.

Il feignit de ne pas avoir entendu. Comment n'avait-elle pas remarqué avant ce jour qu'il n'avait aucun sens de l'humour ?

— Tout cela est ridicule, continua-t-elle en gardant un ton léger. Je croyais que nous nous contenterions de baiser tout gentiment.

Elle tendit la main pour prendre son verre : il suivit son geste dans le miroir. Il ne touchait jamais à l'alcool. Elle lui fit un sourire coquet, rejeta la tête en arrière et fit exprès de boire goulûment. Il affichait un visage impassible et dur. Il avait le regard détaché, comme s'il regardait une étrangère qui le laissait indifférent, et non pas la femme avec qui il venait tout juste de faire l'amour.

Il haussa les épaules et marcha vers la fenêtre. Janie aperçut son image dans la glace et se découvrit telle qu'il la voyait juste auparavant. Une femme au milieu de la trentaine qui avait eu une longue et dure journée. Ses cheveux, ordinairement bien coiffés, étaient tout ébouriffés à la suite de leurs ébats. Elle avait l'air moche avec ses lunettes posées sur le bout du nez, un œil déjà lourdement maquillé et l'autre parfaitement naturel. On aurait dit un panda. Ou bien, pensa-t-elle froidement, un clown.

Janie se targuait d'entretenir peu d'illusions sur elle-même et sur les autres. Elle savait que son charme reposait sur la vivacité de son esprit, son élégance, sa classe. Comme elle était petite, elle s'habillait astucieusement pour donner l'impression d'avoir de longues jambes. Ses pommettes étaient larges et son menton, pointu. L'expression extrêmement vivante qui l'animait faisait oublier qu'aucun trait particulièrement distinctif ne la caractérisait. Sous des sourcils fortement accusés, des yeux verts mouchetés de brun étaient mis en relief par les taches de rousseur sur ses pommettes et sur son nez mince et droit. Elle avait une bouche déterminée. Ses cheveux presque noirs, coupés par un coiffeur réputé, s'adaptaient parfaitement à la forme de sa tête. Une coupe à la mode, qui n'exigeait qu'un minimum de temps pour l'entretenir.

Elle était une personne séduisante, vive, amusante : de cela elle était convaincue. Pour l'heure, cependant, ces atouts n'étaient guère évidents. Elle devinait que son amant voyait apparaître sur son visage les premières rides et les plis presque imperceptibles sur sa gorge. Sous le pyjama déboutonné, ses seins nus, veinés de bleu et légèrement flasques, n'avaient rien de particulièrement séduisant. Elle paraissait fatiguée. Et vieille. Pour être tout à fait honnête, se dit-elle, elle avait l'air d'un épouvantail.

Janie se sentit soudain vulnérable, amoindrie. Elle retira la veste de pyjama et la roula en boule. Elle saisit le casque ridicule et le lança sur le plancher, avec une telle force qu'il heurta la table de nuit et roula sous le lit. Elle se donna quelques coups de peigne saccadés.

— Je croyais que nous recherchions l'un et l'autre ce genre de relation, dit-elle d'une voix plus faible que ce qu'elle avait prévu.

— J'admets qu'au début c'était ça. Mais le temps file. Personne ne rajeunit. J'aspire à une relation plus stable que celle que tu m'offres.

Elle reprit un peu d'assurance :

— À bien y penser, dit-elle délibérément pour le blesser, je me suis fait la même réflexion il y a à peine quelques minutes. Moi aussi, j'aspire à des relations plus excitantes que celles que j'ai avec toi.

— Je ne parle pas de sexe, répondit-il avec lassitude, et tu le sais. Je parle de faire ma vie sur une base permanente et solide. Seigneur ! j'ai presque trente-deux ans, s'exclama-t-il en pivotant pour s'examiner sans pitié dans la glace. Je ne peux pas vivre indéfiniment dans mes valises et baiser les femmes des autres.

— Exclus-moi. Je n'appartiens pas à cette catégorie. Comment oses-tu me parler de cette façon, toi... toi...

Sa colère avait fini par éclater. Elle cherchait une insulte vraiment blessante, qui ne lui venait pas :

— Tu n'es qu'un puant saligaud !

Cette injure d'adolescente le fit éclater de rire. Elle rugit de colère et bondit hors du lit. Elle ramassa ses vêtements et disparut dans la salle de bains.

Quand elle en émergea, elle avait passé le tailleur noir et le chemisier de soie qu'elle portait pour faire ses entrevues. Elle avait appliqué sur ses lèvres une couche épaisse et intouchable de rouge : elle ne l'embrasserait plus jamais. Elle était en train de mettre ses chaussures quand il surgit de la cuisine, pieds nus. Il affichait un sourire décontenancé :

— J'ai fait du café.

— Je n'ai pas le temps. Mais je te remercie.

Elle avait l'air très détachée, très calme; elle avait mis son masque mondain. Elle se déplaçait rapidement, mettant son séchoir à cheveux dans son sac de voyage, ramassant sur la table de nuit son flacon d'Estée Lauder et le loup en velours noir qu'elle portait pour dormir s'il décidait de lire au lit. Elle aurait bien aimé emporter avec elle la bouteille de whisky aux trois quarts pleine : c'était tout de même elle qui l'avait achetée. Mais c'était le genre de détail qu'il pourrait utiliser contre elle par la suite. Il ne pourrait probablement pas résister à l'envie de casser du sucre sur son dos. Elle en ferait d'ailleurs autant de son côté. Elle ferma son sac :

— Je pense que c'est tout. Au revoir, dit-elle en se dirigeant vers la porte.

Le ton définitif qu'elle avait pris donnait une autre signification à son salut.

— Écoute, Janie...

Elle attendit, sur la défensive.

— Je ne désirais vraiment pas que notre histoire finisse bêtement comme ça.

— Tu aurais plutôt voulu continuer à me berner?

— Je me suis mal exprimé, il ne s'agit pas du tout de ça.

— Je me demande d'où est venue cette soudaine obsession au sujet de ton âge et de tes cheveux gris. Il y a quelqu'un d'autre. C'est ça, non?

Elle n'avait pas besoin de voir son air ennuyé et suffisant pour savoir qu'elle avait raison. Il s'agissait de quelqu'un de plus jeune, sans aucun doute.

— Espèce de salaud prétentieux, dit-elle sans élever la voix.

— Tout doux! Toi, tu peux sans problème avoir un mari d'avec qui tu ne réussis pas à divorcer une fois pour toutes et un bon nombre d'anciens amants à ton tableau de chasse. Mais si je sors avec une autre femme, je suis un salaud. Tu n'as pas entendu dire que les hommes jouissaient maintenant de droits égaux à ceux des femmes?

— Je n'ai pas eu d'autre amant depuis que nous nous fréquentons, et tu le sais. Je peux avoir un passé, mais j'ai aussi des principes.

— J'en ai aussi, répondit-il avec hargne. Et il se trouve qu'assumer mes responsabilités est justement l'un d'eux.

Janie le regarda avec des yeux étonnés :

— Mon Dieu! finit-elle par dire. Elle est enceinte.

Il ouvrit la bouche et la referma. Des sentiments divers apparurent sur son visage : fierté, culpabilité, excitation, incertitude.

Elle aurait voulu attaquer, crier. Mais il était trop tard. Il était toujours trop tard, se dit-elle avec la pénible honnêteté qu'elle apportait dans son travail. Elle maîtrisa sa voix :

— Tu aurais dû me le dire quand je t'ai téléphoné.

— Je le sais. Je suis désolé. Mais tu me paraissais tellement heureuse que j'ai seulement...

Sur la route entre Bedford Square et l'appartement de son amant, elle s'était arrêtée chez Fenwicks. Le contrat très lucratif dont elle venait juste de discuter lui rendait le blouson de chez Cerruti très abordable. Elle était cependant persuadée qu'elle refuserait le contrat qu'on lui offrait, parce qu'il ne correspondait pas au genre de travail dans lequel elle s'était spécialisée. Pourtant, une offre intéressante lui était faite. Elle s'était rappelé le pénible « sur le déclin » qu'elle avait entendu au bureau, si désinvolte, si cruel, et avait par défi ajouté au blouson une écharpe de velours imprimé signée Von Etsdorf et un bâton de rouge Givenchy. Elle avait sur-le-champ passé l'écharpe et appliqué une couche de rouge. Elle savait qu'elle était apparue excessivement enjouée lorsqu'elle était arrivée chez lui. Elle avait même plaisanté sur sa propension à dépenser l'argent avant même de l'avoir gagné.

— Tu n'aurais pas voulu gâter ma bonne humeur. Comme c'était gentil de ta part ! Ou peut-être voulais-tu t'offrir un dernier feu d'artifice en souvenir du bon vieux temps ?

Elle avait des mots amers, mais à quoi s'attendait-il donc ? Elle enfila des gants de cuir noir pour occuper ses mains tremblantes. Il restait silencieux et tournait la cuillère dans son café. Elle ajouta d'un ton acerbe :

— Tu ne mets pas de sucre, l'as-tu oublié ? Ou bien est-ce une autre façon de poser ?

Piqué, il dit :

— Écoute, je n'ai jamais été fidèle à une femme aussi longtemps. Ça fait plus d'un an, tu sais.

Il avait un air boudeur, chagrin. Puéril. Il faisait la lippe comme un petit garçon :

— Je n'ai pas planifié ce qui arrive. Mais maintenant... Je ne peux pas expliquer. Tout a changé. Je n'avais jamais songé à avoir un enfant, même pas quand cette liaison avec Chrissie a commencé. Mais tenir mon propre enfant dans les bras...

Maintenant la vérité apparaissait au grand jour ; il ne pouvait plus s'empêcher de parler de la merveille qui transformerait bientôt sa vie. Elle devait sa déconvenue non pas à la femme, mais à l'enfant qui naîtrait bientôt.

— Tu ne connais pas le b.a.-ba de ce qui t'attend, dit-elle d'un ton méprisant. Dans quelques mois tu seras en train d'acheter des lapins en peluche, de changer les couches et d'inscrire d'avance l'enfant à une maternelle branchée.

Il eut l'air renversé, mais pas de la façon qu'elle espérait :

— Mon Dieu ! je n'ai même jamais...

Il se souriait à lui-même, visiblement ravi par cette image de la paternité :

— Il est possible que tu aies raison, poursuivit-il.

Il alla jusqu'à elle et passa un bras autour de ses épaules. Le geste lui parut affectueux, totalement dépourvu de sensualité. Elle ne pouvait pas croire que leur relation ait changé aussi vite.

— Ne t'en prends pas ainsi à moi, dit-il d'un ton enjôleur. Je n'ai pas voulu te blesser. Nous sommes avant tout des amis, ne l'oublie pas. Prends une tasse de café, tu en as besoin.

Elle se raidit contre lui, puis elle se détendit. Il avait raison. Ils en seraient arrivés là tôt ou tard. Elle se conduirait donc avec élégance. Ils avaient reçu beaucoup l'un de l'autre. Ils s'étaient plu, leur liaison leur avait apporté beaucoup de satisfaction. Il ne lui avait pas brisé le cœur, après tout. Et il le savait, elle en était sûre. Quant à son orgueil blessé, elle en faisait une question strictement personnelle.

J'accepte.

Elle s'assit, croisant délibérément les jambes bien haut, et retira ses gants. Il alla dans la cuisine chercher la cafetière et des biscuits, en continuant à lui parler sans qu'elle puisse bien l'entendre. Le soulagement le rendait loquace :

— ... ses parents, ce week-end... fin du bail... mariage en... Autrement, je ne serai pas le seul salaud dans les parages, disait-il lorsqu'il revint dans la chambre. Je savais que tu comprendrais. Et je suis désolé, Janie. J'ai été maladroit. Je n'aurais pas dû te mettre au courant de cette façon. Tu mérites mieux, admit-il en lui tendant une tasse.

— Merci, dit-elle d'un ton sec. Donc tu te maries.

Elle leva sa tasse comme si elle portait un toast.

Il était sincèrement embarrassé :

— Est-ce que j'ai commencé par dire ça? Les choses doivent être toutes mêlées dans ma tête. J'ai été tellement bousculé...

Elle cessa tout bonnement de l'écouter. Il continua à parler en gesticulant, détendu et satisfait de lui-même. Elle le surveillait sans qu'il s'en aperçoive : encore un autre homme qui aimait le son de sa propre voix. Il était vraiment bel homme. Si elle l'avait rencontré ce jour-là pour la première fois, elle l'aurait cru réfléchi, intelligent, compatissant. Tout ce qu'il n'était pas, comme elle l'avait appris à ses dépens.

Janie but son café en planifiant son itinéraire de retour : Hatton Garden, Holloway, Highgate, puis en route vers la M1. Non, peut-être que Highgate serait une erreur : elle éviterait l'heure de pointe. La pensée de rouler dans le calme apaisant de l'obscurité, une cassette en marche dans le lecteur, et de s'éloigner de Londres pour rentrer dans la maison isolée, blottie au milieu des collines du Derbyshire, la poussa soudain à se lever. Elle pourrait être chez elle dans six heures. Elle n'avait plus rien à faire ici. Prêtant distraitement l'oreille au monologue de son ex-amant, elle remit ses gants, pour ensuite prendre son sac et son bagage à main. Il la précéda dans l'entrée, sans cesser de parler par-dessus son épaule, et lui ouvrit la porte. Il avait d'excellentes manières; elle imagina la fierté de sa mère, qu'elle voyait debout derrière lui.

— Laisse-moi porter ton sac jusqu'en bas, lui offrit-il poliment.

Elle se força à sourire et tapota sa poitrine nue de son doigt ganté :

— Tu es en train de renouveler le service des chambres ?

Il saisit sa main, replia le haut du gant et posa un baiser sous son poignet :

— Si jamais quelqu'un met en doute que tu as de la classe, dit-il, adresse-le-moi.

Elle prit la direction de l'ascenseur d'un pas désinvolte, parce qu'elle savait qu'il l'observait. Elle devait être à la hauteur de sa réputation, quoi qu'il lui en coûte, du moins jusqu'à ce que la porte se referme derrière elle.

Chapitre trois

Le projecteur s'attardait en gros plan sur le visage exceptionnel, qui remplissait le petit écran. Les traits souvent photographiés semblaient promis à l'immortalité. Janie se concentra sur la femme remarquable qui, depuis longtemps, hantait son subconscient. Elle était certaine que la moitié du monde devait la reconnaître instantanément.

Sous le front large, les yeux assombris révélaient une profonde expérience. La grande bouche aux lèvres délicates, encore dessinée comme celle d'une jeune fille, annonçait la compassion. C'était un visage empreint d'une infinie résignation, comme si aucune action, même la plus terrible, ne pouvait échapper à l'indulgence ou au pardon.

C'était le visage d'une femme qui avait perdu sa jeunesse, mais non sa beauté. Le commentaire en voix off la décrivait comme une sainte vivante. Mama. Une artisane de la paix. La moitié du monde moderne la vénérait, l'autre moitié connaissait son nom et sa réputation. Le reportage cinématographique utilisait des photos et des bouts de films pour illustrer les premiers événements extraordinaires, les manifestations inexplicables qui avaient très tôt donné à Mama son statut légendaire.

Janie prêta une oreille attentive à la voix du narrateur, qui décrivait la vision dont elle avait bénéficié au moment de sa mort, une vision à laquelle les détails universellement connus donnaient un caractère mythique : le visage resplendissant, visible uniquement dans la glace de l'armoire de sa chambre; les ailes des anges; le phénomène de lévitation. Puis les images symétriques du ciel et de l'enfer, la première aussi pure que l'aurore et l'autre aussi grotesque qu'une peinture de Goya. Puis la résurrection de Mama et son cœur transpercé : la *transverberatio,* phénomène rapporté dans la vie des premiers saints et très connu dans l'Église. Les larmes de cristal, la guérison de son affection cutanée, celle du garçonnet épileptique. Puis sa disparition. Et, des années plus tard, sa réapparition. Elle était sortie de sa retraite, au cœur des montagnes, pour venir s'installer dans la boue des favelas de São Paulo, où flottait une odeur d'excréments. Ici, parmi les plus pauvres, parmi les exclus de la société, qui se nourrissaient de fèves noires et de carcasses provenant des abattoirs, elle avait vite été entourée par une petite bande de fidèles dévoués.

Il y avait eu des entrevues. Pas avec les quatre témoins authentiques, maintenant décédés ou disparus, mais avec des personnes qui se trouvaient à São Paulo, ce jour de mars 1946, quand tout avait commencé. Quelques-unes apparaissaient dans un vieux film, tourné bien des années auparavant, mais d'autres, qui étaient jeunes à l'époque, avaient été filmées plus récemment. Les descriptions qu'elles faisaient du terrible orage, des éclairs et de la vélocité des vents, de l'étrange bourdonnement d'une foule d'insectes invisibles s'accordaient remarquablement. Mais personne ne put corroborer l'apparition des piliers lumineux jumeaux reproduits à la une du *Latin America Daily Post.* La photographie projetée sur l'écran permettait de voir leur énorme dimension et leur éblouissant éclat, comme s'il s'était agi d'immenses tubes de néon dressés dans le ciel au-dessus des immeubles de la ville. Le photographe, semblait-il, était mort dans des circonstances mystérieuses la nuit suivant l'après-midi où il avait pris ces photos. Mais deux ou trois photographes spécialisés avaient été invités à venir discuter brièvement de la possibilité que ce phénomène ait été simulé. Cette consultation n'avait abouti à rien de concluant.

Puis le reportage revint à Mama et fit ressortir son talent indéniable pour secourir les plus démunis et transformer la vie des gens. Sa réputation avait commencé à attirer l'attention quand des femmes de la région avaient découvert qu'avec son assistance elles pouvaient accoucher sans douleur. Sa renommée s'était étendue parmi les *favelados,* et les croyants s'étaient mis à affluer vers elle en grand nombre. Dès lors on commença à désigner Magda Lachowska sous le nom maintenant universellement connu de « Mama ».

Le documentaire décrivait ensuite les humbles miracles des débuts. Son ombre, projetée sur des sentiers arides, suffisait à les transformer en espaces verts ; la lavande avait fleuri là où elle avait posé les pieds ; à son commandement, une source d'eau claire avait jailli en bouillonnant des égouts fétides des favelas. Puis vinrent les premières guérisons. Un bébé épileptique, une fille boîteuse, un jeune homme dans le coma depuis un an.

Le nom de Mama devint lié à la lutte contre l'injustice. Partout où il y avait des gens emprisonnés par des régimes corrompus, partout où la torture et les meurtres massifs sévissaient, on la voyait apparaître. Elle avait dénoncé les tortures infligées aux moines bouddhistes du Tibet, l'assassinat des enfants des rues par la police au Brésil.

Sur l'écran apparaissait la photo en noir et blanc, si connue à travers le monde, qui avait fait connaître Mama à l'origine. Prise par un photographe hongrois, elle montrait les tanks russes progressant dans une large avenue enneigée. Mama, sans manteau, frêle et indomptable silhouette aux bras largement étendus, leur barrait la route.

Par la suite, son rôle de négociatrice internationale s'était imposé. Elle exerçait une extraordinaire influence auprès des chefs d'État. Elle avait réussi à réunir à la même table les leaders de pays belligérants, des politiciens rivaux. Elle avait présidé des débats publics, des rassemblements de masse où se retrouvaient des militants de tous les credos religieux, de toutes les tendances politiques. Ces rencontres se terminaient souvent par une prière jaillie spontanément du cœur de ces foules.

Le vénérable pape Jean XXIII lui avait accordé un soutien exceptionnel. Il avait ignoré l'opposition manifestée au Vatican et insisté pour que Mama et son groupe se voient attribuer sans délai le statut d'ordre religieux officiellement reconnu. Alors qu'aucun ordre nouveau n'avait été fondé depuis des décennies, Mama se trouva, vers 1965, à la tête d'une congrégation regroupant des hommes et des femmes. Étaient venues ensuite les années de consolidation, au cours desquelles des maisons avaient été fondées partout où les besoins des populations se faisaient durement sentir. Cette expansion à travers les cinq continents avait imposé à Mama une énorme surcharge de travail. Les dons affluaient de partout pour soutenir la cause. Ce sont surtout des gens de la classe moyenne qui se montraient le plus généreux, considérant que Mama faisait ce qu'ils accompliraient eux-mêmes s'ils en avaient seulement le temps. Ses vertus héroïques, disait le narrateur, la désignaient comme une sérieuse candidate à la canonisation.

— Quelles conneries ! Quelles stupides conneries ! s'exclama Janie.

Elle stoppa la vidéo sur le visage de cette femme. Il n'était pas question qu'elle accepte ce contrat. Elle dirait sans tarder à Bob Dennison que, si on voulait publier un livre sur cette femme, on devrait trouver un autre auteur. Elle n'avait aucun goût pour ces histoires où visions, événements extraordinaires, guérisons inexpliquées et larmes de cristal étaient monnaie courante. Ces phénomènes avaient évidemment placé Mama sous les feux des projecteurs, mais ceux qui croyaient en elle étaient des gens simples, ignorants pour la plupart. On pouvait en dire autant de ses disciples, des membres de la congrégation qu'elle avait fondée. Ils avaient besoin d'images fortes pour les impressionner, car le message se répandait de bouche à oreille.

Et les phénomènes devaient sûrement s'amplifier à mesure qu'on les racontait, se dit Janie avec humeur en fermant l'appareil vidéo. Mama n'était pas une sainte, mais une authentique magicienne.

L'image disparut de l'écran. À sa place, un homme en imperméable crasseux sortit de derrière un arbre, fit une grimace obscène et ouvrit son manteau. Un autre personnage disgracieux, enveloppé dans une grande cape rouge, poussa un hurlement et s'enfuit.

« *Und here wir see Heinz,* dit une voix niaise, *der Stuttgart rapist,* qui part faire sa randonnée quotidienne... »

Elle soupira et éteignit le téléviseur. Elle n'était pas d'humeur à suivre le violeur de Stuttgart, dans sa promenade de l'après-midi. Et les reprises de *Monty Python* étaient bien la dernière chose qui aurait pu l'intéresser. Elle retira ses pieds du garde-feu et entendit un froissement de papier quand elle les posa par terre. Elle se rappela qu'il s'agissait de factures qu'elle avait déposées sur le plancher avant de passer la vidéo. Téléphone, taxes municipales, électricité, gaz. La série habituelle, qui couvrait les deux derniers mois. Elle les avait presque oubliées. Elle prit une enveloppe qu'on avait ouverte et soigneusement scellée à nouveau avec du ruban gommé. Son ex-mari avait en effet ajouté un S devant le Mr qui précédait son nom, Paul Land. Il avait aussi remplacé la mention Flat 2, 28 North Hill, Highgate, London N6 par l'adresse de Janie : The Little Barn, Redesdale, Derbyshire. Janie vit tout de suite qu'il s'agissait des frais de scolarité d'Adam. Elle ouvrit l'enveloppe et y trouva, agrafé à la facture, un billet de style laconique : « À ton tour, je crois » et d'où partait une flèche signalant le total à payer. C'était tout. Il adorait les mots, il passait ses journées à corriger des textes, à leur trouver des titres ; il s'enorgueillissait de pouvoir rendre l'article qu'il corrigeait dix fois meilleur. Et il avait raison. Il adorait les mots : il n'allait donc pas en gaspiller davantage pour elle. Elle se rappela qu'il était généreux autrefois. Comme il avait changé ! L'honnêteté lui fit cependant ajouter : « C'est moi qui l'ai fait changer. »

Elle soupira inconsciemment. C'est pour retarder l'examen des factures qu'elle avait regardé la cassette vidéo consacrée à Mama. L'argent, ou plutôt le manque d'argent, entraînait chez elle une réaction de fuite.

Elle fit descendre de ses genoux le chat réticent et s'arracha au fauteuil. Elle vérifia la bûche qui achevait de brûler et verrouilla la porte arrière. Elle remplit sa bouillotte d'eau chaude, éteignit tout le rez-de-chaussée et monta l'étroit escalier.

Une minute plus tard, elle redescendit. À la faveur de la lumière provenant du couloir de l'étage, elle trouva son verre et se versa un autre whisky. Elle songea à y ajouter de l'eau, mais elle décida que non. La maison faisait entendre des craquements familiers. Au-delà du jardin, sur les mornes collines du Derbyshire, un renard glapit.

Elle se rappela soudain la chemise livrée avec la vidéo, bourrée d'interviews avec Mama. Elle hésita une seconde et l'apporta finalement dans sa chambre.

À son réveil, Janie nota que la lumière qui coulait des deux lucarnes au-dessus d'elle était pâle et prometteuse. Il n'y avait pas de stores, parce qu'elle aimait bien être réveillée par la lumière naissante. Elle repoussa en bâillant la chemise contenant les coupures de journaux, qu'elle avait lues jusqu'à deux heures du matin. Elle s'assit sur le bord du lit et se pencha pour ouvrir le rideau de la fenêtre minuscule.

Elle pouvait tout juste voir le triangle du champ labouré qui séparait son terrain de la terre en friche s'étendant jusqu'à l'horizon. La veille, la terre était d'un brun-gris indéfinissable. Ce matin elle était argentée, avec des reflets blancs, et miroitait sous le soleil du début de l'automne. Elle pensa qu'il avait neigé durant la nuit, jusqu'à ce qu'elle remarque que les collines avaient encore leurs couleurs automnales. Elle descendit dans la cuisine, mit ses bottes de caoutchouc, passa le manteau de tweed de Paul par-dessus son pyjama et sortit. Une fois passé le chemin de pierre, elle monta dans l'échalier, croisa les bras sur sa poitrine pour se réchauffer et promena son regard autour d'elle.

Un spectacle exceptionnel, plus charmant encore qu'un paysage enneigé, s'offrait à ses yeux. Des myriades de fils de la Vierge tapissaient les champs. Même si elle avait seulement entendu parler de cet incroyable exode, elle identifia immédiatement le phénomène. Des millions de petites araignées noires avaient tissé au-dessus des champs une immense toile, un filet de dentelle scintillant de gouttelettes de rosée. Chacun des insectes avait fait jaillir un fil de son abdomen, se rendant ainsi presque plus léger que l'air.

Elle observait la scène avec fascination. Chaque bestiole, entraînée par une voile de soie, flottait vers une destination inconnue. Certaines se buteraient à la haie. Mais les autres, soulevées par le vent et entraînées à des centaines de kilomètres, atterriraient au sommet des montagnes et se retrouveraient même en pleine mer, sur le pont des bateaux. Personne ne savait ce qui les poussait à quitter la relative sécurité des hautes herbes pour entreprendre un si dangereux voyage.

Janie était incapable de s'arracher au spectacle de ces hectares tout blancs. Une théorie voulait que la surpopulation pousse les araignées noires à rechercher de nouvelles sources de nourriture, comme si l'instinct les avertissait qu'elles périraient si elles n'émigraient pas. Elles prenaient un grand risque, mais au moins elles se battaient pour survivre.

Plus tard, au cours de la journée, après avoir travaillé à son bureau de l'étage, Janie se leva et vint à la lucarne pour regarder le champ. Le soleil était haut maintenant et la terre avait repris sa teinte brune habituelle. Toutes les araignées devaient s'être dispersées dans le cours de leur odyssée.

Par une étrange coïncidence, elle aperçut sur le bureau, à côté de son AppleMac, une lettre de Robert Dennison, directeur des publications chez Odyssey Books, l'invitant à la rencontre qui avait effectivement eu lieu deux jours plus tôt. Elle avait été intriguée qu'il lui propose de rédiger la biographie de Mama. Flattée aussi et reconnaissante qu'il ait pensé à elle. Ils avaient fait un long retour sur le passé, et l'éditeur s'était rendu compte qu'elle avait des problèmes. Gerald Dennison, journaliste et frère jumeau de Bob, était l'un des vieux amis de Janie. Ils avaient tous les trois partagé un logement à Westminster jusqu'à ce que Janie se marie. Gerald avait été pendant un certain temps son directeur à la division des chroniques au *Mail,* et elle avait continué de voir Bob régulièrement. Ils mangeaient souvent ensemble à même leur note de frais. Elle avait interviewé un bon nombre des auteurs avec qui il travaillait.

Elle regardait maintenant l'en-tête de la lettre. Odyssey. Pour se distraire, elle ouvrit son dictionnaire *Penguin* à la page où apparaisssait ce mot. *Voyage aventureux prolongé; récit de ce voyage,* put-elle lire.

Un voyage aventureux prolongé serait une définition en dessous de la réalité pour un travail aussi colossal. Écrire la seule biographie autorisée de Mama était un défi et un risque. Si elle réussissait, elle retrouverait son ancien statut et même davantage, et elle toucherait une somme importante. Si elle échouait, elle aurait gaspillé au moins dix-huit mois et plus personne ne voudrait l'engager.

D'un autre côté, si elle refusait le contrat d'Odyssey, elle se trouverait sans emploi, et cette situation avait déjà assez duré. Elle devait absolument se tenir occupée. Et peu importe ce qu'elle ressentait au sujet de Mama, cette femme l'intriguait depuis fort longtemps.

La décision était finalement facile à prendre, pensa-t-elle.

Elle était allongée dans son lit quand une pensée, qui avait été absente de ses réflexions durant des années, remonta soudain à la surface. Parfaitement claire, obsédante, épouvantable. Affolée, elle repoussa le duvet, courut à son bureau et chercha son journal à tâtons. Elle vérifia la date du jour, puis releva les dates encerclées de rouge du mois précédent. Et du mois d'avant. Elle chaussa ses lunettes et scruta les pages encore une fois, en y mettant tout son temps. Elle n'en croyait pas ses yeux. Elle avait beau vérifier et vérifier encore, les dates demeuraient les mêmes. À l'appréhension succéda une froide certitude. Elle lança le journal sur le plancher et descendit au rez-de-chaussée. Elle était certaine d'y trouver du whisky.

Elle le regretterait plus tard, mais elle en avait besoin maintenant pour l'aider à supporter la réalité.

Aussitôt que les magasins furent ouverts, elle se précipita à la pharmacie pour acheter un test de grossesse. C'était quelque chose à faire, même si elle savait que la vérification était superflue. De toute évidence, elle était enceinte. Comment avait-elle pu être si stupide? Sur le qui-vive maintenant, elle prit conscience que des changements survenus dans son corps étaient perceptibles depuis au moins deux semaines, sinon plus : le picotement de ses seins, la sensibilité accrue de sa peau, comme si elle avait la fièvre, l'état légèrement nauséeux, surtout quand elle cuisinait. Quelle poisse! Elle avala une gorgée de whisky sans même en savourer le goût.

Aucun doute ne subsistait dans son esprit. Pendant une minute ou deux, elle se fit croire qu'elle le garderait. Elle revivrait les merveilleuses premières semaines, alors que le bébé est un petit dieu parfumé, infiniment précieux, infiniment exigeant... Adam adorerait avoir un petit frère...

Alors une autre pensée la fit claquer des dents sur le bord glacé de son verre. Il l'avait engrossée, tout comme cette vache de Chrissie. Quelle chance épouvantable ! Maudit baiseur ! Elle avait prononcé le mot à haute voix, sauvagement, et elle s'entendit ricaner. Seigneur ! elle perdait la tête. Ses yeux se remplirent de larmes et elle s'essuya le nez du revers de la main.

Elle retrouva son bon sens. Avoir le bébé et puis quoi ? Son père était à passer aux pertes sèches. Elle ne rêvait même pas de lui apprendre la nouvelle. Elle ne l'aurait probablement même pas fait avant qu'il lui annonce son mariage. Et maintenant, il ne changerait rien pour elle. Comme il était généreux, il l'aiderait sûrement. Elle l'imagina lui remettre de temps à autre des sommes plus ou moins importantes en lui jetant des regards apitoyés. Non, merci. Pas d'aumône. Elle supporterait seule des années d'inquiétudes, de responsabilités, de liberté réduite, de restrictions pécuniaires. Sa vie privée et ses finances étaient déjà un fiasco. Puisqu'elle pouvait déjà difficilement s'acquitter de ses obligations, comment pourrait-elle alors s'en sortir avec un bébé ? Un enfant, cela signifiait de l'équipement, des vêtements, des petits pots de nourriture, des biberons, des jouets... Des gardiennes, une gouvernante si elle avait beaucoup de chance et si elle travaillait très fort.

Un livre publié chez Odyssey l'aiderait sûrement.

Mais comment pourrait-elle travailler, faire les recherches, voyager ? Passé un certain temps, on ne laisse même pas monter une femme enceinte dans un avion.

Elle se sentit étourdie. Quelle tuile ! Et dans quelles circonstances ! L'ironie de la situation était douloureuse : Paul et elle avaient désespérément désiré un autre enfant ; ils avaient même parlé d'adoption. Mais ils avaient attendu, d'abord parce qu'ils espéraient toujours ; plus tard, songeait-elle maintenant, parce qu'ils se rendaient peu à peu compte qu'ils n'avaient plus l'âge. Puis elle avait eu une courte liaison. Quand elle était indulgente envers elle-même, elle se disait que cela s'était produit à cause des déceptions que lui avait apportées son mariage. Un mariage que, de plus en plus, elle jugeait stérile, au plan émotionnel comme au plan physique. Quand elle s'abandonnait au sentiment de culpabilité, elle se traitait de coureuse. (D'où venait ce mot ? Il appartenait au vocabulaire de sa mère, non au sien.)

Il y avait eu d'autres hommes avant Paul. Elle était jeune, instruite, elle avait des moyens financiers, elle utilisait des contraceptifs. Jouir de sa sexualité de façon responsable était pour elle un droit. Elle faisait d'ailleurs comme tout le monde. Elle avait eu quelques liaisons plus ou moins longues, plus ou moins sérieuses. La vérité, se disait-elle maintenant, c'est qu'elle était en révolte contre la façon rigide dont elle avait été élevée. Elle se déclarait fièrement amorale, tout au moins en ce qui regardait le sexe. C'était son choix.

Ses choix n'étaient cependant pas toujours avisés. Elle avait quitté son travail de recherchiste au bureau londonien du magazine *Time* quand elle avait appris que son dernier flirt, le rédacteur en chef, venait juste de se marier en secondes noces.

Au *Daily Mail,* elle avait rencontré Paul. Il avait beaucoup de charme et de candeur, et il était libre. Comme si ces qualités l'avaient immédiatement conquise, elle l'avait épousé. Ils se convenaient mutuellement et les domaines dans lesquels ils travaillaient leur étaient à tous deux familiers. L'amour, le vrai, pour la première fois de sa vie. Sans se poser trop de questions, elle avait plongé.

Ils avaient presque immédiatement conçu un bébé. Ses mois de grossesse avaient été merveilleux. L'affreuse réalité la frappa tout de même quand Adam naquit. Ses jours et ses nuits devinrent une épuisante et interminable succession de biberons, de sommes et de bains. Elle perdit le sens même de son identité, totalement absorbée par cette minuscule et insatiable créature. Elle n'avait jamais imaginé chose pareille. Les deux ou trois premières années s'écoulèrent lentement et, pourtant, il lui sembla avoir totalement oublié ce temps où elle était totalement asservie à son fils. Il avait ensuite pris le chemin de l'école, où il apprendrait jour après jour à devenir unc personne autonome. Elle travaillait déjà à temps partiel. Elle trouva vite un emploi à plein temps, qui devint de plus en plus absorbant et exigeant. Peu à peu, sans qu'ils s'en rendent vraiment compte, leur mariage avait été relégué à l'arrière-plan de leur vie au lieu d'en être le centre. Toutefois, quand il lui arrivait d'être honnête, elle reconnaissait que le travail était l'excuse parfaite pour sortir de la maison et fuir une vie casanière ponctuée par les fastidieuses tâches domestiques.

Le succès la transforma à plus d'un point de vue. Elle avait toujours été occupée; maintenant elle était préoccupée. Même l'anniversaire d'Adam la prit par surprise, de sorte qu'elle avait dû se démener à la dernière minute pour acheter des cadeaux, organiser une fête et sonner aux portes, plutôt que d'envoyer de jolies cartes d'invitation comme les autres mères. Une année, elle oublia totalement celui de Paul et ne s'en souvint qu'au milieu d'une interview à Bahreïn, en plein golfe Persique. De retour à la maison, elle s'excusa et lui offrit un blouson en daim de chez Liberty et une bouteille d'*Eau sauvage* de Dior. Son haussement d'épaules, ponctué par un vague sourire, quand il avait ouvert les sacs provenant d'une boutique de l'aéroport, lui avait fait voir à quel point ils s'étaient éloignés l'un de l'autre.

Elle oublia bien d'autres choses encore.

Elle ne se réveillait plus au moindre bruit, la nuit, comme au temps où Adam était bébé. Elle avait oublié à quel point elle avait souhaité tenir un petit être tout neuf dans ses bras.

Plus que tout, elle avait oublié à quel point elle avait aimé Paul autrefois. Leurs relations sexuelles avaient indéniablement été pour elle l'expérience suprême de sa vie. Des conversations passionnantes les suivaient et elle avait alors la certitude qu'ils étaient ensemble pour la vie. Elle avait fini par oublier tous leurs efforts pour avoir un deuxième bébé, les heures qu'elle avait passées au lit, après l'amour, pour ne pas perdre une goutte de la précieuse semence qui, cette fois, pourrait par un heureux hasard la féconder. Tout semblait alors si solide, si sûr. Il lui arrivait parfois d'avoir de la difficulté à croire qu'il ne restait de leur vie commune que des formules juridiques réglant la propriété, l'argent, les droits de visite.

Elle aurait dû faire preuve de plus de bon sens. L'ennui, à l'époque, c'était que bon sens et prudence ne faisaient pas partie de son vocabulaire. La sensation de liberté, l'ivresse d'un recommencement et la conscience d'être elle-même, une fois engagée dans une nouvelle aventure, lui montaient à la tête après des années de fidélité à Paul et d'asservissement à la maison. Mais cette sensation grisante créait aussi une dépendance. Elle cherchait l'interdit, elle se laissait fasciner par le mystère de l'homme qu'elle ne connaissait pas. Une autre expérience — c'est ainsi qu'elle nommait ses aventures —

suivait inévitablement. Elle n'avait rien dit à Paul, ni dans un cas ni dans l'autre. Mais il le devina chaque fois, parce qu'il les flairait sur sa peau. Il se piquait d'avoir ce don.

Ce qu'il ignorait toutefois, c'est que ces histoires étaient sans lendemain. Sauf qu'elle recherchait continuellement des hommes qu'elle connaissait bien et qui lui plaisaient suffisamment. Mais, quand Paul l'accusa, à l'occasion d'une querelle, elle prit bien garde de lui révéler que ses infidélités comptaient si peu pour elle. Elle ne voulait pas lui accorder cette satisfaction. Elle lui permit de croire — non, elle l'amena à croire — qu'il s'était agi de rencontres passionnées. Son orgueil lui importait davantage que celui de son mari.

Depuis deux ans maintenant, et peut-être davantage, elle n'avait pas le moindrement songé à avoir un bébé. Ce besoin naît de l'amour, du désir, du bonheur, et elle ne ressentait plus rien de tout cela.

Jusqu'à l'année qui venait de s'achever. Elle avait certainement désiré, elle croyait même avoir possiblement aimé. Elle n'avait pourtant absolument pas voulu de bébé. Sa stérilité était devenue pour elle une réalité définitive. Elle n'était pas imprudente pour autant. Elle avait dû écarter la pilule, qui lui avait causé des problèmes d'hypertension. Avec Paul, elle utilisait un diaphragme, quand elle se préoccupait de contraception. Quant aux autres hommes, elle insistait pour qu'ils utilisent un condom. Malheureusement pour elle, elle n'avait pas maintenu cette exigence pour son dernier amant, dont elle aimait le contact physique. Et elle se découvrait enceinte juste au moment où ils venaient de rompre. Elle s'était lamentée comme une adolescente à la fin de cette liaison, alors qu'elle aurait dû s'apitoyer sur elle-même pour une raison bien plus grave qu'elle ignorait encore.

Quelle sotte elle était !

Elle mit quelques gouttes d'urine sur le tampon blanc et attendit. Elle n'avait même pas besoin de regarder pour savoir que les lignes bleues y étaient apparues. Le test était positif. Elle sentit qu'elle avait perdu tout espoir, sans toutefois savoir quel était l'objet précis de son espérance.

Elle se lava les cheveux et prit une douche chaude. Elle avait fait les mêmes gestes à cinq heures, ce matin-là, mais leur répétition satisfaisait son besoin désespéré de se tenir occupée. Enveloppée dans unc scrviette, elle s'assit sur le bord de la baignoire. Elle avait mal à la tête. Elle massa son crâne humide avec ses doigts. Aucun doute sur ce qu'elle devait faire : la solution était toute trouvée depuis qu'il lui avait parlé de son bébé. De son autre bébé. Janie croyait à l'instinct, elle croyait aussi qu'elle devait affronter la réalité. Dès qu'elle avait enfilé ses gants et était partie sans demander son reste, elle avait indirectement choisi la solution de non-retour.

Elle irait plus loin. Même si leur dernier jour ensemble avait été parfait, même s'ils s'étaient séparés en excellents termes en attendant leur prochaine rencontre, même s'il n'avait pas été question d'une Chrissie enceinte, elle aurait pris la même décision. Il n'était plus l'homme qu'il lui fallait.

Il n'avait pas seulement joui de deux femmes au cours des derniers mois, passant de l'une à l'autre sans éveiller leur méfiance, mais il s'était arrangé pour les féconder l'une et l'autre. Qui a dit que les spermatozoïdes de l'homme moderne se faisaient rares ? La situation avait son côté amusant, elle en convenait. Mais elle se sentait victime d'une sinistre farce.

Elle souhaita que Chrissie trouve la chemise de nuit en soie qu'elle avait oubliée dans le tiroir, et l'engueule. Elle le haïssait. Et elle avait besoin de continuer à le haïr. Pour l'instant, c'est justement la colère qui la soutenait.

Elle pressa fermement sa taille, comme pour évacuer cette excroissance non désirée dans son ventre. Elle pouvait presque se la représenter : d'une pâleur lumineuse, elle flottait doucement dans la tiédeur d'un milieu aqueux. Ce n'était pas tout à fait une excroissance, peu importe ce qu'elle pouvait se dire. C'était une nouvelle vie qu'elle avait imprudemment laissée commencer. Et elle la laisserait se développer.

Sa réaction la surprit elle-même. Jusqu'à la naissance d'Adam, elle n'avait jamais imaginé qu'elle était maternelle, et sa réaction émotionnelle vis-à-vis de son fils la surprenait chaque fois. Elle détestait qu'il soit en pension. Sa présence, l'odeur de ses cheveux, ses baisers de petit chien, les dessins ridicules qu'il laissait sur tous les bouts de papier qui lui tombaient sous la main lui manquaient. Durant une seconde, elle crut presque respirer le parfum innocent, laiteux, poudré du nouveau bébé... « Ne te laisse pas attendrir. » Elle se moucha, passa un slip, puis enfila un jean trop grand et un sweat-shirt doux et confortable.

Elle prit la direction de son bureau, trouva un numéro de téléphone et le composa. En attendant que la réceptionniste du docteur Simon lui réponde, elle tira vers elle le dossier de coupures de journaux et regarda pour la vingtième fois la photo, prise par Jane Bown, qui illustrait l'*Observer*. Mama avait posé en plein soleil. Elle regardait directement l'objectif de l'appareil photo avec ses yeux pénétrants, illuminés par l'espoir et l'inspiration. Son visage, empreint d'une grande sagesse, respirait l'innocence. Sa vie intérieure rayonnait.

Janie nota un détail qu'elle n'avait pas encore remarqué. Elle se laissa si profondément absorber par l'examen de la photo qu'elle en oublia le téléphone. Bown s'y était prise de telle sorte que le mince chignon de cheveux clairs qui surmontait l'exceptionnelle physionomie de la femme debout entre l'objectif et le soleil couchant sollicitait le regard. Les rayons du soleil qui se déployaient derrière la tête de Magda Lachowska prenaient l'apparence d'un halo lumineux, aussi net que l'auréole dessinée sur une icône du Moyen Âge.

Chapitre quatre

À six heures quarante-cinq, Josef Karms descendit l'avenue bordée de tilleuls qui s'étendait sur deux cents mètres à partir de sa porte. Il savourait la lumière limpide du matin et le chant cristallin des oiseaux. Les plaisirs simples liés à la possession d'un élégant manoir de vingt-deux pièces, dans la campagne anglaise, étaient plus doux qu'il n'aurait pu le croire. La vie vous réserve parfois des revirements imprévisibles.

Il était revenu de son île des Caraïbes la semaine précédente. À peine son avion posé, il avait immédiatement pris la direction de son domaine du Herefordshire. Il n'avait jamais cessé de maugréer contre l'âge, qui le forçait à fuir l'Angleterre durant les hivers trop rudes et les étés trop humides.

Son hélicoptère l'attendait sur la pelouse ovale. Exactement deux heures plus tard, il atterrissait sur la piste privée au sommet de l'édifice où il avait ses bureaux, dans la *City*.

Après le petit-déjeuner-conférence dans la grande salle, suivi d'un repos d'une demi-heure et d'une autre douche, il se rendit à Knightsbridge, où il avait rendez-vous avec la benjamine de ses filles, qu'il avait eue de sa troisième femme. Ils se retrouvèrent pour déjeuner dans la belle salle du Daphne, où Nuala fut saluée par beaucoup de jeunes hommes et de jeunes femmes qui chipotaient dans leur assiette et paraissaient ignorer leurs compagnons la moitié du temps, trop occupés à mener au téléphone des conversations urgentes.

Josef Karms observait avec plaisir les filles aux cheveux savamment décoiffés. Quant aux hommes, il n'avait que du mépris pour leurs rires exagérés et leur main molle. Il ne se présentait pas devant cette jeunesse dorée comme le magnat européen qu'il était. Il empruntait plutôt l'allure d'un jeune homme débraillé qui n'aurait pas mangé tous les jours. Ses yeux fatigués et ses traits profondément burinés suggéraient une expérience durement acquise dans des milieux où l'on ne faisait pas de quartier. Le souvenir de privations subies il y avait bien longtemps donnait ce jour-là une saveur particulière au fromage de chèvre et aux anchois, à la barbue et au chablis. C'est pourquoi il dégustait son repas avec une attention et une concentration inhabituelles. La mère de Nuala, qui avait vingt-cinq ans de moins que lui, se plaignait qu'il mangeait comme un Arménien affamé. Josef savait qu'elle répétait tout simplement, sans penser à mal, une des expressions colorées de son père millionnaire. Mais ces mots le blessaient chaque fois.

Après le déjeuner, Nuala insista pour le conduire elle-même à Piccadilly. Il était flatté d'être vu en sa compagnie, même s'il dut faire un effort inouï pour se glisser avec élégance dans l'Alfa Romeo.

Dieu merci, Nuala ne sembla pas s'en rendre compte. Elle était assez jeune pour croire que son père n'avait pas d'âge et trop préoccupée de sa petite personne pour remarquer un détail qui l'aurait peut-être embarrassée. Il est vrai, cependant, qu'elle l'avait déjà taquiné à propos des poches sous ses yeux. Elle lui avait même suggéré la chirurgie plastique :

— Pourquoi pas? Tout le monde s'y soumet aux États-Unis, les hommes comme les femmes. C'est vraiment le seul signe qui révèle ton âge. Et tu es en pleine forme. Peut-être devrais-tu y voir dès maintenant? avait-elle dit en lui jetant un coup d'œil malicieux, comme elle avait coutume de faire quand elle était petite.

Il avait marmonné quelque chose, ou plutôt rien, pour lui donner temporairement satisfaction. Il n'aimait pas lui entendre dire tout haut ce qu'il avait lui-même secrètement envisagé. C'était toutefois il y avait longtemps, à l'époque où il devait souvent passer les contrôles douaniers dans les aéroports ou aux frontières des pays de l'Est européen. Il s'était plié chaque fois à cette formalité avec le même frisson dans le dos. Personne ne l'avait jamais reconnu ou pointé du doigt. Puis cette mesure rigide avait cessé d'être nécessaire, ou souhaitable. Chez une personne de son âge, le recours à la chirurgie plastique pouvait laisser supposer le besoin de cacher quelque chose. Et il n'était pas un criminel.

Une fois que la voiture eut démarré, il alluma une cigarette pour tenir ses mains occupées et réussit assez facilement à distraire Nuala en parlant chiffons. Quand ils en eurent terminé avec les mérites comparés de Donna Karan et d'Anne Klein, ils étaient presque arrivés à Piccadilly. Elle était en train de lui annoncer que sa mère, qui préparait une vente aux enchères, l'avait invitée à y défiler comme mannequin. Elle était tout excitée à l'idée de rencontrer Jean-Paul Gaultier.

Quand elle eut stoppé devant le numéro 56, il s'extirpa de son siège avec un ou deux grognements involontaires pendant qu'elle contournait agilement la petite voiture rouge pour venir l'embrasser. Elle passa les bras autour de son cou, lui permettant de respirer l'odeur fraîche de sa peau :

— Quel arôme délicieux, dit-il. Qu'est-ce que c'est ?

— *Angel.* C'est délicat, hein ? Ce parfum m'a coûté les yeux de la tête. On ne le trouve qu'à deux endroits.

Il enregistra l'information dans sa mémoire pour lui en faire livrer un gros flacon à son appartement. Le portier avait déjà ouvert la porte latérale pour lui. Il refusait d'utiliser les portes à tambour, parce qu'une fois emprisonné entre les panneaux de verre qui tournaient lentement, on devenait une cible parfaite. Avant d'entrer, il salua de loin sa fille, qui lui envoya des deux mains d'extravagants baisers.

Il fut satisfait de voir Oliver Jodrell, qui le suivait de près, être témoin de cette petite démonstration. Quand il salua l'Anglais, il afficha volontairement l'air légèrement embarrassé de l'homme d'un certain âge surpris en compagnie d'une charmante jeune femme. Il ne fit aucune allusion à Nuala quand ils traversèrent le hall pour aller prendre l'ascenseur qui les déposerait tous deux au sommet de l'édifice. Oliver Jodrell parla de cricket. Josef Karms s'enferma dans ses pensées.

Nuala Karms s'inséra dans la circulation en se demandant combien de temps elle devrait attendre avant qu'arrive la « surprise » que son père ne manquerait pas de lui faire parvenir.

Robert Dennison sauta dans un taxi juste devant les bureaux des éditions Odyssey, à Bedford Square. Il pensait qu'il serait en retard à son rendez-vous, et cela l'ennuyait. Une réunion avec un éditeur, un nouvel auteur et son agent férocement protecteur s'était indûment étirée. Il s'agissait d'un petit auteur, aux idées bien arrêtées, qui apportait à la maison un certain nombre de best-sellers tirés de rentables téléséries et qui, pour cette raison, se croyait un phénomène. Ce dont Robert Dennison était bien obligé de convenir, si l'on s'en tenait aux tirages.

Une statue équestre de Lis Frink se dressait devant le 56, Piccadilly, totalement inadaptée à la circulation très dense et aux édifices en hauteur. Robert Dennison régla sa course, jeta un coup d'œil sur les plaques de cuivre fixées au mur de pierre et trouva la raison sociale qu'il cherchait : *KRZYSZTOF FOUNDATION.* Il s'engagea alors dans la porte à tambour. Le hall d'entrée n'avait rien de déplaisant, mais il était plutôt impersonnel : palmiers, miroirs, moquette banale. Dennison venait à peine d'y entrer lorsque Janie le rejoignit. Il la trouva très élégante, en même temps qu'elle lui parut pâle et tendue. Elle était sans doute nerveuse.

— Tu es séduisante, ma chère. Cette écharpe est magnifique et parfaitement adaptée à ton rouge à lèvres.

Elle adorait littéralement Bob, à qui des cheveux bouclés et des yeux légèrement bridés donnaient l'air d'un faune. Ou d'un satyre. Elle l'embrassa énergiquement sur les deux joues :

— Merci, Roberto. Un compliment aussi rare venant de toi me fait oublier l'heure que j'ai passée à les choisir chez Fenwicks.

Il rit nerveusement :

— Ne perds pas ton temps à jouer de ton charme avec moi. J'aime bien quand tu as l'air sévère. Es-tu prête à entrer dans la fosse aux lions ?

— Comme jamais je ne le serai.

Il eut l'impression que sa voix manquait d'assurance.

— As-tu eu le temps de passer à travers les coupures de journaux et de la vidéo que je t'ai fait parvenir ?

— Oui. Intéressant, tout ça.

Sa retenue ne l'inquiéta pas. Elle n'était pas du genre à s'engager trop vite, il le savait par expérience. Elle restait froide, calme et ne se permettait jamais d'afficher son enthousiasme. Il se rappelait ce que son frère lui avait raconté au sujet d'une interview qu'ils avaient obtenue de la duchesse de Windsor, à l'époque du *Daily Mail.* Au bureau, tout le monde était sur les dents, mais Janie s'était rendue à Paris dans un jean Levi's passablement usé, une chemise blanche et une veste de cuir. Par la suite, le directeur de leur bureau parisien avait rapporté à quel point elle les avait épatés. Elle s'était présentée à la porte de la vaste demeure du Bois de Boulogne dans un tailleur de Valentino, un mignon chapeau à voilette sur la tête : la duchesse l'avait accueillie comme une âme sœur. C'est pourquoi Robert Dennison avait maintenant la certitude que sa façon détachée d'envisager le projet signifiait qu'elle accepterait le contrat.

Dans l'ascenseur, le garçon appuya sur un bouton non identifié. Au terme de la course, les portes s'ouvrirent sur le penthouse. Dès leur entrée ils perçurent l'odeur d'un énorme bouquet de lis posé sur ce qui semblait être une portion considérable d'un pilier du Parthénon : Janie et Robert échangèrent un regard amusé.

— Miss Paxton, Mr Dennison. Bonjour.

La femme qui les avait salués en soignant la pureté de ses voyelles se leva, tout sourire, derrière un bureau à la surface entièrement dégagée. D'un geste visiblement étudié, elle indiqua la double porte sur le mur du fond :

— Le comité sera prêt à vous accueillir dans quelques minutes.

Elle prit leurs manteaux, apporta du café et un plateau de biscuits au chocolat de chez Fortnum. Robert lorgna les biscuits et chuchota à l'intention de Janie :

— Je vois qu'ils se fournissent à l'élégante boutique du coin de la rue.

— Connais-tu quelqu'un parmi ces gens ?

Janie avait parlé à voix basse, en pointant du menton la porte close.

— Quelques personnes. Il y en a une ou deux d'intéressantes, et une autre certainement célèbre : Lady de Lisle, autrefois Zazi Castellòn.

— Ah ! oui. *La grande horizontale*[1]. Elle est d'Amérique latine, n'est-ce pas ?

— Peut-être. Certains la disent Autrichienne. Une erreur compréhensible, si l'on peut dire.

Janie poussa un rire étouffé :

— Ne me mets pas au supplice.

— On dit que d'anciens amants parlent d'elle comme de l'huître viennoise. C'est de là que vient l'erreur sur ses origines.

— Qu'est-ce qu'une huître viennoise ?

Robert prit un air coquin :

— Une impossibilité géographique, pourrait-on croire. La discrétion m'interdit d'en dire davantage. Quoique je suppose que ce n'est pas pour la qualité de sa table qu'on se souvient d'elle avec attendrissement.

— Ce que tu peux être vilain !

— Pas moi, mais elle.

Juste à cet instant, un homme de haute taille sortit de la salle de conférence et se présenta :

— Oliver Jodrell.

Il respirait la confiance en soi sous son hâle de clinique. Janie se méfia de lui dès le premier regard.

— Je suis heureux de vous revoir, dit-il chaleureusement à Dennison en lui serrant la main. Et Miss Paxton, quel plaisir de faire votre connaissance !

Il avait le débit rapide des vendeurs-nés. Elle se raidit au moment où il s'approcha un peu trop d'elle. Mais c'était apparemment un langage corporel trop subtil, car il prit familièrement son coude dans sa main gauche en même temps qu'il lui serrait la main. Elle

---

1. En français dans le texte. Le terme *horizontale,* selon un usage vieilli, signifie ici « prostituée ». (NDT)

détesta intensément cette manœuvre de beau parleur. Elle nota aussi sa cravate à rayures. Était-ce celle de la Garde royale ? Personne, à moins d'y être obligé, n'achetait plus ce genre de cravate, pensa-t-elle malicieusement.

— Je suis enchanté à la pensée que nous travaillerons bientôt ensemble, déclara-t-il.

Elle murmura une formule de politesse et il continua :

— Je vais maintenant vous présenter quelques membres de la fondation Krzysztof. Comme vous le savez sans doute, la Fondation compte dans ses rangs des philanthropes de toutes les parties du monde et des hommes d'affaires qui poursuivent leurs activités dans toute l'Europe. Ces personnes ont des intérêts diversifiés, mais elles unissent leurs talents pour soutenir Mama et son œuvre. Je pense que vous en reconnaîtrez quelques-unes. Elles jouent toutes un rôle important dans leur champ de compétence. Leur horaire très chargé, vous l'imaginez facilement, ne nous permet pas d'en réunir plus de six ou sept à la fois. Entrez, je vous prie.

Sept personnes étaient disséminées autour d'une longue table en verre épais. Janie eut l'impression de se trouver au milieu d'un décor de théâtre : les tableaux, les meubles, tout avait un caractère impersonnel, comme si on avait confié à une agence le soin de tout mettre en place pour l'après-midi. La raideur et le formalisme des gens donnaient l'impression qu'ils étaient tous âgés. Ce n'est que beaucoup plus tard qu'elle se rendit compte qu'au moins deux hommes et l'une des trois femmes étaient dans la quarantaine.

Oliver Jodrell présenta les nouveaux arrivants en des termes qui, bien que justes, avaient un caractère cérémonieux plutôt embarrassant :

— Permettez-moi de vous présenter le distingué éditeur, Mr Robert Dennison, et Miss Jane Paxton, récipiendaire de prestigieux prix de journalisme...

Il fit ensuite le tour de la table en nommant les personnes présentes, s'arrêtant à côté de chacune. Certains visages étaient familiers à Janie et à Robert. Elle avait déjà reconnu Edward Pellingham, un ancien ministre devenu un personnage éminent dans la *City*. Il était penché du côté de Monica Ziegler, veuve du millionnaire suisse qui avait fait fortune dans les plantes médicinales. Elle semblait dotée d'une robustesse peu commune. Janie l'imagina en costume national, à la tête d'un cortège, une imposante meule de gruyère au bout des bras.

— Mr Josef Karms, que vous connaissez sûrement, des produits pharmaceutiques Karms...

Janie tourna la tête dans sa direction. Elle avait vu des centaines de fois ce visage caricatural dans les pages financières et les journaux à potins. Il était assis à côté d'une femme rousse habillée de vert émeraude.

Oliver Jodrell présentait maintenant une femme mince dangereusement élégante qui lui rappela Wallis Windsor.

— Lady de Lisle...

Janie était stupéfaite. Elle se souvenait maintenant : Sud-Américaine. Probablement. Comme ses charmes s'affadissaient et que sa popularité fléchissait, Zazi Castellòn avait épousé, à l'étonnement bruyamment exprimé de son cercle d'intimes remarquablement varié, un baronet anglais assez âgé, Crispin de Lisle. C'était le premier mariage pour l'un et l'autre, un mariage sans enfant. Zazi était devenue une personnalité en vue de la haute société et s'était mise à lever des fonds pour les œuvres charitables les plus méritantes.

Oliver Jodrell se trouvait maintenant derrière un homme de haute taille dont le crâne chauve et les lunettes soigneusement polies brillaient d'un même éclat sous la lumière.

— Le professeur Whitely a bien voulu s'éloigner de l'université du Surrey...

Quand Robert et Janie furent installés et que le murmure des conversations eut cessé, Jodrell se leva au bout de la table. C'était de toute évidence un administrateur professionnel, tout à fait à l'aise dans son rôle d'animateur.

— Nous arrivons maintenant au dernier article de notre ordre du jour, de loin le plus important. Les membres de la fondation Krzysztof souhaitent que Mama laisse à la postérité le récit des faits et gestes de sa vie et qu'elle définisse l'objet de sa foi et de ses espérances. C'est une tâche, vous le savez, qu'elle a toujours refusé d'entreprendre. Elle est tellement occupée, il y a tellement à faire, elle est tellement sollicitée de tous côtés. Il y a deux ans, nous lui avons proposé qu'une biographie autorisée soit écrite alors qu'elle vit toujours. Elle s'est encore férocement opposée à ce projet qui, nous le croyons, ne peut plus être différé. Trois livres ont été écrits récemment par des auteurs étrangers à la Fondation. Ces ouvrages, qui ne valaient pas grand-chose à notre avis, ont eu un gros succès. C'est la réputation de Mama qui les a fait vendre, mais elle n'a pas touché un seul sou. C'est pourtant à son œuvre qu'auraient dû revenir les profits tirés de ces ventes, déclara-t-il en promenant un regard consterné autour de la table. Et voilà que la sainte femme va bientôt avoir soixante-quinze ans. Nous savons tous, que Dieu nous en préserve, que si n'importe quoi devait...

Janie perdit momentanément le fil du discours, son oreille ayant été alertée par le caractère incongru de l'invocation « que Dieu *nous* en préserve ! » sur les lèvres d'Oliver Jodrell.

— Mais cela aura lieu après sa mort, poursuivait Jodrell, et nous comptons que ce sera le plus tard possible.

Il fit une pause et regarda du côté de Robert Dennison :

— Nous avons donc pris contact avec les éditions Odyssey. Il s'agit d'une petite maison indépendante avec qui nous avons négocié un contrat qui nous laisse un certain droit de regard. Nous avons proposé, et Mr Dennison a en principe accepté, que la fondation Krzysztof mette une somme importante à la disposition des éditions Odyssey. Ce n'est pas une façon normale de procéder, je l'admets. Comme je l'ai dit, cependant, Odyssey n'est pas une grosse maison. L'argent de la Fondation servira en grande partie à couvrir les frais de production du livre : recherche, rédaction, correction et révision, impression, distribution.

Il adressa un regard interrogatif à Robert Dennison, qui ajouta :

— Il y aura aussi des sommes importantes réservées à la publicité et à la promotion. Nous sommes certains que votre investissement vous apportera des revenus fort intéressants.

À l'autre bout de la table, Josef Karms s'agita sur sa chaise. À la manière d'un enchérisseur expérimenté, il avait fait le geste imperceptible que l'œil exercé de l'encanteur sait reconnaître. Oliver Jodrell se tut poliment et laissa la parole au financier.

Joseph Karms resta assis et parla sans élever la voix. Cela ne l'empêcha pas de s'assurer sans effort de l'attention de tous. Janie se rendit compte qu'en dépit de sa taille plutôt médiocre, il donnait l'impression d'un homme de bonne stature. Elle se rappela le président des États-Unis qui avait dit : « Parlez doucement, mais portez un gros bâton. » Elle se demanda quelle sorte de bâton Karms pouvait tenir.

— La publicité me rend nerveux, disait Karms. Nous devons garder le contrôle, à n'importe quel prix. Nous ne pouvons courir aucun risque de nuire à une femme qui, tout bien considéré, est une inspiration pour le monde d'aujourd'hui, un leader moral. Nous n'ignorons pas qu'il existe déjà un mouvement qui a pour but de la faire proclamer officiellement sainte. Ce que nous savons qu'elle est. Cette publication ne doit absolument pas permettre que soient divulgués des faits qui pourraient créer un scandale ou entacher de quelque façon la réputation de l'œuvre fondée par Mama. Je ne veux absolument pas laisser entendre que nous avons la moindre raison de suspecter le plus petit écart. Mais nous devons être réalistes. Ce sont malheureusement les faits scabreux qui font vendre les journaux et les magazines. Nous savons tous que des rumeurs sans fondement sont trop souvent admises comme des faits avérés. Chacun de nous pourrait facilement en donner de nombreux exemples.

Il secoua lentement sa tête d'homme de théâtre et grogna :

— Le monde est un égout.

Oliver Jodrell attendit respectueusement pendant que chacun envisageait les sombres implications de cette mise en garde.

Robert Dennison prit la parole et dit avec fermeté :

— Soyez sûrs que nous entendons nous montrer extrêmement prudents. Nous n'aimons pas patauger dans la boue. Je pense pouvoir affirmer que nous sommes la seule maison d'édition à Londres qui n'ait jamais été impliquée dans un procès pour diffamation. Et nous avons donné notre accord pour que les droits de publication à l'étranger et de reproduction sous forme de chronique dans les journaux ne soient accordés qu'en vertu d'une décision commune. Le même accord s'applique, évidemment, au cinéma et à la télévision.

Oliver Jodrell se tourna alors vers Janie, et sa voix prit un ton plus léger :

— Et maintenant Miss Paxton, dont vous connaissez tous la perspicacité de journaliste, a aimablement accepté l'invitation que nous lui avons faite, Odyssey et la Fondation, de constituer un dossier en vue d'écrire la biographie autorisée.

Janie s'éclaircit la gorge avant de l'interrompre pour dire avec fermeté :

— Je suis désolée. Je crains de ne pas en être encore là. J'avais compris que nous étions ici pour discuter de ce qu'on attendait de moi et que ma réponse dépendait de ce qui sortirait de cette réunion.

Oliver Jodrell parut déconcerté pendant un bref moment :

— J'aurais dû d'abord vous informer que Mama a décidé d'apporter sa coopération entière et sans réserve à ce livre.

— Une réelle coopération ?

Janie s'était promis de ne pas trop parler. Elle était là pour écouter, pour apprendre. Elle était arrivée avec la ferme intention de ne pas trop s'avancer et, cela allait de soi, de ne pas s'emballer. Mais elle n'avait tout bonnement pu se retenir. Robert et elle avaient fait et refait le tour de la question : elle disposerait de toutes les interviews que Mama avait données au cours des ans ; plusieurs membres de sa communauté avaient promis leur assistance. Même le frère de Mama avait accepté de lui parler librement. On lui remettrait les films tournés par la télévision ou par la fondation Krzysztof à l'occasion de levées de fonds. Elle pourrait suivre Mama en simple observatrice dans l'une ou l'autre de ses tournées aux quatre coins de la planète. Et puis, quand elle aurait recueilli sa documentation, elle pourrait rédiger l'ouvrage et recevoir, probablement par le truchement d'un intermédiaire, les commentaires de Mama sur son travail. Elle corrigerait ensuite les erreurs, s'il y avait lieu, avant que le livre soit publié.

— Après tout ce travail, avait dit Robert avec optimisme, si tu as de la chance, tu pourras t'asseoir avec elle et lui parler les yeux dans les yeux.

— Mais tu ne peux pas me le garantir ? lui avait-elle demandé.

Il avait haussé les épaules :

— On ne peut pas forcer la main à Mama. Et elle refuse catégoriquement de faire des promesses.

Ils avaient tous deux convenu que l'engagement spirituel et humanitaire de Mama lui commandait une attitude très distante et très circonspecte envers les médias. C'était précisément pour cette raison qu'elle continuait à fasciner le milieu journalistique. Tout son temps et toutes ses énergies étaient consacrés à ceux qui avaient si désespérément besoin d'elle. Pour eux, elle était disponible. Elle ne leur refusait ni temps ni amour. Et Janie venait de se faire confirmer que Mama aurait aussi du temps pour elle.

— Vous dites que Mama va réellement coopérer? demanda-t-elle encore. Elle va m'accorder une entrevue? Permettre que je l'enregistre? Répondre sans restriction à mes questions? À toutes mes questions?

Sans s'en rendre compte, elle s'était assise en équilibre instable sur le bord de son fauteuil, comme une petite fille impatiente.

— Bien sûr. On vous fournira toute l'assistance dont vous aurez besoin, l'assura Oliver Jodrell, d'un air légèrement narquois.

Janie le scruta sans complaisance et il perdit sa morgue :

— Dans la mesure du raisonnable, ajouta-t-il.

Elle pensa voir de la suspicion dans le regard qu'il jeta brièvement du côté de Josef Karms.

— Pouvons-nous y compter avec certitude? insista Robert Dennison.

— Absolument! déclara Jodrell en baissant les yeux sur la table. J'inviterais maintenant Lady de Lisle à vous donner plus de détails, poursuivit-il en se penchant avec déférence dans sa direction.

Elle le regarda froidement, la tête droite. Janie remarqua que ses cheveux encore très noirs, coupés par une main experte, se terminaient en pointe juste au milieu du cou.

— J'ai rencontré Mama il y a une semaine. Nous avons visité des orphelinats en Slovénie.

Sa voix était aussi particulière que son apparence, profonde, lourdement accentuée. Sa tête et ses traits, presque trop forts pour des épaules aussi étroites, lui donnaient une curieuse allure masculine.

— J'ai profité de l'occasion pour la persuader qu'elle devait accepter de vous parler sans réticence. J'y ai mis du temps, mais elle a fini par donner son assentiment.

Les termes exacts mettaient du temps à sortir de sa bouche.

— Je vois, laissa tomber Janie en s'adossant.

Elle réfléchit pendant quelques secondes, ne pouvant renoncer à son scepticisme congénital. Elle insista :

— Mais pourquoi ? Cet acquiescement est tellement contraire à tout ce qu'elle pense de la publicité qu'on fait autour de sa personne. Comment y êtes-vous parvenue ?

Zazi de Lisle répondit d'un ton presque confidentiel :

— Je lui ai simplement dit, en tant que vieille amie, qu'il était temps pour elle de laisser l'univers entier prendre vraiment conscience du trésor qu'elle représente pour lui.

Un murmure d'approbation flotta autour de la table.

— Je tiens pour acquis qu'elle ne changera pas d'idée, dit pensivement Robert Dennison, en griffonnant quelque chose sur un petit bloc. Ce serait fort embarrassant — et fort coûteux — si elle se racontait en long et en large, pour ensuite rétracter ses propos.

Zazi de Lisle leva une main comme pour clore le débat et ses derniers mots retentirent comme une réprimande sans appel :

— Une fois que Mama a donné sa parole, elle la respecte.

Janie prit le train de nuit pour rentrer chez elle. Elle avait tout son temps pour écrire le compte rendu de la réunion. Pour éviter que le comité ne croie qu'elle s'engageait dans le projet, elle n'avait pas pris de notes. Pour ne rien oublier, elle s'empressa de consigner ce qui avait été dit, sur quel ton et par qui.

Puis elle fixa l'obscurité qui s'étendait sur la campagne environnante. Elle était surexcitée. Elle retrouvait l'état grisant des premières étapes d'un projet, quand tout promet de s'imbriquer et que le travail exigeant n'est pas encore commencé. Le livre serait magnifique, elle le sentait. Pour l'heure, tout était possible et réalisable. La perfection. Des critiques éblouissantes.

Elle s'attarda en pensée sur les visages réunis autour de la longue table du bureau de Piccadilly. Elle se rappela l'attitude des gens, certaines bribes de conversation, les bijoux des femmes. Quelqu'un portait la Légion d'honneur sur le revers de sa veste. Mais qui ? En se dirigeant vers son fauteuil, elle avait respiré l'odeur d'un vieux malt, même s'il n'y avait que du café et des bouteilles d'eau en évidence. Plus que tout, elle essayait de se rappeler les sentiments que chacun des participants avait éveillés en elle, les vibrations qu'elle avait reçues d'eux.

Oliver Jodrell était un cas type : il aurait tout aussi bien pu vendre des Mercedes usagées. Il lui semblait être de ces hommes dont les scrupules sont remisés dans leur porte-monnaie. Josef Karms représentait une autre catégorie. Janie pressentait qu'il cachait quelque chose sans pouvoir deviner exactement quoi. La superbe façade qu'il affichait ne parvenait pas à masquer la peur qui le suivait à la trace et qui le hantait jusque dans la salle de réunion de la Fondation. Elle ferma les yeux et se concentra sur lui. Les cheveux longs, entretenus avec soin, bouclaient sur son col ; son nez aquilin se détachait sur un visage que l'âge, la bonne chère et les grands crus avaient épaissi. Des vêtements impeccables. Une montre que seul le platine pouvait rendre aussi discrète, les poignets mousquetaire blancs de sa chemise. En définitive tout, chez Josef Karms, évoquait l'aisance qu'apporte l'argent. Cependant ses mains, qu'il tenait devant lui, largement séparées, les poings ramassés comme s'il était prêt au combat, disaient autre chose. Si ses ongles étaient manucurés et polis, la paume était massive et les doigts boudinés. On avait l'impression qu'il avait depuis longtemps modifié, chez lui, tout ce qui aurait pu le dénoncer. Seules ses mains trahissaient ses origines.

Les autres hommes — l'inévitable banquier, l'inévitable avocat, l'universitaire dont elle reconnaissait vaguement les traits — correspondaient exactement à l'image qu'elle s'en était faite. Rien d'exceptionnel, rien de déplacé. Des hommes solides, dans la cinquantaine ou la soixantaine, qui savaient tirer leur épingle du jeu et qui avaient probablement à leur bureau le numéro de téléphone privé de deux ou trois sous-secrétaires d'État et d'un ou deux éditeurs en chef de grands journaux.

Ce sont les femmes qui lui avaient semblé ne pas être à leur place au conseil d'administration de la fondation Krzysztof. Qu'est-ce que Monica Ziegler pouvait bien faire en dehors d'un champ de course? La femme au teint café, vêtue de vert émeraude, ne serait-elle pas la sœur d'un richard à la réputation douteuse? d'un magnat du pétrole? d'un combinard international? C'est de ce côté qu'il faudrait chercher.

Et Lady de Lisle. Des tas d'histoires couraient sur son compte. En plus des insinuations viennoises, Janie avait aussi entendu dire qu'elle avait été danseuse du ventre à Tunis et qu'elle était la fille naturelle d'un cardinal brésilien. Pourtant, si l'on se fiait à ce qu'elle avait dit à la réunion, il ne faisait aucun doute qu'elle était une amie de longue date de Mama. Et plus encore : elle semblait exercer une véritable influence sur elle.

Quelle bande disparate, étonnante! Des gens louches. Le mot pouvait paraître un peu fort à première vue, mais il convenait parfaitement. Des gens riches et impressionnants. Elle était pourtant prête à parier qu'ils avaient tous quelque chose à cacher.

Comme plusieurs journalistes, Janie cultivait un froid cynisme professionnel, auquel s'alliait curieusement une naïveté attribuable à une certaine forme de paresse. Elle jugea donc plus simple et plus rapide d'accepter d'emblée les faits tels qu'on les lui présentait, sans les remettre en question et risquer ainsi de gaspiller une histoire intéressante. Elle avait été engagée pour exécuter un travail, pour écrire d'une plume bienveillante la biographie d'une femme remarquable. C'est ce qu'elle avait l'intention de faire.

C'est pourquoi quand, des profondeurs de son esprit, jaillit pour la première fois un léger doute, presque impossible à formuler, elle le repoussa fermement.

Chapitre cinq

Au milieu de la nuit, Janie se réveilla totalement consciente, les sens aiguisés, en proie à l'anxiété et à l'effroi.

Elle s'appliqua à réentendre les propos qui l'avaient troublée dans son sommeil.

On vous fournira toute l'assistance dont vous aurez besoin. Dans la mesure du raisonnable.

Nous devons toujours garder le contrôle, à n'importe quel prix.

Les mots, encore plus que le froid, la firent frissonner. Plus d'un mois s'était écoulé depuis la réunion de la fondation Krzysztof et personne n'avait repris contact avec elle. Son rêve était-il prémonitoire? Elle avait tracé les grandes lignes de son travail, elle avait écrit pour solliciter des entrevues, elle avait élaboré le plan de son livre, tout cela sans tenir compte qu'elle avait les mains liées. *Nous avons négocié un contrat qui nous laisse un certain droit de regard.* Elle était sûre que la Fondation vérifierait chacun des mots qu'elle écrirait.

Elle avait toujours été récompensée de son obstination. Elle décida de s'employer de toutes ses forces à trouver un moyen de se dérober à la censure de la Fondation.

Elle resta longtemps étendue, laissant défiler dans son cerveau tous ses sujets d'inquiétude. Le temps était affreux. L'aspect désolé des collines, qu'elle avait surtout connues en été, la déprimait. C'est le martèlement de la pluie sur le toit qui devait l'avoir réveillée. Quelques plaques d'ardoise avaient besoin d'être remplacées et la pluie abondante en pousserait d'autres en bas du toit. La réparation entraînerait une assez forte dépense, qui se traduirait par une hausse de loyer.

L'argent. Le livre. Elle allait bientôt atteindre le stade où, c'était prévisible, elle perdrait inévitablement le contrôle. Elle avait peut-être besoin d'un tranquillisant, d'un comprimé de Prozac ou d'un somnifère. Avait-elle pensé à payer Amex pour les billets d'avion? Elle avait une montagne de factures à acquitter d'ici la fin du mois et Adam avait besoin de matériel sportif et d'un nouveau manteau. Il grandissait si vite... Il était sur le point de sortir de l'enfance et elle n'avait pas su profiter de cette période de grâce. Elle avait plutôt recherché les émotions fortes et cultivé les aspects valorisants de sa carrière.

Une autre pensée, familière et pénible, l'effleura. Comme toujours, elle s'efforça de l'oblitérer, mais sans succès. Elle avait eu une autre chance de transformer son existence. Et qu'en avait-elle fait? Elle l'avait rejetée, sauvagement et en toute légalité, dans une clinique d'avortement de Marylebone.

Son désespoir était si aigu que chaque fibre de son être la faisait souffrir. Il la secouait comme la douleur sourde et creuse de règles pénibles, aux élancements profonds et acharnés. La solitude la vidait de ses forces. Elle ne pouvait plus la supporter. Elle avait tragiquement besoin de tendresse, du contact d'une main aimante, de la simple consolation que lui apporterait la présence d'un corps tout chaud à côté du sien.

Elle fouilla l'obscurité de ses yeux brûlants. Elle décida de se lever pour aller se préparer du lait chaud. Elle y ajouterait du whisky, mais elle refusait encore d'admettre que c'est l'alcool qu'elle voulait d'abord. Elle en avait besoin pour s'en sortir, c'est tout. Peut-être buvait-elle un peu trop, mais elle n'était pas alcoolique. Elle n'avait jamais eu le moindre mal de tête. Une fois le premier verre avalé, elle se sentait bien.

Elle sortit du lit et passa la robe de chambre de Paul. Jusqu'à leur séparation, Paul et elle s'installaient à la Petite Grange, avec leur fils, pour les longs week-ends. Durant les vacances d'été, l'un ou l'autre y demeurait avec l'enfant et ils y passaient tous trois ensemble une semaine au temps de Noël. Quand elle appuya sur le commutateur, elle ne fut pas surprise de ne pas avoir de lumière. Le système électrique était primitif, le courant leur provenant de la génératrice de la ferme. Len Smedley les avait prévenus qu'une demande accrue risquait d'endommager tout le système. Ils avaient donc accepté de bonne grâce les inconvénients d'une installation électrique capricieuse. Ils s'étaient habitués aux lumières vacillantes et aux pannes occasionnelles.

Janie plongea la main dans la poche de la robe de chambre pour y chercher sa lampe de poche. Une faible lueur apparut pendant une seconde, puis mourut.

— La barbe ! Ah, la barbe ! s'exclama-t-elle impatiemment. Elle aurait dû vérifier les piles. Elle mit la main sur le mur et entreprit de descendre les six marches étroites qui aboutissaient au palier, où une porte donnait accès à la salle de bains et l'autre à la chambre d'Adam. Elle s'arrêta à la quatrième marche. Elle avait vu, ou plutôt senti, une présence sur le palier. Il lui semblait deviner, dans une zone plus sombre, une masse solide. Il n'y avait pourtant aucun meuble sur ce palier. Le poil de ses bras se hérissa. Elle se tenait rigide, les yeux grands ouverts. Elle était peut-être malade ou victime d'une hallucination. Tous ses sens étaient en alerte. La trame du tapis était presque douloureuse sous ses pieds nus. Elle sentait l'étiquette du pyjama de Paul frotter contre son cou. Le battement de la pluie sur le toit se faisait plus violent. Le doux fouettement du vent contre les carreaux de la chambre d'Adam s'était transformé en brutal martèlement.

Elle retint son souffle. La Petite Grange, où elle vivait seule depuis des mois sans avoir jamais éprouvé la moindre anxiété, lui semblait maintenant mystérieusement envahie par une présence inconnue.

Elle courut jusqu'au haut de l'escalier, trébuchant sur la dernière marche, et fit claquer la porte derrière elle. Faite de trois larges planches de pin, elle était munie d'une clenche et d'un verrou que Paul y avait fixés pour éviter qu'Adam ne les surprenne nus quand ils faisaient l'amour l'après-midi, alors que l'enfant était censé dormir. Elle poussa le verrou et se précipita dans son lit.

Elle regretta de ne pas avoir pris le chat avec elle, mais il était hors de question qu'elle retourne le chercher. Elle songea à ouvrir la radio, mais elle répugnait à faire du bruit. Sa réaction était parfaitement stupide. Après tout, elle n'avait jamais entendu dire que la maison était hantée. Joan Smedley, qui était une femme bavarde, n'aurait pas raté l'occasion de commenter l'affaire avec enthousiasme si les fantômes avaient déjà été les hôtes de la Petite Grange. Et l'homme à tout faire qui avait fait des réparations au plancher, quand ils avaient emménagé, travaillait à la ferme et dans les environs depuis trente ans. Elle se rappelait l'avoir entendu raconter avec délectation l'histoire d'un jeune homme, autrefois propriétaire de la ferme, qu'on avait trouvé mort au pied d'un mur, encorné par son propre bœuf. Paul avait couvert de ses mains les oreilles d'Adam quand l'homme en était arrivé aux détails particulièrement horribles et ils avaient décliné son invitation lorsqu'il leur avait offert de leur montrer le mur fatal. Al Cotten, avait décidé Janie, n'était pas le genre d'homme à ménager les sentiments des autres. S'il avait entendu dire que la grange était hantée, il se serait fait un plaisir de le leur faire savoir. D'ailleurs, elle ne croyait pas à ce genre de bobard.

Le vent faisait entendre un sifflement sinistre qu'elle n'avait pas remarqué auparavant. Elle eut la désagréable surprise de se rendre compte qu'elle n'osait pas lever les yeux vers la lucarne, au cas où quelqu'un — ou quelque chose — s'y serait trouvé.

Elle commença à composer le numéro de Claudia en tâtonnant, mais elle n'alla pas jusqu'au bout. Claudia n'aurait pas fait de remarque, mais Lewis n'était pas le genre d'homme qu'on dérangeait au milieu de la nuit. La seule autre personne à qui elle pensa avoir recours était sa sœur. Elle hésita, la main sur le combiné.

Janie et Louise avaient beau avoir été inséparables pendant toute leur enfance, elles n'en restaient pas moins de vieilles rivales. Louise, plus jeune de quatre ans, avait quitté le travail avec un visible soulagement avant la naissance de son premier enfant. Elle avait déclaré que sa famille passerait maintenant en premier. Janie n'avait pas manqué de sentir la critique implicite et de voir la fierté que sa sœur tirait d'avoir réussi son mariage. Harold était marchand de vin.

C'était un homme rubicond qui faisait penser aux personnages hauts en couleur de Dickens. Il avait l'esprit aussi mordant que ses meilleurs sherrys. Louise le dépassait d'une tête, mais il ne semblait pas le remarquer.

Au cours du dernier week-end, Janie avait amené Adam chez Louise, au Northamptonshire. La ferme du XVIIe siècle, entourée de vastes champs, était en elle-même un joyau. Elle était dotée d'une piscine creusée au milieu de la cour pavée ; il y avait dans l'écurie deux poneys au poil lustré. Les trois cousins sortis de la première enfance et Adam avaient immédiatement disparu pour jouer. Le bébé, George, avait commencé à pleurnicher, et Janie lui avait fait manger sa purée au poulet pendant que Louise finissait de préparer le repas. L'odeur des pommes de terre rôties, les énormes pots de laiton garnis de roses séchées, le plancher ciré avaient soulevé chez Janie un insupportable sentiment d'envie et d'irritation : pour vivre dans une maison aussi bien entretenue, sa sœur devait y travailler au moins douze heures par jour, avait-elle pensé. Louise avait toujours été vieux jeu, même lorsqu'elle n'était qu'une adolescente.

Janie avait souvent taquiné sa cadette à propos de ses qualités de maîtresse de maison et aussi à propos de ses grossesses à répétition. C'était d'ailleurs devenu un sujet rituel de taquinerie. « Joli landau, avait-elle déjà dit. Tu l'as obtenu avec les coupons des produits Mothercare ? » Janie plaignait Louise d'être tellement prise, tellement confinée à la maison. De son côté, Louise considérait que Janie avait sacrifié une vie personnelle heureuse au leurre du succès professionnel. L'une et l'autre étaient toutefois conscientes qu'elles pouvaient cacher d'autres sentiments, plus ambivalents : comme des petites filles, elles enviaient secrètement les jouets que possédait l'autre. Janic avait donc été étonnée de s'entendre déclarer sans préambule :

— Lou, j'ai été enceinte.

Louise avait continué à s'activer au-dessus de ses casseroles. Sans lever la tête, elle avait demandé :

— Tu as été ?

Janie sentit sur ses genoux le corps tout chaud de George, que la volupté du sommeil semblait alourdir. Elle aurait aimé lever la tête et hurler. Mais elle avala sa salive et répondit d'une voix qu'elle s'efforçait de rendre neutre :

— Ça s'est terminé il y a trois semaines.

— Pauvre de toi ! la plaignit Lou en se tournant vers elle, une cuillère dégoulinante à la main. Tu l'as perdu ?

— Non, pas perdu. Je l'ai plutôt égaré délibérément.

Elle avait fait cette pitoyable plaisanterie pour masquer sa douleur.

— Janie ! s'écria Lou, bouleversée.

— Je n'avais pas vraiment le choix.

— Le père... ?

— Ce n'était pas quelqu'un que j'aurais épousé. Pour être franche, je n'aurais pas non plus aimé vivre avec lui.

— Je suis désolée.

— Il aurait eu une mère célibataire. Ça manque de style.

— Les enfants en manquent aussi, lui fit observer Louise. Quoi qu'en disent les magazines. C'est une expérience terrible, ajouta-t-elle en passant son bras autour des épaules de Janie. Pourquoi ne m'as-tu rien dit ? Je serais venue te réconforter. Je t'aurais accompagnée.

Plus que les mots, c'est le simple contact physique avec sa sœur qui toucha Janie. Elle pencha la tête au-dessus de George. Elle se rendit alors compte qu'elle pleurait en voyant des taches sombres apparaître sur le duvet blond de la tête presque chauve de l'enfant. Elle se hâta de les essuyer. Elle avait senti, derrière le chagrin authentique de Louise, un discret sentiment de triomphe. Louise avait mené ses grossesses à terme, elle avait choisi de consacrer sa vie à ses enfants. C'était la seule chose qu'elle avait mieux réussie que sa sœur aînée.

Harold était alors rentré. Il avait bavardé un peu, puis ouvert une bouteille dont il était particulièrement fier. L'instant de grâce était passé et les sœurs n'avaient pas repris leur conversation. Janie avait à quelques reprises surpris le regard inquiet de Lou posé furtivement sur elle. Mais elle s'était ressaisie et s'était ensuite arrangée pour ne pas être seule avec sa sœur. Elle refusait de s'exposer à être l'objet d'une sympathie où se mêlaient des sentiments moins généreux.

Elle laissa retomber sa main à côté du téléphone. Elle ne voulait pas que Lou soit encore une fois témoin de sa faiblesse.

Quelque part dehors, une porte claquait dans le vent. Janie frissonna. Aurait-elle oublié de verrouiller la réserve de charbon? Elle avait besoin de parler à quelqu'un et il ne restait qu'une personne à qui elle pouvait téléphoner en pleine nuit.

— Euh... Oui, répondit Paul d'une voix étouffée, maussade.

— C'est moi.

En entendant la voix si familière, Janie brûla de tout lui avouer à propos de l'avortement : il lui sembla soudain la personne toute désignée pour partager sa peine. Mais son bon sens, Dieu merci, la retint.

— Il fallait que je t'appelle. Je suis désolée. Je deviens folle, seule ici. J'ai juste besoin de parler.

Il y eut un long silence. Elle pouvait entendre le remue-ménage qu'il faisait en se déplaçant dans le lit :

— Qu'est-ce qui... Bon Dieu! on est au milieu de... Janie, c'est toi?

Elle remarqua sa voix enrouée par le sommeil. Puis une note d'inquiétude tandis qu'il faisait un effort pour se réveiller complètement.

— Qu'est-ce qui ne va pas? reprit-il. Il est arrivé quelque chose?

— Non. Je veux dire, oui. Paul, murmura-t-elle, il y a quelque chose sur le palier.

— Un voleur?

— Non. Je ne crois pas qu'il s'agisse de quelqu'un. C'est... une impression.

Paul était tout oreilles maintenant :

— Mon impression, à moi, c'est que tu as bu trop de whisky, dit-il d'un ton accusateur.

— Non, non, tu te trompes. Quelque chose m'a réveillée et j'allais descendre quand j'ai senti cette présence sur mon chemin.

— Où es-tu? demanda-t-il d'un ton résigné.

— Dans la chambre. J'y suis remontée en courant. Toute la maison me paraît hostile. La maudite génératrice fait encore des siennes.

— Pour l'amour de Dieu, Janie, appelle seulement Len Smedley.

Il te dépannera en un rien de temps. Ou bien appelle la police, si tu crois qu'il y a quelqu'un dans la maison. De toute façon il n'y a rien à voler. Quand est-ce arrivé ?

— Il y a environ quinze minutes.

— As-tu entendu des bruits depuis ?

— Non, seulement le vent et la pluie.

— Décris-moi ce qui s'est passé.

Il écouta attentivement pendant qu'elle lui racontait ce qui l'avait effrayée. Puis il dit en pesant ses mots :

— Je ne crois pas honnêtement qu'un éventuel agresseur se tiendrait sur le palier sans bouger ni parler pendant un quart d'heure. Penses-y sérieusement.

— Non. Je me conduis comme une sotte.

— Tu te conduis certainement d'une façon qui ne te ressemble pas. Tu es la personne, parmi celles que je connais, la moins susceptible d'avoir des visions.

Il avait l'habitude de dire qu'elle n'avait pas d'imagination, une remarque qui ne manquait jamais de la rendre furieuse, probablement parce que c'était la vérité.

— C'est seulement que je me sentais si...

— Ouais. Eh bien, il y a des fois où ce n'est pas très gai de rester seul.

Il avait dit cela avec une certaine amertume. Maintenant qu'il connaissait la situation, qu'il s'était assuré que rien de tragique n'était arrivé, le personnage froid, distant qu'il jouait pour faire face aux infidélités de Janie était de retour.

— Es-tu seul ? Pour l'instant, je veux dire, lui demanda-t-elle.

Elle supposa qu'une femme était profondément endormie à côté de lui. Jusqu'à cet instant, il ne lui était jamais venu à l'esprit que Paul puisse avoir quelqu'un dans sa vie. Maintenant la possibilité lui apparaissait évidente. Cette flambée de jalousie l'étonna. Est-ce qu'il tenait l'autre femme dans ses bras durant son sommeil, une jambe sur les siennes ? Est-ce qu'il plaquait sa main dans ce chaud espace secret entre les cuisses de telle sorte qu'elle se réveillait remplie de désir pour lui ?

— Écoute, dit Paul avec brusquerie, ne recommence pas. D'accord ?

— D'accord, s'empressa-t-elle d'acquiescer. Parle-moi un peu, si tu le veux bien. Comment Adam allait-il dimanche ?

— Bien. Il était heureux.

Comme elle n'ajoutait rien, il continua à contrecœur :

— Il s'est inscrit au ciné-club. Les enfants vont apprendre à ressembler à Quentin Tarantino. À dix ans !

— Je pensais que Quentin Tarantino avait aussi dix ans.

— Tu es toujours encline à exagérer, hein ?

— Continue à me parler.

— Pas maintenant, refusa-t-il brusquement.

— Je t'en prie, Paul. J'ai besoin de toi.

Il soupira :

— On ne s'est pas parlé depuis des mois et maintenant tu me téléphones à deux heures quinze du matin pour me supplier de te faire la conversation.

Janie nota qu'il n'y avait pas trop de rancœur dans sa voix. La tempête émotionnelle qu'elle avait provoquée chez lui semblait s'être calmée avec le temps. Elle ignorait toutefois si cette nouvelle attitude signifiait qu'il lui avait pardonné ou qu'il avait simplement cessé de se faire du souci pour elle. Elle ne le découvrirait peut-être jamais : au cours des derniers mois, Paul avait construit une forteresse pour y enfouir ses émotions.

— Continue. Parle-moi du bureau.

Ils avaient autrefois l'habitude de tenir de passionnantes conversations au lit. Ils puisaient leurs sujets parmi les potins, les aventures, les nominations, les querelles.

— Toutes sortes de rumeurs courent. Des intrigues compliquées se nouent et se dénouent, comme d'habitude. Par exemple, David est sur le point d'être mis à la porte pour faire place à une femme brillante qui viendrait du *Mirror*. La haute idée qu'elle se fait d'elle-même l'autorise à considérer tous les autres comme des minus.

Elle eut l'impression qu'il commençait presque à prendre plaisir à ce petit jeu de massacre. Il poursuivait :

— On a envoyé Alan Chase à Washington, que sa femme a

détestée. Elle lui a posé un ultimatum : ou bien ils retournaient tout de suite à Londres, ou bien elle le quittait. Ken les a rapatriés, mais il était tellement furieux, qu'il a affecté Alan à la chronique nécrologique. Il a ouvert son cœur à l'une des bibliothécaires. Et même plus que son cœur : elle est maintenant enceinte, avec le résultat que sa femme demande le divorce qu'il avait voulu éviter. Colin a cessé de boire et Jeremy Fields a entrepris la rédaction de son troisième suspense. Il a transporté ses pénates dans un manoir immense, près de Winchester ou quelque part par là, et il a demandé une augmentation. La routine comme d'habitude, en d'autres mots. Oh ! Howard Pearson est mort.

— Vraiment ? Je croyais qu'il avait passé l'arme à gauche depuis des années.

— Il paraissait seulement l'avoir fait.

— As-tu écrit à Mrs P. ?

— Évidemment. Et, avant que tu ne poses la question, je précise que je n'ai pas ajouté ton nom. Écris tes propres lettres. Bon, dit-il en bâillant, je raccroche. Sois raisonnable. Décide s'il y a réellement quelqu'un ou si c'est l'œuvre de ton imagination débordante. Et puis appelle la police ou, mieux encore, téléphone à la ferme, c'est plus proche. N'hésite pas si tu es vraiment inquiète. Et appelle-moi au cours de la matinée pour me dire ce qui est arrivé. Je retourne dormir, si toutefois je peux.

— Oui. Merci, Paul.

Elle sentit le souci qu'il se faisait pour elle. Il n'était pas indifférent, en dépit de son ton sec. Elle l'avait profondément blessé, et elle ne pouvait pas vraiment évaluer encore à quel degré. Il se protégeait. Paul avait toujours répondu à un appel à l'aide. C'était la première qualité qu'elle avait aimée chez lui.

— Je me sens mieux de t'avoir parlé, dit-elle, maintenant calmée.

Elle déposa le combiné sur son support. Il n'était plus question de dormir pour elle. Mais elle pourrait maintenant attendre que la nuit s'achève.

Chapitre six

Deux jours plus tard, en traversant les quartiers décrépits de l'est londonien, Janie songeait que les édifices n'avaient guère changé depuis les années quarante. Sauf qu'aujourd'hui la ligne des toits se trouvait écrasée par les hauts immeubles qui s'élevaient non loin, là où les Docklands avaient transformé la Tamise. Mais si les édifices n'avaient pas changé, leurs habitants, eux, n'étaient plus les mêmes. Les fourreurs et les tailleurs avaient depuis longtemps émigré vers des quartiers plus prestigieux.

Un autre style de vie, plus exotique, donnait une nouvelle vigueur à ces rues grises et ternes. Sur les trottoirs, devant les magasins d'alimentation, l'opulence des cageots de légumes naguère inconnus contrastait avec la chaussée crasseuse. Des sacs transparents de barbe à papa étaient accrochés aux supports métalliques, comme d'énormes fleurs bleues et roses. Là où autrefois les Venners, les Edelstein, les Zweim avaient établi leurs boutiques de haute couture authentiquement continentales, les Sundram, les Suhkis, les Asha exposaient maintenant dans leurs vitrines des mètres de tissus aux couleurs voyantes.

Janie passa devant le pub White Swan, traversa l'intersection de Cable Street, puis entra dans une petite rue où un parc de stationnement, presque plein à cette heure du jour, remplaçait un îlot domiciliaire détruit par les bombardements au cours de la Deuxième Guerre mondiale.

Conformément aux indications qu'on lui avait données, passé un long et déprimant mur de brique rouge, elle trouva une porte de bois qui s'ouvrait sur un magnifique jardin de campagne à l'ancienne. Les magnolias fleuriraient plus tard, au printemps, mais les rosiers commençaient déjà à s'enrouler sur les arceaux en treillage. Au fond, se dressait la façade georgienne de Chalice House, le premier hospice fondé par Mama.

Dans le hall d'entrée, les chaises de plastique beige juraient sur le vieux parquet ciré et détonnaient à côté du magnifique escalier en fer à cheval. Une simple ampoule, qui brillait sous un abat-jour de papier, avait remplacé le riche candélabre autrefois suspendu à la longue chaîne accrochée au plafond du deuxième étage. Il n'y avait personne en vue, mais elle pouvait entendre des voix psalmodier une prière derrière la grande porte à double battant.

La psalmodie cessa et un hymne suivit. Il y avait de la vigueur, de l'entrain dans ce chant. Aux voix féminines jeunes et bien timbrées, se mêlaient de robustes et profondes voix d'hommes. Janie était presque tentée de se joindre à ce chœur invisible.

Alors qu'elle restait sur place, indécise, se demandant où se diriger, une jeune femme traversa le hall les mains chargées d'un plateau recouvert d'un napperon de toile, sur lequel se trouvaient une tasse et une soucoupe de porcelaine blanche, une boîte de sachets de camomille et un pichet d'eau chaude. Elle frappa à une porte qui s'ouvrait sur une petite pièce au milieu de laquelle trônait un bureau massif.

— Pour Mama, dit-elle d'un ton révérencieux.

Le directeur de l'hospice avait le visage épanoui et rouge de santé. Il parlait avec enthousiasme :

— Mama ne nous prévient pas toujours lorsqu'elle part en voyage et ne nous dit pas davantage quand elle va revenir. Je me rappelle les nombreuses fois où, alors que nous l'attendions d'une minute à l'autre, elle n'est rentrée que cinq jours plus tard. Quelle femme ! Vous connaissez son âge ? Elle est arrivée à sept heures, ce matin, et elle a déjà fait son inspection générale. Maintenant elle va causer avec les patients : c'est d'ailleurs pour ça qu'elle est ici. L'avez-vous déjà vue à l'œuvre ? C'est quelque chose à ne pas manquer.

— On a formulé le souhait que je visite les maisons de l'Ordre dans différents pays, pour que je puisse me rendre compte par moi-même du travail qui s'y accomplit. On a aussi exprimé l'espoir que, une fois réunie l'information nécessaire à la réalisation de mon travail, je puisse avoir quelques entretiens avec Mama. D'ici là, j'ai beaucoup de pain sur la planche.

Jim Harley tambourina sur le bureau. Derrière lui, une grande reproduction du logo bleu-violet de l'Ordre était affichée : deux mains ouvertes se joignaient à la hauteur des poignets pour former une coupe débordant de raisins. Le dessin élégant, de style Art déco, pouvait aussi bien représenter une fleur qu'une coupe. LE CALICE DES VIGNES DU PÈRE, pouvait-on lire au bas du poster.

— Je vais vous faire visiter la maison. Je suis sûr que Mama aura deux ou trois minutes à vous accorder, dit-il d'un ton affable.

Cet homme lui plaisait de plus en plus. Tout le monde l'avait prévenue que Mama était inaccessible, et le directeur de l'hospice lui laissait entendre qu'elle pourrait la rencontrer le jour même. Janie le regarda en souriant :

— Je vous suis infiniment...

— Je vous en prie, madame.

Il lui tendit une série de dépliants, portant tous le logo de l'Ordre :

— Mama s'est heurtée à une opposition quand elle a introduit l'ordre du Calice en Angleterre. Vous pouvez vous l'imaginer. Jusqu'alors, son nom avait été étroitement associé à des milieux d'une extrême pauvreté...

Janie savait tout cela. L'Ordre était présent en Amérique du Sud, évidemment. C'est dans les favelas, les bidonvilles, que Mama avait commencé à s'intéresser aux démunis. Puis elle était venue dans les pays où la guerre avait apporté le chaos et la misère, comme en Bosnie, dans les camps palestiniens à l'ouest du Jourdain. Elle était en Hongrie lors de la révolution, en Roumanie à l'époque de Ceaucescu, à Cuba, à Haïti...

— Il y a eu tout un raffut quand le Calice a voulu s'installer ici. Les gens y ont vu une menace. On pensait que l'implantation de sa communauté signifiait la disparition de l'État-providence dans le pays même qui en avait été le pionnier. Et, fait intéressant, ceux mêmes qui s'inquiétaient n'étaient pas disposés à prendre en charge les sans-abri et à assumer les soins de première nécessité que Mama leur prodiguait. Vous n'entendrez pas, je crois, cette sorte de critique formulée par nos patients.

— D'où viennent-ils ?

— Certains viennent d'autres organisations charitables. Ou des soupes populaires du voisinage. La plupart viennent directement de la rue. On en a trouvé sous les ponts de la Rive sud, sous les porches du Strand. Quelques-uns ont des problèmes de santé, plusieurs requièrent des soins psychiatriques, nous avons aussi quelques alcooliques. Vous verrez tout ça.

Il lui fit visiter toutes les installations : les nombreux bureaux, la salle des chirurgies mineures. Il n'y avait rien du va-et-vient impersonnel que Janie associait à ce genre de maison. Chaque porte était identifiée par un nom différent : COURAGE, BIENVENUE, ESPOIR. Le directeur lui fit valoir que les médecins ne recevaient qu'une rétribution minime pour les soins qu'ils dispensaient. Les autres membres du personnel, affiliés au Calice, portaient la robe bleu-violet grossièrement tissée, que Mama avait choisie pour l'Ordre. Hommes et femmes portaient le même costume. Le Calice était un ordre mixte, lui soulignait Jim Harley, comme c'était souvent le cas au Moyen Âge.

Il la conduisit dans une pièce où quelques pensionnaires buvaient du café. Une toile aux couleurs claires, sûrement l'œuvre d'un amateur, attirait le regard. Jim Harley lui versa une tasse de café et se mit à bavarder avec les personnes qui se trouvaient près de lui, comme il en avait l'habitude. Parmi eux un homme assez âgé, portant un cardigan usé, et une femme au teint foncé parlaient timidement de Mama, qui viendrait les voir. Une jeune femme, dont la minijupe aux motifs fleuris dévoilait des genoux potelés, fixait Janie d'un regard ouvertement agressif. Dans un coin de la pièce, un jeune homme malingre aux cheveux en bataille, poussait de petits cris aigus désespérés.

Une infirmière s'arrêta devant Janie et lui offrit un biscuit. Celle-ci allait le refuser quand le jeune homme fonça vers les deux femmes et saisit un petit gâteau au chocolat sur le plateau. L'infirmière le retint gentiment par le poignet :

— Dis merci, David.

David secoua le bras, laissa tomber le biscuit et retourna dans son coin.

— Il n'est pas physiquement malade, expliqua l'infirmière à Janie. Vous l'avez entendu crier, mais il ne parle pas. C'est le résultat d'un traumatisme. Il vivait dans la rue depuis l'âge de quinze ans. N'importe quoi aurait pu lui arriver.

— Mais il parlera de nouveau ?

— Peut-être. Il lui faudra des années. Aucune thérapie n'a encore donné de résultat significatif.

Jim Harley venait vers Janie, tout en consultant son agenda électronique. Il regarda sa montre et l'entraîna d'un pas rapide jusqu'à la porte marquée FOI. Il la fit coulisser et jeta un coup d'œil à l'intérieur :

— Suivez-moi.

Ils entrèrent dans un bureau où une grande fenêtre permettait de voir l'intérieur d'une salle contenant six lits.

Alors que deux infirmières et un médecin attendaient sur le seuil, une femme se tenait près du seul lit occupé.

La personne alitée, homme ou femme, était au seuil de la mort. Pour cet être humain, l'identité sexuelle ou raciale, le statut social ou la langue ne comptaient plus. Sa peau totalement fanée pouvait avoir été blanche ou noire. Ses yeux enfoncés dans leurs orbites n'avaient plus de couleur. Rien n'avait plus d'importance, sauf ce dernier et misérable vestige de vie.

Mama veillait à ses côtés. L'intensité de sa présence était tangible. Avant même de voir son visage, Janie savait qui elle était. Son maintien révélait une parfaite assurance en même temps qu'une parfaite humilité : c'était une femme qui savait ce qu'elle faisait. On devinait, dans l'attitude des membres du personnel qui l'observaient, la confiance, la soumission et l'absence de toute anxiété.

Elle portait la fameuse robe crème, dont le capuchon avait été rabattu sur son dos. Le vêtement long accentuait son extrême minceur et sa haute taille. Ses cheveux noués avaient la couleur et la texture d'un cordon de soie argenté aux reflets dorés. Sa peau claire était tirée sur ses pommettes hautes et sur la ligne de sa mâchoire. Elle regardait la forme étendue dans le lit. Le ramollissement de la peau du cou et les pattes-d'oie trahissaient son âge. Cela, mais aussi ses mains étroites, qu'elle croisait lâchement devant elle : la peau crevassée portait la marque de durs travaux accomplis durant de longues années dans des conditions climatiques difficiles. Seuls ces minces indices pouvaient révéler qu'elle avait plus de soixante-dix ans.

Mama jeta un coup d'œil sur l'attirail de tubes et de pompes, sur la bonbonne d'oxygène et la pochette de soluté qu'on venait de débrancher. Il n'y avait plus d'espoir. On devinait sous les couvertures le corps décharné, tendu à l'extrême, qui livrait son dernier combat.

Personne ne parlait. Mama avait arrêté son regard juste au-dessus de la forme étendue. Elle se pencha ensuite au-dessus du lit et chercha le pouls sur le poignet.

Pendant dix minutes, peut-être quinze, elle enferma la main inerte dans les siennes. Elle était parfaitement immobile, comme une mère courbée au-dessus du berceau de son enfant malade. Elle avait fermé les yeux pour mieux se concentrer. Elle semblait écouter anxieusement le pouls; et, plus encore, les battements du cœur, les pulsions du corps tout entier.

Mama n'était pas médecin. Elle ne faisait d'ailleurs rien qui pouvait ressembler à un examen ou à un acte médical; elle n'intervenait d'aucune façon. Mais il y avait, dans ses gestes et dans son attitude, une simplicité, une énergie, une impression de sainteté qui touchaient tous ceux qui l'entouraient. Et la personne qui agonisait, soutenue par cette paisible prise en charge, paraissait se transformer. De son poste d'observation derrière la baie vitrée, Janie ne pouvait définir ce qui était en train de se passer; elle ne pouvait que noter le changement.

Un quart d'heure passa. Puis de longues minutes encore. L'équipe médicale, vraisemblablement habituée à ce mystérieux rituel, n'intervenait pas. À un certain moment, l'agonisante — car il s'agissait d'une femme, Janie venait enfin de le remarquer — leva la tête pour regarder la pâle silhouette debout à côté d'elle, puis la laissa retomber sur ses oreillers.

Finalement, Mama laissa la main décharnée reposer sur le drap. Aucun mot n'avait été prononcé.

— Cette femme a vécu une très dure épreuve, chuchota Jim Harley. Elle meurt la rage au cœur. Il nous arrive souvent d'assister à des scènes de désespoir. Elle n'a aucune foi religieuse pour la soutenir dans ce moment suprême. Peu de gens ici ont d'ailleurs cette chance. Mais regardez.

La mourante ouvrit les yeux. On pouvait voir clairement la sérénité et la soumission sur son visage. La tension l'avait quittée. Mama et elle se regardaient en silence.

La femme bougea une main, comme si elle avait voulu signifier un adieu.

Mama se retourna et se dirigea vers les assitants regroupés devant la fenêtre. Son visage était maintenant tendu, crispé; elle avait le front plissé. Elle paraissait vieillie, amaigrie. Elle se déplaçait avec difficulté. On aurait dit qu'elle avait arraché à l'agonisante... Quoi au juste?

Janie se tourna vers Jim Harley avec un air interrogatif. Il lui répondit, alors qu'ils sortaient dans le corridor :

— Ne me demandez rien, je n'en sais pas plus que vous. Nous n'avons pas vu de miracle : la femme est perdue. Mais, je pourrais le jurer, il s'est passé quelque chose.

Janie n'avait pas la même certitude :

— Hum... Vous avez déjà assisté à une scène semblable?

— Oui, comme tous ceux qui travaillent avec elle. Pas de grandes démonstrations émotives, pas de guérisons spectaculaires. Bien qu'il y ait effectivement, parfois, des guérisons. Mais le malade ou l'infirme garde surtout l'impression qu'une sainte l'a touché. Je ne peux vraiment être plus précis. Je ne suis pas médecin, ni prêtre.

Je dirige seulement cet hospice; c'est moi qui trouve l'argent et qui recrute le personnel.

Il la fit asseoir à côté de lui, à l'une des deux longues tables dressées dans la pièce où ils avaient bu leur café. La plupart des personnes qu'elle avait rencontrées plus tôt étaient encore là et d'autres étaient venues s'y ajouter. Mama entra quand tout le monde fut assis et refusa délicatement la chaise qu'on lui offrait au bout de la table. Elle s'arrêta plutôt à côté du vieillard au cardigan usé et lui murmura quelque chose à l'oreille. Il se leva aussitôt et alla s'asseoir avec plaisir à la place qu'on avait réservée à Mama, tandis qu'elle prenait la chaise qu'il venait de quitter, à côté du jeune David, qui criait une demi-heure plus tôt. En aucun moment il ne parut tenir compte de sa présence, ni de celle des autres convives d'ailleurs.

Jim Harley récita une courte prière et le frugal repas commença. Mama, le tête inclinée comme si elle était plongée dans ses pensées, ne parlait pas, sans paraître pour autant distante ou impolie. Elle se contentait de partager avec eux ces agapes fraternelles. C'était de toute évidence son comportement habituel. Elle mangea un petit bol de soupe, du pain, une orange. Tout le monde buvait de l'eau. Les convives, voyant à quel point Mama était fatiguée, parlaient discrètement entre eux.

Fatiguée, pensa Janie assise à la table voisine, mais encore très belle. Car c'est bien de beauté qu'il fallait parler. Mama ne faisait aucun effort, ne se permettait aucun artifice pour plaire. Ses cheveux étaient résolument tirés en arrière; elle ignorait les cosmétiques, la mode. Et c'était là que se trouvait sa force : elle était unique, originale, d'une austère élégance. Ses mouvements et ses gestes étaient lents, mesurés, comme si elle devait économiser son énergie. Cela lui donnait presque une grâce de ballerine.

Une seule fois, vers la fin du repas, elle porta son attention sur quelqu'un en particulier : elle tourna la tête vers David et jeta sur lui un regard préoccupé.

Quand le repas fut terminé, tout le monde se leva et murmura une courte prière. Seul David resta assis pendant que les autres se dispersaient. Le jeune homme semblait absorbé par le jeu des rayons du soleil sur le pichet d'eau.

Janie, qui attendait que Jim Harley ait fini de parler avec un membre de l'Ordre, fut la seule personne à voir Mama s'arrêter derrière la chaise de David. Elle posa une main amicale sur l'épaule du garçon, qui se tourna alors vivement vers elle.

C'était la première fois que Janie le voyait manifester une certaine attention à quelqu'un de son entourage. En examinant son profil, qui se détachait sur la lumière crue du soleil, elle vit ses yeux s'agrandir et sa bouche s'ouvrir légèrement. Pendant une seconde, Janie les avait saisis tous deux, dans une immobilité absolue. Elle aurait pu s'imaginer voir des figures intemporelles, comme celles des fresques de Fra Angelico. Puis Mama avait détaché sa main et poursuivi son chemin.

En sortant de la pièce, elle avait penché la tête de côté pour écouter ce que lui disait un infirmier. Janie la vit alors porter la main à ses yeux, comme pour essuyer ses larmes.

Les deux femmes eurent enfin l'occasion de se parler, dans le hall d'entrée, à quatre heures de l'après-midi. Mama était assise sur une chaise droite, en attendant qu'on vienne la prendre en voiture, et elle conversait avec Jim Harley et l'infirmière en chef. Elle portait curieusement des lunettes noires, comme si elle était en plein soleil. C'était une monture chère : branches en argent mat; verres exagérément incurvés sur les côtés. Le genre de lunettes, pensa Janie en riant sous cape, portées par les adolescents qui ont de l'argent à gaspiller. Elles ne convenaient pas au personnage, même si elles ajoutaient au mystère qui l'entourait. On aurait pu croire qu'elles tenaient lieu de voilette. Malgré son dos bien droit, Mama avait l'air épuisé.

Quand Jim Harley les présenta l'une à l'autre, Mama dit, d'un ton sincère :

— Je suis heureuse de faire votre connaissance, mais vous devez me pardonner de vous avoir fait attendre : la journée a été fort occupée.

Elle parlait d'une voix grave, avec des intonations presque hypnotiques. Janie remarqua le léger accent, qui donnait une couleur caressante à de simples formules de politesse.

C'était la première fois que Janie entendait le son de sa voix. Pendant un instant, elle fut déconcertée par la qualité de son anglais. Elle n'aurait pas dû s'en étonner, car elle savait que Mama parlait plusieurs langues. En regardant les documentaires qu'on lui avait fournis, elle l'avait vue, sans toutefois pouvoir l'entendre, parler avec aisance à un petit garçon, en Éthiopie, et à un vieillard, au Caire.

— Mama doit adresser la parole ce soir à Oxford, à l'occasion d'un dîner, l'informa Jim Harley. Elle a besoin de se reposer d'abord.

Janie fit un calcul rapide. Mama était arrivée à l'hospice à sept heures : elle avait donc dû se lever vers cinq heures. Ensuite elle était restée debout presque toute la journée. La vieille femme jouissait d'une énergie phénoménale. Janie la considéra avec une admiration nouvelle, tout en se demandant ce qui la poussait à se donner autant de peine. Juste à ce moment, comme si elle avait deviné ses pensées, Mama lui sourit :

— Vous êtes la journaliste, n'est-ce pas? Oliver Jodrell m'a parlé de vous.

— C'est exact. C'est moi qui écris le livre dont la Fondation a suggéré la publication. J'espère que nous pourrons nous rencontrer bientôt, quand vous serez moins occupée. J'ai tellement de questions à vous poser.

Elle attendit la réponse. L'expression de Mama, derrière ses verres fumés, était impossible à déchiffrer :

— J'espère que tout le monde vous aide du mieux qu'il peut.

Elle avait éludé sa requête. Janie reconnut l'authentique professionnalisme de la célébrité habituée à répondre à toutes sortes de questions. Elle ne se démonta pas pour autant :

— Pour être honnête, je dois dire que je n'ai encore consulté personne de votre entourage. Je tenais à faire les premières recherches moi-même. Il y a beaucoup de matière à explorer.

— Une bonne partie appartient déjà à l'histoire, mais vous seriez étonnée du nombre d'âneries qu'on trouve mêlées aux faits réels. J'ai confiance que vous saurez faire la différence.

— Il y a en effet beaucoup de sottises qui ont été écrites à votre sujet. Vous en connaissez la raison?

Elle avait parlé sans détour, sur un ton presque accusateur. L'agressivité faisait partie de sa technique, c'est ainsi qu'elle travaillait. De cette façon elle obtiendrait, elle le savait, une réponse énergique. Elle était curieuse de savoir laquelle.

Mama retira ses lunettes, et Janie put voir l'éclat extraordinaire de ses yeux. Elle en eut le souffle coupé : deux lapis-lazulis d'un bleu étonnant, minéral, surnaturel. Malgré son cynisme, Janie songea intuitivement qu'un regard aussi intense était un cadeau du ciel.

Mama la scruta avec attention. Janie laissa sa mémoire enregistrer cette bouche encore généreuse et les yeux étonnants qui posaient sur elle un regard aiguisé. Elle n'oublierait jamais cette image de sensualité transfigurée par l'esprit.

— Non. J'en ignore tout à fait la raison, dit Mama avec du regret dans la voix.

Janie avait eu l'intention de poser une autre question, mais Mama exerçait sur elle une sorte de fascination qui la rendait inconsciemment désireuse de lui plaire. Elle s'entendit alors dire :

— Je vous remercie de m'avoir permis de vous voir aujourd'hui parmi vos protégés. Vous leur montrez beaucoup de compassion. L'expérience a été très précieuse pour moi.

Janie n'avait pas aussitôt fini de parler qu'elle regretta ce qu'elle venait de dire. La chaleur rayonnante avait disparu des yeux de Mama. Elle semblait déçue que Janie n'ait pas compris le message qu'elle avait voulu lui transmettre. Elle cessa instantanément de s'intéresser à la jeune femme et jeta un regard autour d'elle. Un homme de petite taille, gros comme une barrique dans sa robe bleu-violet, traversa immédiatement le hall et vint se poster à côté d'elle. Il avait le crâne rasé de près, ce qui permettait de lui donner n'importe quel âge entre trente et cinquante ans. Sa robe sans manches laissait voir des bras musclés. On pouvait aussi bien le prendre pour un moine tibétain, pensa Janie, que pour le garde du corps de Mama. Il inclina la tête, devant Mama, d'une façon à la fois familière et respectueuse. C'était de toute évidence quelqu'un dont il fallait tenir compte. Derrière elle, Jim Harley murmura à son intention :

— Tomas accompagne Mama partout où elle va.

Comme s'il avait entendu, l'homme jeta un regard de leur côté. Janie sentit avec un certain malaise ces yeux intelligents la dévisager de façon soutenue. L'homme l'examinait sans complexe et enregistrait dans sa mémoire tout ce qu'il jugeait utile de retenir. Elle se demanda pendant un court instant, avec le sentiment de déraisonner, s'il savait qu'elle buvait trop.

Il plia légèrement les genoux et offrit son bras à Mama. Elle parut à peine le toucher, mais elle s'aida de sa vigueur pour se lever commodément de sa chaise. Elle dit au revoir à Jim Harley et eut quelques paroles pour l'infirmière en chef, dont elle toucha le bras avec respect et affection. Il semblait y avoir entre elles une familiarité de vieille date. Elle se tourna vers Janie, comme si leur conversation se poursuivait :

— Ils n'ont pas besoin de pitié. Ils ont besoin qu'on les traite comme des êtres humains.

Elle continua à regarder Janie, qui nota dans ses yeux un mélange subtil de douceur et de force. Puis elle remit ses lunettes. Un employé se précipita pour ouvrir la grande porte et elle sortit, escortée de son cerbère.

Janie traversa lentement le jardin de l'hospice. Pendant qu'elle s'éloignait pour retourner à sa voiture, l'image de Mama penchée sur le lit de l'agonisante s'imposa à elle en même temps que lui revenaient en mémoire les éloges qu'avait faits Jim Harley à son sujet.

À leurs yeux à tous, Magda Lachowska s'acheminait vers la gloire des saints.

Chapitre sept

Le petit Patrice Akonda s'occupait de son frère pendant que sa mère travaillait. Elle partait tous les jours avant l'aube pour faire des travaux domestiques chez Mme Bivigou. Patrice n'avait pas encore huit ans et il était petit pour son âge. Il se sentait donc important quand il tirait la voiturette à roues basses que les religieuses avaient construite pour qu'il puisse conduire son frère à l'école. Les sœurs faisaient partie d'un ordre hospitalier établi depuis longtemps au Gabon et elles s'occupaient de Jean Akonda depuis l'accident qui l'avait rendu infirme. Il y avait six mois, il avait été renversé par une motocyclette et avait subi une vilaine fracture de la jambe gauche, encore immobilisée dans un plâtre. Son cas causait de sérieuses inquiétudes, car sa jambe ne guérissait pas.

Patrice avait entendu les adultes exprimer en chuchotant les graves inquiétudes qu'ils entretenaient au sujet de Jean. Les sœurs infirmières avaient annoncé à sa mère que l'os ne se régénérait plus. Elles avaient utilisé des mots inconnus de lui, qui avaient paru à Patrice bien troublants : nécrose, suppuration, ulcère. Elles avaient affirmé qu'il faudrait éventuellement amputer la jambe de Jean. Il les voyait, dans son imagination, trancher le membre sur un bloc de bois, ainsi que sa mère faisait avec les pattes des poulets qu'elle préparait pour la cuisson. Il souffrait dans sa propre chair à cette seule pensée.

La jambe de Jean l'obsédait. Son frère était un fier et magnifique garçon de seize ans aux beaux yeux brun doré. Il excellait à la course avant l'accident. Il avait maintenant une jambe plus courte que l'autre, qui le faisait constamment souffrir. Patrice avait vu son frère la frapper de toutes ses forces avec son poing pour la punir. Jean haïssait la voiturette. Même si elle lui offrait une certaine mobilité, elle lui laissait la tête à la hauteur des genoux des gens, comme s'il était un chien. Il ne le disait jamais, mais il était persuadé qu'aucune fille ne voudrait de lui maintenant. Parfois, la nuit, il entendait son frère, couché dans le lit à côté du sien, pousser les rudes sanglots qui sortent de la gorge des adultes.

Patrice demanda en classe s'il était possible que de nouvelles jambes poussent aux amputés. Mlle N'Goua avait crié pour que ses compagnons cessent de rire. Puis elle lui avait caressé les cheveux en souriant. Après l'école, elle lui avait donné des dragées, en lui demandant, d'un air triste, de ne pas oublier de les partager avec Jean. Elle avait dû, elle aussi, écouter aux portes quand les sœurs et le médecin avaient parlé de la jambe malade de son frère.

Malgré sa gourmandise, Patrice en mit le plus grand nombre dans sa trousse à crayons. Il avait hâte de voir le sourire de Jean lorsqu'il les lui offrirait. Il était convaincu qu'il lui revenait de trouver le moyen de faire réparer la jambe de Jean, avant qu'on ait besoin de l'amputer.

Chapitre huit

Janie fit un appel téléphonique à Rome. Une voix de femme répondit : « *Vaticano.* »

Par un froid après-midi de novembre, elle arriva au Vatican et se dirigea vers l'Arco delle Campana, l'une des trois entrées donnant accès à la cité protégée par des murs, des barrières et des gardes armés. À une certaine distance devant elle, la basilique Saint-Pierre se dressait dans sa lourde majesté.

Sous la voûte d'entrée, deux gardes suisses enveloppés dans leur cape noire pour se protéger du froid tenaient des hallebardes médiévales dans leurs mains gantées de blanc et bloquaient le chemin. Le plus ancien se mit au garde-à-vous en claquant des talons, tandis que le plumet de son casque tremblait. Janie lui demanda un renseignement et, sans bouger un seul muscle du visage et d'un ton parfaitement neutre, le garde dit :

— Bureau des permissions, première porte à gauche. *Buon giorno.*

Il devait répéter la même chose mille fois par jour.

Elle entra dans une longue salle voûtée remplie de gens tenant un formulaire à la main et qui attendaient leur laissez-passer. Celui-ci leur serait remis par un commis débordé obligé de faire confirmer chaque rendez-vous au téléphone. La cité du Vatican constitue un État autonome enclavé dans le territoire italien. Personne n'y pénètre sans raison valable. Janie s'assit à une table pour remplir son formulaire. Elle devait notamment y inscrire le nom et le titre de la personne qu'elle devait voir. Quelque temps après qu'elle l'eut remis, on lui donna un document timbré et signé par le commis principal.

Quand elle sortit du bureau, un surveillant la dirigea vers un autre passage voûté, qui donnait accès à un square au milieu duquel un jardin entourait une fontaine. Elle fut frappée par le silence total des lieux et par leur propreté. Dans la cité vaticane, toutes les surfaces peintes étaient immaculées, et toutes les voies de circulation étaient soigneusement balayées.

Un groupe de religieuses passa non loin, portant des sacs bourrés de provisions. Janie se demanda si ces femmes en costume traditionnel, avec un cœur rouge brodé sous l'épaule gauche, appartenaient à la communauté responsable du service personnel du pape et de ses appartements.

Quand elle eut atteint la Piazza Pio XII, elle prit la direction est, vers le palais des Congrégations. Contrairement aux édifices baroques qu'elle avait vus jusqu'à présent, celui-ci était un édifice moderne de brique et de pierre en forme de L. À côté de l'entrée, à un mètre l'un de l'autre, se tenaient deux hommes en uniforme bleu. Ils ne semblaient pas armés, mais ils étaient en position d'alerte : les pieds écartés, le corps légèrement penché en avant, prêts à courir dans n'importe quelle direction. Ces hommes de haute taille et aux épaules solides devaient appartenir au corps des vigiles du Vatican. Sous leur casque pointu, ils avaient les cheveux coupés court. Janie eut soudain l'envie de plaisanter sur l'importance qu'on donnait à la sécurité dans cet édifice.

La Congrégation pour les causes des saints logeait au troisième étage. Elle se présenta à la réception et n'y trouva aucun surveillant. Il y avait quelques chaises droites dans la pièce, un palmier aux pointes brunies dans un pot de terre cuite et, sur une table basse, un exemplaire du journal du Vatican, l'*Osservatore Romano,* le magazine de Radio Vaticana et une pile de pages photocopiées. Elle en prit une. C'était un article écrit en italien, provenant fort probablement d'un magazine. Elle lut : « ... *le concept du martyre a été élargi. Il est possible d'être un martyr de la charité... donner leur vie pour que d'autres puissent vivre... mourir pour la paix et la justice est une forme de martyre... pour l'établissement du Royaume.* » Elle mit la photocopie dans sa serviette pour la lire plus tard.

Elle entendit bientôt avec étonnement le martèlement rapide de talons hauts sur le parquet. Une femme d'âge moyen, cheveux gris parfaitement coupés, chemisier de soie et complet-veston, se présenta :

— Miss Paxton ? Paola Zegna. Le cardinal vous attend.

Janie était renversée. Elle croyait devoir rencontrer un sous-secrétaire, signor Calli, qui lui expliquerait les procédures de la Congrégation. Même après avoir passé des années à interviewer des gens importants, elle tremblait à l'idée de se trouver devant un cardinal sans s'être, comme d'habitude, sérieusement préparée. Sa nervosité dut paraître sur son visage, parce que Paola Zegna lui adressa un sourire encourageant :

— Je crois que le cardinal ne correspond pas... à l'image que vous vous en faites. C'est un homme moderne...

Elle précéda Janie dans un des longs corridors ivoire qui partaient de la réception. Elle marchait si vite que Janie devait presque courir pour la suivre. Elle se répétait mentalement les brefs propos, plutôt étonnants, que venait de lui tenir l'Italienne : « C'est un homme merveilleux, qui a travaillé ici toute sa vie. Il écrit lui-même ses communications. Sa façon de diriger la Congrégation n'a rien de bureaucratique. »

L'antichambre encombrée de la suite du cardinal avait l'apparence surannée des bureaux d'avocats réputés de la fin du siècle dernier. Les téléphones noirs étaient si démodés qu'il était étonnant de les voir servir encore. La pièce d'équipement la plus moderne était une lourde machine à écrire électrique. Elle ramassa au passage une carte de visite sur le bureau :

Son Éminence le cardinal Norberto Uguccioni,
Préfet de la Congrégation pour les causes des saints.

Janie la glissa dans sa poche.

Une fois introduite dans le grand bureau du cardinal, où il n'y avait personne pour l'instant, Janie déposa sa serviette par terre et porta son regard sur l'immense peinture qui couvrait la plus grande partie du mur derrière la table de travail.

L'œuvre semblait dater des années vingt. Un homme aux cheveux blancs, vêtu d'une longue tunique, était debout, les mains jointes, au milieu des flammes qui s'enflaient autour de lui comme les voiles d'un navire. Une lance avait été plantée dans son côté et, de son sang, surgissait une blanche colombe aux ailes tachées d'écarlate.

La juxtaposition de la violence et de la paix la clouèrent sur place, de sorte qu'elle entendit à peine la voix profonde et musicale juste derrière elle :

— Le martyre de Polycarpe.

Les yeux fixés sur la peinture, elle murmura :

— Je ne crois pas avoir jamais...

— L'un des premiers évêques de Smyrne. Il a subi le martyre à deux heures dans l'après-midi du 23 février vers l'an 55. Selon ce qu'on rapporte. On se demande comment on pouvait être si précis.

Janie se retourna. L'homme qui avait parlé derrière elle était court et de taille forte. Son crâne chauve paraissait bronzé sous la calotte pourpre de soie moirée. Il portait une soutane d'un fin lainage pourpre attachée par une longue série de boutons de la même couleur. Autour de sa taille épanouie, une large ceinture taillée dans le même tissu que la calotte laissait retomber deux pans bordés d'épaisses franges. Une croix en or se balançait sur sa poitrine.

— On dit que sa chair brûlée avait l'odeur du pain cuit au four et de l'encens, commenta-t-il en regardant le tableau.

Il s'avança vers elle la main tendue. Elle se demanda si elle devait la baiser.

— Miss Paxton, bonjour.

Sa poigne était chaleureuse. Il inclina légèrement la tête dans un geste de courtoisie.

— Bonjour, Votre...

Elle hésita, désemparée, se disant qu'elle aurait dû poser la question à la secrétaire :

— Dois-je dire « Éminence » ?

Il ferma les yeux en guise de réponse affirmative, ce qui le fit paraître curieusement modeste. Elle regarda de nouveau le tableau :

— Je me demande pourquoi le peintre a voulu le faire paraître si heureux. Aucun homme n'aurait pu être brûlé vif en gardant cette expression sur le visage...

— Je n'en suis pas si sûr. Pavlov a montré de façon assez concluante dans ses derniers travaux que, chaque fois qu'une région du cerveau est fortement excitée, les autres sont inhibées. Donc, si le système nerveux de saint Polycarpe était suffisamment excité par des visions extatiques, les stimulus de la douleur pouvaient être bloqués. J'espère que c'était son cas. Nous croyons maintenant que ce phénomène pourrait expliquer la sérénité des martyrs dans leur mort atroce. S'il vous plaît...

Le cardinal désigna à Janie une chaise en face de son bureau et s'assit lui-même dans son solide fauteuil de cuir.

— Bon, vous ouvrez le feu ?

— Pardon ?

— J'ai mal choisi mes mots, n'est-ce pas ? Dites-moi en quoi je peux vous être utile.

— Ah ! oui. D'accord, dit-elle en déposant son enregistreuse sur le bord du bureau. Je peux ? demanda-t-elle en la mettant en marche. C'est très aimable de votre part de trouver le temps de me recevoir personnellement.

Il fit un geste large pour attirer son attention sur les piles de dossiers qui jonchaient le sol, les appuis des fenêtres, les tables :

— J'ai beaucoup à faire, comme vous pouvez le constater. Mais rien d'urgent. Pas de panique, donc. Mes recherches ne se font pas dans un cadre rigide. Je travaille indifféremment, selon les besoins, sur les dossiers ouverts par mon prédécesseur ou par moi-même. Je me permets de préciser que j'occupe ce poste depuis près de trente ans. Mon travail peut parfois m'amener à faire avancer une cause inscrite il y a plus de deux siècles. Alors, voyez-vous, je peux disposer d'une demi-heure pour vous aider.

— Vous êtes donc officiellement un faiseur de saints ?

Il secoua la tête d'un air réprobateur :

— L'Église ne fabrique pas les saints. Dieu seul leur accorde sa grâce. Nous nous contentons de les identifier pour les proposer en exemple aux fidèles. C'est un processus continuel et hautement formaliste. Autrefois nous utilisions la même procédure que les cours de justice : nous avions d'un côté les avocats de la défense, ayant à leur tête le Promoteur de la Foi, qui prenaient le parti du saint et de l'autre côté l'avocat du diable, qui contestait les mérites du candidat à la sainteté. Nous ouvrions même les tombes pour examiner les corps. Pendant des siècles, on a cru que le corps des saints authentiques sentait bon, ajouta-t-il en notant l'expression de Janie. De toute façon, nous avons aboli l'ancien système en 1983 et, depuis, nous avons abandonné ces formalités de type judiciaire pour nous en tenir à des enquêtes et à des recherches, scrupuleusement menées, qui fourniront la matière d'un mémoire exhaustif justifiant la canonisation.

Il prit sur son bureau une petite boîte ronde en fer-blanc, qu'il eut de la difficulté à ouvrir :

— Voici le plus fichu couvercle... maugréa-t-il.

Il lui tendit ensuite la boîte, qui contenait des bonbons à sucer enrobés de sucre glace :

— Parfum citron, si vous voulez bien.

Elle en prit un, déjà charmée malgré elle. Sa curiosité était piquée par la richesse des vêtements et le comportement sans façon du dignitaire ecclésiastique, par ce curieux mélange d'excellent anglais — qui avait cependant quelque chose d'emprunté — et d'américanismes qu'il avait sûrement dû glaner dans les films.

— Nous nous employons à chercher la vérité, continua-t-il. Notre travail ressemble à celui du détective, j'imagine. Je suis un enquêteur professionnel. Le Philip Marlow du Vatican.

Il avait souri en faisant cette plaisanterie.

Janie ne disait rien, immobilisée sur sa propre piste par ce limier vêtu de pourpre. Il prit une lettre dans le tiroir de son bureau. Un deuxième feuillet y avait été agrafé. Elle reconnut le billet qu'elle avait adressé à son sous-secrétaire :

— Vous faites une recherche dans le but d'écrire la biographie de Magda Lachowska, m'a-t-on dit. Comment pouvons-nous vous être utile ?

— On en parle comme d'une sainte vivante, qui sera sûrement canonisée après sa mort. J'ai pensé que je devais me renseigner sur le processus de canonisation.

— Une sainte vivante, répéta-t-il pensivement, comme s'il posait la question.

Il replia la lettre en lissant chaque pli entre ses doigts.

— Une sainte vivante, dit-il finalement, est une contradiction dans les termes. Canoniquement parlant. La sainteté officielle est le fruit d'un processus long et patient.

— Mais n'est-il pas évident que, pour Mama, la proclamation de sa sainteté devrait se faire presque automatiquement ? Des milliers de personnes doivent leur vie à son intervention et à son aide. Elle s'est mise au service des victimes innocentes de la violence. Elle donne de l'espoir... et elle donne du pain. Et ce ne sont pas seulement les pauvres qui la vénèrent. Elle est devenue une personnalité internationale, reçue par les chefs d'État du monde entier. Pardonnez mon ignorance, mais si les gens l'acclament déjà comme une sainte, le Vatican peut-il lui-même ignorer un sentiment populaire aussi fort ?

Il frappait la surface de son bureau avec les bords de la lettre tout en examinant sa visiteuse. Puis il dit posément :

— La reconnaissance de la sainteté exige des années, et c'est normal qu'il en soit ainsi. Quelle que soit la dévotion des foules, la proclamation officielle de la sainteté de Mama doit attendre le jugement plus éclairé de l'Église. Nous ne créons pas de saints sur commande. Il n'existe pas de raccourci vers la canonisation.

Il leva la main pour écarter la protestation qui brûlait les lèvres de Janie :

— Oui, je suis parfaitement au courant des pressions exercées sur le Saint-Père pour que soit accéléré le processus de canonisation de Mère Teresa. Mais comment pourrions-nous aller plus vite ? Combien de temps sera-t-il nécessaire pour réunir les preuves de sa sainteté ? Rien n'est acquis. Nous devons nous laisser guider par le Saint-Esprit, non par les promoteurs. Et le chemin qui conduit à la canonisation est long et compliqué. Il faut compter cinquante ans en moyenne, parfois même un siècle.

Elle songea qu'elle s'était laissé tromper par sa première impression. Il lui était apparu grassouillet et mou dans sa pourpre cardinalice. Elle s'apercevait maintenant qu'il était bâti comme un boxeur; c'était un homme solide et fort. Le ton de sa voix s'était durci :

— Il ne m'appartient pas pour l'heure de faire des commentaires. Ce n'est pas encore le temps pour vous, si je peux me permettre de vous parler franchement, de faire des conjectures. Si — et j'insiste sur le mot « si » — Magda Lachowska était proposée à la canonisation, nous devrions d'abord faire une enquête sérieuse et complète sur elle, tâcher de savoir comment elle se comportait avant que débute le phénomène de ses présumées visions. Ses écrits seraient analysés jusque dans leurs nuances les plus subtiles. Nous étudierions minutieusement les témoignages écrits qu'on nous soumettrait. De plus, l'Église instaurerait des tribunaux dans chacun des pays où elle s'est dépensée, pour que ceux qui l'auraient connue puissent témoigner de sa vie et de son œuvre. Cette entreprise seule pourrait exiger une décennie entière. Il faudrait ensuite des années pour préparer les documents destinés aux juges assignés à l'étude des témoignages apportés devant ces tribunaux.

Janie demanda, sincèrement intriguée :

— Pourquoi soumettre son cas à toute cette procédure, quand on sait parfaitement qu'elle a fait tellement de bien? Je ne comprends pas. On ne peut certainement pas mettre en doute qu'elle mérite le titre de sainte. Elle l'a déjà gagné.

— Dans l'Église primitive, vous savez, les martyrs étaient rapidement déclarés saints. Qui pouvait douter qu'un chrétien lapidé à mort puisse être admis à franchir immédiatement les portes du ciel? Mais les choses ne sont pas aussi simples aujourd'hui.

Il plissa les yeux et arrêta son regard juste au-dessus de la tête de Janie. De toute évidence, il réfléchissait.

Enfin, sans avertissement, il se pencha vers elle et appuya sur l'interrupteur de l'enregistreuse :

— Ce que nous dirons maintenant restera confidentiel. D'accord?

— Je préférerais vous citer.

Le cardinal la jaugeait. De son côté, elle essayait de deviner où il voulait en venir.

— Vous le pouvez, si vous voulez, cela va de soi. Mais je crains en ce cas que vous deviez vous contenter de banalités et de références à l'histoire. La canonisation est une procédure qui relève strictement du Vatican, vous comprenez, ajouta-t-il d'une voix où perçait le regret.

Il lui laissa le temps de mesurer toutes les implications de la décision qu'il la forçait à prendre rapidement. Il finit par ouvrir les bras :

— Cependant, j'aurais scrupule à vous tromper sur les faits, à vous donner une mauvaise information, ne serait-ce que par omission. Je me permets de vous donner un conseil, madame : soignez votre documentation, allez au fond des choses.

C'était au tour de Janie de réfléchir. Elle ne doutait aucunement que le cardinal fût un authentique homme de Dieu. Mais elle devinait, derrière sa façade bienveillante et son goût pour les bonbons acidulés, une intelligence déliée, un esprit très subtil et une grande détermination. Ce sont d'ailleurs ces qualités qui lui avaient donné accès à la haute fonction qu'il occupait. Il devait aussi avoir appris comment tirer son épingle du jeu dans ce monde clos où les oppositions politiques et les disputes théologiques ne manquaient sûrement pas.

Elle acquiesça de la tête. Elle n'avait d'ailleurs aucun choix.

Le cardinal, avec une adresse inattendue, retira le ruban de l'enregistreuse et le déposa sur le bureau :

— Il existe un problème concernant Magda Lachowska.

Il s'appuya contre le dossier de son fauteuil et croisa ses mains sur son ventre :

— Et, si vous y réfléchissez, vous allez trouver la chose intéressante. Elle est selon toute vraisemblance un porte-parole de Dieu. Il faut admettre qu'elle semble parfois envahie par une force surhumaine, comme si elle était l'instrument d'une puissance supérieure. Mais considérez-la d'un œil plus détaché. C'est indubitablement une femme habile. Elle est peut-être plus manipulatrice qu'il ne paraît.

— Mais j'ai vu cette femme consoler les mourants, argua Janie. J'ai senti la force de sa présence remplir la chambre des agonisants. Et elle ne s'est jamais vantée de ses exploits. Elle n'est pas là pour promouvoir ses propres opinions.

— Il n'est pas impossible qu'elle soit actuellement en train de miner l'autorité de l'Église. Pas de façon délibérée, mais parce que les gens interprètent mal son action. Je crois savoir, par exemple, qu'elle fait la promotion de la limitation des naissances. Si l'Église l'appuyait trop ouvertement et trop tôt, elle pourrait découvrir au bout du compte qu'elle soutient l'œuvre du démon.

L'œuvre du démon. L'expression paraissait étrange dans la bouche d'un homme aussi moderne que lui. Elle remarqua qu'il se tournait les pouces.

— Tel est notre dilemme, poursuivit-il. Magda Lachowska peut évaluer avec cynisme l'effet qu'elle produit sur les gens. Ou, au contraire, son comportement peut, sans qu'elle l'ait souhaité, susciter l'engouement collectif. Ou un culte, pour être plus exact. Est-ce bien l'Église que les fidèles de Mama vénèrent, ou Mama elle-même ? Telles sont les inquiétudes qui nous incitent à recommander la prudence.

Il avait cessé de se tourner les pouces.

— J'admets qu'on peut parler d'un culte de la personnalité à son sujet, concéda Janie avec réticence. Et je peux comprendre que le Vatican n'apprécie pas cet engouement. Mais les premiers jours du christianisme n'ont-ils pas été marqués par un mouvement de vénération pour un homme qui avait été crucifié ?

— Les saints ont toujours fait l'objet d'un culte, et pas nécessairement d'une enquête, c'est vrai. Anciennement, une croyance soutenait que le ciel et la terre s'unissaient dans le corps des martyrs. Il ne faut pas se surprendre qu'on ait attribué des miracles à leurs reliques. Le culte populaire prêtait des pouvoirs magiques à leur sang et à leurs os, à leur cœur et aux phalanges de leurs doigts, aux instruments mêmes avec lesquels ils avaient été torturés, à leurs vêtements, et j'en passe. Toutes ces reliques se voyaient attribuer le pouvoir de guérir les malades ou de chasser les mauvais esprits. Rien n'a changé aujourd'hui : les moufles de Padre Pio remplissent la même fonction.

Ce culte naît des attentes de la foule des chrétiens. Et il semblerait que Mama est très sensible à ces attentes.

Le cardinal contempla la large vue qu'il avait sur le Palais apostolique, et elle suivit son regard. Qu'est-ce qui se passait derrière toutes ces fenêtres? D'autres conversations comme celle qui avait lieu dans ce bureau?

— Malheureusement, continua-t-il comme s'il poursuivait sa réflexion, le mot « culte » a été galvaudé. La personne qui fait l'objet d'un culte est considérée comme un gourou malfaisant doté de pouvoirs hypnotiques. Les gens qui accordent leur foi à un thaumaturge n'ont que faire d'une autorisation officielle. Vous n'avez qu'à penser aux États-Unis, où l'on compte des centaines d'organisations religieuses différentes. La plupart ont un caractère local et comptent peu de fidèles. Mais plusieurs sont considérables... et riches. On peut participer à leurs activités en suivant les émissions diffusées sur leurs propres chaînes de télévision. On peut ainsi être témoin d'une guérison, prendre part au chant, correspondre électroniquement avec les zélateurs, leur faire parvenir le numéro de sa carte de crédit...

À sa propre surprise, Janie se sentit sur la défensive :

— Mais ces gens sont des charlatans. Ils donnent un spectacle. Ce n'est pas du tout le style de Mama. Elle semble indifférente aux biens matériels. Elle ne mange presque rien, elle porte toujours les mêmes vêtements. On m'a dit que les pièces mises à sa disposition dans les diverses maisons du Calice sont presque nues.

— Je n'ai aucun doute à ce sujet. Je n'en pense pas moins que vous allez découvrir qu'elle ne méprise pas les cartes de crédit. Tout le monde a besoin d'argent, madame. Mama elle-même ne peut diriger sa vaste organisation en ne comptant que sur la foi.

Il fit encore une pause, montrant la même concentration que Janie avait notée plus tôt. Venait-il de prendre une autre décision? Quand il reprit la parole, son débit était lent et ses mots soigneusement pesés :

— Vous devriez vous demander quels appuis financiers soutiennent les œuvres de Mama. Celui du petit peuple, évidemment. Des milliers de piécettes provenant de tous les points cardinaux finissent par faire des sommes considérables.

Janie approuva lentement de la tête. Bien entendu, de petites sommes qu'on faisait parvenir du monde entier alimentaient le fonds. Alors, si un prédicateur américain du Sud profond pouvait être assez riche pour posséder sa propre chaîne de télévision, les sommes envoyées à Mama et au Calice devaient être considérables elles aussi.

— Une telle femme, disait le cardinal, attire des gens très étranges, qui se lient à elle pour toutes sortes de raisons. Dans le cas de Magda Lachowska, il y a aussi des individus puissants et des sociétés internationales. L'influence qu'elle exerce sur eux étonne. Peut-être veulent-ils expier leurs propres fautes. Ou peut-être l'utilisent-ils à des fins qui demeurent obscures aux yeux des profanes que nous sommes.

Janie regarda les pouces, qui avaient fébrilement repris leur manège.

Était-il en train de lui dire que la fondation Krzysztof était suspecte ? Elle avait elle-même soupçonné certains membres du conseil d'administration après la première réunion ; elle se rappelait les questions qu'elle s'était posées dans le train, en rentrant chez elle. Mais ses doutes s'étaient évanouis après que Robert Dennison lui avait fait parvenir un premier chèque, particulièrement généreux. L'avait-on prise pour une ambitieuse, aveuglée par la gloire et le lustre ? Elle songeait à la soirée de bienfaisance qui aurait lieu au Waldorf-Astoria de New York. La carte d'invitation qu'on lui avait adressée était encore épinglée sur son panneau d'affichage. Elle avait été ravie de la recevoir en même temps qu'une note, confirmant que son billet d'avion serait payé par la Fondation.

— Je n'affirme pas que c'est ce qui se passe, poursuivit le cardinal. L'Église ne prend pas parti, mais... elle est la gardienne de deux mille ans de foi.

Il observait attentivement Janie, comme s'il voulait s'assurer qu'elle suivait son raisonnement. Ses yeux sombres portaient sur elle le regard perspicace, strictement réaliste, d'un avocat ou d'un banquier qui ne laisse jamais deviner son opinion véritable.

Un banquier. Calvi. Elle se rappelait maintenant. L'effondrement de la banque Ambrosiano quelques années auparavant et le suicide présumé de Roberto Calvi à Londres. Après l'emprisonnement de Calvi pour fraude, la rumeur avait couru, à travers le monde, que la banque du Vatican avait fait affaire avec l'accusé, qu'elle avait été d'une certaine façon complice de ses malversations. Elle avait aussi entendu parler d'autres théories, encore plus vagues et jamais prouvées, qui impliquaient la mafia et la franc-maçonnerie.

Ces hypothèses étaient sujettes à caution, mais Janie était néanmoins furieuse de s'être montrée aussi naïve. Le Vatican n'était différent d'aucune autre institution. Ses administrateurs financiers devaient parler la langue du commerce pour réussir à garnir les coffres de l'institution qui les faisait vivre et qu'ils avaient pour mission de protéger. C'était un secret de polichinelle que le Vatican recherchait toujours avec acharnement des sources de financement. Quelle somme Mama remettait-elle au Vatican chaque année ? Assez, se demanda Janie avec cynisme, pour en faire une sainte ?

Elle garda ces pensées impudentes pour elle.

— Que faut-il d'autre pour que Mama soit canonisée ?

— Vous supposez que, si le peuple l'honore déjà comme une sainte, Magda Lachowska devrait être officiellement reconnue comme telle après sa mort. Le peuple l'a acclamée, elle lui appartient. Pour ma part, je ne suis pas du tout certain de l'effet que pourrait avoir un procès de canonisation. Les frais sont incalculables : recours aux experts, constitution d'un dossier, etc. Il faut même tenir compte des dépenses entraînées par les célébrations qui accompagnent et suivent la canonisation : imaginez-vous un grand mariage où il y aurait des milliers d'invités. Et il faut penser que les enquêteurs, dans un procès de canonisation, peuvent se montrer passablement fouineurs. Je pourrais aussi parler de l'aspect hautement bureaucratique de l'entreprise. Est-ce que Mama souhaite tout ça ? Elle préférerait sans doute qu'on utilise tout cet argent et toute cette énergie à aider les pauvres et les malheureux qu'elle aime tellement et dont les besoins sont si grands. À moins, ajouta-t-il après une pause, qu'elle n'opte plutôt pour un compte rendu de sa vie qui concorde avec ce que ses supporteurs croient déjà et qui ne risque pas de créer des remous.

— Comme mon livre ?

— Est-ce vous qui avez d'abord eu l'idée d'écrire cette biographie ? Ou est-ce Mama qui est venue à vous ?

— La Fondation... commença-t-elle. Oui, je vois. Supposons que le processus soit mis en branle. Qu'est-ce qui arrive ?

— Si tout va bien, la personne reçoit d'abord le titre de « serviteur » ou de « servante de Dieu ». Puis vient l'appellation de « bienheureux ». Il va de soi que les candidats n'accèdent pas tous au statut de « saint ». L'étape entre la béatification et la canonisation peut durer encore dix ans. Ou même quatre cents. Depuis le Moyen Âge, les candidats à la canonisation doivent avoir à leur crédit au moins un miracle, obtenu après leur mort.

Janie dut paraître surprise, car le cardinal esquissa un sourire :

— Même si nous apprenions que Mama marche sur l'eau tous les jours pour se rendre à son travail, cela n'entrerait pas en ligne de compte. On nous critique beaucoup, on nous appelle la fabrique de miracles. Je me permettrai ici de vous dire que cette question provoque de sérieuses discussions parmi nous, au Vatican même.

— Pourquoi exiger un miracle ? D'ailleurs, qu'est-ce qu'un miracle ?

Il jeta un regard sur saint Polycarpe, comme s'il cherchait l'inspiration :

— Qu'est-ce qu'un miracle ? Est-ce que vous avez tout votre temps, madame ? Le miracle, c'est l'humain qui voisine avec le divin. Un miracle peut procéder directement de Dieu. Ou bien il peut survenir, après la mort d'un saint, en réponse à des milliers et des milliers de prières. De toute façon, le miracle est une faveur que Dieu accorde, soit directement, soit grâce à l'intercession d'un saint. D'un autre côté, un esprit sceptique dira que c'est une violation des lois de la nature, ce qui est en soi une preuve de l'impossibilité du miracle, puisqu'on sait que les lois de la nature sont constantes et infrangibles.

— Et vous, qu'est-ce que vous en dites, Votre Éminence ?

— Évidemment, l'Église croit aux miracles et elle enseigne que c'est Dieu qui les fait, qui les a faits dans le passé et qui continuera probablement à les faire dans l'avenir. Le Saint-Père a récemment déclaré que l'humanité a besoin d'une preuve scientifiquement démontrable que Dieu intervient dans l'histoire. Ce sont les miracles qui l'apportent. La *Consulta Medica* est composée de spécialistes de premier plan qui se penchent sur tous les miracles présumés soumis à leur examen, en recourant aux méthodes d'investigation les plus modernes. Leur compétence s'étend à presque toutes les spécialités. Autrefois, nous aurions simplement accepté le fait qu'une personne comme Magda Lachowska ait des pouvoirs miraculeux. Maintenant nous demandons qu'une guérison puisse être prouvée scientifiquement ; nous voulons les garanties que peut nous fournir la science médicale. Une fois que le caractère miraculeux d'une guérison est confirmé, il n'est plus question de revenir en arrière, quoi qu'on puisse avoir découvert par la suite. Vous pouvez donc voir à quel point la prudence est de rigueur.

— Tous les miracles correspondent-ils à des guérisons reconnues médicalement ?

— C'est le cas, pratiquement, pour tous ceux que nous reconnaissons. Et nous appliquons cette règle : sans miracle, pas de saint. Et sans l'aide de la science moderne, il est impossible de faire la preuve d'un miracle. Le jour viendra très certainement où nous renoncerons à exiger cette confirmation, dont nous pourrions évidemment nous passer. Mais ce jour n'est pas encore arrivé, dit-il en tournant machinalement l'anneau d'or passé à son doigt. Il me semble que la science tend à réduire la signification même du mot « miracle ». Je crains que ses inévitables progrès ne rétrécissent le domaine de la foi. Parce que, si la science réussit à expliquer des faits autrefois incompréhensibles, elle dépouillera l'Église d'une importante partie de ses mystères.

Le cardinal tourna la tête vers la fenêtre. La lumière avait changé depuis que sa visiteuse était entrée dans son bureau. Une ombre mauve recouvrait les pierres grises du square et on avait allumé les lumières dans quelques édifices voisins.

— Je pense que Mama a un grand pouvoir de séduction, poursuivit-il. Elle exerce une forme d'ensorcellement, serais-je porté à dire. Elle réalise les rêves, elle a des allures de magicienne. Certains l'appellent la marchande de miracles.

— C’est peu flatteur. De toute évidence, les gens veulent des miracles.

— Évidemment. Ils en veulent et j’imagine qu’ils en voudront toujours. Ils ont un besoin maladif de phénomènes surnaturels et inexplicables, et c’est justement ce qui nous place dans une position difficile. L’Église se montre d’habitude très critique au sujet de cette propension bien humaine à accepter l’extraordinaire, à s’émerveiller et à se délecter de ce qui apparaît incroyable. D’un autre côté, elle apprécie les événements extraordinaires. Ces moments forts l’aident à ranimer la foi dans le cœur des fidèles. Mais en même temps, elle les déteste intensément.

Il examina la boîte de bonbons et la secoua pour vérifier les couleurs, puis finit par en choisir un avant d’en offrir à Janie.

— Peut-être en savons-nous trop; peut-être n’en savons-nous pas assez, conclut-il.

— Vous dites donc que, sans un miracle qu’elle ferait après sa mort et qui serait dûment reconnu, Mama ne pourrait être canonisée? Mais vous savez tout comme moi que Mama agit très discrètement. Aucun de ses fidèles ne fait d’histoire quand... — elle jeta un rapide coup d’œil vers le cardinal avant de changer prudemment son dernier mot — *si* elle guérit quelqu’un. On accepte la guérison comme allant de soi. Parfois les malades se rétablissent progressivement, et elle n’en entend parler que quelques mois plus tard. Il est possible que la même discrétion continue après sa mort. Dans ce cas, il pourrait se produire des miracles sans qu’on les déclare nécessairement.

— Cette possibilité a toujours existé. En pratique, il n’y a pas eu de miracles dans les pays communistes. Cela ne signifie pas pour autant qu’aucun miracle n’y a été opéré. Le climat est en train de changer. Je prévois que nous recevrons, à plus ou moins brève échéance, de pays comme la Pologne, un grand nombre de requêtes de canonisation.

Le cardinal sembla encore une fois se retirer dans ses propres pensées. Puis, il leva la main vers le tableau de saint Polycarpe :

— J’ose dire qu’il traverserait des moments pénibles s’il revenait à Smyrne aujourd’hui.

— Que faut-il penser des gens qui ont vu Mama guérir des malades ? Ce ne sont pas tous des croyants, ni même des sympathisants. Ce sont des témoins : pourquoi ne les interroge-t-on pas ?

— Ah ! oui, les témoins de Mama, dit le cardinal, dont Janie ne pouvait pour l'instant voir l'expression, car il avait encore la tête tournée vers le tableau de saint Polycarpe. On a entendu parler des quatre personnes qui l'ont vue dans cette chambre, à São Paulo, quand tout a commencé. Un étrange échantillon de l'humanité, si je me rappelle bien. Savez-vous si l'un ou l'autre vit encore ?

— Oui, je le sais. Un journaliste de São Paulo a fait des recherches pour moi. La vieille dame, senhora Sayão, est par la suite devenue sénile. Mais, contre toute attente, elle semblait se souvenir exactement de ce qui était arrivé dans la chambre où Magda Lachowska venait de mourir, ce qui semble extraordinaire. Elle ne s'est jamais écartée de son premier témoignage. Elle a vécu plus de dix ans encore après cet incident. Rico Gomez, celui qu'on appelait l'homme adultère, semble être celui qui a eu le moins de chance par la suite. Il a divorcé peu après et il s'est mis à boire. Il semble qu'il ne soit jamais redevenu sobre. Il s'est replié sur lui-même et a toujours refusé de parler de Mama avec qui que ce soit. Il est mort au milieu des années cinquante. Une maladie du foie. Cuci Santos, la jeune femme avec qui il se trouvait lors des événements, semble s'être comportée très différemment. Elle était enchantée de tout raconter à la presse ou à tous ceux qui voulaient bien l'écouter. On présume qu'elle a fait un peu d'argent avec son histoire. Elle a été parmi les premières personnes qui ont suivi Mama dans sa retraite à la montagne. Elle y est restée des années avec son jeune fils, jusqu'à ce que les pauvres des favelas ramènent Mama en ville. Puis, à la fin des années cinquante, Cuci et son fils ont disparu. Je trouve ça bizarre. L'affaire avait attiré l'attention sur elle et il semblait bien, du moins au début, qu'elle adorait ça.

— Peut-être s'est-elle orientée vers des avenues plus lucratives, suggéra le cardinal.

— Oui, c'est possible. Son fils Tomas doit être dans la cinquantaine maintenant. J'aimerais avoir l'occasion de lui parler.

— Et j'aimerais aussi poursuivre cette conversation, dit le cardinal, en regardant sa montre. Mais je crains...

Il lui donnait gentiment congé. Janie se leva en disant à regret :

— Vous m'avez fourni de nombreuses pistes de réflexion. Je ne me doutais absolument pas que le processus de canonisation était aussi compliqué.

— Compliqué ? Je ne le pense pas. Je crois que les saints nous surprennent toujours. Ce sont des hommes et des femmes comme nous. Ils vivent les mêmes expériences. Mais c'est la clairvoyance qu'ils apportent à ces expériences qui les rend remarquables. C'est ce trait de caractère qu'ils ont tous en commun et qui les rend uniques, dit-il en la raccompagnant à la porte. Avez-vous lu Mrs Browning ? Une femme délicieuse, amoureuse de l'Italie. C'est elle, je crois, qui a écrit :

> Le ciel remplit toute la terre
> Et il n'y a pas un bosquet qui ne soit embrasé par Dieu.

C'est tellement simple. Nous oublions des réalités aussi simples à nos risques et périls, madame. J'espère que vous vous en souviendrez dans vos recherches.

Le cardinal Norberto Uguccioni lui serra la main et, juste au moment où elle allait partir, il ajouta :

— Je pense que vous avez oublié quelque chose.

Il tenait la cassette qu'il avait plus tôt retirée de sa machine.

L'entrevue s'était tellement étirée que les bureaux voisins étaient maintenant déserts. Paola Zegna raccompagnait Janie dans le large corridor quand le téléphone de son bureau sonna. Comme elle hésitait à revenir sur ses pas, Janie lui dit :

— Allez répondre, je me débrouillerai bien toute seule.

— Vous aurez quand même besoin de quelqu'un pour vous guider, lui répondit la secrétaire, clairement soulagée. Attendez-moi à l'entrée, je vous prie. C'est deux étages plus bas. Je reviens tout de suite.

Janie attendit dans le hall pendant dix bonnes minutes. En voyant passer devant les portes ouvertes une camionnette des postes portant les armoiries du Vatican, elle se rappela que la Cité se suffisait à elle-même. La banque du Vatican, qui battait sa propre monnaie, le central téléphonique tenu par des religieuses, la centrale électrique ne relevaient d'aucune autorité civile. Quelque part, elle le savait, il y avait la gare de chemin de fer du Vatican qui, en tant qu'État autonome, émettait ses propres passeports et exploitait son propre magasin hors taxe.

Comme elle trouvait que la secrétaire du cardinal tardait vraiment trop, elle gribouilla une note sur son bloc : « Miss Zegna, j'ai dû partir, parce que j'avais un autre rendez-vous. Merci beaucoup. » Elle signa le billet et l'appuya contre le palmier empoté.

Le jour mourait et les lanternes de fer encastrées dans les murs projetaient de grandes ombres sur le carrelage de la chaussée quand elle traversa le square. Elle avait dû prendre la mauvaise direction, car après avoir marché une trentaine de mètres, elle ne reconnaissait plus rien. Elle était totalement désorientée et elle ne voyait personne auprès de qui se renseigner.

Juste au moment où elle atteignait une volée de marches basses, un peloton de neuf gardes suisses et leur officier descendaient en faisant résonner leurs talons sur le marbre. Elle s'écarta pour laisser passer ces hommes qui défilaient dans leur uniforme bleu et orange probablement dessiné par Michel-Ange.

Une fois qu'elle eut franchi une barrière construite au milieu d'une rue étroite, elle tourna à droite, Elle se retrouva dans une cour pavée entourée d'édifices de trois étages. C'était sans doute une zone commerciale : il y avait des caisses de plastique destinées à contenir des douzaines de bouteilles; plusieurs chariots de métal étaient méthodiquement rangés contre un mur. Le son d'une musique techno lui parvenait d'un endroit tout proche. Des cloches, un orgue ou un chœur ne l'auraient pas surprise, mais ce rythme dur et répétitif lui paraissait détonner en ces lieux. Elle leva les yeux vers un passage faiblement éclairé, entre les édifices, et distingua devant un porche sombre, enveloppé dans une cape noire, quelqu'un qui se dandinait en suivant le rythme. Sous la cape, elle reconnut l'uniforme de la

Garde suisse. Se rendant compte qu'on l'observait, l'homme se tourna vers elle. Janie eut l'impression, en apercevant dans la demi-obscurité le garde vêtu de ses habits flottants de la Renaissance, qu'un autre siècle la regardait. Rasé de près, les yeux foncés, il lui parut particulièrement jeune. Une étroite fraise blanche encerclait son cou, une cigarette pendait à ses lèvres et il tenait une tasse fumante dans sa main gauche. Janie respira la bonne odeur du chocolat.

Dix minutes plus tard, grâce aux aimables renseignements du jeune homme, elle se retrouva en dehors des murs. La basilique Saint-Pierre était illuminée et brillait de mille feux. Profondément enfouis sous le maître-autel, les restes de saint Pierre reposaient dans leur châsse. Au-delà, dans la crypte située sous le chœur, se trouvaient les tombeaux des anciens papes : c'était un lieu sacré, un endroit de pèlerinage.

Peut-être qu'un jour, un autre pape présiderait des cérémonies solennelles, dans cette basilique, pour proclamer que Mama était une sainte et devait être vénérée par l'Église universelle. Mais il faudrait peut-être que s'écoulent des décennies, sinon des siècles, avant que cela se produise. Et peut-être que ces cérémonies n'auraient jamais lieu, si l'Église maintenait, au sujet des canonisations, les règles sévères qui avaient cours encore aujourd'hui.

C'était le message très clair que le cardinal lui avait transmis. Le Vatican ne pouvait ni s'en prendre à Mama ni la désavouer. Elle embarrassait la haute hiérarchie de l'Église, qui était forcée d'admettre que le pouvoir de Mama, déjà bien assis, s'élargissait. Les journaux avaient abondamment couvert son passage récent en Argentine. Ils avaient rapporté que les gens avaient fait la queue sur une longueur de quinze coins de rue pour la voir. Plusieurs avaient attendu durant dix-huit heures dans une nuit glaciale. Si le Vatican tentait de marginaliser Mama, combien d'argent, combien de commanditaires pourraient se désister ?

Une pluie légère tombait. Perdue dans ses pensées, Janie fit un faux pas sur les pavés glissants et sauta dans la rue pour retrouver son équilibre.

Le bruit déchirant d'un klaxon éclata si près d'elle que son cœur bondit. Elle n'avait aucune excuse pour n'avoir pas vu la Lamborghini écarlate, à droite de la route. Elle fut aveuglée par les phares au moment où la voiture s'écarta de la ligne droite, en faisant crisser ses pneus, pour l'éviter. Quelqu'un qui la suivait de près trébucha quand elle recula, mais lui agrippa le bras pour la retenir. En passant à côté d'elle, le conducteur cria : « *Cretino!* »

Étourdie par le choc, Janie voulut remercier son sauveteur, un homme d'âge moyen, avec toute la dignité qu'elle pouvait encore afficher. Il secoua la tête et fit claquer sa langue pour marquer sa réprobation :

— Vous devez être plus prudente, signora. C'est un miracle que vous n'ayez pas été tuée. *È un miraculo!*

Chapitre neuf

Le lendemain de son retour de Rome, Janie alla voir Adam. Il était juste midi quand elle s'arrêta devant la belle maison edouardienne. Assis en solitaire au sommet des marches du porche, il avait déjà l'air d'un jeune monsieur dans son blazer fuchsia et son pantalon de flanelle. Il la salua de la main et disparut à l'intérieur pour avertir la secrétaire de l'école que sa mère était arrivée.

Quand il monta dans la voiture, il posa sur la joue de Janie un rapide baiser.

— Tu as encore grandi, dit-elle en démarrant.

Il fit un sourire gêné. Elle ne poursuivit pas dans cette veine : les mères sont tellement embarrassantes. Pour occuper les premières minutes, toujours un peu laborieuses, elle lui parla plutôt du vol qui l'avait ramenée de Rome. Même si elle l'avait vu une quinzaine de jours auparavant, elle n'en restait pas moins étonnée de voir le changement chez lui. Il porterait bientôt des chaussures de la même pointure que celles de Paul. La nouvelle assurance qu'il affichait dans ses manières et son discours, sa tenue soignée, son maintien, tout cela l'intimidait curieusement. Il paraissait calme. La séparation n'avait plus rien de nouveau pour eux, songeait-elle. Autrefois, quand elle rentrait d'un voyage requis par son travail, elle retrouvait toujours un enfant maussade qui refusait de la regarder droit dans les yeux et qui s'arrachait à son étreinte pour aller se réfugier derrière son père. C'était comme s'il voulait la punir de l'avoir abandonné.

À cette époque, Paul l'avait consolée. Il lui avait appris qu'Adam insistait tous les soirs pour suivre sur leur globe terrestre lumineux la route que son avion avait empruntée, pour contempler la tache bleu foncé, rose ou jaune représentant le coin du monde où elle se trouvait alors. Son père lui disait si elle était debout ou si elle dormait, ce qu'elle aurait à manger au petit-déjeuner. Elle avait compris le désarroi de son fils. Pour un jeune enfant, dont l'histoire se réduit à si peu de chose, un jour était aussi long qu'un mois. Et il était tellement impuissant : il ne pouvait l'empêcher de partir, malgré tout l'amour qu'il lui portait. Sa colère et sa peine étaient ses seules armes.

Pendant qu'elle rétrogradait avant de s'engager dans un carrefour giratoire, Janie jeta un coup d'œil sur le profil net de son fils, qui regardait droit devant lui. Elle se fit la réflexion que Paul avait toujours parfaitement compris le garçon : ils se ressemblaient beaucoup, avec leurs yeux bruns aux reflets d'or et leur goût pour les blagues stupides. Elle pensa même qu'Adam aurait bientôt le même nez aquilin que son père. Il avait déjà la grande bouche vulnérable toujours prête à faire la moue à la suite d'une rebuffade, réelle ou imaginaire.

Quand elle avait épousé Paul, elle savait qu'elle était la plus solide des deux, et la trajectoire de sa carrière semblait l'avoir confirmé. Mais Paul l'avait rejointe et même dépassée depuis : il avait maintenant, pour la première fois, un poste plus important et un revenu plus élevé que le sien. La procédure de divorce engagée au cours des derniers mois et les tracasseries qui en découlaient avaient révélé certains aspects de Paul qu'elle n'avait pas soupçonnés. La peine qu'il avait ressentie à l'occasion de ses infidélités l'avait surprise. L'aimait-il donc encore tellement? Au point qu'il ne pourrait jamais lui pardonner? Il ne lui était pas venu à l'esprit, jusqu'à tout récemment, qu'il n'était pas encore guéri de la blessure qu'elle lui avait infligée par sa conduite irréfléchie.

Il s'était montré intransigeant, froid, amer. Il refusait de lui parler au téléphone, ou même d'écrire le nom de Janie sur les billets qu'il était bien obligé de lui faire parvenir de temps en temps. Elle soupira à ce souvenir et Adam interrompit la blague fumeuse qu'il était en train de raconter.

— Ça va, maman ?

— Oui, mais je suis fatiguée. J'ai été passablement occupée ces derniers jours.

Au moment où elle garait sa voiture dans le parc du pub, Adam en était arrivé à la conclusion de son histoire. Il fut seul à rire, car sa mère n'avait absolument pas compris la subtilité de cette blague.

Ils choisirent une table près de la fenêtre donnant sur la rue qui traversait le petit village sur toute sa longueur, et plaisantèrent sur le nom de *Main Street* qu'on lui avait donné. Janie laissa à Adam le soin de commander du poisson et des frites pendant qu'elle allait acheter les boissons au bar. Elle lui apporta une *ginger beer,* qu'il détestait mais qu'il choisissait parce qu'elle lui donnait l'air d'un adulte. Il grimaçait chaque fois qu'il trempait les lèvres dans son verre.

Heureux maintenant, sûr de l'intérêt que lui portait sa mère, il parlait continuellement, ne s'arrêtant que pour avaler une bouchée. Il parla du rat blanc de son ami Peter Stamford et du nouveau professeur de mathématiques. Du garçon qui, après avoir mouillé son lit, y avait vidé son pot à eau et avait essayé de faire croire que le plafond avait coulé. Adam s'amusait sans retenue et son visage brillait d'intelligence et d'humour. Sa chemise sortait de son pantalon et ses cheveux bruns indisciplinés retombaient sur ses yeux.

Profitant de l'un de ses rares silences, sa mère dit :

— Tu as de la chance de vivre ainsi dans le présent.

— Comment pourrais-je vivre autrement ? demanda-t-il avec un bon sens désarmant. Papa doit acheter mon cadeau d'anniversaire au cours du prochain week-end, ajouta-t-il sans attendre de réponse.

Ils parlèrent de ses prochains onze ans et de ce qu'il choisirait quand son père l'amènerait au magasin de jouets Hamley's, dans Regent Street.

— On m'a demandé d'écrire un livre, dit Janie. C'est un projet très excitant. Il semble, et je l'espère, que j'aurai l'occasion de voyager un peu. Je pars bientôt pour la Pologne, après quoi j'irai aux États-Unis. Et il y aura probablement d'autres voyages.

— Est-ce que ça va te rapporter des tas d'argent ?

Elle lui sourit affectueusement :

— Voilà bien mon garçon. Il va tout de suite à ce qui est important. Tu n'aimerais pas savoir de qui il y sera question ?

— Tu as parlé des États-Unis : un joueur de basket-ball ?

C'était sa passion de l'heure. Elle secoua la tête.

— Winona Ryder ?

— Continue à rêver, mon beau rayon de soleil. Tu n'as jamais entendu parler de Mama ?

Il parut intrigué pendant quelques secondes, puis son visage s'éclaira :

— Oh ! oui, la vieille dame qui porte cette robe affreuse. Il a été question d'elle au cours d'éducation religieuse, la semaine dernière, quand Mr Patterson a été malade et que la remplaçante ne connaissait pas le programme. Elle nous en a parlé pendant toute l'heure. Mama se promène d'un pays à l'autre pour voir ce qui s'y passe et aider les gens.

— C'est à peu près ça, je suppose. Est-ce que c'était intéressant ?

— Voyons, maman ! Il n'était question que de phénomènes merveilleux qui se multiplient avec l'approche du millénaire, dit-il en prenant un ton professoral. Vas-tu vraiment la rencontrer ?

— Très bientôt.

— Mademoiselle nous a dit que ses disciples croient qu'elle est morte, il y a une cinquantaine d'années, et que les anges l'ont ramenée à la vie. C'est impossible, hein ?

— Beaucoup de personnes croient aux anges. Du moins à la possibilité de leur existence. Et si on y croit vraiment, on peut présumer qu'ils peuvent probablement faire n'importe quoi. Peut-être que la plupart d'entre eux obtiennent automatiquement leurs premiers insignes de secouristes. C'est déjà plus que certains que je connais ont réussi à faire au cours du dernier semestre. Mais ne crois-tu pas que c'est une femme remarquable, pour qu'on en parle autant ?

Il mâcha pensivement :

— Elle a des visions, elle voit des choses que personne d'autre ne peut voir. Mademoiselle était très impressionnée. Elle a parlé... d'expériences extracorporelles remarquables, poursuivit-il en fronçant les sourcils, soucieux de bien citer l'enseignante.

— Elle n'est pas la seule à être impressionnée. C'est vraiment un phénomène renversant. Alors qu'il y a maintenant des satellites, des vaisseaux spatiaux et que la science et la technique permettent de faire des choses extraordinaires, on publie encore des centaines de livres traitant d'apparitions, d'événements miraculeux et de toutes sortes de phénomènes du même acabit. On dirait que les gens attendent davantage de la magie que de la science. Certains manifestent un appétit insatiable pour le merveilleux.

— Pourquoi c'est renversant ? demanda-t-il la bouche pleine.

Elle s'avisa juste à temps de ne pas lui suggérer, comme le faisait sa propre mère, d'avaler avant de parler.

— Eh bien, parce que les gens sont maintenant plus instruits et que, par ricochet, ils sont moins naïfs. Et pourtant ils se laissent fasciner par le prodigieux.

— Mademoiselle a dit que la dame était une sainte vivante. Moi, je pense que les saints doivent d'abord mourir.

— Je partage ton opinion. Longtemps après leur mort, l'Église catholique déclare saintes les personnes qui, comme Mama, ont mené une bonne vie et fait le bien autour d'elles. Parfois, cependant, les gens les traitent de leur vivant comme si elles étaient déjà des saintes ou des saints officiellement reconnus.

Janie résuma brièvement à son fils l'entretien qu'elle avait eu avec le cardinal, au Vatican, et finit par dire :

— Mama n'est pas encore près d'être canonisée.

Le garçon mangea quelque temps en silence et revint aux choses pratiques :

— Où vas-tu la prochaine fois ?

— En Pologne, pour voir l'endroit où Mama est née, et puis ensuite à New York.

— C'est du tonnerre ! Je peux t'accompagner ?

— La chose est impossible, malheureusement.

— D'accord. Pourrons-nous à la place aller aux Alton Towers, au prochain congé ?

— Je l'espère. Je ferai tout mon possible. Tu apprends sans doute à devenir un négociateur professionnel en vieillissant.

— Quoi ?

— Rien. Dis-moi comment tu te débrouilles au football.

— Euh... Mr James dit que nous aurons besoin d'un miracle pour gagner un seul match cette saison. Il dit que nous sommes un tas de...

Il regarda sa mère du coin de l'œil et termina sa phrase sans conviction :

— ...piètres joueurs.

— Bonté divine ! s'exclama-t-elle avec sympathie. Peut-être en gagnerez-vous un tout de même.

Il parut content :

— Tu le penses vraiment? Mademoiselle dit que, parce que nous sommes à la fin du millénaire, et peut-être à la fin du monde, les gens seront avides de miracles pour les conforter dans leur foi et tout le reste.

Pendant au moins une minute et demie, le silence régna entre eux. Il profita de cette interruption pour verser consciencieusement du vinaigre sur le reste de ses frites. Il finit par demander :

— Penses-tu que la fin du monde peut maintenant survenir d'une minute à l'autre? Tu crois que Dieu veille sur nous? Il y a un Dieu, n'est-ce pas?

Il prit une gorgée de sa *ginger beer.* Il n'était pas seul à se poser des questions. Peut-on dire à un garçon de dix ans que nous ne sommes que des animaux pourvus d'une conscience objective? Que, dignes fils de Nietzsche, nous évoluons en tremblant dans le vide et l'absurde? Que la religion a pour objet des élucubrations fantaisistes? Pouvait-elle dire à son fils que l'univers était indifférent à son sort?

— Je ne veux pas t'influencer, déclara-t-elle après avoir pesé ses mots avec soin. Chacun doit décider pour lui-même une fois qu'il a quelque peu vieilli.

— Mais le millénaire arrive bientôt, non? Je n'aurai donc pas le temps de vieillir tellement avant que vienne pour moi le temps de décider.

— Eh bien, il faut que tu réfléchisses. Les croyants admettent l'existence d'un Dieu aimant et bienveillant, et cette foi leur rend ce

Dieu bien réel. Qui peut dire s'ils ont raison ou s'ils ont tort? Je ne le sais pas, personne ne le sait.

— Comment trouverai-je la réponse, alors?

— J'imagine que tu dois chercher. C'est une quête mystérieuse, comme celle des chevaliers et des pèlerins du Moyen Âge. Différente, cependant, parce que je suis sûre que, si Dieu existe, il se trouve quelque part à l'intérieur de toi. Il n'est pas une force extérieure, mais intérieure. C'est donc là que tu dois chercher. Je ne crois pas que tu puisses regarder à gauche et à droite en espérant pouvoir enfin dire : « Tiens, le voilà ! » comme s'il s'agissait d'un drapeau, d'une fleur, d'une tour ou de je ne sais quoi encore. S'il y a un Dieu, alors il est extraordinaire et inexplicable, et...

Elle tendit sa main au-dessus de la table et lui toucha le front et la poitrine du bout des doigts. Elle plongea son regard dans ses yeux bruns lumineux et ajouta en désespoir de cause :

— Mon chéri, je ne peux pas t'expliquer ces mystères. Je ne crois pas en Dieu moi-même. Pas en ce moment, tout au moins.

Il la regarda anxieusement pendant une minute, comme s'il cherchait à élucider un problème, puis son visage s'éclaira :

— Mais tu es quelqu'un de bien, maman. Tu n'as pas à t'inquiéter. Tu es une bonne personne.

Elle resta interdite. Elle se demandait combien de temps encore durerait cette confiance touchante et innocente. Elle ne la méritait pas, et elle ne pourrait jamais expliquer à son fils pourquoi. Elle ne savait pas ce qui était le plus émouvant, qu'il lui donne cette joie ou que, de son côté, elle la reçoive. Elle savait seulement que lui et elle y trouvaient un surcroît de force morale.

— Est-ce que je peux alors dire aux copains que tu écris un livre sur Mama? Tu ne changeras pas d'idée?

Comme toujours, le tournant qu'il imprimait à la conversation la prenait momentanément par surprise :

— Il va bien falloir que je l'écrive maintenant, si je veux payer tout ce que tu as mangé.

Elle lui sourit et poussa le menu dans sa direction pour qu'il puisse jeter un coup d'œil sur la carte des desserts.

Une fois qu'ils furent sortis du restaurant, elle lui donna un peu d'argent à dépenser dans le magasin voisin. C'était un endroit excentrique où l'on avait conservé les comptoirs de bois d'origine. Du papier tue-mouches pendait au-dessus des parts de tartes de Mighty White et de Mr Kipling. Adam fit le tour des étalages avec un bonheur évident. Au comptoir postal, il acheta un aérogramme parce que le grain du papier lui plaisait. Il toucha ensuite à tous les paquets de biscuits, incapable de choisir entre les *Pennysaver Bourbons* et les petits gâteaux à la crème, jusqu'à ce qu'il découvre une demi-douzaine de tablettes garnies de vidéocassettes à louer. Il s'entêta alors à lire le résumé sur chacun des étuis de carton.

Elle lui avait accordé quinze minutes et l'attendait dehors. En face d'elle, dans le cimetière de l'église, reposaient les unes sous les autres des générations de familles du village. Ainsi, la terre formait des tumulus suffisamment élevés, à certains endroits, pour que l'herbe dépasse le mur d'enceinte. Elle traversa la rue déserte, ouvrit la porte de la barrière et parcourut, au gré de son caprice, le sentier moussu qui séparait les pierres tombales envahies par le lichen. La plupart étaient simples et dépourvues de tout ornement. Quelques-unes étaient surmontées d'une colombe ou d'une croix celtique. Son attention fut attirée par le battement d'ailes d'un oiseau noir perché sur une pierre inclinée à la tête d'un lot recouvert d'herbe folle parsemée de campanules et de petites fleurs blanches. L'oiseau l'observa d'un œil luisant et impassible, secoua la queue et prit son vol.

Les intempéries avaient quasi effacé les lettres gravées sur la pierre où s'était posé l'oiseau. Celle-ci était tellement usée qu'il était presque impossible d'en lire l'inscription. Curieuse comme d'habitude, Janie essaya de déchiffrer les mots : ... mémoire... la fille ...liam et Aug.... Prentice. Née et décéd... 6 ...embre 1861.

Rien de plus. L'enfant n'avait pas vécu assez longtemps pour être baptisée. L'inscription se trouvait tout au haut de la pierre, comme si on avait voulu laisser de la place pour d'autres noms, qui n'y avaient jamais été gravés. Rien d'autre. Aucune ornementation, pas un seul verset de psaume, aucune expression de regret, aucun mot de consolation destiné à adoucir le brutal impact de la mort.

L'assaut de sa propre douleur, inattendu, instantané, violent lui tordit le ventre. *Née et morte...* Oh, Dieu ! Son enfant aussi, son bébé. Né et mort le même jour. Elle savait, oh ! oui, elle savait pourquoi les pauvres parents avaient préféré une tombe anonyme pour exprimer leur douleur muette. Elle se tourna et s'avança en trébuchant vers un banc de bois placé dans une charmille formée par un groupe de conifères sombres.

Elle s'enveloppa de ses bras et fixa le gravier à ses pieds avec une telle intensité que les petits cailloux lui semblaient bouger.

Elle se rappelait toutes les étapes de l'avortement avec une cruelle lucidité. D'abord cette farce de la séance de *counselling,* la femme rondelette dans sa jupe longue, qui portait un collier de perles d'ambre. « Juste une conversation qui n'a rien de professionnel... si vous voulez explorer vos sentiments. Très bien, je vous écoute. Vous pouvez vous exprimer un peu ou beaucoup, comme vous l'entendez. »

Et puis, — enfer et damnation ! — elle découvrait qu'elle ne pouvait tout bonnement pas. Les mots restaient dans sa gorge. Elle savait ce qu'on attendait d'elle, ce qu'elle devait dire : elle ne s'en tirerait ni émotionnellement ni financièrement ; elle était seule, divorcée ; elle avait déjà un enfant et elle travaillait à plein temps. Mais elle n'avait rien d'autre à l'esprit que le désir de se lever et de partir. La femme disait calmement : « Durant la période de réflexion, beaucoup de femmes changent constamment d'idée. Une partie du problème est d'ordre hormonal et l'autre est due au stress. Il faut parvenir à équilibrer les facteurs d'ordre pratique et ceux d'ordre émotif... »

Janie savait que son choix était déjà fait et que l'aspect pratique l'avait emporté. Elle s'était à peine interrogée sur l'avortement lui-même et sur ses conséquences psychologiques. Jusqu'à ce qu'elle s'asseye dans la salle d'attente délibérément anonyme de la clinique. Des boîtes de kleenex, qu'on semblait y avoir semées à dessein, n'égayaient en rien le décor. Il flottait dans la pièce une faible odeur d'antiseptique : danger !

— Allez-y, l'encouragea une femme en lui montrant les mouchoirs de papier. Ne vous faites pas de souci, laissez-vous aller.

Janie aurait voulu poser la tête sur la table et avouer en sanglotant combien elle désirait ce bébé. Au lieu de cela, elle restait assise bien droite sur sa chaise et employait toutes ses énergies à ne pas perdre le contrôle d'elle-même.

Maintenant qu'il fallait passer à l'acte, elle était assaillie par des centaines d'objections qu'elle n'avait pas envisagées. Elle avait peut-être dix ans de plus que la plupart des autres patientes de la clinique. Assez vieille pour connaître mieux. Assez vieille pour mettre de l'ordre dans sa vie.

Elle se retrouva étendue avec trois autres femmes dans une salle aux dimensions moyennes. Elle se rendait compte qu'aucun des membres du personnel qui passaient devant la porte ouverte ne jetait le moindre regard sur elles : les patientes étaient invisibles, elles faisaient partie des meubles. Elles n'étaient que des corps dépourvus de toute personnalité. Janie trouva cette attitude étrangement humiliante, tout comme elle trouvait humiliant le port de cette chemise, au dos béant, qui paraissait avoir été conçue par un sadique.

Elle s'était d'ailleurs imaginé que cette opération serait avant tout une expérience bouleversante et physiquement humiliante, car elle se croyait forte comme un cheval. Elle se trompait une fois de plus. Elle avait trouvé le lavement pénible. Puis elle était sortie de l'anesthésie avec un violent mal de tête et de violentes nausées. Une infirmière déposa sur ses genoux un bol de plastique recouvert d'une serviette de papier. À peine une heure plus tôt, on avait mis son bébé, ou ce qui en restait, dans un contenant identique, recouvert aussi d'une serviette de papier. On l'avait laissé sur un chariot d'acier pendant qu'on finissait de s'occuper d'elle.

Janie jeta un regard du côté de la tombe anonyme du bébé. Peut-être le sien aurait-il été une fille. Elle n'avait pas posé la question, pour tenir le chagrin à distance. Elle y avait réussi de façon temporaire. Elle prenait conscience maintenant qu'elle avait volontairement occulté la destruction de l'embryon, comme elle avait voulu en ignorer la vie.

Parce qu'il s'agissait bel et bien d'une vie. L'embryon n'était peut-être pas plus gros qu'un jaune d'œuf, mais il contenait déjà l'ébauche du rêve et de la mémoire. C'était le devis vivant d'un être humain. Il s'y trouvait déjà l'esquisse d'une destinée. Le sexe, les idiosyncrasies, la couleur des cheveux, des yeux... Tout cela était déjà déterminé. Qu'en avait-elle fait ?

Elle aperçut alors un oiseau noir, semblable à celui qu'elle avait vu près de la tombe, qui sautillait dans sa direction. Ses yeux vitreux lui parurent aussi froids que ceux d'un reptile. Elle frissonna et se redressa. Mon Dieu ! elle devenait folle. Elle ouvrit son sac d'une main tremblante pour y chercher la minuscule bouteille de vodka qu'elle traînait maintenant avec elle. Elle n'en aimait pas tellement le goût, mais personne ne pouvait en détecter l'odeur dans son haleine.

Quand Adam sortit du magasin, elle avait essuyé ses larmes et elle trouva le courage de lui sourire. Toutefois, dans le parc de stationnement, elle tint son fils serré contre elle pendant un long moment, le visage dans ses cheveux, tandis que le garçon lui enserrait la taille de ses bras déjà vigoureux. Ils avaient depuis longtemps pris l'habitude de se faire leurs vrais adieux lorsqu'ils étaient encore à l'abri des regards des amis. Elle s'attendait donc, lorsqu'elle le laisserait bientôt devant l'école, à recevoir sur la joue le rapide baiser qui était le dernier salut donné en public par tous les garçons.

Cette fois pourtant, il s'était à peine éloigné de quelques pas, qu'il l'appela juste au moment où elle allait rentrer dans sa voiture. Il courut se jeter dans ses bras au risque de la renverser, comme s'il avait intuitivement compris qu'elle avait besoin d'être consolée.

— Prends soin de toi, maman, lui recommanda-t-il en lui tapotant affectueusement le dos. Envoie-nous une carte de Pologne... et des tas de timbres... Je t'aime.

— Moi aussi, je t'aime.

Il lui fit un adorable sourire, laissant voir ses dents écartées.

— N'oublie pas, ajouta-t-elle. Tu découpes tout ce que tu peux trouver dans les journaux sur Mama et tu mets les coupures dans une chemise spéciale pour moi, au cas où un article pourrait m'échapper. D'accord ? Tu es mon recherchiste officiel à partir de maintenant. Salaire garanti.

Elle l'aperçut une dernière fois dans son rétroviseur, alors qu'il courait vers le haut de l'escalier, les deux pouces relevés triomphalement.

Sur le chemin du retour, alors qu'elle roulait à la lumière tamisée du jour déclinant, elle aperçut près d'un carrefour une demi-douzaine de bouquets de fleurs entassés sur le bord de la chaussée. Quelqu'un avait dû être tué à cet endroit.

Elle aurait pu subir le même sort, à Rome, sous les roues d'une Lamborghini écarlate.

Cette pensée déclencha chez elle un flot de sensations restées jusqu'alors inconscientes. Juste avant de trébucher, elle avait été violemment bousculée par-derrière. Réflexion faite, elle n'avait pas glissé sur les pavés, mais quelqu'un l'avait poussée. Elle essaya de se rappeler l'homme qui l'avait « sauvée » au moment où elle allait tomber. Elle avait gardé le souvenir des doigts de l'étranger, qui enserraient fermement son bras, mais elle avait totalement oublié ses traits. Malgré ses efforts pour se le rappeler, il restait sans visage. Il lui semblait que ce devait être un homme d'affaires, parce qu'il portait une serviette. Elle se souvenait que des lunettes à monture épaisse masquaient partiellement ses yeux et qu'il portait un long mackintosh avec ceinture.

Mais pourquoi cet homme aurait-il voulu la pousser sous une voiture ? Pour quelle raison lui aurait-il voulu du mal ?

Elle avait désespérément besoin de boire. Quand elle aperçut devant elle l'enseigne d'un *Little Chef,* elle quitta la route et stoppa sa voiture avec soulagement. Une tasse de café vaudrait mieux que rien. Elle se dirigea d'abord vers les toilettes pour s'asperger la figure d'eau froide. Pendant qu'elle se recoiffait, elle se regarda dans la glace et pensa : « Même si tu étais en plein délire paranoïaque, cela ne voudrait pas nécessairement dire que personne ne te veut du mal. »

Chapitre dix

À la gare de Cracovie, Janie repéra le train pour Świnoujście. Les voitures, peintes en vert et orange éclatant, aussi brillantes que des jouets d'enfant, dataient des années cinquante. Sur le quai, elle acheta un petit bouquet de fleurs pourpres à la texture veloutée aussi chatoyante qu'un riche tissu. La jeune vendeuse le lui fixa à son revers avec une longue épingle de couturière. Janie acheta à un stand une *kielbasa* chaude et une canette encore plus chaude de *piwo*. C'était la première bière qu'elle buvait en Pologne : de prix modique et de goût désagréable, elle constituait quand même un heureux complément à son casse-croûte.

Tandis qu'elle mangeait la saucisse enrobée de pain, le train traversa des villes qui se ressemblaient toutes. Les gens vivaient dans des immeubles résidentiels, en béton gris sale, qui avaient dû naguère être un symbole de progrès. Ils étaient maintenant désespérément miteux. Leurs balcons, reliés par des cordes à linge défiant l'omniprésente suie des chaudières alimentées au charbon brun polonais, n'amélioraient rien. À mesure que le train s'enfonçait dans la campagne, les voitures se faisaient plus rares sur les routes, et les villages semblaient assoupis. Ici et là, des femmes travaillaient par groupes dans les rangs de choux. De hauts peupliers bordaient le cours des nombreuses rivières et les toits de tuiles des villes anciennes faisaient de jolies taches rouges sur le paysage. Les charrues, tirées pour la plupart par des chevaux et parfois par des bœufs aux larges flancs, besognaient sans répit. Elle vit même un homme solitaire pousser lui-même sa charrue. Les maisons de ferme traditionnelles étaient en bois et les autres, plus modernes, étaient revêtues de brique rouge. Souvent les larges souches de cheminées étaient couronnées d'un nid énorme grossièrement tissé de petites branches, près duquel une cigogne, parfaitement immobile sur une seule jambe, attendait patiemment. Plus loin le convoi atteignit une zone industrielle aux immenses terrains incultes où aucun oiseau ne volait, aucun animal ne paissait. Rien n'y poussait à part d'énormes cheminées de métal dont la fumée allait grossir un sombre et menaçant nuage de pollution.

Puis le train longea la Baltique sur une courte distance. Entre les conifères tordus et courbés par un vent puissant, elle put entrevoir d'étroites plages couvertes de dunes de sable blanc, au-delà desquelles s'étendait la surface lisse et argentée de la mer. Les chantiers maritimes apparurent ensuite. Elle vit se profiler les imposantes coques de navires en construction, et devina le tintamarre des marteaux et la plainte lancinante des foreuses. Cependant les chantiers paraissaient pour la plus grande partie inactifs. Les barrières étaient cadenassées, les parcs de stationnement presque déserts.

En face de la gare de Świnoujście, elle repéra un campement de bohémiens installé sur un terrain où poussait une belle herbe verte. Pieds nus, les cheveux cachés sous de grands fichus, leurs colliers tintinnabulant sur plusieurs épaisseurs de chemises et de cardigans, les femmes portaient presque toutes un bébé sur leur hanche ou attaché sur leur dos. Elles mendiaient, auprès des touristes surtout. Leurs yeux étaient doux, leurs visages durcis avant l'âge par la pauvreté. Derrière elles, les hommes flânaient ou discutaient, sans pour autant cesser de les surveiller, tout en faisant passer des bouteilles à la ronde. Ils portaient tous un chapeau et affichaient, dans leurs vêtements bon marché, une élégance d'un autre âge.

Deux taxis vétustes attendaient devant la gare. Dans celui où elle monta flottait une vague odeur de transpiration, que faisaient presque oublier les effluves d'une puissante eau de Cologne et une assez forte senteur d'oignon. Le chauffeur tendit la main pour serrer chaleureusement celle de Janie et se présenta :

— Jerzy Pozomiek.

Il parlait abondamment et conduisait d'une seule main. Il se frayait un chemin dans une circulation indisciplinée où se pourchassaient minuscules Fiat et rutilantes Mercedes ou Peugeot. Des jeunes filles blondes d'une extraordinaire beauté se faufilaient témérairement entre les voitures dans leurs manteaux de simili-léopard.

Ils laissèrent derrière eux d'élégantes boutiques de vêtements pour dames, des cafés bondés, des bijouteries aux vitrines illuminées. Ils longèrent des rues bordées de solides maisons bourgeoises du dixneuvième siècle qui, subdivisées depuis en appartements, offraient maintenant au regard des façades délabrées. Ils entrèrent enfin dans la rue étroite où Magda Lachowska avait passé son enfance.

La maison où elle avait habité faisait partie d'une rangée d'humbles habitations serrées les unes contre les autres et dominées par des immeubles en hauteur, plus récents mais totalement inesthétiques. Ces petites maisons, apparemment presque centenaires, devaient être tout ce qui restait de l'ancien quartier. L'argent avait dû manquer pour achever le programme de démolition et de reconstruction.

Cependant, quand Janie se rendit compte que le nom de la rue avait été changé pour celui d'Ulica Magda Lachowska, elle se ravisa : on avait sans doute voulu laisser à cette rue son cachet d'antan, à cause de la femme qui donnait maintenant à la ville sa notoriété.

Quand il stoppa devant la porte des Lachowski, le chauffeur devint tout excité :

— *Mamamusia!* Oui, oui ! *Mama!*

La maison elle-même était propre et bien entretenue. Contrairement à ce que Janie avait remarqué sur les anciennes maisons bourgeoises entrevues plus tôt, la peinture était fraîche, les gouttières neuves, le toit en bon état. On avait planté des fleurs dans le jardinet et la porte ouverte invitait les gens à entrer. Janie nota que les autres maisons étaient remarquablement semblables. Elle fit quelques pas dans la rue pavée à l'ancienne et fouilla du regard l'intérieur des maisons immédiatement voisines. Elle n'y décela aucun signe de vie. Elles étaient vides, mais les murs avaient été peints et les fenêtres garnies de rideaux. La rue entière ressemblait à un décor de théâtre, sinon à un musée.

Elle revint sur ses pas et entra dans la maison de Mama. Dans le vestibule mal éclairé, une femme d'un certain âge, apparemment indifférente aux visiteurs, était assise derrière une table qui tenait lieu de bureau. Un vase de verre taillé contenant des tulipes artificielles était placé sur le coin gauche. Des fascicules, des dépliants et des photos de Mama tapissaient le reste de la table recouverte d'un jeté crocheté. Sur le mur, derrière la surveillante, était accroché un grand portrait de Mama, peint à partir d'une photo. Magda, la tête de profil, avait adopté une pose rigide. Les couleurs trop vives donnaient l'impression que le modèle était plus vrai que nature. Au bas, une petite plaque de cuivre portait une inscription en polonais et la suscription FONDATION KRZYSZTOF. De chaque côté du tableau, éclairé par un projecteur, pendait une courte tenture de velours rouge.

— Bonjour, dit Janie.

— *Dzien dobry,* la salua aimablement la préposée, qui lui montra, accrochée au mur, une affiche sur laquelle on avait écrit 7000 zlotys.

Janie lui tendit l'argent — moins de cinquante pence[1] — et reçut en retour un ticket bleu et un mince fascicule. Pour 8000 zlotys supplémentaires, elle acheta une statuette en plâtre à l'effigie de Mama, dans sa fameuse robe crème. Le visage souriant et méconnaissable aurait tout aussi bien pu représenter la Vierge Marie. La femme adressa à Janie un mince sourire et lui fit signe d'entrer.

Le fascicule qu'elle avait en main, écrit en plusieurs langues dont l'anglais, apprenait aux lecteurs que la maison était restée intacte depuis l'époque où Magda Lachowska y avait habité. Janie en doutait, bien que la structure lui parût inchangée. Aucune cloison n'avait été abattue et la cuisine était encore équipée de façon classique : un évier en pierre, un petit four au charbon encastré, une grande étagère de bois adossée au mur blanchi à la chaux. Il n'y avait pas de réfrigérateur, mais un garde-manger muni d'étroites tablettes et une baignoire en zinc suspendue à un clou, juste à côté.

Elle fit demi-tour et se dirigea vers l'escalier, qui montait en pente raide le long d'un mur. Un gros câble servait de rampe. Il y

1. Environ 1,25 $. (NDT)

avait deux chambres à l'étage. Dans l'une se trouvaient deux petits lits recouverts ingénument d'un édredon de nylon de conception très contemporaine. Deux chaises et deux petites penderies en bois grossier complétaient le mobilier.

La grande chambre avait été convertie en salle de projection. Un store épais masquait la fenêtre et trois rangées de chaises faisaient face à l'écran. On y montrait en permanence un court documentaire, en noir et blanc, traduit en plusieurs langues. Quand Janie s'installa devant l'écran, le commentaire en anglais commençait. La première image était celle de la maison où Magda Lachowska était née, en 1924, au sein d'une famille très unie. Ensuite apparaissait la photographie de mariage de ses parents. Son père, apprenait-on, travaillait au port; sa mère tenait maison. La photo suivante présentait les deux frères aînés de Magda, héros de l'armée polonaise. On les voyait d'ailleurs dans leur uniforme militaire. Venait ensuite un dessin de l'école qu'avait fréquentée Magda et qui avait été bombardée durant la guerre. Enfin quelques personnes de soixante ans et plus rendaient témoignage à Magda, qu'ils avaient connue durant leur jeunesse.

« Elle était déjà marquée du signe de Dieu, assurait une femme. Elle était aimable avec tout le monde et belle comme un ange. »

« Nous savons tous que c'était une personne remarquable, affirmait un vieillard décrépit. Elle visitait quotidiennement les malades. Nous nous souvenons tous d'elle avec reconnaissance et fierté. »

« Cette enfant était une sainte, déclarait une autre femme. Quelle humilité ! Quelle grâce ! »

« C'est elle qui tenait toute sa famille unie, révélait une femme en fauteuil roulant. Elle a pris soin de sa mère pendant des années : c'était merveilleux à voir. »

« Quand Magda était petite, disait une autre, nous la regardions jouer avec ses frères. Ils prenaient tellement soin d'elle, ils en étaient si fiers, vous ne le croiriez pas. »

Elle parlait rapidement, sans émotion, ce qui donnait à croire qu'elle lisait un texte.

Les témoignages chantaient unanimement les louanges de la jeune Magda.

Janie regarda sans grand intérêt ce qui suivait. Elle avait l'impression que les gens récitaient des extraits de la *Vie des saints.* Elle ne fut pas surprise de trouver le nom de la fondation Krzysztof en bonne place dans la liste des bienfaiteurs qui avaient financé la production du documentaire. Tandis qu'elle descendait, elle entendit de nouveau la bande sonore du film, dans sa version polonaise cette fois.

L'aménagement du séjour, au rez-de-chaussée, avait visiblement été l'objet d'une attention particulière. Le parquet avait été refait et soigneusement verni; le foyer, avec ses ornements de fer forgé, était beaucoup trop grand pour l'espace qu'il avait à chauffer et nettement trop luxueux pour un intérieur aussi modeste.

La partie supérieure des murs était revêtue d'une peinture de ton clair, tandis que le bas était d'un kaki brillant. Des ampoules, vissées dans les appliques murales de métal gravé, dispensaient une faible lumière. Tout autour de la pièce étaient accrochés des instantanés de Mama : seule, en prière; parmi ses disciples; avec un enfant dans les bras. Plusieurs photos avaient été prises à l'occasion d'événements officiels : on la voyait serrer la main de politiciens ou deviser avec des chefs d'État. Ici, on l'apercevait avec Willi Brandt, le robuste chancelier allemand; là, sur un balcon à Cuba, en compagnie d'un Fidel Castro vieillissant, debout derrière elle dans son blouson de combat. On la voyait parmi un groupe de leaders mondiaux, aux Nations Unies, entre Margaret Thatcher et le président Mitterrand. D'autres photos, plus anciennes, la montraient plus jeune, plus mince même, mais toujours avec les mêmes cheveux d'un blond lumineux. Sur l'une, elle s'entretenait avec Indira Gãndhi : les deux femmes portaient leur longue robe; le front de Mama, comme celui de la femme d'État, marqué du signe de caste vermeil. Sur une autre, elle était avec Golda Meir, première ministre d'Israël, dans l'enceinte de la Knesset, au milieu d'un groupe de politiciens coiffés de la kippa. On la retrouvait aussi entre le président Kennedy et Jackie, tout sourire, dans son célèbre petit tailleur. Janie examina cette photo pendant un très long moment en se disant que c'est précisément ce genre d'image qui contribuait à créer les mythes.

Et il y avait encore des instantanés pris sur le vif : Mama, le bas de sa robe taché de boue, se dépêchant de traverser une rue déserte bordée d'édifices éventrés par les bombardements. Mama avec des hommes au visage sombre mais décidé, en tenue débraillée et armés de fusil. Mama accroupie auprès d'une Africaine désemparée, qui pleurait sur le cadavre déchiqueté de son enfant. Derrière elles, les abris de fortune d'un camp de réfugiés se profilaient à distance.

Janie avait de la difficulté à faire un lien entre ces photos, qui confirmaient le grand prestige dont jouissait Mama, et cette maison de gens besogneux où elle avait été élevée. Comment les parents, leurs trois enfants et le grand-père malade, qui avait vécu parmi eux de longues années, réussissaient-ils à vivre dans un espace aussi restreint? Où dormaient-ils tous? Il était notoire que Mama venait d'une famille modeste, mais Janie n'avait jamais soupçonné que ces gens pussent être aussi pauvres.

Pourtant, Mama évoluait avec assurance et grâce parmi l'élite internationale. Elle s'entretenait avec les politiciens et les chefs d'État, et ceux-ci l'écoutaient avec respect. Comment avait-elle pu y parvenir? Quelle force et quelle détermination lui avait-il fallu pour trouver place dans des milieux aussi différents et si éloignés de ses propres origines?

Janie retourna dans la cuisine et ouvrit la porte arrière. Une fois à l'extérieur, elle alluma une cigarette et examina les alentours. La petite cour était vide, à l'exception d'une cage grillagée en fil de fer. La famille devait y avoir gardé une poule ou deux. Il lui vint à l'esprit qu'il n'y avait pas de salle de bains dans la maison. Où donc se trouvaient les toilettes? Le mur d'enceinte, plutôt bas, lui permettait de voir facilement l'arrière des autres maisons, de sorte qu'elle remarqua, à côté de chaque porte de cuisine, un genre de cabanon au toit à pente raide. Elle s'avança jusqu'au mur et examina le cabanon de la maison voisine. Sous le portillon, il était possible d'apercevoir le bas d'une cuvette de toilette rustique qu'il fallait vider à la main. On avait sans doute fait démolir le cabanon des Lachowski, parce que des lieux d'aisances aussi primitifs ne convenaient pas à la maison natale d'une héroïne nationale.

Tout était très calme. Un bébé pleurait dans un des appartements des hauts immeubles locatifs, qui avaient vraisemblablement remplacé les rangées de petites maisons qui s'alignaient le long des rues du quartier où habitaient les Lachowski. C'était une pensée déprimante. Elle écrasa sa cigarette sous son pied. Ce pèlerinage était une erreur dispendieuse : Janie était persuadée maintenant qu'elle ne découvrirait dans cette maison ni détails révélateurs, ni information exceptionnelle qui puissent enrichir son dossier. La maison avait été nettoyée, désinfectée, stérilisée. Il était impossible de se faire une idée du genre de vie de ses occupants. On n'y sentait rien de l'atmosphère qui y avait régné autrefois. Janie se dit qu'elle jetterait un dernier coup d'œil sur les photos de famille et qu'elle s'en irait.

Ces photos étaient exposées sur une tablette recouverte d'un long chemin de table en velours marron bordé d'une frange. Pas de cierges ni d'encens, mais il régnait dans ce coin de la pièce une atmosphère de sanctuaire. Les photos, de toutes dimensions, étaient richement encadrées. On pouvait y voir des adultes, des enfants et même la tombe des grands-parents, surmontée d'une pierre où apparaissaient les portraits des défunts.

La photographie du centre, la plus grande, la plus luxueuse, confirmait l'importance de la jeune fille qui y apparaissait. Une note écrite à la main au bas du cadre empêchait toute méprise sur son identité.

Janie l'examina soigneusement. Les grands yeux magnifiques qui fixaient solennellement l'appareil photo, les lourdes anglaises, la robe foncée qui recouvrait ses genoux, les bas blancs, les bottines de cuir noires boutonnées jusqu'à la cheville ne lui apprenaient pas grand-chose. Excepté le fait que cette enfant était adulée, gâtée même. La plénitude des joues laissait deviner une nourriture abondante et riche; le regard confiant, un peu trop déluré, lui rappelait d'anciennes photos d'Elizabeth Taylor : une autre petite fille qui avait très tôt pris conscience de sa propre valeur et qui avait perdu par la même occasion un bien précieux. La main posée sur le bras d'une chaise délicatement ouvrée permettait sans hésitation de conclure qu'il s'agissait d'un cliché pris dans le studio d'un photographe. L'énorme vase égyptien derrière elle et le rideau drapé sur lequel il se détachait ne fournissaient aucun indice. Il y avait une petite signature griffonnée dans le coin inférieur droit.

De chaque côté, dans leur cadre en étain, se trouvaient les photographies des parents, prises sans doute à l'époque de leur mariage. C'étaient des clichés sépia, pâlis par le temps, relativement beaucoup plus petits que celui de Magda. La mère avait un long visage sans charme, mais des yeux foncés très vifs au regard amusé ; le père avait un air plutôt sombre et des yeux sournois. Il se dégageait de ces deux photos l'impression désagréable que cet homme et cette femme formaient un couple mal assorti. La jeune Magda, comme la Magda d'âge mûr qu'elle avait d'ailleurs rencontrée, ne ressemblait pas du tout à ses parents. Mais les fils avaient hérité des traits du père et de la mère.

Il y avait deux photographies des frères. L'une les montrait, enfants, en train de jouer aux cow-boys et aux Indiens : chapeau western, panache indien et poitrine nue, arc et flèches, revolver jouet. C'était la vie prise sur le vif. Janie pouvait même voir les éraflures sur les genoux du plus jeune, l'Indien.

La seconde montrait l'un des garçons à onze ou douze ans peut-être, les cheveux coiffés avec soin. Il portait un costume clair et une cravate d'adulte à larges rayures foncées. La culotte courte découvrait des jambes minces. Le garçon était agenouillé sur un prie-Dieu devant un piédestal recouvert de dentelle. Ses mains gantées de blanc tenaient un petit missel. Il paraissait pâle et triste.

Pendant un long moment, les yeux de Janie passèrent de la photo de Romuald — ainsi que le précisait la note manuscrite au bas du cliché — à la photo de Magda enfant. Il y avait dans ces deux photos quelque chose qu'elle ne pouvait identifier, mais qui l'intriguait.

Elle retourna dans l'entrée, où la préposée regardait tristement dans la rue. Janie avait pensé lui demander la permission d'examiner les photos de plus près, mais elle se rappela qu'elle était incapable de faire comprendre à la vieille dame ce qu'elle voulait.

Quand elle revint dans le séjour, un homme et sa femme examinaient les photographies, échangeant à voix basse leurs commentaires, comme s'ils se trouvaient dans une église. Quand ils furent partis, elle saisit le cadre dans lequel se trouvait la photographie de

Magda et l'examina de plus près. Elle s'approcha de la fenêtre pour mieux profiter de la lumière et elle se rendit compte que ce qu'elle avait pris pour un repli, dans la chair du poignet dodu, n'était qu'un mince bracelet en or.

En remettant le cadre à sa place, elle remarqua que le fond en bois mince était assujetti au cadre par quatre agrafes au profil en U, fixées au milieu des quatre côtés. Sans penser aux conséquences possibles, elle glissa l'ongle de son pouce entre une des lames de l'agrafe et la base du cadre. L'agrafe se dégagea facilement. Janie jeta un coup d'œil rapide dans la pièce pour s'assurer qu'elle était seule. Elle retira alors les trois autres agrafes, puis le fond du cadre, ainsi que le papier noir mat posé dessous et le passe-partout. Au dos de la photo, sur le bord inférieur, elle put lire le nom du studio, clairement imprimé :

Studio Zygmunt 60 Nowy Swiat Warszawa.

Elle copia l'adresse dans son carnet, remit tout en place et fixa à nouveau les agrafes. Elle reposa ensuite le cadre à sa place.

Le tic-tac de l'horloge résonnait dans la pièce vide comme les battements secs d'un métronome. Elle répéta les mêmes opérations avec la photo de communiant de Romuald. La photo carte postale n'indiquait, au verso, que le nom et l'adresse d'un imprimeur établi à Świnoujście même.

Elle jeta un regard du côté du vestibule : la dame était revenue s'asseoir derrière la table et offrait son visage au chaud soleil. Janie vérifia encore deux ou trois autres photos, qui portaient elles aussi le nom et l'adresse de l'imprimeur de la ville.

La préposée se préparait à fermer. Elle mit au carré, de façon ostentatoire, les piles de dépliants, fit glisser le chien de pierre qui maintenait la porte ouverte. Janie prit la direction de la sortie. Elle fit cependant brusquement demi-tour, détacha la boutonnière qu'elle avait achetée au début de la journée, à la gare de Cracovie. Les petites fleurs veloutées avaient perdu de leur vigueur, mais elles étaient encore jolies. Elle les déposa sur la tablette, devant le portrait de la jeune Magda. Elle n'avait aucune idée de la raison qui l'avait poussée à faire ce geste, qui ne concordait aucunement avec son caractère.

Après avoir quitté la maison de Mama, Janie marcha jusqu'au bout de la rue. Son taxi l'attendait près d'une affiche de McDonald's. Jerzy était assis sur le bord de son siège et fumait une cigarette qu'il avait lui-même roulée. Quand il la vit s'approcher, il sursauta et lança sa cigarette dans le caniveau. Il avait à la main une photographie qu'il lui montra en arborant un grand sourire : une femme âgée et un homme plus jeune. Il souhaitait qu'elle fasse connaissance avec sa famille. Elle hésita pendant une minute. Mais son train ne partait que le soir et elle avait déjà réservé une couchette. Elle avait songé à manger au restaurant, à aller peut-être au cinéma ensuite. Mais elle accepta l'invitation.

Il arrêta son taxi devant un immeuble résidentiel et la précéda dans des escaliers qui ne finissaient plus de monter, pestant contre les graffitis sur les murs. Les slogans hauts en couleur, qu'elle ne pouvait pas comprendre, et les personnages de bandes dessinées joyeusement reproduits rachetaient aux yeux de Janie la laideur bétonnée de l'endroit.

Un homme, aussi petit et musclé que Jerzy, les accueillit. Son large sourire découvrait des dents très blanches. Les deux hommes se donnèrent l'accolade, se bourrèrent joyeusement de coups de poing amicaux sur les épaules et rirent bruyamment. Comme Jerzy, Janusz avait le charme d'un bon vendeur. Il parlait un excellent allemand, se débrouillait assez bien en anglais, savait un peu de français et avait quelques notions de plusieurs autres langues, incluant le hongrois. Il avait été commissaire de bord durant plusieurs années. Il avait d'abord travaillé sur des bateaux rattachés au port de sa ville natale, et puis ensuite sur des lignes en partance de Hambourg et de Rotterdam.

Il baisa avec enthousiasme la main de Janie, les introduisit tous deux dans son appartement tout en expliquant leur lien de parenté :

— Cet homme mon cousin favori, vous comprenez. Quel gars ! Ma mère dire toujours celui-là faire fortune ou aller en prison.

Pendant que les deux hommes parlaient, elle examina la pièce encombrée. Il y avait des plantes partout, dans les coins, suspendues devant les fenêtres, derrière le canapé, sur la table. Elle compta au moins quatre cages d'oiseaux qui n'arrêtaient pas de chanter et cinq bocaux dans lesquels nageaient, solitaires, autant de poissons rouges. Au bout de cinq minutes, Irina Pozomiek arriva et Janie sut immédiatement que cette pièce était marquée de son empreinte. Elle y était chez elle. Elle portait des vêtements disparates aux larges motifs de couleurs vives. Comme son fils et son neveu, elle était replète et souriante. Ses cheveux et ses sourcils étaient teints en brun foncé, ses lèvres peintes en pourpre. Elle parlait très vite et approuvait les propos des hommes de fréquents « *tak, tak* ». Pour saluer l'arrivée de ses visiteurs, elle servit de petits verres de vodka et des biscuits.

Janie finit par comprendre qu'elle était invitée à manger avec eux. Elle avait une faim de loup. Ils s'assirent autour de la table et, à même une volumineuse marmite, Irina servit des *bigos,* c'est-à-dire des pommes de terre et du chou cuits à l'étuvée dans du vin rouge avec un fort assaisonnement de carvi, le tout recouvert de champignons et de tranches de saucisse polonaise.

La conversation allait bon train sans qu'on tienne vraiment compte de Janie qui, à mesure que le repas avançait, voyait son appétit diminuer et sa fatigue augmenter. Elle venait de passer deux longues journées. Janusz se pencha alors vers elle :

— Ma mère autrefois bien connaître votre Magda Lachowska. Petite ville ici.

Janie tourna les yeux du côté d'Irina. Jusque-là, il ne lui était même pas venu à l'esprit que les deux femmes puissent avoir à peu près le même âge :

— Vous l'avez connue vous-même ? À quoi ressemblait-elle ?

Son fils traduisit rapidement. Irina répondit en faisant ce geste de la main qui signifie « comme ci, comme ça ». Elles avaient fréquenté la même école pendant une courte période, dans une classe plutôt avancée. Irina n'avait pas eu l'occasion de la bien connaître. Magda était une jeune fille tranquille, pas très douée ; elle avait peu d'amies, les filles ne l'aimaient pas. À Janie, qui lui demanda pourquoi, elle répondit qu'elle avait l'air étrange. L'air étrange ? Irina loucha volontairement dans une vivante imitation. Irina n'avait plus pensé à elle pendant des années, jusqu'à l'époque de la naissance de Janusz, alors que son nom avait commencé à être mentionné occasionnellement dans les journaux.

— Quand elle descendre montagne, traduisit Janusz, — Janie savoura la référence biblique — nous recevoir petites informations. Le temps passer et nous apprendre vraiment quelque chose. Après, encore plus grandes nouvelles. Personnes guéries, converties. Magda enfin célèbre.

— Parlez-moi d'elle, de son enfance. Jerzy m'a conduite à sa maison. Je l'ai visitée.

Janusz l'interrompit, non sans s'être dépêché d'avaler un gros morceau de saucisse :

— Beaucoup gens ici pas contents. Trop changements, ils disent. Tout trop propre.

Janie eut envie de rirc, mais elle avait compris ce qu'il voulait dire.

— Quand la famille était ici, comment vivait-elle ?

Irina se mit à rire quand on lui traduisit la question :

— Mon Dieu ! que c'était sale dans ce temps-là ! Pas d'eau courante, les cheminées fumaient. Les rues étaient en terre et il y avait de la boue partout.

Janie était intriguée :

— Mais il y avait de l'eau à l'évier. Et la rue était pavée, je l'ai remarqué.

Irina fit un autre geste négatif :

— Il y a l'eau courante depuis quinze ou seize ans, pas plus. Même chose pour l'électricité. Des rues neuves partout. Mais ils prétendent que tout ça est ancien. Vous comprenez ?

— Parfaitement.

Il lui semblait ridicule, mais pas tout à fait déraisonnable, qu'on veuille hausser quelque peu le niveau social de leur célébrité locale. Elle demanda :

— Vous avez vu la photo de Magda, celle où on la voit petite fille, dans le cadre d'argent ? Elle était aussi jolie quand vous l'avez connue ?

Cette fois, Irina s'esclaffa :

— Non, ma chère, non ! Je me souviens d'une fille de dix, douze ou quatorze ans, qui n'avait que la peau et les os. Mal habillée, les cheveux qui pendaient tout droit, sans couleur.

Janie enregistra l'information. Puis elle demanda :

— Sa famille, elle était très pauvre ?

Irina réfléchit sérieusement avant de répondre. Elle se leva et se dirigea vers la cage de l'oiseau gris. Elle lui donna quelques graines de tournesol et joua un peu avec lui :

— *Tak,* finit-elle par dire. Oui, je le crois. On n'est pas riche à Świnoujście, d'accord. Mais on vit. Plus ou moins. Parfois des malheurs arrivent. Quand Magda Lachowska était très jeune, son père est parti.

— Où est-il allé ?

Le haussement d'épaules d'Irina était un chef-d'œuvre du genre. Qui sait ? Qui s'en préoccupe ? Janusz porta sa main à ses lèvres comme pour vider un verre.

Janie demanda vivement :

— Il buvait ?

Janusz acquiesça, puis poursuivit :

— Alors la mère est *zrõjnowana...* brisée ? Trop de problèmes pour une seule personne. Et pour les enfants, seulement un peu d'argent, un peu de nourriture.

— Mais comment le saviez-vous ?

Irina la regarda fixement, étonnée de sa question, puis elle se mit à rire et rabattit rapidement son index et son majeur sur son pouce pour imiter une bouche qui jacasse :

— Parce que les gens parlent. Vous ne parlez pas dans votre ville ? Quand j'étais jeune, nous n'avions pas de radio, pas de télévision, pas de téléphone, pas de cinéma, pas de disques. Rien. Alors nous parlions, c'est tout. Nous connaissions donc le malheur de la pauvre Maria Lachowska. Et je voyais Magda à l'école. Si triste, si renfermée. Pauvrement vêtue. Et les filles jasaient dans son dos. Je me rappelle que Magda était une fille très solitaire.

— Et sa mère ? Ses frères ?

— Sa mère restait à la maison, elle prenait soin du vieux *patus,* qui était très malade. Les deux frères sont partis : c'était la guerre. Les Russes nous ont envahis d'abord. Puis les Allemands. Tous nos jeunes hommes ont joint l'armée polonaise. À quel point la Pologne a pu souffrir, je ne peux pas vous le dire. Notre pauvre pays ! Les deux garçons sont partis se battre. On ne les a pas vus pendant longtemps.

Janusz traduisait toujours dans son anglais approximatif. La voix d'Irina tremblait. Malgré ses cheveux bruns, malgré le rouge à lèvres et les couleurs voyantes de ses vêtements, elle avait soudain pris l'apparence d'une vieille femme.

— Connaissiez-vous aussi les deux garçons ?

— Le plus âgé a été tué dès les débuts. On a perdu la trace de l'autre, parti avec l'armée polonaise.

— Dans le film, les gens disaient tous que Magda était remarquable, que tout le monde l'aimait, que c'est elle qui tenait sa famille unie...

Irina fit une moue désabusée. Elle dit rapidement quelque chose à Janusz, qui parut préoccupé sur le moment :

— Ma mère dit... — il jeta un coup d'œil nerveux du côté de sa mère — que ça ne tient pas debout. Elle n'était pas comme ça. Elle restait en elle-même, vous comprenez ?

— C'était une égoïste ? demanda Janie.

Janusz fit oui de la tête. Irina lui dit quelque chose encore :

— C'était une rien du tout. Une vulgaire poule.

Irina fit un signe de tête approbateur en voyant l'expression d'étonnement qui était apparue sur le visage de Janie.

— Elle allait avec les marins du port : avec des Russes, des Chinois, des Indiens, avec n'importe qui. Elle avait commencé très jeune.

Janie avait retrouvé sa voix :

— Y a-t-il d'autres personnes au courant de son passé ?

Les deux hommes se regardèrent. C'est Janusz qui répondit :

— Je pense que non. Ma mère dit qu'elle l'a entendu rapporter par mon père, qui travaillait sur les quais. Elle aimait Maria Lachowska. Elle ne veut pas lui faire de tort. Il vaut mieux ne pas répéter ces choses.

Janie acquiesça d'un signe de tête :

— Quel âge avait Magda quand elle...

Irina plissa le front dans un effort pour se souvenir :

— C'est arrivé après la maladie de Maria. Peut-être pour gagner un peu d'argent.

— Étiez-vous toutes deux à l'école, à l'époque ?

— Non ! cria presque Irina.

Redevenue elle-même, elle riait aux éclats :

— Magda seulement. Elle avait quinze ans, peut-être seize. J'étais trop vieille pour être encore à l'école. Je cherchais à me marier. J'ai donc épousé un soldat. Puis ce fut le temps des bébés. C'est toujours le temps des bébés, ajouta-t-elle en passant rudement sa main dans les cheveux coupés court de Janusz.

Il sourit et se dégagea pour aller servir du café. D'un geste professionnel, il remplit quatre tasses et les posa sur un plateau avec la crème et le sucre. Janie ouvrit son carnet à la page où elle avait écrit quelques notes au cours de sa visite de l'étroite maison à l'autre bout de la ville. Elle but une gorgée de café. La pièce resta silencieuse pendant un court moment où l'on n'entendit que le pépiement des oiseaux. Elle observa Janusz, qui conversait calmement avec Jerzy.

Elle pensa à la photographie de la petite Magda. Si pimpante, grassouillette et sûre d'elle-même. Elle revit le bracelet en or à son poignet. C'était l'image de l'enfant chérie d'une famille bourgeoise, pas le rejeton d'une famille pauvre dont le père ivrogne avait disparu, laissant à sa femme le soin de se débrouiller toute seule.

Studio Zygmunt, Warszawa.

Elle demanda à Irina :

— Êtes-vous déjà allée à Varsovie quand vous étiez enfant ?

Quand Janusz lui eut traduit la question, Irina pouffa encore de rire :

— Varsovie ? Je ne suis jamais allée à Varsovie.

Elle riait tellement qu'elle dut s'essuyer les yeux avec le bord de son cardigan :

— À Gdańsk, oui. Et même à Cracovie, une fois. Mais à Varsovie... Les gens de Świnoujście ne vont pas à la capitale. Il n'y a que Janusz qui connaît Varsovie.

Elle regarda avec orgueil son fils, qui ajouta :

— Maintenant il y a des gens qui y vont, pas autrefois. C'est un long voyage, qui coûte cher.

Janie était certaine maintenant que la photo n'était pas celle de la jeune Magda. C'est pourquoi elle n'avait rien pu en tirer. La photo ne ressemblait pas à la personne qu'elle cherchait : c'était quelqu'un de différent. Mais pourquoi se serait-on donné la peine de faire croire que la fillette était Magda Lachowska?

Il devait y avoir une raison. On n'avait peut-être pas pu trouver une photo de Magda enfant. Mais il y en avait pourtant de tous les autres membres de la famille. Toutefois, si la description d'Irina était juste, la fondation Krzysztof aurait pu décider que cette très belle enfant correspondait mieux à l'image que les gens voudraient voir. Il n'était pas question de leur présenter une maigrichonne mal coiffée.

Cette hypothèse la satisfaisait pleinement.

Janie laissa Janusz lui verser une autre tasse de son excellent café. Elle se plaisait en cette curieuse compagnie; elle était reconnaissante de ce qu'on lui avait permis de découvrir. « Ne t'emballe pas trop vite cependant! se dit-elle. Attends encore. »

— Janusz, dit-elle en posant sa main sur son bras, votre mère et vous avez été incroyablement gentils, mais...

Jerzy prit le volant, Irina Pozomiek assise à côté de lui pour lui indiquer le chemin. Elle parlait sans arrêt, attirant l'attention sur les plus gros édifices de la ville, l'ancienne base militaire russe, entièrement construite de béton, et la clinique servant d'hôpital au personnel. C'était le soir maintenant; presque tout le monde était rentré à la maison. Irina les conduisit à cinq adresses. Les quatre personnes qu'on put interroger avaient à peu près son âge. Les trois femmes et l'homme étaient heureux de se rappeler le souvenir de Mama. Janusz, qui avait vite compris ce que Janie cherchait, prit l'initiative de poser chacune des questions. Les quatre lui donnèrent à toutes fins utiles les mêmes réponses, très différentes toutefois de celles d'Irina.

Tak, Magda Lachowska avait été une magnifique jeune fille. Oui, si heureuse, si pleine de joie, d'amour. Et quel sourire! quel éclat! Tout le monde était attiré par elle. C'était une famille unie, où régnait l'amour; les garçons adoraient leur sœur. Le père? Oui, un honnête homme qui travaillait fort et faisait de son mieux... La mère? Une sainte, pauvre d'elle, se sacrifiant pour ses enfants, astiquant sans relâche pour garder la maison bien propre. Elle savait évidemment quel trésor était Magda. Déjà à cette époque, l'enfant était marquée par la grâce divine. Quand, à la suggestion de Janie, Janusz demanda ce qui était arrivé à Magda lorsqu'elle avait quitté Świnoujście, personne n'en avait la moindre idée. Elle était partie, après la mort de sa chère maman. Beaucoup plus tard, elle se retrouvait en Amérique du Sud. Les miracles avaient déjà commencé.

La dernière personne qu'Irina l'amena voir était un fermier. La voiture fila tout droit devant le port et sortit de Świnoujście. En passant devant ce qui semblait être un entrepôt isolé, autour duquel de nombreuses voitures étaient garées, ils entendirent le rythme obstiné d'une musique populaire.

— Disco Polo, lui dit Janusz.

Jerzy lui demanda quelque chose : il se mit à rire et chanta un air, avec les paroles anglaises, qui aurait fort bien pu être composé par un enfant de trois ans. *Polka-dotted knickers, polka-dotted knickers.*

Le fermier était un homme aimable à la voix douce. Il avait le visage franc et les yeux limpides d'un homme pour qui la vérité est une chose simple. Il leur répéta mot pour mot ce qu'ils avaient entendu auparavant. En quittant la ferme, Jerzy parla rapidement et d'un ton sérieux. Sa tante et son cousin approuvèrent de la tête et Janusz traduisit :

— Jerzy pense que nous pourrions parler à vingt autres personnes, qui nous diraient toutes la même chose. On ne vous ment pas : on veut seulement vous dire des choses agréables à entendre. Mama est une excellente femme, une vraie personnalité. Elle fait de grandes choses. Donc, si on invente quelque peu, si on embellit la vérité, ce n'est pas si terrible, après tout.

Il avait évidemment raison. Ces gens n'étaient coupables que de la même tromperie véhiculée par le documentaire produit par la fondation Krzysztof. Celle-ci se conformait peut-être à un plan bien déterminé, mais ce n'était clairement pas le cas pour les amis d'Irina. Toute cette histoire remontait à un passé bien lointain, à un passé qu'il était normal d'embellir.

La Magda dont on se souvenait à Świnoujście n'était pas plus vraie que la statuette de plâtre que Janie avait dans son sac, pas plus vraie que le portrait affiché dans le triste vestibule de la maison natale de Magda.

Irina avait simplement laissé entrevoir une zone trouble. Il y avait des ombres au tableau. Magda n'avait été ni l'enfant aimante, ni l'amie sur qui on pouvait compter, ni la petite sainte qu'on décrivait. C'était une fille malingre et esseulée qui cherchait à s'évader. Elle racolait les marins avant même d'avoir seize ans.

Cette longue journée et l'effort qu'elle devait faire pour comprendre et se faire comprendre avaient épuisé Janie. Il faisait chaud dans la voiture. Alors que ses trois compagnons conversaient calmement en polonais, elle laissa son esprit dériver. Pendant ces quelques secondes d'abandon, elle laissa s'insinuer au fond de son subconscient le doute qui l'avait toujours tracassée au sujet de Mama. Il était trop tard, ce soir-là, pour départager le vrai du faux. Elle s'assoupit.

Chapitre onze

Sur Internet, le site réservé au Calice comptait plusieurs pages. On souhaitait d'abord la bienvenue à l'utilisateur du site. Suivait l'adresse de la maison mère, à Rome. Après quoi une photographie envahissait progressivement l'écran. Dès qu'elle aperçut les rayons du soleil, Janie reconnut le portrait, fait par Jane Bown, adopté officiellement par la Fondation. L'image avait été largement diffusée. Janie l'avait même vue grossièrement reproduite sur des tee-shirts. Venait ensuite une brève description de Mama : une mystique, une thaumaturge, un canal de la grâce. La ligne suivante invitait à découvrir Mama et son œuvre :

Apprenez à mieux connaître Mama :

- Portrait de Mama.
- Groupes de prière organisés par Mama.
- Comment soutenir l'œuvre de Mama : adresses des maisons du Calice à travers le monde.

Un long article racontait en détail les événements bien connus, qui remontaient à plus de cinquante ans. On nommait les quatre témoins de la mort de Mama et de sa résurrection : Cuci Santos, Tomas Santos, Rico Gomez, Manuela Sayão...

Janie parcourut le document en diagonale. Elle ralentit toutefois pour lire un article de tête publié dans le journal *The Times* :

Les médias eux-mêmes ont contribué à créer cette superstar de la sainteté. C'est peut-être ce qui explique la grande facilité avec laquelle elle a réussi à transcender les barrières qui séparent les religions. Comment expliquer autrement qu'une chrétienne parvienne à réunir autour d'elle des disciples venus de l'islam, du judaïsme, de l'hindouisme? Que la sainteté de cette femme soit universellement reconnue de son vivant est un tour de force remarquable. Ceux qui ont rallié sa cause marchent en procession derrière elle, un cierge à la main; ils se relaient du levant au couchant pour que la prière montant vers le ciel ne s'arrête jamais. Vingt-quatre heures sur vingt-quatre, des prêtres de toutes les confessions président à tour de rôle ce service divin jamais interrompu.

Janie gardait les yeux fixés sur l'article qui défilait sur l'écran, tandis que ses doigts labouraient impatiemment son cuir chevelu. Elle était probablement trop sceptique pour écrire ce livre. La religion appartenait, pour elle, au monde de l'enfance; elle se réduisait essentiellement aux services du dimanche matin, suivis d'un repas de fête pris en famille. Paul et elle n'avaient pas voulu d'une cérémonie religieuse. Ils s'étaient mariés devant un officier civil du Herefordshire, où habitait sa grand-mère. Plus tard, à Londres, elle avait fidèlement conduit Adam à l'église durant la période où il fréquentait l'école élémentaire de Richmond et elle avait célébré sérieusement avec lui les grandes fêtes religieuses. Ses convictions n'allaient pas plus loin. Et voilà maintenant qu'elle était harcelée par des questions sans réponse.

Elle ferma son ordinateur et s'étira en bâillant. Elle avait souffert d'insomnie la nuit précédente, comme cela lui était d'ailleurs souvent arrivé depuis quelque temps. Et puis, quand elle dormait, de terribles et tristes cauchemars créaient chez elle un tel état de panique qu'elle se réveillait en sursaut au milieu de la nuit. Elle rêvait d'une mer remplie de minuscules bébés nus, d'où elle émergeait le visage gluant, la gorge serrée et le cœur chaviré par d'amers regrets. Au moins, se disait-elle avec un certain cynisme, elle n'aurait pas besoin d'un analyste pour interpréter ses cauchemars.

Au cours de la nuit, elle s'était levée à trois heures et, après avoir fait du thé, elle s'était installée à son ordinateur. Le travail était la seule ressource qui ne lui ferait pas défaut. C'était dimanche matin et elle n'avait vu personne depuis jeudi. Samedi, c'était au tour de Paul de sortir Adam. Elle avait désespérément voulu demander à son ex-mari si elle pouvait prendre sa place. Elle n'en avait rien fait. Il aurait sûrement accepté. Mais, à sa façon mordante bien personnelle, il lui aurait clairement laissé entendre qu'il n'ignorait pas qu'elle était désœuvrée.

« Regarde les choses en face, se dit-elle à elle-même, tu traverses une mauvaise passe. » L'opération — non, il fallait appeler les choses par leur nom — l'avortement ne datait que de huit semaines. Son corps était guéri, pas son esprit. Elle était souvent de mauvaise humeur, elle avait perdu l'appétit. Des messages auxquels elle n'avait pas le courage de donner suite s'accumulaient sur son répondeur. Même ceux de Bob Dennison, d'Odyssey, qui l'avait appelée au moins trois fois. Sa gentille généraliste lui avait dit de ne pas s'inquiéter, qu'elle souffrait d'un déséquilibre hormonal temporaire, qu'il fallait que son corps, qui s'était préparé à passer à travers les neuf mois de la grossesse, retrouve un nouvel équilibre. La praticienne avait écouté, elle avait fait des commmentaires judicieux et s'était montrée aussi sympathique que le lui permettait une salle d'attente remplie de patients. Elle avait enfin invité Janie à revenir la semaine suivante si elle en sentait le besoin. Puis elle lui avait prescrit des somnifères pour une semaine. Il n'y en avait pas assez, avait-elle dit en riant, pour causer le moindre dommage.

Janie se pencha pour soulever un coin du store. Le ciel était encore sombre, mais une lueur pointait à l'est : il ferait jour dans une demi-heure à peine. Une souffrance, une impression de privation se fit sentir en elle. Elle se leva pour aller chercher dans la grande armoire de la chambre le vieux pantalon à velours côtelé de Paul et son épais tricot irlandais blanc cassé. Elle passa la main sur les tissus rugueux et se laissa envahir par l'émotion qui la bouleversait chaque fois qu'elle touchait aux affaires de son ex-mari. Il lui avait déjà demandé de lui rapporter ses vêtements ainsi que sa robe de chambre. Elle lui avait menti en lui faisant croire qu'elle les avait donnés à une œuvre de charité. Ce mensonge n'était pas le résultat d'une décision réfléchie : il s'était échappé de sa bouche avant même qu'elle se rende compte qu'elle ne voulait pas se séparer de ces vêtements. Leur présence signifiait qu'une partie de lui demeurait encore avec elle. Elle oublia les querelles et les chamailleries que sa présence physique occasionnait inévitablement. Elle comprenait cependant qu'elle n'était pas encore prête pour la rude réalité d'un divorce. Paul lui manquait terriblement et elle s'en voulait de s'être mal conduite avec lui.

Elle descendit dans la cuisine pour prendre son petit-déjeuner. D'épaisses chaussettes de laine protégeaient ses pieds de la fraîcheur glacée de la céramique pendant qu'elle se préparait une tasse de café et un toast. Puis elle allongea le bras jusqu'au fond du placard pour y prendre la bouteille de scotch. Il en restait moins que dans son souvenir. Elle en versa dans son café, prit une petite gorgée et en rajouta une goutte. Elle mangea son pain grillé. Sans prêter attention à ce qu'elle faisait, elle trouva un verre et se versa une autre rasade de scotch.

Son déjeuner terminé, elle chaussa ses lourdes bottes d'excursion, prit une lampe torche et enfila sa grosse veste.

Elle marcha au fond d'une étroite et longue vallée où elle n'était jamais venue encore. Elle y était entrée par l'extrémité nord, là où un torrent aux eaux sombres gonflées par des semaines de pluie se précipitait du haut d'une saillie rocheuse. Un nuage de vapeur se formait au pied de la chute. Quelques mètres plus loin, vers le sud, le courant rapide s'élargissait et charriait une eau si claire qu'on pouvait voir les galets blancs au fond. Janie aperçut même une truite qui zigzaguait à quelques centimètres du fond. De chaque côté, les abruptes berges rocheuses laissaient voir ici et là de petites plantes qui s'y étaient accrochées et auxquelles l'automne avait laissé un reste de feuillage.

Elle suivit le cours du torrent vers l'aval en se frayant avec peine un chemin à travers les rochers. Quand elle se rendit compte que le terrain était glissant et dangereux, elle crut plus simple et plus sûr, malgré tout, de poursuivre son chemin et de se laisser charmer par le mystère des lieux. Paul et elle devaient avoir plusieurs fois, au cours de leurs promenades, passé tout près de ces lieux enchanteurs sans en deviner l'existence. Quand elle n'eut plus besoin de surveiller chacun de ses pas, elle leva la tête et découvrit que la vallée avait perdu de son charme. Elle était cependant contente de retrouver un terrain moins accidenté, car elle commençait à avoir mal aux jambes.

L'épuisement qu'elle ressentait n'était toutefois pas seulement physique. Elle était tout autant affectée moralement. Elle se retrouvait dans un état dépressif qui résultait des changements radicaux survenus récemment dans sa vie. C'est elle qui avait chaque fois pris la décision, mais elle ne se sentait pas moins désespérée pour autant. Elle se demandait comment elle réussirait à briser le cercle vicieux dans lequel elle s'était enfermée. Elle ne valait plus rien ; elle n'avait plus ni courage ni énergie.

Elle avait délibérément tué son enfant. La vérité nue la fit trembler des pieds à la tête. Elle avait hoché la tête quand son médecin avait fait une plaisanterie à propos des somnifères, mais elle pourrait bien mettre fin à ses souffrances s'il le fallait. Elle balaya aussitôt cette pensée, qui la laissa remplie d'une rancune sans objet. Pourtant, tellement de gens pourraient être visés, et pour toutes sortes de motifs. Peut-être se trouvait-elle en tête de liste, tant elle avait de raisons de s'en vouloir : elle avait été stupide de négliger la contraception ; elle avait manqué de cœur en envisageant, même brièvement, de faire faux bond à Adam. Mais sa colère pouvait aussi bien être dirigée contre Paul. Il l'avait laissée partir sans se battre, sans adieu ni signature officielle ; il ne lui avait pas donné le deuxième enfant qu'elle avait tellement désiré. Sa rancœur pouvait s'adresser encore au père du bébé dont elle venait de se débarrasser. Ne l'avait-il pas engrossée alors qu'il songeait à la quitter ?

Elle bouillait de rage. Elle aurait voulu le tuer, lui enfoncer profondément un couteau juste sous le cœur. Elle voyait la lame triangulaire de son couteau de cuisine percer le tricot Jaeger qu'elle venait de lui offrir. Elle entendait haleter son ancien amant, elle sentait son sang chaud lui coller aux doigts. Puis, de façon absurde, elle se souvint qu'il n'en avait pas aimé la couleur corail et l'avait échangé pour un tricot d'un vert banal. Le salaud !

Janie n'était pas habituée à la violence physique. Elle tempêtait beaucoup, mais elle n'allait pas plus loin. Aujourd'hui, elle avait pourtant imaginé le couteau faisant rapidement son chemin dans la chair après avoir d'abord vaincu la résistance de l'épiderme... Elle se laissa choir sur une grosse pierre. La violence de ses émotions, après tous ces mois de bouleversements successifs, l'inquiétait.

Après s'être calmée, elle se fit une promesse : elle ne s'éprendrait plus jamais d'un homme; l'amour ne tiendrait désormais aucune place dans sa vie. Avec lui venaient les responsabilités, l'anxiété, la dépendance et la douleur. Le plus souvent, d'ailleurs, ce n'était pas d'amour qu'il s'était agi, mais d'un désir sexuel qui cachait, sous des dehors désinvoltes, des exigences fondamentalement égoïstes. Sa dernière expérience, comme elle le disait volontiers, s'était terminée dans une salle d'opération, où l'odeur de son propre sang remplissait ses narines. Elle se passerait d'amour. Elle vivrait pour elle-même, sans que le sexe vienne empoisonner son existence.

La haute paroi rocheuse, derrière elle, la protégeait du vent. Le murmure de l'eau qui cascadait entre les rochers avait un effet calmant. Pour quitter l'étroite vallée, elle s'en rendait compte maintenant, il lui faudrait refaire en sens inverse le chemin qu'elle avait parcouru. Elle devait d'abord se reposer. Elle replia les jambes, posa son front contre ses genoux et resta ainsi sans bouger pendant un long moment.

Elle ne croyait pas avoir dormi, mais le soleil s'était déplacé de telle sorte qu'elle se retrouvait dans la fraîcheur de l'ombre.

Elle porta son regard de l'autre côté du torrent. Le tableau qui s'offrait à elle était d'une clarté absolue. Le détail de chaque feuille, de chaque brin d'herbe prenait un relief extraordinaire.

Elle sentit soudain une présence derrière elle. Elle se retourna vers l'aval du torrent et se crut alors victime d'une hallucination. Un cerf nageait avec énergie à contre-courant. Il atteignit une série de grosses pierres plates et se hissa avec peine sur la plus basse. Il baissa la tête et se secoua énergiquement, avant de se déplacer vers un affleurement rocheux plus élevé d'où il avait vue sur la vallée.

Janie contempla le panache aux bois veloutés qui se prolongeait derrière sa tête longue et massive; elle admira le long corps robuste de l'animal, un mâle presque arrivé à l'âge adulte. Il resta immobile, aux aguets, ses narines noires frémissantes humant l'air, puis tourna son cou souple et regarda dans sa direction.

Dans le passé, à l'occasion de leurs promenades, Paul et elle avaient occasionnellement aperçu au loin une biche et ses faons qui s'enfuyaient dès l'instant où ils voyaient les intrus. C'était différent cette fois. L'animal, malgré sa présence, se tenait bien droit, imposant, sûr de lui. C'était elle, l'intruse.

Janie retenait son souffle, remplie d'une crainte révérencielle, presque primitive. Le cerf baissa enfin la tête et s'éloigna d'un pas majestueux. Elle reprit graduellement conscience du murmure de l'eau et du chant des oiseaux. Le cerf atteignit les terrains à découvert à l'extrémité sud de la vallée. Il rejeta fièrement la tête en arrière et disparut dans un léger galop. Elle n'avait pas remarqué qu'il existait un autre sentier, caché par une courbe rocheuse. La route devait y être plus facile, elle y trouverait peut-être même une prairie herbeuse.

Elle mit longtemps avant de se relever, toute courbaturée, pour emprunter le sentier que lui avait indiqué l'animal. Elle se sentait plus calme, la colère l'avait quittée. Elle marcha d'un bon pas. Une fois qu'elle eut atteint le chemin qu'elle avait si souvent pris, avec Paul, elle se surprit à faire des plans : elle se remettrait au travail. Elle écrirait à Adam dès aujourd'hui...

Elle nota, avec une certaine perplexité, que son attitude avait changé. D'où lui venait ce puissant élan intérieur? Après tout, elle n'avait pas vu autre chose qu'un cerf dans la vallée, c'était tout. Mais il lui semblait avoir reçu un don extraordinaire... et l'avoir accepté.

Chapitre douze

Elles étaient déjà venues dans ce restaurant de Covent Garden, mais elles avaient fait un mauvais choix, cette fois. La salle en contrebas, mal éclairée et à moitié vide, exerçait sur elles un effet déprimant. L'ameublement de piètre qualité et l'attitude arrogante du personnel leur déplaisaient. Janie avait fait une erreur en commandant cet espadon tiède et insipide. En temps normal, elle n'aurait pas remarqué ces détails ou ne leur aurait accordé que peu d'importance : le lunch qu'elle partageait avec Claudia Aubrey toutes les deux semaines n'avait aucune prétention gastronomique. C'était plutôt, pour les deux femmes, une occasion de bavarder ensemble et de prendre encore une fois conscience de leur affection mutuelle. Elles fuyaient délibérément les endroits à la mode où elles risqueraient de rencontrer des collègues. Elles s'attardaient le plus souvent devant leur tasse de café et ne se séparaient qu'à regret pour retourner au travail.

Comme tous les agents artistiques ayant quelque succès, Claudia jouissait d'une double vue et d'un sixième sens pour détecter l'état physique ou émotionnel de ses clients et, tout particulièrement, des personnes qui lui étaient chères. Janie ne pouvait donc lui cacher ses préoccupations et ses inquiétudes.

— Tu as maigri, attaqua Claudia d'un ton presque accusateur.

Elle examina attentivement le visage de son amie :

— Mais tu parais en meilleure forme. Tu réussis à passer au travers, n'est-ce pas ?

— Plus ou moins, avoua Janie avec tristesse. Il m'arrive encore de vivre des journées difficiles. Je m'en remets moins vite que je l'aurais cru.

— N'exige pas trop de toi pendant un certain temps. Bien des femmes croient que c'est facile de se faire avorter, mais elles changent d'avis quand vient leur tour de faire cette expérience. « Passez à l'heure du lunch, leur dit-on souvent, et vous vous retrouverez derrière votre bureau au cours de l'après-midi. » Ouf ! sacrés médecins. Sacrées cliniques. Ton corps subit une agression, quels que soient tes sentiments. Il est inévitable que tu connaisses des journées plus difficiles, ma pauvre amie. Tu as besoin de vacances, à mon avis.

— Pas le temps. Je mange bien, par ailleurs. Je ne devrais pas être aussi maigre.

— As-tu réduit ta consommation d'alcool ?

Janie sursauta. Elle avait beau savoir que Claudia connaissait tout d'elle, la franchise presque brutale de son amie la heurtait quand même :

— Ne me fais pas passer pour une alcoolique. Je ne suis pas comme Dorothy Parker, dont tu m'as plus d'une fois parlé, et qui buvait beaucoup trop.

— Dorothy Parker avalait aussi des barbituriques et des tranquillisants, et elle était dans la merde jusqu'au cou. Allons ! ouvre les yeux. Tu mérites l'étiquette, j'en ai bien peur.

La voix de Claudia était dure, mais son expression était empreinte de sympathie réelle.

— N'utilise pas l'alcool comme béquille, parce que tu ne pourras bientôt plus t'en passer.

Janie mit sa main sur celle de Claudia :

— Je suis désolée de m'être montrée hargneuse. Je sais que tu te fais du souci. De fait, j'ai cessé. Il y a cinq jours. Boire moins ne me réussit pas. Avec moi, c'est tout ou rien. Je joue donc la carte de l'abstinence totale. De toute façon, le temps m'a paru propice pour opérer quelques changements. Et puis, crois-le ou non, je fais de l'exercice.

— Tu m'impressionnes, vraiment !

Claudia était une femme de forte taille qui avait assez confiance en elle pour accepter ses kilos excédentaires. Elle avait toujours une apparence splendide. Elle était dotée de l'épaisse chevelure lustrée et de la peau au grain perlé qui rendent ravissantes les femmes bien en chair. Elle portait toujours des couleurs brillantes et des tissus somptueux, pour accentuer l'aspect plantureux de son corps plutôt que de le camoufler.

— Qu'est-ce qui a provoqué ce changement? demanda-t-elle.

— Toutes ces longues heures devant l'ordinateur finissaient par me donner mal aux épaules, sans compter que mon derrière devenait énorme. Je devais réagir. Et puis, qui sait, je dois peut-être ma conversion à l'influence de Mama, plaisanta-t-elle.

— Tu ne serais pas la première personne dont elle aurait transformé la vie, dit pensivement Claudia. Peut-être est-ce vraiment une sorcière. Ce n'est pas dans ces termes que la décrivait ton cardinal?

— Il y a plein de gens au Vatican, des hommes évidemment, qui croient qu'elle l'est.

— Eh bien, on l'imagine facilement. Elle rend fous ces vieux mecs. Après tout, cet endroit est exclusivement sous la domination des mâles.

— Tu as raison, répondit Janie en la regardant dans les yeux. Évidemment, ce n'est pas du tout ce qu'il m'a dit. Il ne s'est pas attardé sur la vénération dont elle fait l'objet ou sur la crainte, entretenue au Vatican, qu'elle puisse manipuler les gens. C'est beaucoup plus simple que ça : Mama est une femme qui exerce une influence au sein d'une Église gouvernée par des hommes. Elle s'est approprié un pouvoir qu'ils possèdent depuis des siècles. Un pouvoir qu'ils ont canalisé, administré, puis marqué par des titres et un protocole très clairement définis. Et voilà que cette femme arrive et prend elle aussi les commandes. Cette audace les stupéfie et les indispose. C'est une femme et, au début, c'était une femme jeune. Elle n'était rien du tout et, de surcroît, elle était pauvre. Pour eux, elle aurait dû rester silencieuse et inoffensive, parce que c'est ainsi que les femmes ont toujours été. Malheureusement, elle est tout le contraire de ce modèle. Elle exerce aujourd'hui une réelle influence, elle s'exprime avec aisance et les gens affluent vers elle. Et quand son leadership a commencé à s'affirmer, quand elle a ouvert des hôpitaux, rencontré des politiciens et peut-être bien les a influencés, son action a dû leur paraître totalement inacceptable. Il ne faut pas se surprendre qu'elle les ait dérangés, au Vatican. Il ne faut pas s'étonner qu'ils se soient mis à la détester.

— Quel discours ! s'exclama Claudia en lui jetant un regard taquin. Je ne me doutais pas que tu étais du côté des anges. Je pensais juste que tu écrivais ce livre pour l'argent qu'il t'apporte.

— Et pour le prestige, ne l'oublie pas. Mon sujet d'étude est une sainte médiatique. C'est un phénomène, vraiment ! Ne te méprends pas sur mes intentions : je ne veux pas faire de vagues. Pour autant que je sois concernée, Mama est seulement ce que la fondation Krzysztof et tous les autres affirment : une sainte, un point c'est tout. Je m'en tiens à cette image. C'est ce que les gens veulent lire et c'est ce qu'ils liront. Et j'ai besoin qu'il en soit ainsi pour que mon travail progresse rapidement, et sans problèmes, ajouta-t-elle en levant son verre d'eau minérale comme pour se moquer d'elle-même. J'évite les ennuis et, par conséquent, les maux de tête qui les accompagnent.

Au fur et à mesure que le repas progressait, Janie observait Claudia avec un intérêt croissant. C'était une femme d'action de tout premier ordre, qui réussissait toujours à cacher ses problèmes en public, y compris à ses amis les plus intimes. Mais sous son charme professionnel et son agréable bavardage, Janie la sentait préoccupée. Claudia écoutait, mais il y avait de l'inquiétude au fond de ses yeux. Elle frottait ses jointures les unes contre les autres, signe évident de stress chez elle. Janie allongea le bras et posa sa main sur les doigts nerveux de son amie :

— Allons, dis-moi maintenant comment va Lucy.

Janie et Claudia disaient à qui voulait l'entendre qu'elles s'étaient rencontrées dans la salle de travail de la maternité, à l'hôpital Middlesex. La vérité était un peu plus prosaïque. Elles avaient lié connaissance alors qu'elles faisaient toutes deux la queue devant les téléphones publics du service, leurs bébés de trois jours leur laissant enfin quelque répit.

Janie avait été intriguée par cette femme aux proportions généreuses qui, un porte-documents à ses pieds, des lunettes de corne plantées dans ses boucles brunes, lisait un scénario. Que pouvait faire cette lectrice calme et studieuse auprès de ces jeunes femmes qui jacassaient et riaient nerveusement au téléphone avec leur mère? Après vingt minutes, comme la queue restait toujours aussi longue, Janie et Claudia avaient échangé des regards, puis poussé ensemble des soupirs d'impatience.

C'est Claudia qui réussit à parler la première au téléphone. Elle avait la voix grave et forte d'une actrice de métier :

— Bonjour. Ici Claudia Aubrey. Passez-moi le bureau de David Puttman, s'il vous plaît.

Quand vint son tour, Janie se mit en communication avec l'éditeur du cahier des spectacles de son journal. Elle voulait le prévenir que des circonstances incontrôlables l'empêchaient de remettre son article sur Lauren Bacall avant une semaine au moins. Tandis qu'elle retournait au service, Claudia Aubrey la rattrapa :

— Je n'ai pu m'empêcher d'entendre ce que vous avez dit au téléphone. J'espère ne pas me montrer indiscrète, mais il a été question de Lauren Bacall? J'ai toujours souhaité la rencontrer.

— Je n'ai pas pu m'empêcher d'entendre, moi non plus. Il s'agit bien de David Puttnam? Vraiment?

Janie avait deviné juste, puisque Claudia avait en effet été actrice, tout en détestant le métier, se plaisait-elle à dire.

— Trop passif. Je ne pouvais pas le supporter. Toujours à faire antichambre pour qu'on finisse par te demander d'accomplir des miracles en moins de trois mois.

Elle avait par la suite accepté un travail à temps partiel au bureau de son agent. Puis sa participation à deux séries comiques télévisées lui avait permis d'acquérir une assez bonne connaissance du milieu du spectacle. De plus, son père écrivait des scénarios de films. Bien vite elle montra qu'elle avait l'instinct voulu pour se débrouiller avec les casse-tête de distribution et de production. Elle se retrouva bientôt partenaire associée, avant de fonder sa propre agence, dix ans plus tard.

Après qu'elles eurent bavardé une vingtaine de minutes et qu'une certaine complicité se fut déjà établie entre elles, Janie avait dit :

— Je vous montre mon bébé si vous me laissez voir le vôtre.

Claudia avait accouché d'une mignonne petite fille qui avait les cheveux bruns et bouclés de sa mère. Par contraste, Adam avait les cheveux tellement blonds qu'il paraissait chauve. Elles plaisantèrent en disant qu'il était le premier représentant d'une nouvelle race d'hommes dotés d'une boule de billard en guise de tête.

Elles entretinrent leur amitié toute nouvelle en partageant les cigarettes et les bouteilles de vin interdites que leurs visiteurs leur apportaient sous le manteau. Une fois qu'elles eurent toutes deux obtenu leur congé, elles restèrent en contact. Leurs conjoints — Claudia vivait avec un producteur de télévision terriblement occupé — n'avaient guère d'atomes crochus. Cette antipathie tourna à leur avantage, car elles pouvaient ainsi se voir à leur gré, plus souvent et plus facilement. Elles parlaient de tout : des hommes, des enfants, du travail, de la vie de couple. Janie devint plus proche de Claudia que de sa propre sœur, Louise. Celle-ci était la préférée de leur mère. Aucunement impressionnée par les succès professionnels de son aînée, elle n'avait d'intérêt que pour ses enfants et son mari.

Claudia et Janie, d'autre part, étaient liées par leurs expériences et leurs ambitions. Claudia fut la première personne — et pendant longtemps la seule — à qui Janie se confia quand les choses commencèrent à se gâter entre elle et Paul. Plus tard, quand Janie déborda d'amertume, Claudia fut la seule à la voir pleurer de rage.

Janie et Claudia avaient célébré ensemble le premier anniversaire de leurs bébés. Un seul gâteau au chocolat, avec deux bougies ; des petits cadeaux emballés dans de grosses boîtes. Il apparaissait évident que Lucy était plus développée qu'Adam. Alors que le fils de Janie se traînait encore sur son derrière, Lucy se tenait déjà sur ses jambes en s'agrippant aux meubles. Elle prononçait des monosyllabes pourvus de sens, tandis qu'Adam gazouillait avec ferveur. Un mois plus tard, on administra aux deux enfants les vaccins habituels contre la rougeole, les oreillons et la scarlatine. Adam ronchonna une heure ou deux ; Lucy, rouge de fièvre pendant tout le reste de la journée, refusa de manger et mit une semaine à se rétablir.

Quatre ou cinq semaines plus tard, Claudia et Lewis notèrent un changement chez leur fille. Elle restait amorphe, repliée sur elle-même. Elle, qui jusqu'alors était d'un naturel doux, se montrait pleurnicheuse et maussade. Elle ne faisait plus toutes ses nuits. Elle ne s'essayait plus à parler ou à marcher. Quand elle commença à se frapper la tête contre les murs et le plateau de sa chaise haute, ses parents l'amenèrent chez le médecin.

On soupçonna d'abord une otite grave. Constatant que l'apprentissage du langage ne progressait plus que très lentement, les parents craignirent que la petite ne soit atteinte de surdité partielle. Dès l'âge de deux ans et demi, ils la conduisirent régulièrement chez une thérapeute spécialisée. Après quelques visites, celle-ci annonça à Claudia et à Lewis que Lucy souffrait d'une déficience qui la rendait incapable d'interpréter le langage corporel élémentaire des gens.

Quand elle eut trois ans, le diagnostic tomba, brutal : leur fille était atteinte d'autisme. Claudia se rebella avec la dernière énergie, affirmant que sa fille ne montrait aucun des symptômes classiques de cette infirmité. L'éducatrice en chef de l'établissement spécialisé où les parents inscrivirent par la suite l'enfant se déclara d'accord avec l'opinion des médecins. Enfin, un psychiatre déclara que Lucy avait subi un dommage au cerveau. C'est à cette époque qu'ils déménagèrent et changèrent de médecin.

Le nouveau généraliste leur confia qu'il s'occupait d'un enfant qui avait exactement les mêmes problèmes. Peu après, Claudia et Lewis joignirent les quelque quatre cents familles, en Angleterre, qui réclamaient du ministère de la Santé une compensation financière parce que les vaccins administrés aux enfants, pour les préserver de maladies infectieuses, leur avaient causé des dommages irréversibles. Certains souffraient d'arthrite ou d'épilepsie, d'autres de maladies intestinales. Les réclamations les plus nombreuses provenaient de parents dont l'enfant souffrait d'une forme d'autisme.

Ce malheur bouleversa la vie de Claudia. Elle devint anxieuse et tendue. Janie avait remarqué le changement lorsque Claudia avait commencé à fermer sa porte aux amis. Ses relations avec Lewis se détériorèrent aussi progressivement.

Lucy était une très belle fille de onze ans maintenant, mais une enfant difficile. Après des années de thérapie, elle possédait les capacités langagières d'un enfant de six ans. Elle souffrait d'énurésie; dans ses évolutions, elle se cognait aux gens comme s'ils n'avaient pas été là. Elle n'était pas sociable. Adam n'aimait pas jouer avec elle : ou bien Lucy restait indifférente devant ses tentatives pour l'entraîner dans ses jeux, ou bien, sans le faire exprès, elle se conduisait avec une froide violence qu'il ne savait pas désamorcer.

Claudia coupa avec grand soin sa côtelette en tout petits morceaux et répondit à la question que lui avait posée Janie :

— Rien de neuf de ce côté. Pas autre chose que les problèmes quotidiens. Quand Lucy était plus jeune, je ne cessais de me répéter qu'elle avait tout le temps devant elle, qu'elle s'améliorerait, qu'elle finirait par s'en sortir. Maintenant, je dois me faire à l'idée qu'elle n'y arrivera pas. Et le maudit procès se poursuit toujours, il empoisonne nos existences. Et même si nous obtenons une compensation, qu'est-ce que ça nous apportera? Elle ne sera jamais comme... les autres enfants. Pardonne-moi, pardonne-moi. Je me sens tellement en colère. Et la culpabilité me ronge.

Janie posa sa main sur la sienne. Claudia avait failli dire : « comme Adam ». Et c'était évidemment la vérité. Pendant des années, Janie avait louvoyé entre une profonde tristesse devant l'état de Lucy et une honteuse gratitude parce qu'Adam avait été épargné.

— Le hasard aurait pu nous frapper, nous aussi. Tu n'as aucune raison de te sentir coupable, et tu le sais. Tu t'en tires à merveille. Tu es formidable.

— Non, je ne le suis pas. Et je suis tellement déprimée que j'en arrive à me détester. Maintenant qu'elle a onze ans, Lewis veut la mettre en pension dans une école spécialisée. Il prétend qu'elle a le droit de mener un semblant de vie normale. Je perds la tête à la seule pensée d'être privée d'elle. Et que Dieu me vienne en aide, l'idée de la garder à la maison me désespère.

Étranglée par l'émotion, elle repoussa violemment son assiette :

— Seigneur ! Pourquoi cette épreuve nous est-elle tombée sur la tête ? Je ne veux pas abuser de ton soutien, mais qu'est-ce que je vais faire, Janie ?

Pour l'instant, elles devaient retourner à leurs occupations. Claudia avait rendez-vous avec le directeur des émissions dramatiques à la télévision d'État. Janie partait pour New York le surlendemain. Elles s'étreignirent affectueusement :

— Prends soin de toi, Claudia. Nous nous reverrons aussitôt que je serai revenue, d'accord ?

Claudia lui sourit mélancoliquement :

— Peut-être pourrais-tu demander à cette dame qui fait des miracles d'en produire un petit pour Lucy.

Chapitre treize

Romuald Lachowski mit beaucoup de temps avant de répondre au téléphone. Après une hésitation, il accepta de la rencontrer, mais il la recevrait chez lui. Il la pria de passer avant la fin de la matinée, parce qu'il devenait très vite fatigué dans le cours de l'après-midi. D'ailleurs, sa fille pourrait être présente si l'entrevue avait lieu plus tôt. Ils se mirent d'accord pour onze heures le matin même. Janie s'assura qu'elle avait bien son enregistreuse et son bloc-notes, et appela l'ascenseur pour descendre au café de son hôtel prendre son petit-déjeuner.

Nutley, au New Jersey, se trouvait à vingt minutes de train de la gare Pennsylvania. Une fois dans l'avenue Washington, elle fut frappée par son aspect désert et mélancolique propre au dimanche matin. Elle passa devant une épicerie fine, puis devant un salon de coiffure où une femme était assise toute seule, enveloppée d'un grand tablier noir, les cheveux emprisonnés dans les rouleaux d'une permanente. La voix de Tina Turner jaillissait d'une radio installée dans la cour d'un atelier de réparation, où un mécanicien invisible donnait des coups de marteau.

Janie longea ensuite un bar aux murs aveugles et un parc de stationnement. L'immeuble qu'elle cherchait se trouvait juste à côté d'un garage d'autobus encombré et bruyant. Elle appuya sur la sonnette du numéro 6, en se demandant quel hasard de la vie avait conduit un major de l'armée polonaise dans cette étroite construction blanchie à la chaux. Une femme dans la quarantaine, d'aspect indéfinissable, vêtue d'une jupe écossaise et d'un pull en acrylique, lui ouvrit. Pendant que Janie se présentait, une voix d'homme cria :

— Fais-la entrer, Noreen. Ne la laisse pas plantée sur le trottoir !

La femme leva ses paupières lourdes pour regarder Janie :

— Il aime pas les gens qui lambinent. Il aime pas les étrangers, de toute façon.

Quand elle eut franchi la porte, Janie put vérifier l'exactitude du jugement que Noreen avait porté sur son père. Un homme âgé, dont le visage trahissait l'irritabilité, se tenait dans l'embrasure de la porte de la cuisine. Les larges sillons sur son front et les rides épaisses autour de son nez et de sa bouche témoignaient de longues années de souffrances. Son aisselle gauche était posée sur le coussinet de cuir d'une béquille et la jambe de pantalon correspondante, soigneusement pliée à la hauteur de la cheville, flottait à côté de l'autre.

— Vous êtes en retard, fit-il remarquer à Janie d'un ton irascible.

Janie regarda sa montre : il était exactement onze heures deux minutes. Elle décida d'ignorer l'intransigeance de son hôte. Elle était là pour obtenir de l'information et non pour se disputer.

— Je vous prie de m'excuser, dit-elle d'une voix aussi naturelle que possible. Avez-vous encore du temps à me consacrer? ajouta-t-elle en tendant à Noreen le bouquet qu'elle lui avait apporté.

— Je vais le mettre dans l'eau pour papa.

— C'est à vous que j'ai voulu offrir ce muguet.

Noreen semblait embarrassée. Elle n'était sans doute pas habituée à se voir offrir des fleurs :

— Je vous remercie. Il est vraiment... Merci, dit-elle d'une voix émue.

— Ouais, dit son père d'un ton peu aimable. Je n'ai rien de pressé pour le moment. Vous feriez aussi bien de rester, maintenant que vous y êtes.

L'accueil était charmant ! Janie retira son manteau, que Noreen déposa sur une chaise.

— Vous allez faire de lui ce que vous voulez, maintenant, chuchota la fille de Romuald à l'oreille de Janie.

Celle-ci traversa la pièce en tendant la main au vieil homme et lui dit avec son sourire le plus engageant :

— Je suis très heureuse de vous rencontrer enfin ! On m'a dit, à la fondation Krzysztof, que vous étiez trop malade pour me recevoir. J'espère que vous ne m'en voulez pas d'avoir téléphoné quand même. Je voulais tellement avoir une conversation avec vous.

Il fit oui de la tête. Il semblait radouci, mais Janie était loin de l'avoir conquis.

— On m'a téléphoné, dit-il. Ce type, qui s'appelle Oliver Jodrell ? À son avis, les interviews que je pourrais accorder me fatigueraient trop, étant donné mon âge. À part ça, il avait entendu dire que j'avais été malade. Je lui ai dit, vrai comme vous êtes là, que j'avais pas besoin de ça pour me tenir occupé, que j'avais plus le temps de voir personne. Plus le temps.

Il avait insisté sur les derniers mots. Janie se souvint alors qu'il était de cinq ou six ans plus âgé que Magda, ce qui lui donnait environ quatre-vingts ans. Le vieillard ricana :

— Ce Jodrell a sorti tous ses trucs. Il disait « major Lachowski » en s'adressant à moi. Il a rappelé le bon vieux temps. Il parle très bien le polonais, souligna-t-il en indiquant une chaise à Janie.

Elle promena ses yeux du père à la fille. Ils se ressemblaient beaucoup : traits accusés, petits yeux brillants, bouche aux lèvres minces. Aucune trace du beau profil de Mama. Noreen emporta les fleurs et Janie sortit son bloc :

— Je prends mon travail très au sérieux. Je veux que le livre soit le meilleur possible. J'ai besoin de toute l'information que je peux trouver.

Il grommela en se dirigeant lentement vers une table de travail, collée au mur, que Janie n'avait pas remarquée. Un pantalon d'homme était engagé sous le pied-de-biche d'une machine à coudre électrique qui y était installée. Trois ou quatre complets pendaient dans un étroit placard. Lachowski s'installa devant la machine, appuya sa béquille contre le dossier de sa chaise et alluma la lampe de travail. Noreen, qui passait l'aspirateur dans les autres pièces de la maison, avait pris soin de fermer la porte derrière elle.

L'ancien major de l'armée polonaise observait Janie à travers ses sourcils broussailleux :

— Il me semble qu'on a écrit suffisamment de choses sur elle pour qu'on puisse assécher la Baltique avec tout le papier qu'on a déjà noirci. Pourquoi voulez-vous donc en ajouter ?

Janie avait remarqué qu'il n'avait pas encore prononcé le nom de sa sœur :

— On me l'a demandé. Et je serai payée pour le faire.

Elle vit une lueur d'amusement briller dans ses yeux.

— Au moins, dit-il, vous êtes honnête. J'aime ça. Presque tout le monde me dit : « Oh ! votre sœur est si admirable, c'est une personne tellement bonne. Faites-nous part du moindre détail que vous connaissez à son sujet. »

Il avait pris une petite voix aiguë pour imiter une interlocutrice inconnue. Janie ne répondit pas.

Il chaussa des lunettes à monture noire et alluma le moteur de sa machine à coudre. Il remplaçait la fermeture éclair du pantalon.

— Étiez-vous proche de votre sœur ? demanda Janie.

— À peu près comme la plupart des enfants, j'imagine. Elle était plus jeune que nous, on s'occupait pas tellement d'elle.

Même s'il parlait anglais, Janie croyait réentendre les intonations de la langue polonaise.

— Vous avez dû être surpris quand vous avez appris ce qu'elle était devenue.

Il garda la tête penchée, tournant avec dextérité le tissu autour du pied-de-biche :

— J'imagine. Mais elle a toujours été une bonne personne, je dois dire ; elle a toujours fait des choses pour les gens.

— Quel genre de choses ?

— Comme leur apporter de la nourriture, les aider, leur rendre visite quand ils étaient malades.

Janie hocha la tête en signe d'intelligence.

Quand Noreen revint dans la pièce pour leur offrir du café, Janie la remercia tout en jetant un regard indiscret à son annulaire : elle ne portait pas d'anneau. Romuald Lachowski grommela quelques mots que Janie ne put saisir, mais sa fille sortit précipitamment et revint avec un verre rempli d'un liquide mousseux, sans doute un médicament. Janie nota que la maison, soigneusement tenue, était meublée à la mode d'il y a quarante ans. Elle remarqua deux ou trois journaux sportifs ouverts sur le canapé, mais rien qui aurait pu appartenir à une quelconque Mrs Lachowska. Aucun magazine féminin, d'ailleurs ; aucune reproduction sur les murs. Il flottait dans la pièce une odeur sèche et exclusivement masculine.

Sur le téléviseur à grand écran, une photo dans son cadre de bois montrait un Romuald au début de la trentaine avec une femme blonde, au visage anguleux, qui tenait une petite fille dans ses bras. Pas de photos de petits-enfants. Il semblait n'y avoir personne d'autre dans sa vie que Noreen, qui peut-être logeait ailleurs. Une vie étriquée. Les jours anciens devaient occuper une place importante dans son esprit, comme il l'avait clairement laissé entendre.

Elle changea de tactique :

— Êtes-vous retourné au pays depuis la fin de la guerre ? Vous savez sûrement que votre maison est devenue en quelque sorte un sanctuaire dédié à Magda ?

Il lui répondit d'un ton rageur. Pourquoi y serait-il retourné ? Quand Janie lui parla du grand tableau et du film, il secoua la tête et poussa un grognement de désapprobation.

— On y trouve plusieurs photos de vous, ajouta-t-elle. Il y en a même une sur laquelle on vous voit dans un jardin avec votre frère.

Il releva la tête et plissa les yeux :

— Pauvre Stani ! La malchance lui collait à la peau. Il a été tué dès les premières semaines de la guerre.

Janie nota qu'il n'y avait aucun regret dans sa voix. Peut-être était-il trop vieux pour en ressentir, pensa-t-elle.

— Étiez-vous avec lui quand il a été tué ?

— Moi ? Non. J'avais trois ans de moins que lui. Je n'étais même pas dans l'armée à cette époque.

— Alors vous vous êtes retrouvé seul avec Magda...

— Je suppose.

— Lui arrive-t-il de vous rendre visite ?

Comme il ne répondait pas, elle posa à nouveau sa question d'une voix plus forte. Alors il s'assombrit davantage.

— Il y a aussi une autre photo de vous, reprit Janie. Prise à l'église. Vous y portez un costume de lin et des gants blancs.

— J'en ai une semblable quelque part.

— Tant mieux, c'est un joli souvenir. Je m'étonne que vos parents aient conduit Magda jusqu'à Varsovie pour la faire photographier. Au studio Zygmunt, n'est-ce pas? Mais on ne vous y a pas amené, pas plus que Stani...

Il ne réagit pas.

— Je suppose, continua-t-elle d'un ton naturel, qu'ils faisaient plus de cas d'une jolie petite fille que de deux garçons, un peu rudes peut-être...

La machine s'arrêta.

— C'est ce que vous pensez.

— Que voulez-vous dire?

Il pliait soigneusement le pantalon en aplatissant bien le tissu :

— Vous comprenez pas comment pouvait être notre vie. On était pauvres. Les hommes, les garçons étaient importants. Les filles, les femmes, non. Elles restaient à la maison, se mariaient, se donnaient à l'homme, restaient avec les petits. Donc, quand vous aviez deux fils qui, un jour, introduiraient leurs épouses dans la maison, vous aviez un capital. Vous voyez ce que je veux dire?

— Eh bien... j'ai vu la photo de votre sœur. Le nom du studio était imprimé au verso.

— Bien sûr. Et moi, je suis le roi des Juifs. De toute façon, ajouta-t-il en relevant la tête, je me souviens pas d'une photo comme celle-là. Je me souviens d'aucune photo d'elle.

Janie décrivit la jeune fille bien nourrie, si soigneusement habillée, les cheveux bouclés, le bracelet à son poignet. Romuald Lachowski l'écoutait énumérer ces détails sans manifester beaucoup d'intérêt :

— Elle était pas jolie comme vous le dites. Elle était mince comme un fil. Et elle avait un petit visage renfrogné.

— Ça n'a pas d'importance. J'ai dû mal voir.

Il parut soudain fâché :

— Jodrell m'a dit que vous poseriez toutes ces questions. Je suis supposé vous dire qu'elle était heureuse.

— Vraiment ?

Elle ne pouvait alors voir ses yeux, mais son visage avait changé. Il demanda d'un ton agressif :

— Qu'est-ce que vous en pensez ?

— Je ne sais vraiment pas. J'ai seulement l'impression que les choses, chez vous, n'allaient pas exactement comme les gens de la fondation Krzysztof aimeraient que je le croie.

Elle le regarda attentivement et poursuivit d'une voix empreinte de sympathie :

— Vous savez comment ça se passe. Ces gens-là font leur travail de relations publiques. Il y a de gros sous en jeu. Mama est une personnalité en vue qui a eu d'humbles débuts, certes, mais qui a toujours été aimante et compatissante. Elle a maintenant besoin de votre collaboration pour maintenir le cap. Les gens de la Fondation aimeraient masquer les problèmes et les aspects le moindrement négatifs. Ils ne veulent pas de la vie telle qu'elle a été vécue, vous me comprenez ?

Elle fit une courte pause pour réfléchir et se dit : « Pourquoi pas ? » Elle poursuivit alors :

— Pas de père ivrogne qui abandonne sa famille, pas de mère qui lutte pour survivre. Rien pour ternir l'image. Elle doit être riche, maintenant, Magda ?

Elle avait ajouté cette dernière remarque avec une malhonnêteté délibérée, convaincue qu'ainsi elle l'atteindrait. Il lissait encore et encore le tissu, perdu dans ses pensées, inconscient de ses gestes. Il ne parlait pas et Janie attendait simplement. Le silence s'imposa entre eux à tel point qu'elle se demanda s'il avait oublié sa présence. Puis il soupira bruyamment :

— Comme ça, on vous a parlé de la famille Lachowski à Świnoujście.

Ce qu'on lui avait tu à Świnoujście, il le lui dit alors. Il lui décrivit les réveils brutaux en pleine nuit pour subir les coups de leur père ivrogne, les cris de leur mère impuissante qui tentait de le retenir par les épaules pour l'arrêter. La pauvre femme s'était parfois retrouvée avec les yeux au beurre noir et un bras immobilisé pendant des mois. Il lui parla des journées glaciales pendant lesquelles ils devaient tous rester au lit parce qu'ils n'avaient pas de vêtements assez chauds. Du soir où ils avaient mangé le dernier de leurs poulets. Des efforts que Stani et lui avaient dû faire, quand ils étaient de jeunes garçons, pour s'acquitter des tâches d'homme autour de la maison, une fois leur père parti.

Il n'avait jamais prononcé le nom de Magda.

Quand il se tut, Janie lui demanda doucement :

— Et votre sœur, une petite fille vivant dans une telle famille, a réussi à faire tellement de bien aux autres ? À leur procurer de la nourriture, à prendre soin d'eux ? C'est remarquable, ne pensez-vous pas ?

— Si vous le dites, répondit-il en haussant les épaules.

— Quelqu'un qui se souvient de votre sœur m'a dit qu'elle aidait beaucoup votre mère.

Elle pouvait presque entendre encore la tante du chauffeur de taxi, en Pologne, tandis qu'elle parlait la bouche pleine de gâteau et stigmatisait la façon dont Maria Lachowska avait été négligée.

Il opina de la tête :

— C'était une bonne fille, sur qui on pouvait compter, qui a pris soin de notre mère jusqu'à la fin. Elle est morte de tuberculose, ce qui rendait pas la vie facile. On pouvait pas alors compter sur les soins hospitaliers comme maintenant. De toute façon, y avait pas assez d'argent chez nous.

— Vous dites donc que votre sœur n'a jamais quitté la maison familiale ?

— Non, non. Les filles partent pas. Elle est restée auprès de notre mère, comme je vous l'ai dit. Elle s'est occupée de tout.

— Mais vous étiez dans l'armée, à cette époque-là, n'est-ce pas ? Et, comme vous étiez loin de la maison, vous ne pouviez pas vraiment savoir ce qui s'y passait.

Janie avait parlé sans aucune inflexion. Romuald hésita une autre fois, puis avoua :

— Elle me l'a dit beaucoup plus tard. J'ai reçu des lettres d'elle, et le reste.

— Ah !

Janie fut tentée de l'interroger au sujet des rumeurs concernant les escapades de Magda avec des marins étrangers. Mais il lui fallait ménager son informateur, qui était après tout le frère de Mama. Elle demanda plutôt :

— Et quand votre mère est-elle morte ?

Il la regarda un moment avec une expression de surprise :

— La date ? Vous voulez la date ? Je sais pas... Vers 1943, peut-être.

— Qu'est-il alors advenu de votre sœur ?

— Quoi ?

Janie répéta sa question, qui semblait ennuyer Romuald.

— À dire vrai, je le sais pas.

Noreen entra dans la pièce et dit à haute voix :

— Bien sûr que tu le sais, papa. Elle est partie en Amérique du Sud. Rappelle-toi.

Sa figure s'illumina :

— Oui, c'est ça. Elle a vécu à...

— À São Paulo, compléta Noreen en lançant à son père un regard soupçonneux.

Janie, qui connaissait déjà la réponse, demanda :

— Que faisait-elle là-bas ?

— Elle travaillait pour un homme d'affaires polonais. Très riche, je crois. Elle s'occupait de ses enfants.

C'est Noreen qui, cette fois encore, avait répondu à la question.

— Quelle sorte d'affaires ?

Janie aurait bien voulu le savoir, mais Noreen se contenta de hausser les épaules. Derrière elle, son père se leva lentement, s'appuya sur sa béquille et sortit de la pièce.

— Parlez-moi de votre tante, demanda Janie. La connaissez-vous bien ?

— Je l'ai pas vue depuis que j'étais toute petite. J'ai pas toujours vécu au New Jersey, vous savez. J'ai habité Toronto pendant des années. Elle est toujours très occupée, elle voyage beaucoup. De toute façon, nous avons jamais...

Elle ne termina pas sa phrase.

— Elle est justement à New York, pour un dîner-bénéfice suivi d'un bal, l'informa Janie. C'est aussi la raison qui m'a amenée aux États-Unis.

Elle scruta le visage de son interlocutrice pour y déceler un soupçon d'intérêt :

— Est-ce que vous la verrez ?

Noreen fit un signe de tête négatif.

— Ainsi vous ne connaissez d'elle que ce que vous dit votre père ?

L'hésitation dura une fraction de seconde de trop :

— J'imagine.

« Non, songea Janie. Quelqu'un d'autre t'a donné cette information. Quelqu'un qui voulait s'assurer que les gens comme moi se feraient raconter la bonne version de l'histoire. »

Elle tendit une autre perche :

— Votre père est un homme intéressant.

Noreen afficha une expression mi-réjouie, mi-désabusée :

— C'est tout un caractère. Ma mère était la seule à le comprendre vraiment. Il est parfois très difficile à supporter, surtout depuis sa crise cardiaque. Il réussit à se déplacer plus facilement depuis quelque temps. Mais sa mémoire le trahit constamment et il s'en prend alors à moi.

— La situation est sûrement difficile pour vous deux.

— Oh ! oui. On dirait que le temps a transformé les choses. Il se rappelle son enfance comme si tout s'était passé hier. Quant au reste, il se souvient difficilement des événements survenus la veille.

Elle se rappela soudain à qui elle parlait. Elle ouvrit grand les yeux et se tut.

— Je comprends ce que vous voulez dire, laissa doucement tomber Janie.

Romuald Lachowski vint lentement les retrouver et regarda Janie droit dans les yeux :

— En Amérique du Sud, qu'elle se trouvait. C'est bien loin de Świnoujście...

— Vous vous trouvez vous-même bien loin de Świnoujście, lui fit-elle remarquer.

— Je peux pas le nier, répondit-il en hochant la tête.

Une fois dans la rue, Janie constata qu'elle était plus loin que jamais de savoir quel genre de femme était Mama. Romuald Lachowski ne lui avait à toutes fins utiles rien appris. Elle jugeait quasi impossible de faire la discrimination entre la vérité et ce qu'on lui avait demandé de dire ; moyennant finance, pensa-t-elle.

Elle ne remettait pas en question les souvenirs reliés à la petite enfance. Ils étaient trop douloureux pour n'être pas exacts. De plus, ils confirmaient ses doutes par rapport à la matière qu'on lui avait déjà fournie. Mais elle soupçonnait que Romuald lui-même — qui n'aimait pas sa sœur, c'était évident — avait inconsciemment absorbé au cours des ans la version idéalisée de la vie de Magda. Il avait utilisé les mêmes mots, prévisibles et commodes, qu'elle avait déjà entendus.

Magda Lachowska semblait n'avoir laissé aucun souvenir significatif derrière elle, aucune trace valable. Janie ne pouvait non plus rien concilier de ce qu'elle avait appris d'Irina Pozomiek, en Pologne, avec ce qu'on venait de lui apprendre. La photographie de la jeune Magda, Janie en était convaincue, était celle de quelqu'un d'autre.

Elle avait l'impression que c'est à dessein qu'on lui dérobait la personnalité authentique de Magda.

En levant la tête, elle découvrit une affiche verte, illuminée au néon, où l'on pouvait lire en grosses lettres : JÉSUS VOUS AIME.

Chapitre quatorze

Janie descendit du bus au coin de la 42e Rue et de la 5e Avenue pour se rendre à l'endroit qu'elle aimait le plus au monde, la bibliothèque publique de New York, facilement reconnaissable à ses lions de pierre massifs. Elle monta rapidement l'escalier qui menait à la McGraw Rotunda, au deuxième étage, et se dirigea vers la grande salle du catalogue, portant le numéro 315. Elle traversa la galerie et se dirigea vers les rangées d'écrans informatiques, toutes clairement identifiées : auteurs contemporains, résumés relatifs aux procès criminels, registres des sciences sociales, index des philosophes, bibliographie des Premières Nations nord-américaines, documentation de base relative aux Chicanos...

Elle passa la journée à lire des reportages sur Mama, à éplucher des microfilms jusqu'à en avoir des élancements dans la tête. Elle se concentra d'abord sur les journaux nationaux, puis s'attaqua ensuite aux quotidiens des grandes villes américaines comme Washington et Chicago. Vers une heure, elle descendit dans un *delicatessen* du voisinage pour s'acheter un bagel au saumon fumé garni de fromage à la crème et un gobelet de café. Elle mangea debout sur les marches de la bibliothèque, parce qu'il faisait trop froid pour s'y asseoir, tout en écoutant deux jeunes femmes noires du centre Schomburg discuter de génétique. Quand elle remonta, elle s'attarda aux éditions des années cinquante du magazine *Time.* Le premier numéro qu'elle consulta reproduisait sur la page couverture un portrait de Mama, spécialement commandé par le magazine, sous lequel la légende était imprimée en capitales : FEMME DE L'ANNÉE.

La découverte qu'elle fit à seize heures quinze lui fit oublier ses yeux irrités. Une référence rapide à Mama était apparue dans le *New York Review of Books* de 1986, qui résumait un essai intitulé *L'Église et l'État* publié aux éditions Lippincott. L'auteur, Angus Portmain, professeur de théologie à l'université Urbana-Champagne, avait choisi au hasard le cas de Mama pour illustrer le pouvoir colossal des cardinaux, dans l'Église. L'universitaire rappelait qu'en 1957, une commission d'enquête avait été appelée au Brésil par l'évêque de São Paulo pour déterminer si les événements entourant la mort et le retour à la vie de Magda Lachowska, de même que la série de miracles qu'on lui attribuait, pouvaient être considérés comme des signes de Dieu. En 1964, le cardinal Cesar Viani avait dissous la commission avant qu'elle en arrive à une conclusion. C'était, dans l'histoire du Vatican, une décision sans précédent. Aucune raison n'avait été invoquée. Aucune autre commission n'avait par la suite été mandatée.

Janie lut ce passage plusieurs fois, puis courut vers les téléphones du corridor. L'assistance annuaire lui donna le numéro qui lui permit de joindre la faculté de théologie de l'université Urbana-Champagne. Le professeur Portmain l'écouta gentiment pendant qu'elle expliquait la raison de son appel :

— J'avoue ne pas avoir lu votre livre. Je crains que ma démarche ne vous paraisse désinvolte.

— Ne vous inquiétez pas, lui répondit-il avec bonhomie. Je ne crois pas connaître plus d'une demi-douzaine de personnes qui l'ont vraiment lu, et ça ne me gêne pas du tout. Cependant, je digère mal qu'on prétende l'avoir lu alors qu'il n'en est rien. Je connais heureusement l'homme qui pourrait vous éclairer davantage : c'est un prêtre français. Il s'appelle Sauvel. Il faisait partie de la commission et il est encore très amer au sujet de la façon dont elle a été dissoute. Si vous voulez patienter un peu, je vais trouver ses coordonnées dans mon carnet d'adresses.

À dix-sept heures trente, elle fendit la foule en courant pour rentrer à son hôtel se laver les cheveux et prendre une douche. Elle se glissa dans une petite robe droite en velours noir, mit des dormeuses à ses oreilles et son collier de perles, et passa un manteau de cuir noir. Elle évitait délibérément les toilettes trop élégantes quand elle était invitée à une réception à titre d'observatrice.

Plusieurs des invités qui se pressaient dans la hall du Waldorf-Astoria étaient pour elle des visages familiers qu'elle avait souvent vus dans les journaux et les magazines. Ils semblaient tous sortir directement des vitrines de boutiques chic de la 5e Avenue. Elle reconnut Donna Karan, Calvin Klein et Bill Blass. Ralph Lauren, John Galliano, Carolina Herrara étaient tous là, vêtus de leurs propres créations. Il y avait des personnalités en vue de la haute société, des politiciens et des présidents de compagnies, des stars et des artistes, des comédiens et des musiciens classiques. Elle reconnut des têtes qu'elle avait récemment vues sur la jaquette de certains livres, croisa le regard de Zazi de Lisle, minuscule et touchante comme un colibri dans sa robe bleu électrique et noir rehaussée de bijoux dernier cri, en grande conversation avec Liz Tilberis du *Harper's Bazaar*. Les célébrités de Hollywood, hommes ou femmes, étaient largement représentées. Janie se demanda quel dispositif de sécurité la police avait dû déployer pour veiller sur tout ce beau monde.

Elle traversait le lobby, en route pour le vestiaire, quand le brouhaha la fit se retourner. Un chasseur plutôt âgé, sa coiffure sur l'oreille, passa en courant à côté d'elle :

— Mama arrive !

Bien qu'aucune annonce n'eût été faite, les gens venus de toutes les directions convergeaient vers le grand hall d'entrée. Les projecteurs de la télévision étaient allumés ; des équipes de caméramen mettaient nerveusement leurs appareils en position, des microphones se baladaient au-dessus des têtes.

Janie ne vit d'abord qu'un groupe d'hommes à la tête rasée, vêtus de la robe bleue sans manches du Calice. Elle se fit pour la première fois la réflexion qu'ils ressemblaient davantage à des moines bouddhistes qu'à des membres d'un ordre religieux chrétien. Il se dégageait d'eux une impression de simplicité, de sérénité qui tranchait sur le comportement fiévreux de ceux qui les entouraient.

Puis ces hommes ouvrirent leurs rangs et Mama apparut au milieu d'eux. Malgré l'agitation et le bruit, elle paraissait calme et reposée. Elle tournait la tête à gauche et à droite pour saluer discrètement les personnes qu'elle reconnaissait. Janie se demanda : « Comment peut-elle faire ? » Chez quelqu'un d'autre, cette aisance quasi professionnelle aurait paru artificielle. Mais sa placidité faisait taire toute critique. Un halo de pureté, qui ne devait rien aux artifices du maquillage, illuminait sa personne.

Janie scrutait les visages qui se pressaient autour de Mama. Des citadins blasés pour la plupart, dont l'enthousiasme n'était aucunement dicté par la ferveur religieuse. Des hommes en smoking se hissaient sur la pointe des pieds pour l'apercevoir. Des femmes aux bras chargés de bijoux agitaient les mains et criaient pour attirer son attention. Quelqu'un à côté de Janie dit, comme pour lui expliquer l'enthousiasme de la foule :

— Quand on pense à tout ce qu'elle accomplit... Elle est tellement et si incontestablement bonne !

Janie se souvint qu'un écrivain russe — Tolstoï peut-être — avait noté à quel point est profondément ancrée l'illusion que la beauté va de pair avec la bonté. « Et à quel point cette conviction est compréhensible », ajouta-t-elle mentalement.

Mama était vraiment belle et sa grâce semblait innée. Grande et svelte, elle avait été épargnée par l'empâtement qui afflige les corps ayant perdu leur jeunesse. Même ses cheveux étaient restés fins et brillants. Fascinée, Janie observait Mama qui avançait posément au milieu de tous ces gens qui se pressaient autour d'elle.

Les yeux rivés sur Mama, Janie comprit enfin tout l'engouement que cette femme suscitait.

La salle de bal du Waldorf-Astoria miroitait sous les lustres de cristal. Un orchestre de musiciens en habits de soirée jouait du Sondhein et du Bernstein pendant que les neuf cents invités prenaient place autour des tables rondes. Ils se délecteraient de homard thermidor et de fraises importées, à l'exception de Mama, à qui on servirait, comme toujours, une petite portion de poisson blanc garni de légumes.

Janie prit place à la table dite des journalistes, qui regroupait ceux dont le repas était payé par un tiers. Dans son cas, c'était la fondation Krzysztof. Elle se retrouvait en conséquence au fond de la salle, à côté de la porte de service. Elle repéra Oliver Jodrell, arborant un nœud papillon, qui paraissait nager dans son élément : il séduisait et flirtait, attirant par des cajoleries des promesses de dons, de soutien et de publicité.

Elle étirait le cou pour voir la table d'honneur, quand une voix profonde et bien timbrée dit à sa gauche :

— Je suis tout à fait conscient que les invités ne sont pas venus pour le prestige de l'événement ni même pour le banquet. Ils ont répondu à l'appel pour soutenir une cause qui le mérite vraiment. Ce sont donc des gens généreux et compatissants. Par ailleurs, le nombre de fourrures que je vois d'un seul œil me porte à croire que ni le bien-être des animaux ni les espèces en voie d'extinction ne préoccupent la plupart des convives.

Janie se tourna vers l'homme en souriant. C'était la première fois qu'elle le regardait. Il était à la fin de la trentaine ou au début de la quarantaine, et une lueur d'amusement adoucissait son regard. Elle pointa du doigt la carte placée devant son couvert :

— C'est bien la vôtre ?

— Oui, pour l'instant.

David Chester. WWA, lut-elle.

Il remarqua son air intrigué :

— Wide World Airlines transporte gratuitement les collaborateurs de Mama à travers le monde entier. Ils nous ont invités pour nous témoigner leur gratitude. Je travaille aux services juridiques, et c'est moi que la compagnie a délégué pour l'occasion.

— Je vois, dit-elle d'une voix taquine. Je parierais que vous êtes un parfait opportuniste.

— Ah ! bon. Vous me l'apprenez.

— Vous n'êtes pas très convaincant. Vous devriez chercher un bon avocat, un vrai.

— Impossible. Je n'ai pas un rond.

— Vous faites alors vraiment partie de la minorité, ce soir, repartit-elle en riant.

— C'est malheureusement le cas. J'avais espéré qu'en m'asseyant assez longtemps parmi eux, dit-il en indiquant les convives des meilleures tables, je réussirais à attraper la fortune. Comme un rhume ou...

— La variole, suggéra-t-elle.

— Ouf ! merci. Ce que vous pouvez être compatissante ! Certains soutiennent que la richesse pue. Ce n'est pas très avisé de le faire remarquer. Mais j'aimerais pourtant que la richesse soit contagieuse, comme une vilaine grippe. Ou, mieux encore, comme une maladie qui vous toucherait sans que votre vie en soit affectée pour autant. Je pense, par exemple, au pied de Madura ou au bouton de Corrigan.

— Le pied de Madura ? Le bouton de Corrigan ?

— Ça se trouve dans les dictionnaires médicaux. C'est tout ce que j'en sais.

— Oh, oh ! un hypocondriaque...

— Ne me laissez pas tomber, Ms Paxton, dit-il après avoir déchiffré son nom sur la carte placée devant elle. Tout est là. L'hypocondrie. Un état mental chronique qui fait qu'une personne est constamment préoccupée par la conviction erronée d'être sérieusement malade. Les malaises se situent généralement à l'estomac ou au foie. C'est mon cas. J'ai toujours pensé que je devais tous mes maux à l'alcool, voyez-vous. Maintenant, je sais que je suis hypocondriaque. J'en suis soulagé. L'hypocondrie est aussi une tournure d'esprit égocentrique et morose qui empêche le sujet de s'acquitter entièrement de son travail. Considérée sous cet angle, cette maladie m'affecte vraiment, puisque je n'ai proprement rien fait depuis des semaines. Et je ne vous ai pas encore dit le pire, soupira-t-il mélodramatiquement en attaquant son homard.

— Mais vous le ferez.

Il la gratifia d'un large sourire :

— Que c'est gentil à vous de me le demander ! Le pire, c'est que le mal va s'estomper graduellement.

— Que devez-vous regretter en ce cas ?

— Tout, car je sombrerai alors dans la mélancolie.

— Quel en est le remède ?

— Il n'y en a aucun, répondit-il la bouche pleine. À moins de faire un sérieux effort de volonté et d'entreprendre un travail exigeant qui pourrait, je dis bien qui pourrait, me distraire de mes pensées moroses, le mal est très difficile à traiter.

— Alors faites un effort de volonté.

— Je manque de volonté pour faire un tel effort, confessa-t-il tristement. Et je déteste viscéralement le travail exigeant. Mais nous avons assez parlé de moi. Dites-moi ce qui ne tourne pas rond chez vous.

— Il devrait y avoir quelque chose ?

— Il y a toujours un problème, se moqua-t-il solennellement. Quand l'un s'éteint, l'autre se met à fleurir.

— Ouf ! merci. Ce que vous pouvez être compatissant !

— Je constate que vous n'avez aucun problème avec votre mémoire à court terme, déclama-t-il sur un ton professoral.

— Il n'y a vraiment rien qui cloche chez moi. Rien qu'un mois de vacances dans un endroit retiré et paradisiaque, loin des téléphones et des fax, ne pourrait réparer. D'ailleurs, pour être honnête, je ne crois pas avoir besoin de vacances. La seule pensée que je pourrais m'en offrir suffit à me garder en forme.

Il la considéra d'un regard ouvertement approbateur :

— Vous me paraissez effectivement en forme.

— Ah ! cher monsieur, vous auriez dû me voir il y a quinze ans. Avant que le mariage et sept enfants ne sapent mes forces.

— J'aurais bien aimé, dit-il d'un ton à la fois flatteur et sincère, mais j'arrive toujours au mauvais moment. Je dois cependant reconnaître que j'aime bien votre robe. J'aime bien cette apparence juste un peu austère.

— Merci. Mais, au milieu de cette galerie de grandes, bonnes et voyantes dames, j'ai l'impression de ressembler un peu trop à leur bonne. Je n'ose pas aller aux toilettes au cas où quelqu'un me réclamerait une épingle de sûreté.

Il éclata d'un rire sonore. Le voisin de droite, croyant avoir manqué quelque chose, engagea fébrilement la conversation avec Janie, mettant ainsi un terme à un marivaudage qui, somme toute, avait assez duré.

Entre deux services, Chester demanda à Janie si elle travaillait pour un journal ou une station de télévision. Elle lui expliqua brièvement ce qui l'occupait pour l'heure, en faisant paraître l'entreprise aussi peu intéressante que possible : elle écrivait une courte biographie de Mama pour la fondation Krzysztof, elle participait d'ailleurs à ce dîner-bénéfice dans l'espoir d'enrichir sa documentation, peut-être même d'obtenir une interview.

— Elle se dépense depuis des années, n'est-ce pas ? Elle aurait entrepris son œuvre au cours de la Deuxième Guerre mondiale ?

— Elle a eu sa première vision au moment de sa mort présumée, à São Paulo, en 1946.

— C'était de la frime ?

Janie réfléchit avant de répondre :

— Je ne le sais pas encore. Cependant, quelque chose de très étrange est arrivé ce jour-là. Le ciel s'est subitement obscurci ; des vents violents ont balayé la ville ; des gens ont été tués. Ces conditions météorologiques extraordinaires avaient un caractère...

— Apocalyptique, risqua-t-il.

— Exactement. On rapporte même que des piliers de feu ont traversé le ciel.

— Vous ne plaisantez pas ?

— Aucunement. Il existe des photos de ces tubes au néon géants, si vous me permettez la comparaison, suspendus dans les airs. Il semble que la seule personne à les avoir aperçus ait été le photographe. Et les fidèles serviteurs de Dieu, évidemment, ajouta-t-elle en riant.

— Vous pourriez peut-être prendre contact avec le photographe, pour vérifier qu'il ne s'agit pas d'un canular.

— Il a été tué le soir même. Un article est paru dans le *Latin America Daily Post.* Et devinez quoi, aucun des serviteurs de Dieu ne s'est manifesté, ajouta-t-elle d'un ton sentencieux.

— Peut-être ont-ils été tués eux aussi. C'est une bonne chose que de bien servir Dieu : on sait au moins où l'on s'en va.

— Il y a plus encore. Les témoins réunis autour du lit de mort de Mama ont vu une boule de feu se déplacer dans la chambre.

— C'était la foudre. Est-ce qu'elle vivait dans un édifice en hauteur ?

— C'était un vieil immeuble locatif, dit-elle en se rappelant les descriptions qu'on avait publiées à l'époque. Je crois que son appartement était situé aux étages supérieurs. Les témoins parlent d'escaliers à l'extérieur de l'immeuble.

— Il s'agissait sûrement d'escaliers métalliques, sans doute des escaliers de secours. Il devait aussi se trouver un objet en métal dans la chambre, une chaise ou un lit. C'est pourquoi la foudre y a été attirée. Écoutez, ce phénomène se produit parfois dans les avions quand il y a beaucoup d'électricité dans l'air, pendant les orages, par exemple. Des passagers ont vu des boules de feu rouler dans les allées.

— Mon Dieu ! s'exclama-t-elle, tout interdite.

— C'est tout simplement ce que les témoins ont dû décrire. Puis, par la suite, ce fait naturel, mais plus ou moins rare, a été interprété comme un miracle.

— Avez-vous déjà vécu une expérience semblable ?

— Non. Mais je prends souvent l'avion et je vous assure que ce phénomène n'est pas exceptionnel. Croyez-en un vieux loup des airs, ajouta-t-il d'une grosse voix bourrue avant d'éclater de rire.

Janie posa son menton dans le creux de sa main :

— Supposons que Magda Lachowska se soit trouvée étendue sur un lit de métal. Supposons qu'elle soit morte dans ce lit. Supposons que la boule de feu ait été attirée par le lit.

Janie plissa les yeux pour mieux se représenter l'enchaînement des faits :

— Il arrive, n'est-ce pas, qu'on donne des chocs électriques aux personnes qui viennent tout juste de mourir, pour que leur cœur se remette à battre ? Il faut alors agir très rapidement, et le choc doit être puissant. Peut-être, je dis bien peut-être, que le corps inanimé de Magda a reçu un choc électrique occasionné par l'orage.

— Un choc aussi intense suffirait en effet à réveiller un mort, approuva gravement Chester.

Janie avait prévu que Mama ferait un petit discours. C'est Oliver Jodrell qui, en son nom, s'adressa à l'assemblée. Il vint se placer à côté de Mama, remercia aimablement les gens d'avoir contribué si généreusement à soutenir l'œuvre du Calice des vignes du Père. Des applaudissements polis marquèrent la fin de son allocution.

Mama se leva tandis que Jodrell tirait sa chaise derrière elle. De toute évidence, remarqua Janie, elle était trop fatiguée pour s'imposer l'effort de s'adresser aux convives. Debout devant la table d'honneur, elle laissa pendant un long moment flotter son regard sur cette mer de visages attentifs. Puis elle ouvrit ensuite les bras comme si elle s'apprêtait à bénir l'assemblée. « Comme un prêtre », pensa Janie, qui trouva le geste bien audacieux pour une femme qui renonçait avec conviction à tout apparat.

Cependant, Janie se rendit vite compte de sa méprise quand Mama tourna ses paumes vers le ciel dans un geste d'offrande et d'invocation. Enveloppée par le feu des projecteurs, la tête légèrement penchée sur le côté, elle sourit, tandis que ses yeux remarquables brillaient d'une telle chaleur et d'une telle empathie que chacune des personnes présentes dans la salle aurait pu se croire expressément visée par son regard.

L'assistance explosa. Les gens se levèrent pour l'applaudir en scandant son nom. Janie se retrouva elle-même debout, en train de l'acclamer avec enthousiasme. Et cette manifestation spontanée avait été déclenchée sans qu'un seul mot ne soit prononcé.

Mama quitta la salle de bal portée par une vague d'adulation. Plus tard, alors qu'ils dansaient ensemble, Oliver Jodrell lui expliqua que Mama se retirait toujours après le service du plat principal. Ses tâches épuisantes ne lui permettaient pas de veiller tard. Janie ne put s'empêcher de penser que cette habitude lui conférait une dignité encore plus grande.

— Eh bien, Janie, qu'avez-vous fait aujourd'hui? enchaîna Jodrell en entraînant sa cavalière avec le savoir-faire d'un gigolo vieillissant.

— J'ai interviewé le major Lachowski, répondit-elle laconiquement, en réprimant l'envie de le traiter de casse-pieds condescendant.

Elle le sentit immédiatement se raidir.

— Je croyais qu'il était trop malade pour vous recevoir. Pour recevoir qui que ce soit, d'ailleurs.

— Il m'a dit que vous l'aviez appelé, lui apprit-elle intentionnellement.

— Ah oui ? murmura-t-il en s'étouffant presque. Vous l'avez trouvé intéressant ?

— Pas particulièrement. Il est difficile à coincer, ajouta-t-elle malicieusement. Il semble affecté par des pertes de mémoire. Mais vous le savez déjà.

— Vous aimez prendre des initiatives, Miss Paxton, répliqua-t-il d'un ton désagréable.

Janie le remercia pour ce qu'elle savait fort bien n'être pas un compliment.

Il continua à la faire tourner avec aisance tout autour de la piste, mais son esprit était ailleurs.

— Je me demande ce que vous avez pu encore entreprendre de votre propre chef, demanda-t-il de but en blanc.

— Oh ! pas grand-chose. Des recherches, quelques entrevues.

— J'ai su que vous étiez allée à Rome.

Elle leva les yeux vers lui en se demandant comment il l'avait appris.

— Oui. Je suis allée au Vatican. C'est un point de départ qui s'imposait, non ?

— Vous auriez dû nous en parler, lui reprocha-t-il. Nous vous aurions simplifié la vie en vous recommandant à des collaborateurs efficaces.

« Exactement ce que je ne souhaitais pas », se dit-elle.

— Ce voyage m'a beaucoup appris, avoua-t-elle avec désinvolture. Et je ne voulais pas vous ennuyer.

— La Fondation est à votre service, Miss Paxton. Ne l'oubliez pas, insista-t-il, comme s'il s'agissait d'un avertissement.

Il la raccompagna à sa table, où se trouvait encore David Chester qui, comme elle l'espérait, l'avait attendue.

— Êtes-vous venue seule ?

— Vous voulez dire à New York ? Oui.

Elle se sentit subitement déprimée. Elle n'avait pas bu de la soirée et elle avait désespérément besoin d'un verre. Mais il ne restait que des bouteilles vides sur la table.

— Vous êtes mariée ?

— Pas exactement. J'ai pris conscience que je n'étais pas faite pour le mariage.

— Moi non plus.

Sans la regarder, il fit chanter le bord de son verre avec le bout de son doigt humide :

— En fait, je suis au beau milieu d'un divorce. J'ai l'impression qu'un poids lourd m'a frappé de plein fouet sans que je le voie venir.

— C'est aussi mon cas. Certains jours, je me demande pourquoi je me lève.

Elle accepta qu'il la raccompagne à son hôtel. En allant chercher son manteau au vestiaire, elle prit la mauvaise direction. Alors qu'elle passait devant une porte entrebâillée, elle jeta dans la pièce un regard fortuit et y découvrit Mama, les bras croisés, debout devant la fenêtre. Elle parlait à Josef Karms avec un sourire amusé au coin des lèvres. Intriguée, Janie ralentit le pas. Elle était surprise de voir l'homme assis en porte-à-faux sur sa chaise, ses cuisses largement ouvertes. Il avait desserré le col de sa chemise empesée et semblait parfaitement détendu, tout à fait à l'aise avec Mama. Son sans-gêne déconcerta Janie, parce qu'il laissait supposer une intimité très étroite entre eux.

En rebroussant chemin vers le vestiaire, Janie rejeta aussitôt la possibilité qu'ils puissent être des amants. C'était absurde et offensant pour Mama. Non, cette hypothèse était ridicule. Janie aurait pu jurer qu'aucun indice d'intimité sexuelle, présente ou passée, n'était décelable chez eux. Les anciennes passions, parvenues à leur terme dans l'amitié ou l'animosité, laissent des traces tangibles : un reste de tendresse ou d'hostilité ; une affection taquine, une jalousie tenace ou encore de l'amertume. Elle ne percevait rien de tout cela entre eux. Elle savait intuitivement que Karms et Mama n'étaient pas amants, qu'ils ne l'avaient jamais été.

Mais s'ils n'étaient pas amants, quel lien unissait cet homme arrogant à Mama ? se demanda-t-elle avec une perplexité grandissante.

Au moment où ils sortaient du foyer brillamment éclairé, David s'arrêta pour relever et ajuster le col du manteau de Janie :

— Je ne veux pas que vous preniez froid.

Ils mirent dix minutes pour atteindre l'hôtel de Janie, qui aurait été heureuse d'étirer le trajet.

— Avez-vous dit que vous en aviez sept? lui demanda-t-il une fois sous la marquise de l'hôtel.

— Sept quoi?

— Épingles de sûreté.

— Une seule. Je pensais que vous vouliez dire sept enfants.

— Vous en avez vraiment sept? demanda-t-il en affichant une incrédulité comique.

— Non, idem.

— Seulement un, à la bonne heure. Conservez l'épingle, je pourrais en avoir besoin un jour, dit-il en levant la main pour héler un taxi.

« Eh bien, pensa Janie, notre entente aura été parfaite le temps qu'elle aura duré. »

Chapitre quinze

Magda Lachowska, que l'univers entier appelait Mama, ferma avec soulagement la porte de sa chambre. La journée avait été longue. Elle ne se demandait plus pourquoi elle acceptait de prêter son concours à ces réceptions. Ces événements étaient un moyen nécessaire d'assurer la survivance de l'organisation qui donnait tout son sens à sa vie. Ce dîner-bénéfice rapporterait plus d'un million de dollars américains au Calice, sans compter la publicité que leur garantissaient les pages mondaines des grands journaux. Elle acceptait donc avec résignation de sourire et de parler aux gens, de se laisser toucher par eux. Cependant, plus que jamais, ces bains de foule l'épuisaient. Elle s'adossa un moment contre sa porte, trop fatiguée pour bouger.

Elle occupait une chambre au sommet de cet étroit et haut édifice qu'était la maison du Calice à Brooklyn. Comme toutes les chambres, dans les maisons du Calice, la sienne était meublée à la spartiate. Une natte recouvrait le parquet, qu'elle aurait préféré nu. Le mobilier n'était constitué que d'un lit à une place, d'une chaise en bois et d'une penderie bon marché à la porte de laquelle était fixé un miroir. Sans même un regard sur son reflet dans la glace, elle retira sa robe et la suspendit à un cintre. Puis elle se rendit dans la minuscule salle de bains pour rincer ses sous-vêtements et se doucher. Elle passa une chemise de nuit à manches longues et s'allongea sur son lit après avoir bu, comme tous les soirs, deux verres d'eau minérale pour étancher sa soif. Elle éteignit sa lampe de chevet et ferma les yeux. Au bout d'un moment, elle se tourna sur le côté et se ramassa sur elle-même. Mais l'enseigne au néon, à l'extérieur du restaurant voisin, la gênait. Elle posa le dos de ses mains sur ses paupières pour masquer, autant que possible, les clignotements rouges et verts qui zébraient les murs de sa chambre.

Il vint vers elle, comme il l'avait fait des années auparavant, alors qu'elle agonisait dans la chambre de la rue Santa Rita. Il lui était apparu dans le court laps de temps où son cœur avait cessé de battre.

Elle était couchée sur le côté comme maintenant, la tête tournée vers le mur, où se trouvait une penderie garnie d'un miroir. Elle avait posé ses mains sur ses yeux pour ne plus être éblouie par la vive lumière des éclairs, de plus en plus rapprochés.

Au cours des jours précédents, elle avait senti la mort s'emparer sournoisement d'elle, ralentir sa respiration, engourdir ses membres et embrumer son cerveau. Elle avait froid. Tellement froid.

Les rafales de lumière rouge et verte réveillaient maintenant en elle les souvenirs de cette journée terrible. La jeune femme qu'elle était alors n'avait jamais imaginé qu'une tempête puisse atteindre une telle férocité. La terreur et l'effroi l'oppressaient alors. Elle se croyait soumise aux tourments de l'enfer. Et elle l'avait mérité.

Puis le silence avait fait naître en elle une indéfinissable appréhension. Elle avait retenu sa respiration, figée dans un état d'expectative inquiète. Enfin, la tempête n'était plus au-dessus de sa tête. Elle soupira de soulagement pendant qu'une sensation de paix détendait ses membres rigides. Elle retira alors prudemment les mains de ses yeux.

D'épaisses ténèbres avaient chassé la lumière.

Il était là cette fois encore, au fond de l'étroit miroir, non pas comme un simple reflet ou une lueur sur la surface poussiéreuse de la glace. Il resplendissait comme la lumière éternelle des étoiles. Elle s'était autrefois demandé, après coup, pourquoi il n'était visible que dans la glace, alors qu'elle sentait sa présence se répandre dans toute la chambre. Elle avait mis beaucoup de temps à comprendre : il s'était laissé entrevoir sans vraiment se montrer. Elle savait hors de tout doute qu'il se trouvait avec elle, dans cette chambre de

Brooklyn. Mais elle hésitait encore à le regarder, sans pour autant renoncer à détourner les yeux.

Il semblait sculpté à même l'air, immatériel et dense tout à la fois. Sans commencement, sans hier ni demain, éternel. Il était démesuré, d'une magnificence translucide comme la glace ou le cristal. Il lui rappelait ce globe d'albâtre, posé sur une lampe, qu'elle avait vu autrefois. Elle voyait un corps d'homme aux bras largement ouverts dans un éloquent geste de compassion. Elle devinait des cuisses puissantes sous son ample vêtement. Sa physionomie, d'une extraordinaire autorité, était empreinte de tristesse et de résignation. Il avait un nez à la fois fort et délicat, une bouche innocente et sensuelle, des paupières douces et lourdes aux cils étonnamment dorés. Elle avait cru se trouver en présence d'un être divin. Elle craignait maintenant de s'être laissé leurrer par son imagination fébrile, qui voyait dans cet être extravagant un Dieu dont le caractère humain correspondait à ses attentes.

Mais son imagination n'aurait jamais prêté une vie aussi intense à cet ample nuage blanc qui se déployait en bruissant derrière les épaules de cet être extraordinairement beau. Elle suffoquait d'admiration devant ces ailes floconneuses aux reflets opalins. Elle tendit ses doigts craintifs, tout comme elle l'avait fait auparavant, mais ne rencontra que la froide surface du miroir. Elle se laissa alors retomber avec un sanglot de détresse.

Comme s'il avait voulu la consoler, il s'adressa à elle. Elle sentit les profondes réverbérations de sa parole traverser son corps comme les échos du tonnerre.

Alors les larges ailes l'enveloppèrent pendant qu'il chuchotait de façon pressante à ses oreilles et que son cœur battait à côté du sien. Son sang se mit à bouillir et tout son être, envahi par l'extase, vibra sous l'effet d'une passion extrême qu'il n'avait jamais sentie. Son corps se souleva, emporté par une vague puissante. Une chaleur intérieure la consumait à mesure qu'elle s'abandonnait. Elle savait que cette lame finirait par se briser et par l'engloutir. Mais elle ne pouvait pas résister. Cette dérive était aussi irrésistible qu'une étreinte sexuelle, aussi envoûtante qu'un enchantement.

Au moment où elle allait chavirer, elle poussa un cri aigu. Elle s'était déplacée et reposait maintenant sur le dos, fixant le plafond avec des yeux aveugles. Elle n'était plus dans la chambre minable de la rue Santa Rita; elle n'était plus couchée dans le lit de fer près du mur lépreux. Elle se trouvait sur un sommet qu'elle ne reconnaissait pas. Un silence mystérieux enveloppait cet espace désert, d'où elle voyait les pics des montagnes auréolés de nuages blancs. La pureté du ciel laissait présager d'éternelles aurores.

Elle n'était pas seule, car il était là lui aussi. Il n'était ni devant ni à côté, il remplissait totalement ses yeux et sa conscience.

Sa présence libéra en elle une gamme de sentiments et d'émotions qui la brûlaient, parce qu'elle n'y était pas habituée. Pitié, remords, tristesse. Pour la première fois de sa vie, elle comprenait le tourment des autres, et ce supplice lui était intolérable.

Elle était troublée par les répugnants fantasmes gravés profondément dans son imagination ou tapis dans ses souvenirs. Des images horribles sorties de ses pires cauchemars la submergeaient. Des spectres surgis de nulle part fondaient sur elle. Des toiles d'araignées voilaient la lumière, se plaquaient sur son visage, recouvraient ses mains, se mêlaient à ses cheveux, collaient à ses cils et à ses lèvres.

En contrebas, un tout autre tableau émergea progressivement du sinistre crépuscule. Elle entendit les cris de lamentation et de détresse sans pouvoir distinguer le visage des hommes, des femmes et des enfants qui couraient et trébuchaient, en proie à la terreur. Des ombres sinistres se précipitaient sur des carcasses aux membres brisés ou arrachés. Elle crut discerner des démons presque nus, des monstres gloutons aux membres difformes qui plantaient sauvagement leurs griffes dans le corps de leurs victimes en lançant des imprécations. Le sol était couvert du sang et des excréments des mourants tordus dans leurs derniers spasmes. Des visages crispés grimaçaient sous l'effet de douleurs atroces et intolérables.

Les pleurs et les cris, les amas de cadavres abandonnés dans leur sanie la bouleversaient jusqu'au plus profond de son être. Dans ce monde sans pitié, il n'y avait place ni pour la résignation, ni pour la sagesse, ni pour la compassion. Ne restaient que la violence et le vice, l'hystérie et la mauvaise foi, l'ignorance et la superstition. Tout espoir était annihilé.

Sans sa présence divinement consolante, cette cruauté aurait été absolument insupportable. Sans la protection des grandes ailes qui l'abritaient encore, elle aurait sombré dans le plus affreux désespoir. Son mystérieux compagnon la soutenait et la guidait à travers les ténèbres.

Au moment où elle souhaita mourir pour échapper à cette vision terrifiante, le paysage infernal s'estompa lentement. Une brume épaisse recouvrit toute cette horreur. L'affreux tumulte se tut et un silence très pur s'installa.

Elle eut l'impression de sortir d'un sommeil qui avait duré des siècles. Quand elle leva les yeux vers les montagnes mythiques, elle nota qu'elle s'en éloignait en même temps que l'horreur s'atténuait. La lumière qui les nimbait s'altéra, s'affadit, puis s'évanouit. Elle sentait encore la présence de son majestueux visiteur, qu'elle ne pouvait plus voir ni entendre. Elle poussa alors un cri déchirant pour exprimer tout à la fois le sentiment de se sentir sauvée et le regret de ce qu'elle avait perdu.

Lors de sa première expérience à São Paulo, il y avait eu des témoins dans la chambre. Elle ignorait alors pourquoi ils étaient venus, pourquoi ils l'avaient regardée avec une telle crainte, un tel effroi. Elle était épuisée, trop faible pour bouger. Une voix d'enfant, que la panique rendait perçante, avait crié : « Mais elle est morte ! » Elle avait voulu les détromper, leur faire savoir qu'elle n'avait jamais été plus intensément vivante. Mais les sanglots qui l'étouffaient l'empêchaient de parler. Cela lui importait toutefois peu, car son unique désir était de retrouver le sommet où elle avait été transportée, au cœur des montagnes. Il serait là. Il le lui avait promis. Il resterait près d'elle, et elle connaîtrait de nouveau son étreinte.

Il ne l'avait pas laissée tomber. Plusieurs fois depuis, sans qu'il se soit annoncé, sans qu'elle l'ait cherché, il était venu à elle. Et, chaque fois, il se tenait dans la lumière, sans jamais projeter son ombre.

Chapitre seize

Janie se leva tôt le lendemain. Après avoir passé deux heures supplémentaires à la bibliothèque, elle prit sans se hâter la direction de la Grand Central Terminal. Une fois à destination, elle s'attarda dans le café de la gare pour le simple plaisir de revoir cet édifice classique de style Beaux-Arts. D'où elle était assise, elle pouvait observer la foule qui déambulait dans le grand hall de marbre, auquel on venait de rendre son lustre d'antan.

Seule dans cette ambiance animée, elle eut envie d'un brandy. Son odorat reconnut l'arôme voluptueux de la liqueur ambrée qui se dégageait d'un ballon imaginaire. Elle avait heureusement une tablette de chocolat dans sa poche : deux ou trois bouchées réussirent à lui faire oublier son état de manque. Le besoin d'alcool ne la quitterait jamais. Mais elle menait son combat au jour le jour, et cette tactique portait fruit : elle n'avait pas touché à un verre depuis des semaines.

En jetant de nouveau un coup d'œil dans le hall, elle aperçut une femme et un jeune garçon qui se hâtaient vers les quais. Les cheveux bruns de l'enfant et sa démarche légère faillirent la tromper, et elle ne put s'empêcher de crier mentalement « Adam ! » tandis que son cœur battait follement.

Quand vint le moment de payer son café, elle ouvrit son sac et tâtonna pour dénicher le grand portefeuille où elle rangeait ses dollars américains. Alors qu'elle était journaliste novice, un photographe l'avait admonestée parce qu'elle avait prélevé à même sa liasse les billets pour régler sa note de restaurant. « Je ne veux pas être agressé dans le parking, même si toi tu t'en fous », lui avait-il dit. Elle sortit alors par mégarde la photo qui ne la quittait jamais.

Claudia avait croqué une image de pur bonheur alors qu'Adam et Lucy avaient huit ans. Ils se tenaient par la main dans un champ inondé de soleil, près de la Petite Grange. Adam s'était fait une coupure au pied et, au bout de sa jambe bronzée, se trouvait un gros pansement blanc qu'il montrait à Lucy, à la fois curieuse et amusée. C'était l'un de ces rares moments de parfaite harmonie, où les deux enfants paraissaient joyeux et en bonne santé. Janie conservait cette photo comme un talisman.

Juste à cet instant, une voix derrière elle dit :

— Merde et merde ! Je vais manquer ce damné train.

Une chaise tomba bruyamment sur le carrelage, tandis qu'un homme s'éloignait en courant. Elle se rendit alors compte qu'elle serait elle-même en retard à son rendez-vous avec Mama, aux bureaux de la fondation Krzysztof dans la 6e Avenue.

Juste à l'instant où elle débouchait devant la cathédrale St. Patrick, elle remarqua un homme qui faisait les cent pas sur le parvis, un écriteau attaché à son cou. Son bonnet de laine était enfoncé jusqu'aux yeux. « Pour une raison indépendante de la grâce de Dieu, JE SUIS AVEUGLE. S'IL VOUS PLAÎT, ACHETEZ-MOI UN CRAYON, y lisait-on. Sous l'impulsion du moment, elle fourragea dans son sac pour y trouver de la monnaie.

Quand elle se retourna, son œil fut attiré par un homme en robe bleu-violet qui tenait ouverte une porte de la cathédrale pour y laisser entrer une femme. Janie reconnut le crâne rasé et les bras nus et musclés, cette démarche assurée, presque martiale. Elle courut dans l'escalier.

Une fois le portail franchi, elle trouva le porche vide. Elle poussa le vantail à sa droite et fut aussitôt prise dans un flot de femmes âgées qui se photographiaient les unes les autres. La plupart des visiteurs qui se pressaient dans la cathédrale semblaient oublier qu'ils se trouvaient dans une église. Ils y tenaient des conversations animées et bombardaient le temple d'éclairs de magnésium. Une femme mangeait même un hot-dog, dont l'odeur vulgaire se mêlait à celle de l'encens.

Janie obliqua vers une nef latérale dans le but de retrouver Mama et son inquiétant garde du corps. Après avoir traversé le transept, elle se retrouva dans une ambiance plus recueillie. L'orgue jouait des variations sur de vieux cantiques. Quelques personnes priaient en silence. Janie aperçut alors à environ huit mètres devant elle une femme qui avait rabattu le capuchon de l'ordre du Calice sur sa tête.

C'était Mama. Elle s'était agenouillée devant la statue d'une sainte que Janie ne connaissait pas, pour allumer un lampion. Puis elle inclina la tête.

Janie se glissa sur le banc le plus proche en se disant qu'il était inutile de se précipiter à son rendez-vous de la 6e, puisque Mama était à Saint-Patrick. Elle prit alors conscience qu'elle n'était pas entrée dans une église depuis fort longtemps. Elle n'avait aucune inclination pour la prière. Pour l'instant, elle n'était même pas certaine que ce qu'elle faisait s'apparentait à la prière. Elle essaya sérieusement de se concentrer et pensa à Adam et à Paul. Puis la pensée de Claudia, tellement affectée par l'état de Lucy, s'empara de son esprit. Elle sursauta donc, surprise dans sa rêverie, quand Mama s'adressa à elle :

— Je vous ai reconnue, lui dit celle-ci avec ce léger accent d'Europe de l'Est. C'est un endroit magnifique, n'est-ce pas ? ajouta-t-elle en s'asseyant à côté de Janie.

— Je dois vous interviewer dans vingt-cinq minutes, dit Janie, en consultant sa montre.

— Parlons plutôt ici.

Janie repéra dans la nef une demi-douzaine d'hommes et de femmes portant l'uniforme distinctif du Calice. À côté d'elle, Mama, les yeux fixés sur l'autel, lui paraissait tout à fait détendue. Janie se rappela son entrée dans la salle de bal, la veille, alors que la foule jouait du coude pour s'approcher d'elle le plus possible. Il fallait qu'elle soit forte pour se dépenser autant sans se laisser submerger par les attentes de tous ceux qui comptaient sur elle. D'où lui venait cette force et cette parfaite connaissance de l'âme humaine ? se demandait Janie.

Mama tourna finalement vers elle son beau visage empreint de sérénité.

— Parlez-moi de votre foi, lui demanda Janie. Dites-moi à quoi vous croyez.

— Je suis née dans une famille catholique, mais je suis restée loin de la religion durant plusieurs années. Après ma première communion, je n'ai jamais remis les pieds dans une église avant d'avoir vingt ans et, là encore, je n'y suis revenue qu'en de rares occasions.

— Et puis, vous avez fini par retrouver la foi ?

— On finit toujours par trouver quand on cherche assez longtemps. Même si on ne voit rien. Surtout si on ne voit rien. Toutes les religions sont fondées sur cette réalité.

— Mais vous êtes néanmoins chrétienne.

— Vraiment ? Il me semble bien. Du moins, on le dit.

— Beaucoup le pensent, en effet.

Mama posa sur elle ses yeux remarquables :

— Il y a un poème arabe qui dit :

> L'amour est la foi que je professe.
> Quelque direction qu'il prenne,
> La foi vraie et unique reste toujours mienne.

Pendant un moment, elle sembla écouter l'écho intérieur de ces mots, avant de conclure :

— Si vous voulez connaître ma foi, c'est celle que je viens de formuler pour vous.

— Pourquoi le Vatican s'est-il opposé au pape Jean quand celui-ci a voulu donner au Calicc un statut d'ordre religieux ?

Elle avait eu l'intention de surprendre Mama, qui ne broncha pas :

— Très simple. Pendant des années, j'ai pressé les femmes de prendre le contrôle de leur propre vie. Dans les pays pauvres, ça commence avec le contrôle des naissances. Je souhaite qu'elles limitent leurs grossesses à deux. À trois tout au plus. L'Église, dirigée par des hommes, comme on le sait, a donc condamné ma croisade. Et elle continue à le faire. J'ai de féroces opposants au Vatican.

— Leur désapprobation repose aussi sur le fait que beaucoup de croyants vous considèrent comme une thaumaturge.

Mama regarda ses mains :

— Mon aptitude à faire ce que les gens appellent des miracles est un pouvoir que je n'ai pas cherché. J'ai renoncé depuis longtemps à toute forme de pouvoir. Et je renoncerais volontiers à celui-là aussi, ajouta-t-elle en levant les yeux vers Janie.

— Quand avez-vous découvert pour la première fois que vous pouviez guérir ?

La vieille femme s'adossa au banc de bois. Son corps entier exprimait la réticence :

— Est-il opportun d'aborder ce sujet ?

Janie attendit tout bonnement que Mama se décide à répondre à sa question.

— La Fondation souhaite que je vous parle. Peut-être a-t-on raison, le temps est sans doute venu. J'étais très jeune, à peine dix-sept ans. J'avais dans les bras un nouveau-né, mort étranglé par le cordon ombilical.

Janie sentit que Mama était bouleversée par une douleur très ancienne.

— Je l'ai tenu longtemps entre mes mains, poursuivit la vieille femme. Rien de plus. Il a alors bâillé. Il était vivant.

Elle cligna des yeux et regarda Janie :

— Des années plus tard, après ma première vision, les pauvres du Brésil m'ont indiqué le chemin que je devais suivre. Au début, je ne voulais pas, mais les gens ne m'ont pas laissé le choix. Ce don que j'ai reçu n'a jamais été expliqué rationnellement. Ni par les autres, ni par moi, acheva-t-elle en souriant.

Janie repassa dans sa tête tout ce qu'elle savait au sujet de cette femme : Mama attirait des fidèles de toutes confessions. Elle exerçait une grande influence tout en restant d'ailleurs quelqu'un de très simple. On la croyait en communication avec le surnaturel. Et pourtant, elle restait humaine et se livrait à tous sans artifice ni dérobade.

— Quand vous guérissez quelqu'un, qu'est-ce qui se passe ?

Mama pâlit, comme si la question l'irritait :

— Vous me posez une question à laquelle il m'est impossible de répondre. Vous devez comprendre que je n'opère pas de miracles en vertu de ma propre volonté. Je ne suis qu'un instrument, pas la cause. Pensez-vous vraiment qu'il suffit de claquer les doigts ? On est malade et puis, hop ! on est guéri ? J'ai vu un miracle instantané se produire une ou deux fois peut-être. Le plus souvent, il s'écoule des mois avant qu'on puisse noter la plus petite amélioration. Je l'ai souvent répété et je le dirai encore une fois pour vous : je ne peux ni comprendre ni décrire ce qui se produit. C'est comme... si j'entrais en extase, poursuivit-elle d'une voix devenue grave. Les gestes que je fais n'y changent rien. Pendant des semaines, sinon des mois, il ne se passe rien. C'est une expérience mystique qui se présente à son heure. Il n'existe pas de mots pour la décrire, si ce n'est que, pendant qu'elle se déroule, j'éprouve de la difficulté à respirer.

Tout en l'écoutant, Janie fut frappée par la sensation d'être assise près d'une incroyable source de lumière. Elle se sentait réchauffée et réconfortée, indescriptiblement heureuse.

— En même temps, poursuivit Mama, la terreur s'empare de moi chaque fois. Elle posa sa main gauche sur ses yeux, comme si elle voulait repousser un souvenir. Sa main forte trahissait de longues heures de durs travaux manuels. Janie nota qu'elle portait une montre bon marché et, à son doigt, l'étroit anneau d'argent de l'ordre du Calice.

Il était difficile de concilier la détresse évidente de cette femme et les sentiments de bien-être et de sécurité qu'elle communiquait aux autres. Mama était déchirée par une force qu'elle était impuissante à décrire.

— Après toutes ces années, je sais que peut-être il en résulte quelque bien, reprit Mama. Mais, chaque fois, je perds une part de moi-même. Et je vais vous faire une autre confidence. Pendant plusieurs années, j'ai fui. Je refusais carrément ce qui m'arrivait. Je comprenais que j'avais un don... mais ce pouvoir m'accablait et je le rejetais. Je ne pouvais pas accepter de me faire l'instrument d'une force qui me terrorisait.

— Qu'est-ce qui est arrivé ?

— Je suis morte, murmura-t-elle.

Une femme assise juste devant elle tenait un bouquet de lis qui embaumait l'air. Les fleurs remplies de pollen se balançaient lentement dans ses mains. Janie éternua violemment. Elle attrapa son sac pour y prendre un kleenex. Le rabat était ouvert et le contenu du sac se répandit sur le dallage. Janie se pencha pour ramasser son étui à stylo, son bâton de rouge, ses cartes de bibliothèque et un horaire. De son côté, Mama récupéra le portefeuille et les photos qui s'en étaient échappées. Elle jeta un coup d'œil sur celle du dessus :

— Ce sont vos enfants ?

— Adam est mon fils. Il est un peu plus vieux maintenant, il a onze ans. Lucy est la fille d'une amie.

— Pauvre enfant ! soupira Mama avec compassion.

— Oh, non ! se récria Janie en pointant le bandage sur la jambe d'Adam. Il s'était juste coupé...

— Non. Pas votre fils. La fillette.

Troublée, Janie fixa la photo qui lui était si familière. Il n'y avait absolument rien, sur ce cliché, qui laissait deviner la condition de Lucy. Aucun signe visible sur son visage ou dans son attitude. Elle riait, comme n'importe quelle enfant heureuse.

— Je ne veux pas être indiscrète, s'excusa Mama en haussant imperceptiblement les épaules.

— Non, je... elle est atteinte d'une forme d'autisme, lui révéla Janie, souffflée par le don de voyance de Mama.

Puis elle parla brièvement de l'inoculation et de ses désastreux résultats, pour ajouter ensuite :

— Se mère traverse actuellement une mauvaise passe. Le père de Lucy veut la mettre en pension dans une école spécialisée. Claudia accepte difficilement cette solution pourtant raisonnable.

Mama l'écoutait, en tenant la photo entre ses doigts. Elle passa délicatement son pouce sur le petit visage souriant de Lucy et la remit ensuite à Janie sans dire un mot. Cette dernière put sentir l'épuisement soudain qui s'était emparé de la vieille femme, qui tâtonnait maintenant à la recherche, semblait-il, d'un mouchoir. Elle détournait la tête, mais son intervieweuse crut se rendre compte qu'elle pleurait. Mama finit par mettre ses invraisemblables lunettes noires, derrière lesquelles elle put cacher ses yeux.

Comme s'il s'était agi d'un signal, le robuste Tomas se trouva immédiatement à côté d'elle. En la voyant s'éloigner avec son garde du corps, Janie songea qu'elle n'avait jamais vu une personne enfermée dans une solitude aussi navrante.

À l'hôtel, une simple marguerite au rose profond, enveloppée dans du papier cristal, l'attendait. « Un petit mystère », se dit Janie en prenant la carte qui y était épinglée :

> Êtes-vous libre pour dîner ce soir? Je passerai vers huit heures, rempli d'espoir... Ne vous tourmentez pas si vous m'opposez un refus. J'irai noyer mon chagrin dans l'Hudson, possiblement. David.
>
> La réponse était oui, bien sûr.

Ils se rendirent à pied au Stage, à l'angle de la 14e Avenue et de la 3e Rue. Il faisait froid et un halo vaporeux auréolait la lune. David avait insisté pour voir le panache dénudé des arbres de New York parés, à l'approche de Noël, d'ampoules blanches minuscules, innombrables et féeriques.

Le restaurant aux fenêtres embuées était particulièrement bruyant. On aurait cru que les clients se sentaient obligés de crier pour se faire entendre.

— Je ne crois pas avoir commandé tout ça, dit Janie quand le garçon déposa son assiette devant elle.

— Un sandwich au rosbif sur pain de seigle, c'est bien ça?

Une fois le garçon parti, Janie s'esclaffa :

— Ce n'est pas un sandwich. Regardez la sauce!

— Pas dc paniquc, lui conscilla David, qui réprimait une forte envie de rire en voyant le visage effaré de son invitée. On vous donnera un *doggy bag*.

— J'aurais plutôt besoin d'un sac à lunch pour chien-loup. Je ne pourrai jamais avaler tout ça.

— Commencez, puis vous verrez bien. Si vous réussissez à tout avaler, vous aurez ensuite droit à une part géante de gâteau au fromage.

Pendant qu'ils attendaient que leur thé russe refroidisse dans les verres, David sortit de son sac à bandoulière une grande enveloppe et la déposa devant Janie :

— Un cadeau.

Elle retira de l'enveloppe une demi-douzaine de photocopies de piliers lumineux qui se détachaient sur un ciel sombre.

— Ce sont les photos du *Latin America Daily Post*? lui demanda-t-elle, plutôt intriguée.

Il fit non de la tête. En regardant de plus près, Janie se rendit compte que ces piliers avaient été photographiés à travers des arbres. Leurs branches étaient tordues comme si elles avaient été gauchies par un vent très fort. Le sol était ici et là recouvert de plaques blanches, semblables à de la neige. David se pencha vers elle pour lui faire voir le symbole du copyright collé au verso ainsi qu'un nom et une date : Archie, Weyer, 65-04-11. Il y avait aussi une coupure de magazine, au sommet de laquelle on pouvait lire le nom de la publication : *Scientific American.*

> Dans la nuit du dimanche 11 avril, Weyer a pris ces photos durant un orage. Il tentait de photographier les énormes grêlons qui s'abattaient sur sa maison, près de Toledo. Des analyses scientifiques, corroborées par des reportages sur la tornade qui avait traversé la région de Toledo, permettent de conclure que le photographe avait saisi sur sa pellicule une paire d'authentiques piliers lumineux. Ce sont possiblement les vortex d'une tornade illuminés par une activité énergétique ou par un fort courant électrique.

— C'est comme ça qu'il fallait aussi décrire les piliers de feu photographiés à São Paulo : des vortex de tornade à l'intérieur desquels circulait un courant électrique. Ces photos ne sont pas des contrefaçons? demanda-t-elle d'une voix anxieuse.

— Je ne crois pas que vous puissiez avoir une source d'information plus fiable.

— Comment les avez-vous obtenues?

— Je répugne à l'admettre, mais ç'a été un jeu d'enfant. Je me suis adressé directement au service de la météo. On n'avait jamais entendu parler des piliers de São Paulo, mais on m'a fourni ces photos. Avez-vous une copie de celles qui ont été prises au Brésil ?

— Je pourrais probablement me les procurer sans difficulté. Mais, pour autant que je me souvienne, dit-elle en examinant les piliers, ils sont identiques. Je m'étonne que personne n'ait encore fait le rapprochement.

David Chester mit une cuillerée de sucre dans son thé :

— Les originaux des photos de São Paulo doivent dater de plus de cinquante ans. Je doute que beaucoup de bibliothèques en aient encore des copies. Il faudrait qu'un étudiant écrive une thèse de doctorat sur Mama pour faire le rapprochement. Vous aurez été la première à additionner deux et deux.

— C'est magnifique ! Je vous remercie beaucoup.

Ils parlèrent ensuite d'eux-mêmes. Elle constata qu'il y avait beaucoup de non-dit dans leurs échanges, et elle savait très bien pourquoi. Elle fut donc surprise, à la porte de son hôtel, de l'entendre lui souhaiter poliment bonne nuit après s'être entendu avec elle sur le moment où il lui téléphonerait. Passablement déconcertée de s'être trompée à son sujet, elle traversa le hall en direction des ascenseurs, où le chasseur avait déjà ouvert une porte pour elle.

Au moment où elle se retournait pour faire face à la porte, David apparut devant l'ascenseur :

— Je m'excuse de vous avoir fait attendre, lui dit-il pour mettre l'employé sur une fausse piste.

Il jeta en même temps à Janie un regard interrogatif pour s'assurer de son accord. D'abord interloquée, elle lui adressa un bref sourire d'assentiment. Elle n'avait pas d'autre alternative et, de toute façon, la tournure des événements lui convenait. Ils montèrent en silence les dix-sept étages, les yeux fixés sur le dos du chasseur.

— Ouf ! soupira-t-il en se dirigeant vers la chambre de Janie. Il y a longtemps que je ne m'étais fait accompagner par un chaperon.

— Vous semblez en avoir besoin, rétorqua-t-elle d'un ton sec.

— Préférez-vous que je m'en aille ?

Elle ne le savait pas. Elle savait seulement que, s'il restait, elle ne serait pas seule. Mais était-ce une raison suffisante pour le retenir ? Pour ne pas avoir à prendre la décision, elle laissa tomber sa main dans celle qu'il lui tendait.

Sa chambre se trouvait au bout d'un petit couloir. Elle glissa sa carte magnétique dans la fente de la serrure, la reprit et attendit que la flèche scintille. Comme il ne se passait rien, elle recommença l'opération. La présence de David derrière elle la rendait maladroite. Après un troisième essai infructueux, elle se redressa avec un soupir d'exaspération.

— Laissez-moi essayer.

Évidemment, il réussit. Elle allongea la main pour ouvrir la porte mais, avant même qu'elle puisse entrer dans la chambre, il avait passé ses bras autour d'elle pour défaire les boutons de son manteau. Il emprisonna ses seins dans ses mains et lui murmura dans le cou :

— J'ai attendu ce moment toute la soirée.

Elle se demanda si elle avait inconsciemment décidé de mettre son tricot de cachemire et de soie pour se rendre désirable.

Il glissa ses mains sous le fin lainage et lui titilla la pointe des seins à travers la dentelle de son soutien-gorge. Elle sentit ses mamelons se durcir, et le rythme de sa respiration s'accéléra. Comme s'il avait attendu ce signal, il la poussa à l'intérieur de la chambre et ferma la porte d'un coup de pied.

Il était presque un étranger pour elle, et c'est ce qui lui plaisait. Peu importe ce qui se passerait entre eux, leur histoire serait brève et passagère. Quelques heures de rêve et de fantaisie. Elle n'en demandait pas davantage.

Il l'aida à retirer son manteau et le laissa tomber à côté du sien, sur la moquette. Elle se tourna pour voir son visage. Elle l'enlaça et se pressa contre lui. Elle sentit son pénis se raidir contre son ventre. Ils évitaient de parler, suspicieux, attentifs aux gestes de l'autre. Ils s'embrassèrent à pleine bouche. Alors il entreprit de défaire les boutons de nacre de son lainage. Il posa ses mains sur ses omoplates et l'entraîna vers le lit. Elle sentit ses lèvres sur sa bouche, puis sur la peau accueillante de ses seins.

Le désir montait en elle. « Il n'est pas question d'amour entre nous », se disait-elle. Ce qu'il lui apporterait lui suffirait et l'emmènerait là où elle voulait aller.

C'est pourquoi elle fut aussi surprise que lui quand elle se libéra de ses bras et s'écarta de lui :

— Non, arrête. Je ne peux pas. Je ne peux tout bonnement pas.

Elle pressa une main contre sa bouche, effrayée à l'idée de vomir, incapable de comprendre la violence de ses émotions, de s'expliquer ce dégoût — non, cette révulsion — alors qu'un instant plus tôt elle lui ouvrait ses bras.

Elle secoua la tête en réprimant un sanglot :

— Je ne sais pas ce que j'ai, mentit-elle.

Il haussa les épaules :

— Ne t'en fais pas. Disons que j'ai mal interprété les signaux.

Devant tant de gentillesse, elle se demanda si elle pouvait se confier à lui et y renonça aussitôt. Il ne voudrait probablement rien entendre. Et même s'il l'écoutait, sa confession ne la mènerait nulle part.

— Je veux, murmura-t-elle, je veux vraiment. Mais c'est trop tôt. Je suis désolée.

« Désolée de battre en retraite. Désolée que mon corps et mon cœur réagissent si brutalement quand j'essaie de les brusquer. »

Il lui toucha délicatement l'épaule et lui dit d'une voix rendue blanche par la déception et le sentiment d'être rejeté :

— Tu n'es pas la seule responsable. Dors bien. Je t'appellerai.

Alors qu'il se rhabillait, il nota que le voyant lumineux du téléphone clignotait :

— Savais-tu que tu avais un message ?

Quand il fut parti, elle se laissa retomber avec lassitude sur son lit. Elle se détestait ; elle assumait tout le blâme pour cet échec. Elle cherchait comment elle pourrait se faire pardonner son incompétence sexuelle, comme si elle n'avait que cela à offrir.

Il était vingt-trois heures quand elle donna de la lumière. La voix du central téléphonique de l'hôtel lut froidement le télégramme :

Message urgent. Explosion gaz sérieusement endommagé Petite Grange. Aucun blessé. Prière appeler Derbyshire Angleterre 01332.

Chapitre dix-sept

À l'abri du vent, dans la cour de la ferme, Janie examinait sa maison. Len et Joan Smedley se tenaient près d'elle sans trop savoir si c'était pour la consoler ou pour se réconforter eux-mêmes.

Le bâtiment de ferme plus petit qui, l'avant-veille encore, était séparé de la Petite Grange par un mur mitoyen, n'était plus qu'un amas de pierres et de décombres sur lequel les poutres du toit et les immenses doubles portes de bois fumaient encore. La cour était un véritable fouillis. Des éclats de verre et de tuiles jonchaient le sol ; un tracteur, couché sur le côté, gisait à l'endroit où l'explosion l'avait renversé. Deux jours après le sinistre, des vapeurs étouffantes flottaient encore dans l'air. On y respirait des odeurs d'huile et de poussière, de gaz, de bois brûlé, de produits chimiques qu'avaient utilisés les pompiers.

Les Smedley se relayaient pour faire des commentaires d'une désolante banalité.

— Y avait des vieilleries entassées depuis des années.

— Des affaires d'avant la guerre.

— Et tout le reste, qui avait été mis là par le grand-père.

— Quoi exactement ? demanda Janie.

— Des réservoirs de butane, répondit Len. Des gros machins, vraiment. Vous les avez jamais vus ?

Il montrait du menton la masse déformée des lourds cylindres de métal qui gisaient dans les flaques d'eau sale. Janie se souvenait vaguement de ces énormes réservoirs de cinq mètres de hauteur et d'un diamètre de deux mètres et demi, que de solides bagues de métal tenaient en place. Adam les avait baptisés « spoutniks ». Elle se rappelait les mastodontes qui venaient périodiquement les remplir au moyen de longs tuyaux jaunes.

— Y en avait quatre. Et un seul était vide, précisa Joan.

— Chez les Pilkinton, y en a vingt, ajouta Len.

— Y faut dire que c'est une grosse propriété.

Janie les interrompit :

— Mais vous pouvez me dire ce qui s'est exactement passé ?

— La grange a pris feu, dit Len, et la chaleur créée par tout ce vieux bois qui brûlait s'est accumulée pendant des heures. Les réservoirs ont été exposés à cette forte chaleur. Sept ou huit heures, qu'ont dit les pompiers. Alors, y se sont enflammés, pis y ont explosé et tout a sauté.

— Si les réservoirs avaient été plus modernes, y aurait jamais eu d'explosion, poursuivit sa femme. Mais vous voyez, ces vieux trucs sans valve de sécurité, pas isolés... Tout a sauté comme un baril de poudre.

Joan jetait sur les ruines un regard sombre. La double grange avait été construite en gros blocs de pierre du Derbyshire, qui pouvaient résister à tout, avait cru Janie. La solidité des murs avait justement limité les dégâts.

Janie entra chez elle avec Joan pour constater l'ampleur des dommages. Une partie de sa cuisine s'ouvrait maintenant sur le trou béant qu'avait été la réserve de butane.

Le tableau d'affichage sur lequel étaient épinglés mémos, listes d'épicerie, reçus était resté intact au milieu du chaos ambiant. Des petits bouts de papier avaient échappé au désastre, tandis que la robuste table en bois avait été sérieusement abîmée par les débris de toutes sortes qui la recouvraient. Un grand trou dans le plafond permettait de constater qu'un pan du mur du couloir de l'étage s'était écroulé. À part quelques tuiles du toit retrouvées dans la cour, c'étaient les seuls dommages qu'avait subis la structure de la maison. Les vitres des deux pièces de l'étage avaient été fracassées par la force de l'explosion. Des éclats de verre recouvraient son bureau et s'étaient même logés dans l'imprimante, qu'il lui faudrait remplacer. L'ordinateur lui-même était couvert d'une couche de suie grasse, mais il n'avait pas subi de dommage. Les notes et les dossiers gardés dans son classeur étaient intacts.

Elle se laissa tomber lourdement sur son lit. Le feu lui apparaissait comme une violation analogue à celle d'un cambriolage. Si Adam avait été présent, il aurait probablement été blessé. Son fils et elle-même auraient pu être tués. Elle frissonna de peur. Elle avait été poussée devant une voiture roulant à bonne vitesse, puis quelques semaines plus tard, une explosion s'était produite chez elle.

Que lui arrivait-il donc ? Elle n'était pas particulièrement paranoïaque, mais elle ne pouvait s'empêcher d'associer ces faits troublants au projet auquel elle travaillait. Elle semblait gêner beaucoup de monde depuis qu'elle avait entrepris d'écrire la biographie de Mama. Elle posait des questions qui allaient bien au-delà de la courte liste que lui avait fournie la fondation Krzysztof; elle avait mis au jour certaines contradictions, relevé certaines anomalies et même mis le doigt sur des mensonges évidents. Son voyage en Pologne et l'entrevue qu'elle avait obtenue du major Lachowski avaient visiblement contrarié Oliver Jodrell. Mais cet homme, elle en était convaincue, n'avait pas de pouvoir réel au sein de la Fondation. Qui d'autre alors pouvait redouter ce qu'elle pourrait déterrer? La Fondation elle-même devait être exclue de ces soupçons. À la faveur de sa démarche au Vatican, ses recherches avaient progressé au-delà de ses espérances. Le cardinal Uguccioni avait insisté pour que leur conversation reste confidentielle. Le Vatican voudrait-il éviter que certaines questions relatives à Mama et à son œuvre ne soient débattues en public ?

Elle avait été bousculée dans la rue vingt minutes après avoir quitté le cardinal. Elle ne cessait de se répéter qu'elle devait garder la tête froide. Ces gens ne se compromettent jamais personnellement dans des affaires louches. Le corps du banquier Calvi, pendu au tablier du pont Blackfriars enjambant la Tamise, surgit dans son esprit.

Quand les deux femmes sortirent de la maison, Len balayait les éclats de verre dans la cour :

— Y faut remercier le bon Dieu que vous ayez pas été dans la maison, vous et votre petit gars, quand ça s'est passé.

— Ça aurait pu être ben pire si le feu avait pris dans la maison, renchérit Joan.

Janie finit par poser la question qui l'avait hantée depuis qu'elle avait quitté New York :

— Où l'incendie a-t-il commencé ?

Len et Joan se regardèrent.

— Hier, le chef inspecteur des incendies a passé des heures à tout retourner...

— C'est normal, l'interrompit sa femme. Y font ça après chaque feu. Y voulait savoir si le chauffe-eau était ben vieux, si y avait pas du mazout, ou quelque chose comme ça, tout près. « Cause probable : entretien insuffisant », qu'y a écrit dans son rapport.

— Entretien insuffisant, répéta Len, rouge d'indignation. Mais on a fait le travail d'inspection à la fin de l'hiver, que je lui ai dit. « Pas besoin d'autre enquête », qu'y a dit quand même.

Joan posa un bras protecteur sur les épaules de Janie :

— Ça va pour vous, ma petite dame ? Vous avez l'air terrible.

Chapitre dix-huit

Environ quinze jours plus tard, sous l'impulsion du moment, Janie décrocha son téléphone et composa un numéro :

— Monsieur Jim Harley ? Ici Janie Paxton. Je suis venue vous voir à la maison du Calice il y a environ un mois. ... Je vais très bien, merci. Je voulais simplement vous remercier de m'avoir laissée prendre de votre temps à cette occasion. Je voulais aussi m'informer au sujet de cette dame très malade au chevet de qui Mama avait passé un long moment ce jour-là.

— Vous parlez de Mrs Desmond, j'imagine. Elle est malheureusemnt décédée un jour ou deux après votre passage chez nous. C'était...

« Évidemment, pensa Janie, elle n'a pas vécu, que Mama lui ait tenu la main ou pas. »

— ... Vous vous souvenez de David, ce jeune homme qui ne pouvait plus parler ?

— Oui, je garde un souvenir très précis de lui.

Il parle maintenant. De façon tout à fait normale, si vous jugez normal l'accent très particulier de Liverpool. C'est vraiment très heureux pour lui. Si tout continue de bien aller, nous pourrons bientôt le placer dans un centre de rééducation. Malheureusement, nous n'avons aucune idée de la raison qui a provoqué ce changement subit, de sorte que nous ne pouvons pas enregistrer officiellement son cas.

— Qu'avez-vous fait ?

— Rien. Nous avons continué comme avant. Il a passé deux ans dans l'une ou l'autre maison du Calice : son passage parmi nous l'a peut-être aidé à s'en tirer. Ou peut-être a-t-il décidé lui-même qu'il était temps de sortir de son mutisme. C'est toutefois providentiel qu'il ait été assis à côté de Mama lorsqu'elle nous a rendu visite ce jour-là. Un heureux hasard. Il a recommencé à parler, de façon toute naturelle, au petit-déjeuner du lendemain.

— Ce n'était pas un hasard, dit lentement Janie. Mama a fait déplacer quelqu'un d'autre pour s'asseoir auprès de lui.

Harley parut réfléchir à l'autre bout du fil :

— C'est juste. J'avais oublié que le vieux Patrick était assis à l'autre bout de la table.

— Et elle a posé la main sur l'épaule de David.

— Vraiment? Je n'ai jamais pensé qu'il y avait eu le moindre contact physique entre eux. De quelle façon l'a-t-elle touché?

Janie décrivit pour lui ce qu'elle avait vu. Mais elle ne dit rien du soleil qui tombait sur eux, exactement comme dans les tableaux à sujet religieux. C'était une image trop fantaisiste, et Harley était un homme pratique.

— Bon, bon, bon...

— Est-ce que Mama avait rencontré David auparavant?

— Certainement. Lors de sa visite précédente, elle était restée deux jours parmi nous et avait fait le tour de la maison. Mais non! Écoutez. David est arrivé ici il y a six mois seulement. De sorte que, non, elle ne l'avait jamais rencontré. Et personne ne lui avait parlé de lui non plus.

Janie se sentait mal à l'aise de poser la question, mais elle osa tout de même :

— Avez-vous déjà vu Mama opérer un miracle?

— Non. Mais j'en ai entendu parler, évidemment. Certains membres du Calice prétendent avoir assisté à l'un ou à l'autre. Aucun d'entre eux, cependant, n'a dit avoir été témoin de quelque chose d'extraordinaire. À ma connaissance, il n'est jamais arrivé qu'un malade se soit levé de sa civière et ait marché.

— Pensez-vous qu'il faudrait considérer la guérison de David comme un phénomène extraordinaire?

Il choisit prudemment ses mots :

— Mama semble être une guérisseuse naturelle. Comme je vous l'ai dit, je ne suis pas médecin, de sorte que j'ignore si elle a effectivement guéri notre David. Il y a deux façons de considérer la question. Les cyniques feront valoir qu'il a enfin réagi aux traitements en cours : il a choisi de reprendre la parole. La présence de Mama, la veille, est une pure coïncidence. Les croyants soutiendront que Mama a guéri David en posant la main sur son épaule. Ne dit-on pas que la coïncidence est un miracle qui permet à Dieu de rester anonyme ? Ce n'est certainement pas moi qui peux trancher la question. Vous n'avez qu'à choisir.

— C'est ce que je ferai, dit Janie.

Chapitre dix-neuf

Patrice Akonda avait entendu parler de Mama à l'école du dimanche. Sœur Ernestina avait appris aux enfants que cette dame célèbre allait venir au Gabon pour inaugurer une maison où viendraient tous ceux qui ont de gros problèmes. Elle se rendait partout dans le monde pour aider les gens, avait rapporté sœur Ernestina. Mama était une personne ordinaire, comme les enfants eux-mêmes et les religieuses, mais elle accomplissait de temps à autre des prodiges et faisait en sorte que des événements merveilleux se produisent. Le premier miracle était survenu à l'époque où elle n'était encore qu'une jeune femme : alors qu'elle venait de mourir, les anges l'avaient soulevée au-dessus de son lit et ramenée à la vie.

Patrice écoutait attentivement, le visage pensif. Quand il apprit qu'un car serait nolisé pour amener les religieuses voir la dame étrangère, il supplia qu'on lui permette de venir avec son frère. Jean plaida aussi sa propre cause. Comme les deux garçons avaient toujours été leurs chouchous, les sœurs leur réservèrent des places ainsi qu'à leur mère.

Patrice ne fut pas surpris de cette faveur qu'on lui accordait : il avait prié, comme sa mère le lui avait appris, et il avait obtenu une réponse. Cette Mama était morte, puis elle était revenue à la vie. Si une dame entière avait pu ressusciter par miracle, nul doute que cela pouvait aussi se produire pour une simple jambe.

Chapitre vingt

Cinq semaines après que le professeur Portmain, de l'université d'Urbana-Champagne, lui eut communiqué le nom et l'adresse du prêtre français qui avait fait partie de la commission papale d'enquête, Janie s'envola pour la France. À l'aéroport de Toulouse, elle loua une Renault 4. La simplicité des formalités de location l'avait indûment portée à croire que la suite de son voyage se déroulerait aussi facilement. La réalité fut bien différente. Elle avait demandé, au comptoir de Renault, qu'on lui indique, sur sa grande carte routière, les routes qu'elle devait emprunter. Elle avait noté, au fur et à mesure, le nom de chacune des petites villes par lesquelles il lui faudrait passer et fixé la liste bien en évidence sur le tableau de bord. Son peu d'expérience au volant d'une voiture à boîte manuelle et l'obligation de rouler à droite ne l'aidèrent pas à manœuvrer aisément dans la circulation nerveuse. Elle était déjà épuisée au moment où elle atteignit la voie rapide.

Elle mit deux heures, incluant un arrêt dans un restaurant de routiers pour y manger une omelette et de la baguette craquante, pour atteindre Castres. L'afflux des touristes, dans cette ville aux rues tortueuses bordées de maisons étroites, ne semblait aucunement gêner l'activité fébrile des magasins d'alimentation et du marché bihebdomadaire. Après avoir réservé une chambre dans une pension, elle se rendit à l'adresse que lui avait donnée le professeur Portmain.

La rue de l'Horloge était située dans la ville ancienne, juste derrière l'église Saint-Raymond. Un court escalier de marbre craquelé conduisait à la porte qu'elle cherchait. Des plantes grimpantes mal entretenues tapissaient les murs de pierre ; les appuis des fenêtres étaient affaissés. La sonnette résonna comme si la maison était entièrement vide.

Elle crut apercevoir quelqu'un à la fenêtre de l'étage, mais un deuxième coup de sonnette ne reçut pas davantage de réponse. Elle fit les cent pas devant la maison durant une bonne demi-heure, avant qu'une pluie légère la force à chercher un abri sous un porche, juste en face.

Le professeur Portmain avait naguère réussi à obtenir une interview du prêtre français et ils avaient par la suite entretenu une correspondance plus ou moins suivie jusqu'au milieu de l'année précédente. S'il était toujours vivant, avait-il assuré à Janie, elle trouverait l'abbé Sauvel, rue de l'Horloge. Elle patienta encore dix minutes avant de se décider à partir pour revenir un peu plus tard. Soudain la porte s'ouvrit.

Un homme entièrement vêtu de noir, grand et courbé sortit et ouvrit un large parapluie. Des boucles grises s'échappaient de son chapeau ; de longues années d'usage avaient lustré les basques de son manteau et retroussé le bout de ses lourdes bottes râpées.

Il remonta la rue d'un pas étonnamment rapide. Elle courut derrière lui :

— Monsieur l'abbé, excusez-moi, s'il vous plaît.

Il s'arrêta pour jeter un bref coup d'œil à cette femme qui s'était adressée à lui dans un français aux consonances étrangères. Puis il poursuivit sa route comme s'il était pressé de se rendre ailleurs.

— C'est très important, continua-t-elle. Je suis Janie Paxton. Je vous ai déjà écrit trois lettres, mais je n'ai jamais reçu de réponse.

L'abbé Sauvel arrondit le dos sans qu'elle sache si c'était pour se prémunir contre la pluie ou contre elle.

— Le cardinal Uguccioni m'a dit...

— Le cardinal Uguccioni ? demanda-t-il, visiblement intéressé. Vous avez parlé avec le cardinal ?

— Oui, au Vatican, répondit-elle en lui tendant la carte qu'elle avait ramassée sur le bureau du cardinal.

Il la regarda dans les yeux. Ses lunettes à monture dorée agrandissaient ses doux yeux bruns, bordés de rouge comme s'il lisait trop.

Il la précéda dans un escalier mal éclairé. La maison sentait le tabac refroidi et l'humidité.

— La commission d'enquête a été formée il y a près de quarante ans, murmura-t-il d'un ton ennuyé. J'ai oublié les détails.

— C'est pourquoi vous n'avez pas répondu à mes lettres ?

— Je ne crois pas que ce que je pourrais vous dire ait quelque intérêt.

— Mais vous êtes le seul survivant.

— Et si vous aviez attendu encore un an ou deux, déclara-t-il en s'arrêtant au milieu de l'escalier, il n'y aurait plus eu personne.

— J'aimerais vous poser quelques questions.

— Évidemment. Mais je ne vous apprendrai pas grand-chose.

Une fois qu'ils furent parvenus au premier étage, il la fit entrer dans ce qui était sûrement son bureau. La pièce située à l'arrière de la maison était sombre, le toit du balcon bloquant une grande partie de la lumière qui aurait dû entrer par les deux fenêtres. Le point de vue était cependant étonnant : le balcon donnait directement sur la rivière, dont les eaux brunâtres coulaient rapidement au pied même de la maison. Au loin, estompées par la pluie et le brouillard, s'étendaient des montagnes teintées de rose. Il faisait froid dans la pièce.

Le vieillard sortit une boîte d'allumettes de sa poche et se pencha péniblement pour allumer un petit poêle à gaz. Le bruit d'explosion qui se produisit au moment où apparut une flamme vive n'avait rien de trop rassurant.

— Je ne comprends pas pourquoi vous vous intéressez à cette histoire après toutes ces années, dit-il en se redressant avec un effort visible.

— Monsieur l'abbé, je vous ai écrit une longue lettre d'explication.

Elle avait fait un effort pour cacher son exaspération. En guise de réponse, il fit un geste impuissant en direction de sa table de travail, où s'amoncelaient pêle-mêle papiers et dossiers. Les boîtes à courrier débordaient; il y avait même des documents accumulés sur le plancher.

Tout en lui parlant de son livre commandité par la Fondation, elle examinait la pièce. Les murs défraîchis, qu'on avait autrefois peints d'un blanc cassé déprimant, ne portaient aucun élément décoratif excepté un grand crucifix de bois suspendu entre les deux fenêtres.

Quand elle eut exposé le but de sa visite, le vieux prêtre hocha la tête :

— Vous avez donc parlé au cardinal Uguccioni. Eh bien ! je suis en noble compagnie, non ? Notre tâche visait à déterminer si Magda Lachowska avait inventé son histoire de toutes pièces ou si elle était l'objet d'un phénomène qu'elle ne contrôlait pas. Si nous avions endossé la seconde hypothèse, nous aurions dû nous prononcer sur l'origine de son expérience : ou bien Magda avait été choisie par Dieu, ou bien elle était la proie du démon.

Il fit glisser son manteau de ses épaules et le laissa tomber par terre :

— Il existe une difficulté à Rome : on considère que la psychologie et la religion sont deux domaines radicalement séparés. Freud et Jung sont athées et, par conséquent, leurs théories sont suspectes. Nous sommes néanmoins forcés de reconnaître que parfois la maladie aide une personne à développer son sentiment religieux.

Il libéra une chaise et, avec une courtoisie un peu surannée, il invita Janie à s'y asseoir.

— Vous savez probablement qu'il est difficile de distinguer le trauma psychologique de l'extase religieuse. Dans un cas comme dans l'autre, on observe une absence de perception et de contrôle corporels, et possiblement une perte de conscience.

— Où donc se situe la différence ?

— Une authentique expérience mystique enrichit la personne qui la vit et la rapproche de Dieu.

— Et la commission devait trancher : Magda Lachowska donnait le change ou bien elle était l'objet de complaisances divines ou de manœuvres sataniques.

— Nous devions vérifier tous les signes qui auraient pu relever de la parapsychologie. Ce qui supposait des séries exhaustives de tests et d'études cliniques.

— Quels en ont été les résultats ?

— Il n'y a pas eu de résultats. Le cardinal Cesar Viani nous a fait savoir que nos services n'étaient plus requis. La commission a été dissoute.

— Le professeur Portmain m'a dit qu'une telle mesure n'avait aucun précédent dans l'histoire du Vatican.

— Et il a sûrement raison.

— J'ai compris que le pape Jean avait accordé à la communauté du Calice, fondée par Mama, le statut d'ordre religieux beaucoup plus tôt que ses conseillers de la curie romaine ne l'auraient voulu. On lui aurait même reproché d'être allé trop vite.

— Vous semblez bien informée, Miss Paxton.

Son anglais, elle s'en rendait compte avec une certaine gêne, était plus élégant que le sien.

— Ainsi, risqua-t-elle, la commission a peut-être été dissoute parce qu'elle risquait de faire ressortir certains aspects plus troubles de la personnalité de Magda Lachowska, ce qui aurait empêché son groupe de se voir accorder le statut qu'elle postulait.

— On peut facilement faire cette lecture des événements, admit-il en lui jetant rapidement un regard de côté. Mais on suppose alors que les cardinaux et le pape s'entendaient unanimement sur la sainteté de Mama et sur la valeur de son œuvre. Il faut cependant faire remarquer que les cardinaux ne sont pas nécessairement les amis du pape régnant, objecta-t-il. Le cardinal Viani était inflexible : pour lui, les visions étaient simulées. Il était convaincu que la commission arriverait à la même conclusion. Il ne voyait pas comment elle pouvait en décider autrement.

Janie le regarda pensivement, mais l'abbé Sauvel n'ajouta rien. Elle avait assez de psychologie pour déceler un certain désenchantement chez cet homme. L'abbé Sauvel n'était pas un prêtre ordinaire. On pouvait s'en convaincre en jetant un simple regard à l'intérieur de son bureau : la pièce était encombrée de livres et de documents de toutes sortes, certains ouverts, d'autres farcis de signets jaunes.

C'était un universitaire, un chercheur. Il avait enseigné dans des facultés de théologie quand il était beaucoup plus jeune ; il avait même participé à des commissions d'enquête ecclésiastiques. Que faisait cet érudit polyglotte à Castres, au fond de la France rurale, dans une société de provinciaux ?

— C'est votre participation à la commission qui vous a conduit au Brésil ?

— À l'époque, j'enseignais la théologie au séminaire diocésain. C'était à peu près vingt ans avant les remarquables apparitions de la Vierge Marie à un groupe d'enfants yougoslaves de Medjugorje. Avec Magda Lachowska, nous avions l'occasion d'observer une voyante en extase et d'en parler avec elle par la suite. Il y avait aussi, bien sûr, les présomptions relatives à des guérisons miraculeuses. C'était proprement incroyable, toute cette histoire !

Son visage s'assombrit soudain :

— Et nous, les six représentants de l'Église, nous avons réagi d'une façon que je peux difficilement aujourd'hui considérer avec indulgence.

— Que voulez-vous dire ?

— D'une part, nous avons utilisé un équipement scientifique de pointe. Nous avions à notre disposition un appareillage technique des plus sophistiqués. D'autre part, nous l'avons soumise à des procédés qui auraient mieux convenu aux bourreaux du Moyen Âge, avoua-t-il d'une voix triste.

Il se tut brusquement, comme s'il avait le sentiment d'en avoir trop dit.

Janie, en se redressant sur sa chaise, le confirma dans ses craintes. Elle vit ses traits se durcir et se résolut à prendre bien garde de ne pas l'effaroucher davantage. Elle choisit donc une question qui permettrait au prêtre de quitter un terrain qu'il jugeait sans doute trop dangereux :

— Vous croyez donc qu'elle a eu des visions ?

Visiblement soulagé, il répondit :

— Nous avons tous supposé que c'était possible. L'Église a maintenant adopté une forme de rationalisme qui l'amène à rejeter ces phénomènes du revers de la main, en les considérant comme des hallucinations. Il y a quarante ans, toutefois, nous avions un esprit moins critique. Nous lui avons donc fait passer plusieurs examens : médicaux, psychologiques, psychiatriques.

Il s'arrêta, perdu dans ses pensées. Janie observait ses yeux brillants d'intelligence, sa bouche ridée qui devait avoir jadis exprimé la passion. Puis le vieux prêtre soupira et poursuivit :

— Il fallait envisager la possibilité que nous ayons affaire à une schizophrène. Les schizos peuvent connaître des états extatiques et des visions mystiques très semblables à ce qu'ont décrit les saints de l'époque médiévale. Mais nos tests ne montraient aucun signe de schizophrénie chez elle. Elle était normale. Disons, pour être rigoureux, qu'elle l'était à l'époque. J'ai alors posé la question, et je la pose encore : doit-on considérer que la normalité du sujet est un critère incontournable de la validité d'une vision? Les grands visionnaires — Thérèse d'Avila, Jean de la Croix, François d'Assise — étaient de grands névrosés, affectés de graves problèmes psychologiques. S'ils vivaient maintenant, ils seraient étiquetés comme hystériques. Saint François était très certainement maniacodépressif. Sainte Thérèse souffrait vraisemblablement d'une forme maligne de malaria, et elle était anorexique et probablement épileptique. Il est possible que les épisodes de lévitation qu'elle décrit, alors que Dieu l'aurait soulevée, corps et âme, dans les airs, aient coïncidé avec les épisodes de ce qu'on appelait le haut mal. Cas extrêmement intéressant, très séduisant, acheva-t-il, l'air ravi.

— Attendez une minute, s'écria Janie. Mama n'a-t-elle pas eu une expérience similaire?

Il ignorait ce détail. Il posa ses coudes sur son bureau et joignit le bout de ses doigts comme pour mieux contrôler le fil de ses idées :

— Quelle est l'importance de cheminer vers la vérité par une voie ou une autre, pourvu qu'on y parvienne? Est-ce tellement important de savoir qu'on doit le travail admirable qu'accomplit Mama, tout le bien qu'elle fait à travers le monde à une santé déficiente ou à une expérience émotionnelle malheureuse? Les drogues peuvent conduire à ces sortes d'états quasi mystiques. Le LSD, par exemple, ou encore l'oxyde nitreux et la mescaline. Quand Magda décrivait ses visions, elle employait des mots qui faisaient penser à des expériences psychédéliques. La vivacité des couleurs, la lumière éblouissante, les changements dans le temps. Mama était-elle une adepte de la drogue à l'époque? Rien, dans les tests auxquels nous l'avons soumise, ne permettait de le confirmer.

— Il me semble, lui fit calmement observer Janie, qu'en dépit de ce que vous dites, vous avez le souvenir très vif de ce qui est arrivé à l'époque.

— Dans toute ma carrière, je n'ai jamais rencontré personne qui ait soulevé autant de controverses ou suscité autant d'intrigues.

Il se leva péniblement pour aller fouiller dans un gros classeur gris, les yeux collés sur les étiquettes d'identification. Il finit par sortir un dossier avec un grognement de triomphe et l'ouvrit.

Janie revint à la charge :

— Vous avez dit, il y a une minute, que Thérèse d'Avila était épileptique. Mama pourrait-elle l'être aussi?

— Nous avons d'abord cru que cette maladie pourrait expliquer la première vision. Un spécialiste a enregistré l'activité électrique de son cerveau alors qu'elle était en état d'extase : mais le tracé de l'encéphalogramme a prouvé que les ondes normales, dites alpha, apparaissaient à une fréquence de dix par seconde. Aucune trace des ondes delta qu'on remarque chez les sujets épileptiques.

Il sortit du dossier une série de photos en noir et blanc de piètre qualité, qui étaient de façon évidente l'œuvre d'un amateur, et les étala sur son bureau. Sur ces photos prises plus de trente ans auparavant, Mama apparaissait très peu différente de maintenant : la même robe crème, les mêmes cheveux aux reflets dorés, les mêmes yeux d'une étonnante vivacité. Certaines la montraient en prière, agenouillée à même le sol. Sur d'autres, une main ou un bras laissaient deviner une présence à ses côtés. Deux ou trois autres clichés la montraient assise, avec des fils reliés à sa tête.

L'abbé Sauvel en choisit une sur laquelle Mama était installée devant une sorte de périscope, le menton posé sur un appui. Un homme lui faisait face.

— L'ophtalmologue n'a diagnostiqué aucune anomalie. Nous avons utilisé un esthésiomètre — un fil de nylon qu'on appuie sur la cornée — pour vérifier si elle clignait des yeux ou si elle sourcillait quand elle entrait en transe. Nous avons pu constater que les globes oculaires étaient parfaitement immobiles et que la lumière très forte ne la faisait pas ciller. Ce test a établi qu'elle n'utilisait pas les canaux visuels normaux : en d'autres mots, elle n'observait pas quelque chose, elle l'expérimentait.

Il se tut pendant un moment avant de poursuivre :

— La Pucelle a vu des anges lui apparaître à partir de l'âge de treize ans.

— La Pucelle?

— Jeanne d'Arc.

Il chercha une autre photo ct la lui tendit. On y voyait Magda Lachowska agenouillée devant un mur nu. Un homme grand et très mince se tenait juste derrière elle, la main droite levée et ramenée en arrière comme s'il était sur le point de lui enfoncer dans le dos ce qui semblait être un couteau à lame très fine. Mama, recroquevillée sur elle-même comme un enfant terrorisé, semblait totalement vulnérable aux pieds de cet homme penché au-dessus d'elle avec des desseins apparemment meurtriers.

— Vous voyez cette longue aiguille? demanda l'abbé Sauvel.

Janie se rendit alors compte que ce qu'elle avait pris pour un couteau était en fait une aiguille semblable à celle que le vétérinaire, au Derbyshire, utilisait pour prélever des échantillons sanguins sur les chevaux :

— Vous faisiez allusion à des tests de ce genre quand vous avez parlé de tortures moyenâgeuses? demanda Janie.

Elle vit alors à son air qu'il regrettait d'en avoir trop dit quelques instants auparavant. Il acquiesça cependant, avec une moue de dégoût évident :

— Paulo Lopes était professeur de dogme, à Rio de Janeiro. Je crois que...

Il trouva une autre photo semblable et la pointa d'un doigt tremblant :

On y voyait Paulo Lopes planter l'aiguille dans l'omoplate de Mama.

— Aucune stérilisation, fit remarquer l'abbé Sauvel. Nous avons alors protesté. Nous avons dit : « Qu'êtes-vous en train de faire, monsieur ? » Il nous a répondu qu'il voulait être certain que le sujet ne jouait pas la comédie. Pouvez-vous le croire, madame ? Voilà en effet un procédé digne du Moyen Âge. Moyenâgeux ! Et brutal. Brutal, répéta-t-il d'une voix tremblante. Faire ça à une jeune femme... Lopes aurait été...

— A-t-elle été blessée ?

— Elle n'a apparemment rien ressenti sur le moment. Mais, plus tard, nous avons tous vu une tache de sang sur son chemisier. Je crois qu'aucun de nous n'a eu la décence de s'informer si elle souffrait. Nous avons eu une terrible dispute avec Lopes. Il ne nous avait pas informés de ses intentions, vous savez. Je lui ai dit : « Tant qu'à faire ça, pourquoi ne l'attachez-vous pas dans un sac et ne la jetez-vous pas dans le fleuve ? Si elle survit, nous saurons que c'est une sorcière. Ce procédé aurait autant de valeur scientifique que ce que vous venez de faire. »

Il tira rageusement un fil sur sa veste. Il paraissait encore indigné :

— Je suis porté à croire que c'est à ce moment-là que les choses ont commencé à se gâter. J'ai senti un conflit larvé. Nous l'avons soumise à d'autres tests. Je ne pense pas qu'elle y ait fait objection, loin de là. Nous étions mandatés par l'Église, et n'agissions pas sans la permission de l'intéressée, du moins après le tour que nous avait joué Lopes avec sa maudite aiguille.

Il prit une profonde respiration, comme s'il avait voulu chasser le souvenir des douleurs qu'il avait contribué à lui infliger :

— Pendant les visions, elle était inconsciente. Nous l'avons gardée agenouillée pendant des périodes allant jusqu'à trois quarts d'heure, avec des fils reliés à sa tête. Nous avons appliqué sur son épiderme des plaques d'argent chauffées pour mesurer les variations de sa sensibilité. Nous avons déclenché des bruits violents et inattendus pour voir si elle entendait. Et il y avait plus encore.

Il hésita, tandis que Janie devinait le combat intérieur qui se livrait en lui. Elle nota que la tension faisait cligner ses paupières. Il se détermina enfin et reprit d'une voix ferme, comme s'il faisait une déclaration longuement retenue :

— Magda Lachowska était à cette époque une jeune et belle femme. De notre côté, nous étions un groupe de clercs. Je mentirais si je n'admettais pas que nous trouvions une excitation perverse dans notre travail. Une excitation sexuelle. Après toutes ces années, ajouta-t-il d'une voix saccadée, en fixant ses mains, j'ai encore honte d'en parler.

— Diriez-vous que c'était la même chose pour vos compagnons ?

— Je me suis exprimé clairement sur ce sujet.

— Il doit bien rester des comptes rendus. Des déclarations écrites.

— J'ai entendu dire que tous les rapports avaient été... égarés.

Janie comprit alors qu'on avait exilé l'abbé Sauvel dans cette région éloignée pour le faire taire.

Il semblait une fois de plus perdu dans ses souvenirs. Janie toussa pour le ramener sur terre, et il leva la main comme pour s'excuser.

— Il y a eu d'autres études cliniques, évidemment. Des électrocardiogrammes, entre autres, qui ont donné des résultats renversants : elle était absolument détendue, comme si elle était entrée en contemplation. Les contractions de son cœur étaient normales. En fait, son cœur ralentissait à un certain moment.

— Vous ne croyez donc pas qu'elle ait joué la comédie ?

Il la regarda d'un air sombre :

— Les psychologues qui se sont penchés sur les cas d'apparitions n'écartent pas la possibilité que les sujets puissent vraiment voir quelqu'un ou quelque chose d'extérieur à leur personne. Mais, d'habitude, les visionnaires rejoindraient plutôt les niveaux très pro fonds de leur moi. Et pourtant, quand j'observais Mama en extase, quand je prenais la mesure de l'extraordinaire expérience... Je suis toujours persuadé qu'elle jouit d'un contact privilégié avec la divinité.

— Vous croyez vraiment en elle ?

Le prêtre soupira. Il fixait ses paumes parcheminées comme s'il allait y trouver une réponse. Puis il regarda sa visiteuse droit dans les yeux :

— Il y a quarante ans, je me suis présenté à la commission avec une attitude cynique et suspicieuse. Mais j'ai plus tard découvert une vérité que je ne soupçonnais pas au départ. Je crois que Dieu a accompli certains miracles par l'intermédiaire de Mama. Cette femme m'a fait voir le pouvoir de l'amour.

Ces mots, dans la bouche de quelqu'un d'autre, auraient paru d'une ridicule banalité. Mais, sur les lèvres de l'abbé Sauvel, ils prenaient une force incroyable.

La pièce s'était réchauffée. L'écho de l'Agout qui cascadait sur des pierres invisibles montait jusqu'aux fenêtres mouillées par la pluie. Janie parla à mi-voix :

— Donc, comme membre de cette commission, qui a inopinément été dissoute, vous auriez appuyé Mama. Vous auriez déclaré que ses visions étaient d'origine divine. Peut-être vos collègues se seraient-ils prononcés dans le même sens. Et c'est justement cette conclusion que le cardinal refusait d'entendre. Alors, il a tout arrêté.

Pendant qu'il l'écoutait, les yeux fermés, l'abbé Sauvel parut soudain vidé de toute son énergie. Puis il rouvrit les yeux et fit un petit signe de tête affirmatif presque imperceptible. Alors Janie poursuivit sur le même ton :

— Mais c'est le pape Jean qui a eu le dernier mot : il a enfin reconnu officiellement l'ordre religieux fondé par Mama.

— Cela aura été l'un des derniers actes du pape Jean. Il a déclaré à cette occasion qu'elle était un « signe des temps ».

Puis le vieux prêtre se leva, tandis que Janie ramassait son bloc-notes :

— Je vous remercie infiniment d'avoir bien voulu me recevoir. Je sais que je me suis imposée et j'apprécie votre gentillesse. Je vous suis reconnaissante de m'avoir donné toutes ces explications. Elles faciliteront beaucoup mon travail.

— J'en suis heureux, dit-il en lui adressant un sourire fatigué.

En la raccompagnant, il s'arrêta, comme si une pensée venait de le frapper :

— Expliquer, dit-il comme en se parlant à lui-même, n'est pas la même chose que justifier.

Chapitre vingt et un

L'avion avait décollé depuis déjà vingt minutes quand Janie remarqua la femme assise près du hublot. Elle nota alors le raffinement de sa veste magnifiquement coupée et le cuir souple de son porte-documents.

— Que voulez-vous boire ? leur demanda l'hôtesse.

Janie prit du café, puis ellc entendit une voix bien timbrée demander en français :

— Un jus d'orange, s'il vous plaît.

L'hôtesse déposa les boissons sur leur tablette et Janie continua d'écrire le compte rendu de la conversation qu'elle avait eue avec l'abbé Sauvel.

L'avion entra dans une zone de turbulences très peu de temps après avoir atteint son altitude de croisière. Le pilote avait à peine commencé à formuler un avertissement que l'avion fit une soudaine embardée. Un passager qui revenait des toilettes vacilla juste à la hauteur du siège de Janie et renversa sur elle le gobelet d'eau qu'il tenait dans ses mains, éclaboussant du coup son enregistreuse. Tandis que Janie, les bras levés, empêchait l'homme de tomber sur elle, sa voisine de cabine saisit le petit appareil noir avant qu'il ne tombe sur le plancher. Elle le déposa sur le siège vide qui la séparait de Janie et l'épongea avec un long foulard de chiffon de soie.

Une fois l'ordre rétabli, Janie la remercia :

— Mais je crains, ajouta-t-elle, que votre foulard ne soit perdu.

La femme sourit en lissant le tissu :

— Pas du tout. Ce n'est que de l'eau et il sera bientôt sec.

Pendant qu'elle parlait, Janie avait remarqué ses doigts ronds aux ongles peints. Elle portait deux anneaux baroques, surmontés chacun d'une perle, qui devaient valoir une petite fortune. Janie remit son appareil en marche et entendit avec soulagement dans ses écouteurs la voix véhémente de l'abbé. Elle dit alors à sa voisine :

— La bande n'a subi aucun dommage. Je vous suis très reconnaissante, parce que c'est un enregistrement qu'il m'aurait été impossible de reprendre.

— À vous voir aussi absorbée, j'ai pu me rendre compte qu'il s'agit d'un travail important.

Sa façon de parler paraissait quelque peu guindée et, même si son accent était à peine perceptible, Janie pensa qu'elle devait être allemande. C'était une femme robuste aux traits forts et réguliers. Ses cheveux étaient artistement retenus sur sa nuque. Elle avait une façon de porter la tête haute, sur des épaules détendues, qui la faisait paraître plus jeune qu'elle ne l'était probablement. Sa peau ridée et ses mains trahissaient la soixantaine avancée. Elle avait une physionomie énigmatique, rappelant les masques incas.

L'avion piqua soudain du nez et Janie allongea le cou pour regarder dans le hublot.

— Le Massif central, dit la femme. On reconnaît facilement les sommets.

L'équipage parcourut les allées pour inciter les gens à boucler leur ceinture. L'avion vacilla une fois encore et une voix inquiète demanda :

— Oh, mon Dieu ! Est-ce que nous allons être forcés d'atterrir ?

Janie songea qu'elle devait paraître inquiète, car sa voisine la rassura gentiment :

— Même s'il le fallait, ce ne serait pas si terrible, vous savez.

— J'envisageais déjà de passer mon gilet de sauvetage et de vérifier le masque à oxygène.

Au même instant, la voix du pilote se fit entendre : « Nous éprouvons des problèmes techniques mineurs. Nous allons en conséquence atterrir à Clermont-Ferrand. Nous poursuivrons le voyage demain matin. Veuillez nous excuser pour les inconvénients que ce contretemps pourra vous occasionner. »

Les deux femmes se regardèrent.

— Je peux aussi bien travailler dans ma chambre d'hôtel que n'importe où ailleurs, déclara Janie avec philosophie.

— Heureusement que personne ne m'attend à Paris.

— Personne ne m'attend dans les aéroports, ces jours-ci, se moqua Janie avec une ironie désabusée. J'ai tout mon temps à moi, si l'on peut dire. Malheureusement !

— Quand nous voyagions pour affaires, mon mari et moi, nous adorions ces contretemps. Ils nous donnaient l'illusion de faire une escapade illicite... Après quarante ans de mariage, c'est une sensation assez rare. Il me manque tellement.

Janie reçut cette confidence empreinte de tristesse comme un aveu qu'on ne fait qu'à des inconnus. Elle savait par expérience que le sentiment de solitude est le mieux gardé des secrets.

— Je suis désolée. Je suis seule, moi aussi. Divorcée.

Elle avait depuis longtemps découvert l'une des règles d'un bon interviewer : racontez à votre sujet quelque chose d'intime, de préférence négatif, et vous recevrez invariablement des confidences en retour. Sa compagne de voyage n'éveillait pas particulièrement sa curiosité, mais Janie avait obéi à un réflexe professionnel sans même y penser.

— C'est toujours triste à entendre. Ce n'est pas facile de réussir un bon mariage. Viktor était beaucoup plus âgé que moi. Je crois que c'est ce qui nous a aidés au début. Et la vie qu'il menait était très stimulante. Peu de gens peuvent en dire autant. Oh ! dit-elle en tendant sa main à Janie, je m'appelle Alma Gysemans.

Janie serra la main qui lui était offerte et se présenta à son tour. Elle regarda ensuite pensivement sa compagne :

— Puis-je vous demander si vous vivez à Bruxelles ?

Mme Gysemans resta visiblement interdite :

— Je ne crois pas avoir dit quoi que ce soit qui puisse vous donner à croire que c'est le cas.

— Il y a une dizaine d'années, j'ai interviewé pour mon journal un marchand de tableaux qui portait le même prénom que votre mari : Viktor Gysemans. Je l'avais rencontré à son hôtel, à Londres. Au Savoy, si je me rappelle bien. Il était charmant. Il m'avait raconté beaucoup de choses sur lui-même et il avait employé exactement la même expression : « une vie stimulante ».

Elle se rappela, avec soulagement, que c'était l'une des rares entrevues où son interlocuteur lui avait plu au point de lui en faire perdre le sens critique.

Le visage de Mme Gysemans s'illumina. Elle était ravie :

— C'était mon Viktor. Vous étiez au *Times,* n'est-ce pas? Vous aviez utilisé ces mots pour le titre de l'article.

Elles partagèrent une table, ce soir-là, et s'attardèrent longtemps devant leur repas. Elles trouvaient réciproquement leur compagnie agréable en dépit de leur différence d'âge ou peut-être, pensa Janie, à cause de cela. De plus, comme elles évoluaient dans des milieux différents, Janie ne sentait pas entre elles l'esprit de compétition toujours latent chez les femmes de son âge. Elles parlèrent de travail, même si Janie ne souffla mot de son engagement actuel. Comme tous les journalistes, la paranoïa s'emparait d'elle quand elle avait un projet en cours. Même s'il était évident que Mme Gysemans était une femme discrète, la méfiance de Janie était trop ancrée pour qu'elle se permette de passer outre. Elles discutèrent plutôt des plaisirs et des imprévus qui sont le lot des voyageurs solitaires.

— Je voyage encore beaucoup, admit Alma Gysemans. Pour chercher le soleil et aussi parce que je ne peux pas m'arrêter de travailler. Quelle excitation on ressent à découvrir une œuvre remarquable, importante... un dessin ou une aquarelle se trouvant pour la première fois sur le marché! J'éprouve beaucoup de plaisir à aider les amateurs à monter leur propre collection.

— Votre mari m'a raconté que les directeurs de musée se précipitent pour vous voir dès que vous arrivez dans une ville importante. Il a aussi ajouté que les directeurs de grandes maisons d'enchères rivalisaient entre eux pour vous avoir à leur table au déjeuner.

La vieille dame alluma une cigarette et gloussa :

— Viktor était un bon agent de publicité. De mon côté, je vends les choses que j'aime beaucoup à des gens que j'aime beaucoup, vraiment beaucoup. C'est une bonne façon de vivre.

— Avez-vous une galerie ?

— Oui, au cœur de la ville. Je vis au-dessus du magasin. Je dois préciser cependant que c'est mon fils, Piet, qui s'occupe de presque tout. Il sollicite encore mon opinion, même s'il n'a pas à le faire : il a le même flair que son père et les mêmes goûts aussi. Nous ne tenons pas d'expositions : notre commerce reste une affaire privée. Et Bruxelles est un port d'attache idéal pour les affaires. Il y a dans cette ville beaucoup d'argent, beaucoup de hauts fonctionnaires, de diplomates et d'hommes d'affaires. Et c'est de plus un excellent endroit pour élever une famille.

Puis elles parlèrent de la difficulté d'éduquer des enfants. Alma Gysemans formula des idées bien arrêtées :

— Malgré tous ceux qui disent le contraire, rien n'a changé : élever des enfants tout en travaillant est une constante source d'anxiété et de stress. Heureusement pour moi, tout ça appartient au passé. Mais je regrette maintenant de ne pas les voir plus souvent.

Elle poussa un soupir et sortit de son porte-documents des photos de ses trois enfants :

— Tenez, elles ne datent pas d'hier.

Fernande, l'aînée, avait sur son visage la même sérénité qu'on voyait chez sa mère, même si elle se trouvait au milieu d'une marmaille d'enfants de tous âges.

— Fernande et son mari se sont rencontrés alors qu'ils suivaient les mêmes cours de droit. Ils étaient bien jeunes, mais leur mariage est heureux, Dieu merci !

Le plus jeune des fils, Piet, qui dirigeait maintenant la galerie, était la copie conforme de l'homme que Janie avait autrefois interviewé, en plus mince et la barbe en moins. À côté de lui, se tenaient une femme et deux petites filles.

— Et voici Karel, dit la dame en lui présentant une autre photo.

L'adolescent, plutôt maigre, montrait un air sombre sous une chevelure ébouriffée par le vent.

— On dit que l'enfant du milieu est le plus difficile, dit-elle en souriant. Quand il était petit, il se plaignait toujours qu'il était le seul de la famille à avoir les cheveux clairs. Pendant des années, j'ai décoloré les miens pour qu'ils soient de la couleur des siens. Vous voyez ?

Elle montra à Janie une autre photo où, beaucoup plus jeune que maintenant, elle apparaissait toute blonde, les mains posées sur les épaules du jeune Karel, debout en avant d'elle.

— Que fait Karel maintenant?

Pendant une seconde, Alma Gysemans perdit son sang-froid et parut troublée :

— Euh... Pas grand-chose. Il ne s'est pas encore trouvé. Il est très timide et il n'a aucune confiance en lui. Je me suis souvent inquiétée pour lui.

La curiosité de Janie avait été piquée. Après tout, la mère parlait d'un homme qui devait maintenant avoir cinquante ans. Elle ouvrit la bouche pour poser une question, mais sa voisine ajouta :

— Il est à l'étranger pour le moment. En Indonésie, je crois. Il ne me tient pas toujours au courant de ses allées et venues, acheva-t-elle en glissant les photos dans leur enveloppe.

Janie trouva que la vieille femme écoutait elle-même d'une oreille très attentive. Sans qu'elle y ait pris garde, Janie se rendit soudain compte que c'était elle, maintenant, qui parlait de la rupture de son mariage et des conséquences qui s'ensuivaient pour Adam. D'habitude elle était réticente à se confier, mais Alma Gysemans lui prêtait une attention bienveillante, de sorte qu'elle éprouvait un soulagement inattendu à lui livrer des pensées qui la préoccupaient depuis si longtemps.

— Si Adam n'était pas un enfant unique, ce serait peut-être plus facile pour lui. Je pense souvent que c'est un garçon solitaire.

— Vous êtes encore assez jeune pour en avoir d'autres. De nos jours... on n'a plus besoin d'être mariée pour avoir un enfant.

Janie s'étonna elle-même lorsqu'elle s'entendit dire, pendant qu'elle écrasait sa cigarette en y mettant une énergie inutile :

— J'y ai pensé sérieusement il y a environ deux mois. Mais cette perspective m'a effrayée. Je n'avais jamais eu recours à l'avortement. Mais ça me semblait la meilleure... la seule solution. Je n'imaginais pas que je le regretterais à ce point.

Elle n'avait jamais confié ses regrets à personne. Pas même à Lou, sa sœur. Surtout pas à la rondelette Lou, heureuse dans sa ferme confortable du Northamptonshire avec Harold et les enfants.

Elle avait présumé qu'elle ne sentirait rien d'autre que du soulagement, une fois l'intervention terminée. Après avoir obtenu son congé, elle était sortie seule de la clinique de la rue Great Portland et elle était montée toute tremblante dans le taxi. Son corps réagissait comme s'il avait été violé, abîmé, avili. Ses seins la faisaient souffrir et une lourde serviette l'irritait entre les cuisses. Mais une douleur bien plus pénétrante qu'un simple inconfort physique la tourmentait. Tout ce qui l'entourait prenait la couleur grise et terne du désespoir. Elle s'était convaincue qu'elle oublierait, que cette mauvaise expérience serait vite reléguée au fond de sa mémoire. Mais elle n'oubliait pas. Dès que son esprit n'était plus occupé, dès qu'elle se retrouvait oisive, tout lui revenait :

— J'ai lu quelque part que le deuil est aussi lourd à porter pour un enfant dont on a avorté que pour un enfant qui serait mort-né. Mais c'est une réalité qui est à peine comprise par le corps médical. C'est pourquoi on ne reconnaît pas à la mère le droit de pleurer son fœtus. C'est pourtant un besoin naturel qui doit être satisfait.

— Je crois, reprit Alma Gysemans après un moment de silence, que beaucoup de femmes pourraient très bien comprendre ce que c'est que de perdre un enfant.

Janie pressa le dos de sa main repliée contre sa bouche pour refouler ses sanglots. Il lui sembla que la vieille femme avait ajouté dans un souffle :

— Je le pourrais moi-même.

Mais Janie n'était pas assez sûre d'avoir bien entendu pour poser la question qui lui venait à l'esprit.

Le matin suivant, Janie se leva à six heures et sentit qu'elle était de meilleure humeur. Contre toute attente, elle avait dormi profondément. On dit que la confession soulage l'âme. Peut-être que la franchise dont elle avait fait preuve avec Alma Gysemans avait eu chez elle un effet libérateur. Elle réfléchit à la question sous la douche, pour se rendre soudain compte qu'elle venait de fredonner.

Elles voyagèrent ensemble dans le car de l'hôtel qui les ramenait à l'aérogare. Elles se soumirent encore une fois au cérémonial de l'embarquement : le contrôle du passeport, l'enregistrement des bagages et l'attribution des sièges. Janie acheta trois journaux et une pile de magazines. En attendant que son vol soit annoncé, elle les lut en diagonale, notant au passage un article à découper plus tard : le *Time Magazine* publiait une histoire sur les atrocités du génocide au Rwanda. Le reporter s'attardait sur une visite de Mama aux veuves et aux orphelins dans un camp de réfugiés. Il y avait une photo d'elle où elle regardait avec une infinie tendresse le bébé hutu, aux yeux enfoncés dans leurs orbites, qu'elle tenait dans ses bras.

Quand on appela les passagers pour le vol de Londres, Janie fourra les journaux et les magazines dans un sac à poignées. Une fois à bord, elle invita Alma à se servir, puis elle se replongea dans ses notes. Au bout d'un certain temps, elle remarqua une rigidité insolite dans la posture de sa compagne.

Alma fixait sans le voir le ciel vide à travers le hublot. Elle avait retiré ses lunettes teintées. C'était la première fois que Janie la voyait sans verres. Elle paraissait plus jeune, moins compassée avec ce regard légèrement étonné et sans défense des myopes. Elle était profondément plongée dans ses pensées. Ses mains inertes reposaient sur ses genoux. Elle avait une attitude passive aux antipodes de son caractère. Devant elle, le *Time* était ouvert à la page qu'elle venait apparemment tout juste de lire. *Des dizaines de milliers de personnes massacrées dans un bain de sang au Rwanda, disent les survivants...*

Malgré la prudence qu'elle avait manifestée le soir précédent, Janie s'entendit dire :

— Je fais quelques recherches au sujet de Mama. C'est d'ailleurs ce qui m'a amenée en France.

Elle avait pensé que la dame belge serait intéressée. Mais celle-ci secoua plutôt la tête, ferma le magazine et le lui rendit.

Chapitre vingt-deux

Au jour fixé, Patrice Akonda était prêt dès quatre heures du matin. Il avait passé un short et un tee-shirt blanc. Jean avait insisté pour mettre un pantalon long afin que personne ne voie sa jambe malade. Dans la fraîcheur de la matinée, les religieuses se pressaient d'accomplir leurs tâches, d'emballer la nourriture et de se rassembler dans la cour. Le soleil était déjà haut, quand les heureux voyageurs prirent la route. Les malades et les sœurs qui restaient pour s'occuper d'eux, déjà installés sur les vérandas, agitaient la main pour dire au revoir. Le car bleu bondissait sur la route sinueuse ; le chauffeur faisait jouer son transistor à tue-tête. Après environ une heure de route, il joignit sa puissante voix de basse à la musique de la radio, de telle sorte que les sœurs durent crier pour se faire entendre de leurs compagnes.

Patrice, qui avait les jambes trop courtes pour que ses pieds reposent sur le plancher, faisait constamment attention de ne pas glisser en bas de son siège recouvert de cuirette lustrée. Une forte odeur de chèvre flottait dans le véhicule. Jean, que sa jambe faisait souffrir, sommeillait contre l'épaule de sa mère.

Quand ils s'arrêtèrent devant la grande maison coloniale blanche, Mama était déjà à l'intérieur et les douzaines de voitures et de jeeps garées près de l'entrée donnaient une idée du nombre de personnes importantes qui se trouvaient avec elle. Une foule excitée attendait qu'elle se montre encore. Des hommes âgés circulaient parmi eux, portant sur leurs épaules des perches de bois auxquelles étaient suspendues des bouteilles de Fanta remplies d'une boisson colorée.

Quand sa mère commença à installer Jean, Patrice avait déjà son plan. Il noua solidement la corde de la voiturette autour de sa taille et contourna la foule pour venir s'arrêter au bout de la maison. Puis il se mit à quatre pattes après que Jean se fut allongé de tout son long sur le dos et, tout en tirant son frère, rampa sous la véranda en direction de l'entrée principale. Tout se déroula mieux qu'il l'avait prévu : ils émergèrent juste devant la foule, au pied de l'escalier. Au-dessus de l'entrée, on avait installé un panneau de bois sur lequel étaient peintes deux grandes mains ouvertes vers le ciel et jointes à la hauteur des poignets de façon à former une coupe, couleur de nuit, dont les bords laissaient retomber des grappes de raisin. Jean lut pour lui ce qui était écrit au bas de l'image : Le Calice des vignes du Père.

Patrice eut l'intuition que tout irait bien maintenant : les mots résonnaient comme une promesse au plus profond de son cœur.

Chapitre vingt-trois

— Lady de Lisle, s'il vous plaît.

Le barman du Savoy déposa cérémonieusement le gin tonic devant Zazi. La boisson de Janie, apparemment identique mais sans gin, ne mérita pas autant d'attention.

— Je crois que nous n'avons pas assez d'olives, Salvatore, protesta la lady. Et je voudrais encore de ces délicieux petits gâteaux apéritifs.

Elle lui lança un regard charmeur en passant la main dans ses épais cheveux noirs. Elle portait de longs faux cils et ses sourcils étaient trop noirs pour n'être pas teints. Sa tête impressionnante, plantée sur un corps mince, et ses longues jambes maigres rappelaient à Janie les mannequins d'autrefois. Le garçon apporta un ravier d'olives qu'elle commença à manger voracement, l'air absent, le regard tourné vers la fenêtre au-delà de laquelle voitures et taxis déposaient leurs occupants devant le hall brillamment éclairé. Elle faisait penser à une petite fille installée devant le téléviseur avec un sac de bonbons. Janie se demanda combien de temps cette femme devait passer au bar de l'hôtel.

— C'est gentil à vous d'avoir bien voulu me recevoir ce soir, la remercia Janie.

— Je suis désolée que vous ayez dû attendre aussi longtemps, s'excusa Zazi d'une voix voilée aux subtiles et charmantes inflexions. J'étais en Bosnie. Magda voulait absolument que je l'accompagne. Elle est très seule, vous savez, en dépit des foules qui l'entourent.

Un flash traversa l'esprit de Janie : Mama sortant de la cathédrale, très droite, à l'écart des autres membres de sa communauté.

— Comment va-t-elle ?

— Vieille. Fatiguée. Comme nous tous, conclut-elle en tirant machinalement la peau fragile et froissée de sa paupière droite.

— J'aimerais vous poser une question au sujet de ce que vous avez déjà dit au cours d'une interview.

— Qu'est-ce que c'était ? demanda Zazi en prenant une gorgée.

Janie la cita de mémoire :

— Vous disiez : « J'ai fait la connaissance d'une jeune femme qui avait toute la vie devant elle, et j'ai observé son combat contre les démons. » Quels étaient ces démons, Lady de Lisle ?

Zazi de Lisle croisa ses jambes et Janie essaya de deviner son âge. Elle devait être au milieu de la cinquantaine, si l'on se fiait aux apparences. Mais Janie, qui avait épluché toutes les coupures de presse, ajouta dix ans, tout en restant conservatrice.

— C'était simplement une façon de parler. J'ai fait la connaissance de Magda à une époque où le monde et nous-mêmes étions fort différents.

— Quand ? s'empressa de demander Janie.

Lady de Lisle fit mine de n'avoir pas entendu :

— Elle était alors assaillie par toutes sortes de problèmes. Mais je crois qu'elle les a surmontés.

— Des problèmes ?

Zazi lança un rire rauque, aussi insolite qu'un hooligan dans une boutique de fleurs :

— Ma chère enfant, nous avons tous des problèmes. Magda est faite de chair et de sang. Croyez-moi, déclara-t-elle en tapotant le genou de Janie, ce n'est pas une sainte. Même si je comprends très bien pourquoi les gens veulent qu'elle le soit.

— Pourquoi les gens veulent-ils croire qu'elle l'est ?

— L'humanité a besoin de saints, pour incarner les représentations qu'elle se fait d'un Dieu qui se dérobe. C'est sur l'intensité de ce besoin que repose la crédibilité des personnes aptes à jouer ce rôle. Magda est l'une d'elles.

— Votre théorie me paraît séduisante. Vous pensez donc qu'elle n'est qu'une femme ordinaire entraînée par la volonté populaire à accomplir une mission extraordinaire ?

— À mon avis, les saints ne sont pas autre chose. Tout le reste dépend de la vision qu'on se fait d'eux. Les gens cherchent un sens à leur vie. Leur foi en Mama est moins redevable à son action qu'à leur désir d'être guidés. C'est encore plus évident s'ils se sentent en marge de la société ou rejetés par elle.

— Que faut-il penser des témoins qui l'ont vue mourir, puis ressusciter ?

Zazi de Lisle haussa les épaules :

— Ils appartiennent sûrement à cette catégorie de gens dont je viens de parler. Quoi qu'il en soit, je crois que si vous remontiez dans le temps et si vous examiniez scrupuleusement les faits, vous trouveriez beaucoup d'explications simples aux phénomènes que les témoins prétendent avoir vus et entendus.

— Pouvez-vous être plus précise ?

— On a rapporté qu'après sa mort une odeur de lilas avait rempli la chambre. C'est peut-être parce qu'il y avait des fleurs. Les gens offrent des fleurs aux malades, non ? Et les larmes de cristal : on a pu les confondre avec bien d'autres choses. Elle avait peut-être quelque ornement qui a pu se briser. De petites perles de verre ont pu tomber de sa robe ou d'une broderie, et on les a retrouvées plus tard. Vous suivez mon raisonnement ? Il y avait une colombe, à ce qu'on a rapporté. Il ne vous est jamais venu à l'idée que, dans l'effervescence du moment, la description d'une colombe pouvait convenir à n'importe quel oiseau ? Elle gardait peut-être des perruches ou un pigeon apprivoisé.

Janie réfléchit. Elle avait déjà trouvé des explications rationnelles pour la boule de feu et les piliers de lumière. Elle en avait peut-être même trouvé une pour le retour à la vie de Mama. Un certain nombre de faits semblaient cependant défier la logique.

— Mais comment expliquez-vous le vent et l'obscurité ? Les conditions météorologiques étaient tellement... apocalyptiques, finit-elle par dire.

— Oh, je vous en prie, l'interrompit brusquement Zazi. Ne faites pas l'erreur de confondre des conditions météorologiques inhabituelles avec des forces surnaturelles. Nous ne sommes plus au Moyen Âge.

Janie la regarda pensivement. Pourquoi cette femme s'en prenait-elle ainsi à l'image de Mama?

— Et les miracles, les guérisons qu'on lui attribue?

— Une fois que la rumeur a été lancée, les gens ont commencé à croire en Mama. Ils se préparaient déjà à croire en elle avant même de l'avoir vue. Ils jeûnaient, n'avalant que du pain et de l'eau pendant quarante-huit heures, dans l'espoir que Dieu se manifesterait à eux. Moi-même, je peux comprendre qu'ils se mettaient ainsi en état de croire qu'ils étaient les témoins de miracles.

Elle sortit de son sac un étui en écaille et en retira une cigarette, que Salvatore s'empressa d'allumer. Elle inhala profondément et s'appuya au dossier de sa chaise :

— Je ne suis pas une personne religieuse, Miss Paxton. Même si j'ai eu des moments de ferveur. Mais je suis sûre d'une chose : il n'y a aucun ciel assez fermé que la prière, le jeûne ou la pénitence ne puissent ouvrir.

— Elle a toutefois à son crédit des guérisons remarquables.

— Je vous concède que quelques-unes semblent assez réelles. Mais quant aux autres, il y a lieu de douter. Ou, jusqu'à un certain degré, de rester sceptique.

Elle arqua ses sourcils, chercha Salvatore et leva son verre.

— Si vous l'observez en n'y mettant pas plus d'intelligence que le populo, vous lui rendez un mauvais service.

— Que voulez-vous dire?

— Je vais vous présenter quelques cas auxquels vous réfléchirez sérieusement. Ces faits n'ont été rapportés dans aucun journal. Un bébé atteint d'une grave affection cardiaque est mort. Ses parents avaient contesté le diagnostic du médecin et refusé la médication qu'il avait prescrite. Un jeune homme, se croyant guéri, ne voulut pas être opéré pour son cancer. Les événements lui donneront tort par la suite, évidemment. Mama n'est pas responsable de ces malheureux cas de décès. Les familles croyaient que Mama leur avait promis la guérison, poursuivit-elle. Mais elle les avait seulement assurées que la prière et le jeûne pouvaient accomplir des miracles. N'importe quel prêtre aurait tenu le même discours.

Elle s'arrêta, le temps que Salvatore dépose une autre consommation devant elle.

— La triste vérité, reprit-elle, c'est qu'il y a des guérisons qui ne dépendent ni de la médecine ni de l'intervention divine. Peu importe qu'on souhaite qu'il en soit autrement. Mais les médias ne retiennent pas ces histoires. Je doute même qu'on leur consacre le moindre petit paragraphe dans un journal. Évidemment, on ne compte pas que des décès. Pensez, par exemple, au paraplégique qui a senti une décharge courir dans son corps au moment où il priait. Il a pu se lever et faire quelques pas. Un aveugle a pensé qu'il pourrait voir à nouveau. L'un et l'autre étaient remplis d'allégresse, exaltés. Pourtant, pour peu qu'on se soit intéressé à ces cas, on sait que, quelques mois plus tard, le paraplégique était de nouveau confiné à son fauteuil roulant vingt-quatre heures sur vingt-quatre, à moins que deux aides solides viennent l'en sortir. Quant à l'aveugle, il a récemment perdu la faculté, qu'il avait retrouvée, de discerner les formes imprécises. Ce sont de pauvres dupes ! soupira-t-elle en levant lentement son verre.

Janie fut frappée par le jugement que portait Lady de Lisle.

— J'ai aussi lu, insista Zazi, qu'on avait amené à Mama une fillette de cinq ans dans un état comateux. C'était durant la période des débuts, au Brésil. Mama l'a touchée et, semble-t-il, l'enfant a repris conscience, pour dire aussitôt : « Je suis assoiffée. » Ce qui est étonnant dans la bouche d'une toute petite fille. Il semblerait qu'elle ait véritablement dit : « J'ai soif. » C'est la traduction qu'on a par la suite donnée à ces simples mots qui a contribué à leur prêter des sous-entendus mystiques.

— Si vous avez raison, comment ces histoires acquièrent-elles autant de crédit ?

— Un grand nombre de personnes rêvent d'aller au-delà des possibilités de la science actuelle, devenue à leurs yeux insatisfaisante et réductrice. Ils n'ont pas besoin d'une forte dose de persuasion pour croire au surnaturel.

Elle se tourna vers le bar en tenant au bout de son bras l'assiette d'olives qu'elle venait de vider :

— Salvatore !

Janie tâchait de trouver le sens caché de ce qu'elle venait d'entendre. Elle avait toujours considéré Lady de Lisle comme une alliée inconditionnelle de Mama. Elles paraissaient si proches l'une de l'autre. Mama n'invitait-elle pas souvent Zazi à l'accompagner dans ses voyages officiels ? Et pourtant cette amie intime paraissait fortement déterminée à détruire le mythe qui auréolait le personnage de Mama :

— Vous laissez entendre que l'action de Mama est une supercherie, alors. Êtes-vous en train de l'accuser d'imposture ? Essayez-vous de me convaincre que toute l'affaire — le Calice, la vénération dont Mama est l'objet, son œuvre — repose sur une fiction ?

Lady de Lisle fit un geste impérieux de la main, et l'attention de Janie fut attirée par une grosse émeraude, sertie de diamants, qui brillait à son doigt.

— Je n'ai rien dit de tel ! se défendit Zazi avec colère. Quiconque la voit à l'œuvre ne peut douter de son dévouement.

— Mais vous venez tout juste de me dire que ce n'est pas une sainte...

Lady de Liste soupira :

— C'est bien ce que j'ai dit. J'ai horreur qu'on lui accole cette étiquette équivoque ! Je ne veux pas donner à entendre que ce n'est pas une femme admirable : elle est vraiment étonnante. Elle est une source de lumière pour un grand nombre de personnes.

Zazi de Lisle se pencha encore en avant. Elle avait les larmes aux yeux et sa voix se fit plus grave encore :

— Mon seul désir est de la protéger.

— De la protéger ? Contre moi ?

— Contre elle-même. Je suis témoin des efforts qu'elle fait pour être à la hauteur des attentes des gens. C'est trop exiger d'un être humain. Personne n'a la force suffisante pour y arriver.

Elle dénicha un minuscule mouchoir blanc bordé de dentelle et s'épongea les paupières :

— Ma pauvre Magda !

Il y avait dans son attitude des effets calculés, un côté théâtral, qui ne la rendaient pas moins émouvante. Il était évident que cette petite femme maigre s'inquiétait sérieusement pour sa « pauvre Magda ». Mais elle n'avait aucune raison de vouloir semer le doute sur ses dons.

Mue par une inspiration soudaine, Janie demanda :

— Vous voulez la protéger à cause d'un événement survenu à l'époque où vous l'avez connue, c'est bien ça, n'est-ce pas ?

Lady de Lisle secoua doucement la tête :

— Si on gratte suffisamment le passé d'un individu, il est toujours possible, avec un peu d'intuition, de trouver les raisons qui l'ont poussé sur telle ou telle voie. Mais je vous ai dit tout ce que je pouvais. Maintenant, c'est à vous de jouer.

Quand Janie eut payé les consommations, Zazi de Lisle se leva :

— Vous devez m'excuser. J'ai rendez-vous avec mon baronnet. Mon chauffeur est à la porte, avec ma voiture, ajouta-t-elle. Il vous déposera où vous voulez.

Elle ne se rendait pas du tout compte que son emploi systématique du possessif avait intrigué Janie.

— Je vous remercie, j'ai affaire tout près d'ici.

— Eh bien, ma chère, ceci est pour vous. Magda et moi en avons discuté. Pour ma part, je n'étais pas sûre de ce qu'il fallait faire, mais elle a insisté pour que je vous remette ce document, dit-elle en pointant une chemise bleue qui était sur la table devant elles. Absolument confidentiel. Vous le lirez quand vous serez seule.

Dès que Zazi fut sortie, Salvatore s'approcha de Janie :

— Excusez-moi, madame. Ce monsieur souhaite que vous acceptiez de vous joindre à lui pour prendre un verre.

Elle ne regarda même pas dans la direction qu'il lui indiquait et refusa d'un signe de tête brusque et décidé. Quelques mois plus tôt, l'invitation l'aurait amusée. La plus infime possibilité de trinquer avec un mec à la recherche d'une partenaire occasionnelle aurait agrémenté la rencontre d'un zeste de fruit défendu. Elle serait alors sortie du bar en balançant les hanches.

Mais l'instant d'après, quand elle y songea, sa réaction intempestive l'ennuya. Elle avait instinctivement rejeté l'avance d'un homme qui — elle le savait, après avoir jeté un bref regard dans sa direction — n'était pas son genre. Mais il avait à peu près son âge, il était élégant et plutôt bel homme. Après tout, elle ne se serait pas compromise si elle avait accepté de prendre un verre avec lui.

Elle avait refusé son invitation parce que, depuis des mois, depuis le fiasco survenu avec David Chester, à New York, elle s'était entraînée à survivre seule. Par nécessité, elle avait censuré ses yeux, sa mémoire et son sexe. Elle s'aperçut alors qu'elle pouvait vivre sans homme, sans ébats sexuels, sans étreintes occasionnelles même. Elle avait découvert les bons côtés du célibat. Elle goûtait la liberté de travailler seulement lorsqu'elle en avait le goût, d'aller se coucher quand elle en avait envie, de cuisiner un repas soigné ou de glisser tout bonnement un plat congelé au micro-ondes, de lire en mangeant.

Et alors une petite voix intérieure lui demanda insidieusement : « Es-tu capable de vivre sans eux ? Ou bien es-tu en train de devenir plus sèche, plus dure et plus renfermée jour après jour ? » Ce n'était pas l'activité sexuelle à proprement parler qui lui manquait, bien qu'elle eût donné n'importe quoi pour sentir un homme la pénétrer et calmer le vibrant appel de son corps. Ce qui lui manquait surtout, c'était la tendresse, l'intimité, la complicité. Elle pourrait continuer à se débrouiller seule, supposait-elle. Toutefois, elle regretterait de ne pouvoir dormir avec un homme à ses côtés, parce que l'intimité du lit la faisait se sentir vivante. Après avoir dormi seule, c'est déjà épuisée qu'elle entreprenait chacune de ses journées et rien ne semblait vraiment démarrer.

Elle vida son verre et quitta l'hôtel. Les taxis étaient faciles à trouver au Savoy. Elle n'avait pas besoin d'homme pour ça.

Tandis que le taxi roulait le long du Strand, elle ouvrit la mince chemise bleu foncé. Elle contenait plusieurs pages de noms et d'adresses soigneusement dactylographiés, qui intriguèrent Janie dès le premier coup d'œil. Qui étaient ces gens ? Ils semblaient habiter partout dans le monde. Elle lut au hasard. *Cecilia Revilla.* Une adresse et un numéro de téléhone au Panama. Puis une date : 1956-06-24. *Elio*

Mistretta. L'adresse se trouvait en Calabre. Pas de numéro de téléphone, mais une date : 1959-03-18. *Colin McDowell.* Adresse et numéro de téléphone à Auckland, Nouvelle-Zélande. Date : 1993-02-19. *Letitia Woessner.* Domicile à Greenwich Village, New York. Date : 1989-05-26.

Il devait y en avoir une vingtaine d'autres. Étonnée, Janie feuilleta encore une fois le document et s'aperçut que certains noms étaient suivis de brefs commentaires d'ordre médical.

Elle lut au hasard.

Stenfert Goedhuis. Âge : 4 ans. Sérieuse surdité à la suite d'une attaque d'oreillons à dix-huit mois. Développement cognitif et émotionnel compromis. Problèmes de comportement incluant des crises de colère. Mouillait son lit... Guéri.

Penny Caldwell. Âge : 8 ans. Maladie de Bright. Pronostic médical peu rassurant. Vision allant se détériorant, maux de tête, souffle court... Guérie.

Nita van Bloerk. Âge : 23 ans. Paralysie fonctionnelle. Côté gauche seulement. Paralysie faciale partielle, aphasie possiblement d'origine émotive... Guérie.

Friedrich Maas. Âge : 63 ans. Démangeaison cuisante sur les jambes; sensation de piqûres d'aiguilles; rigidité. Auparavant traité pour anémie pernicieuse... Guéri.

Il devait s'agir des miraculés dont Lady de Lisle avait parlé. La date accolée à chaque nom devait être celle de la rencontre avec Mama. Les adresses et les numéros de téléphone lui permettraient probablement de joindre ces gens pour prendre de leurs nouvelles. C'était un travail d'au plus trois jours.

Une fois installée dans le train qui la ramènerait au Derbyshire, Janie examina à fond le contenu de la chemise bleue. Elle y trouva une demi-douzaine de photocopies de coupures de journaux. Un article paru dans le *Manchester Evening News,* en mars 1965, reproduisait la photo d'une petite fille souriante. Une mèche de cheveux y était fixée avec du ruban adhésif : *La petite Penny rentre à la maison l'espoir au cœur,* titrait le quotidien :

> La petite Penny Caldwell, âgée de huit ans, est sortie de l'hôpital aujourd'hui, prête à retourner à l'école Doves, de la ville de Sale. Elle faisait partie d'un groupe d'une douzaine d'enfants et d'adultes qui ont assisté, il y a un mois, à la cérémonie de bénédiction de la nouvelle maison du Calice, à Leeds. La fondatrice de cette communauté répandue à travers le monde — universellement connue sous le nom de Mama — a rencontré les enfants à l'issue de la cérémonie. « Mama n'a paru rien faire de spécial, nous a rapporté la mère de Penny, Karen, âgée de trente-deux ans. Elle a seulement serré ma petite fille contre elle ; on pouvait voir qu'elle était émue par sa requête, puisqu'elle n'a pas pu retenir ses larmes. Penny était vraiment malade. Elle faisait la navette entre l'hôpital et la maison. Au cours des derniers mois, elle avait constamment été souffrante ; c'est à peine si elle trouvait la force de regarder ses albums illustrés. Maintenant c'est une tout autre enfant. Elle n'a pas eu un seul mal de tête depuis et elle est retournée en classe. Qu'importe ce qui peut arriver à l'avenir le bonheur dont nous jouissons actuellement est un miracle.

Janie laissa tomber le dossier sur ses genoux et regarda la lumière grise du matin baigner les champs labourés. Comment Zazi de Lisle les avait-elle appelés ? « De pauvres dupes ! »

Chapitre vingt-quatre

Le lendemain elle fit plusieurs appels téléphoniques internationaux, dont le premier à New York :

« Ici Janie Paxton. J'appelle d'Angleterre pour joindre Mrs Woessner. Letitia Woessner. Je crois savoir qu'elle a rencontré Mama quand elle était malade. ... Oui, je vous comprends. Je dois cependant vous dire que j'écris un livre sur Mama. Je voulais donc savoir comment Mrs Woessner se porte maintenant. » ... « Oh ! je vois. Je suis désolée. Est-ce que c'était... ? ... Non, je m'en rends bien compte. ... Oui. ... Oui. Eh bien, je vous remercie de toute façon d'avoir bien voulu me parler. J'espère que vous ne m'en voulez pas d'avoir appelé : je suis tellement désolée... »

Elle appela ensuite en Nouvelle-Zélande : « Je me nomme Janie Paxton. J'appelle d'Angleterre, avec l'espoir d'échanger quelques mots avec Colin McDowell. Je crois savoir qu'il a été guéri par Mama et je me demandais comment il se porte. ... Oh ! mon Dieu, comme c'est triste ! Je ne savais vraiment pas. ... Est-ce qu'il... ? ... Oui, je peux comprendre. Vous devez donc être sa... ... Ah ! je vois. Eh bien, je ne vous dérangerai pas... »

Six autres appels suivirent. Le résultat de sa petite enquête donnait raison à Zazi de Lisle : les « miracles » de Mama soulevaient effectivement des doutes sérieux. Janie était totalement déconcertée : une seule des personnes qu'elle avait essayé de joindre vivait encore. Elle ne parvenait pas à comprendre pourquoi Mama avait insisté pour que Zazi de Lisle lui remette le dossier bleu.

Au moment où Janie faisait ses premiers appels internationaux, Alma Gysemans, dans sa suite du Grand Hôtel du boulevard des Capucines, à Paris, abandonnait tout espoir de trouver le sommeil. Elle se sentait épuisée, vidée, comme si elle avait livré un long combat et l'avait perdu.

Elle but son café au lait et mangea un petit pain, puis elle s'habilla avec grand soin. Elle joignit ensuite au téléphone une personne qui se trouvait dans un autre arrondissement de Paris. Elle s'identifia, posa une seule question et transcrivit le numéro de téléphone qu'on lui avait donné sur un bout de papier, pour éviter de laisser des traces sur un bloc.

Un peu plus tard, elle sortit. Elle n'avait pas sa démarche énergique habituelle : elle se déplaçait lentement, comme une très vieille personne. Ou comme si elle avançait contre son gré. Elle s'arrêta devant une lingerie pour dames et attendit devant la vitrine que l'une des deux cabines téléphoniques situées juste en face se libère. Pour masquer son trouble, elle garda les yeux fixés sur les élégantes jambes moulées dans des bas fins bordés de dentelle blanche et retenus par des jarretelles ornées de diamants.

Quand elle put enfin se faufiler dans la cabine, elle composa un numéro de téléphone, se nomma et communiqua le nom de Janie Paxton, avec son numéro de téléphone au Derbyshire. Puis elle raccrocha sans dire au revoir. En se tournant pour sortir de la cabine, elle aperçut son reflet dans le petit miroir, sous la liste des numéros d'urgence, et trouva son visage d'une pâleur fantomatique. C'était effectivement ce qu'elle était, pensa-t-elle avec une amertume inhabituelle chez elle : un fantôme.

À onze heures précises, Janie tapa *SAVE* sur son ordinateur, puis elle bâilla en s'étirant pour saisir sa tasse de café. Elle prit une coupure d'un article paru dans le *Times* de juin 1996, lut le texte, soupira impatiemment et déposa la feuille, verso exposé, dans sa boîte de classement. Elle aperçut une photo montrant des palmiers presque pliés en deux sous la force d'un vent violent. UNE TORNADE SÈME LA MORT À HONOLULU. Elle saisit la coupure et la regarda intensément. Puis elle descendit à toute vitesse au séjour.

Elle alla directement à l'étagère où elle rangeait ses cassettes, choisit une bande qu'elle avait enregistrée deux semaines auparavant, sans l'avoir encore regardée, et la glissa dans la fente du magnétoscope.

Le documentaire de la BBC-2, était consacré aux miracles. Il était présenté par une jeune Indienne aux longs cheveux noirs, qui portait des verres épais encastrés dans une lourde monture d'écaille. L'émission de cette semaine-là illustrait les conditions météorologiques inusitées qui sévissaient lors de la résurrection présumée de Magda Lachowska. La présentatrice parlait avec aisance en évoquant la mort et le retour à la vie de Mama, à São Paulo, en 1946. Elle énumérait certains faits inexplicables rapportés ce jour-là : le nuage vert qui dégageait une forte odeur de soufre, le bourdonnement étrange d'insectes invisibles, les piliers de feu saisis uniquement par l'œil d'un appareil photo. À cet endroit, on montrait les photos que Janie avait déjà vues dans un journal.

Au moment où ces événements étaient survenus, on avait considéré tous ces phénomènes comme autant de miracles. Quelques décennies plus tard, de nouvelles connaissances scientifiques permettaient une autre interprétation. Il était possible, voire probable, que ces phénomènes avaient été causés par les conditions météorologiques qui prévalaient ce jour-là. À l'époque, on ne disposait pas d'archives dans lesquelles on aurait pu trouver la description d'autres phénomènes du genre. En conséquence, les explications qu'on en donnait ne reposaient guère que sur des conjectures.

Le reportage présentait ensuite des extraits de thrillers, récemment produits à Hollywood pour satisfaire la fascination nouvelle du public pour les catastrophes. Puis un reporter venait dire devant la caméra que plusieurs agences américaines offraient maintenant des excursions de « chasse » aux tornades. Les gens, rapportait-il, payaient des sommes folles pour suivre à la trace pendant des jours, en compagnie de spécialistes, les cataclysmes qui traversaient les divers territoires des États-Unis. On pouvait voir, sur le documentaire, des dizaines de voitures rouler à toute vitesse pendant qu'une caméra portative enregistrait les extraordinaires formations de nuages, de même que le bruit et l'effet de vents d'une violence terrifiante. Puis on entendait le témoignage des gens qui avaient survécu aux tornades dans la relative sécurité des abris souterrains.

« On étouffait presque, racontait une femme de l'Ohio. Une espèce de gaz verdâtre nous prenait à la gorge et on entendait un étrange grondement, tout à fait assourdissant. Je n'ai jamais rien entendu de pareil. »

Un adolescent de Freeman, au Dakota du Sud, décrivait ensuite l'odeur de soufre qui avait rempli la pièce où son jeune frère et lui avaient trouvé refuge : « Ça faisait penser à l'ozone ou à ces substances qu'on utilise au labo de chimie... des oxydes d'azote. Nous avions justement respiré un truc semblable au labo, l'autre jour. L'odeur caractéristique est produite par des décharges électriques. »

Un homme de Toledo racontait que son fils adolescent et lui avaient souffert, aux bras et aux jambes, de ce qui ressemblait à de fortes brûlures causées par le soleil. À l'hôpital, on leur avait dit qu'ils avaient été exposés aux rayons ultraviolets d'une intense activité électrique.

Janie était assise sur le plancher, devant le téléviseur, les bras autour des genoux, plongée dans ses pensées.

Il y avait maintenant quatre mois qu'elle consacrait toute son énergie à mener à terme ses recherches sur Mama. Elle avait été engagée pour écrire une biographie sympathique, et c'est ce qu'elle avait eu l'intention de faire. Au début, elle avait pensé que le seul problème qu'elle aurait à surmonter serait de ne pas se perdre dans la masse des informations qu'elle aurait l'occasion d'accumuler. Une part importante d'elle-même ne voulait pas regarder les choses de trop près : il fallait qu'elle écrive le livre et qu'elle l'écrivc rapidement. Elle ne tenait pas à se compliquer la vie.

Son attitude avait changé. Depuis des semaines maintenant, elle sentait que quelque chose d'important lui échappait. C'était devenu un point douloureux qui la tourmentait, même si elle faisait de son mieux pour l'occulter. Elle était inquiète, elle fouillait, grattait, incertaine de ce qu'elle cherchait.

Zazi de Lisle avait formulé d'étranges remarques. Elle avait fourni des explications rationnelles aux événements extraordinaires qui étaient arrivés à São Paulo. Mais elle avait semé le doute dans l'esprit de Janie en remettant en question les dons de Mama. Et pourtant Mama et Zazi étaient très proches l'une de l'autre. Elles avaient même passé une semaine ensemble en Bosnie.

De son côté, cependant, Mama continuait à permettre au monde entier de croire qu'elle était l'instrument de Dieu, elle encourageait même cette vénération. Après tout, elle aurait pu nier ouvertement qu'elle soit une thaumaturge et une visionnaire. Au contraire, pour autant que Janie pouvait en juger, elle avait toujours entretenu son image.

À São Paulo, à l'époque des événements extraordinaires, elle vivait dans la pauvreté, seule et abandonnée. Une fois devenue la Mama internationalement connue, elle n'avait jamais paru manquer de ressources, d'appuis dévoués et constants, d'adeptes et de disciples. La légende qui s'était créée autour d'elle dès les débuts avait grandement concouru à sa célébrité. Des milliers de personnes, sans instruction pour la plupart, en quête d'un espoir qui éclairerait leur vie misérable, répétaient les histoires simples et naïves qu'on leur avait racontées.

Pour ces gens, et pour beaucoup d'autres, cette légende qu'ils avaient contribué à créer correspondait à leurs aspirations. C'était une histoire qui les touchait, une histoire qu'ils ne pouvaient oublier. Comment ne pas croire à celle derrière qui la lavande fleurissait dans les champs pierreux, derrière qui l'eau recommençait à couler dans le lit des ruisseaux desséchés ? Comment résister à cette femme, grâce à qui les enfants réapprenaient à sourire ? Comment ne pas accorder leur confiance à cette sainte grâce à qui le voile séparant le ciel et le monde était tombé ?

Et pourtant, songeait Janie, l'authentique personnalité de cette femme vénérée échappait aux foules qui avaient les yeux braqués sur elle. Elle encourageait délibérément cette méprise, car c'était le moyen le plus commode de se protéger.

À l'occasion de son voyage en Pologne, Janie avait acquis la conviction qu'on avait patiemment créé un mythe autour de la personne de Mama pour favoriser l'exercice du rôle exceptionnel qu'on prétendait lui faire jouer auprès des masses. De plus, elle était persuadée qu'on avait mis en œuvre une énorme entreprise de camouflage. Les foules étaient leurrées par un trivial jeu d'ombres. Personne — même pas un sceptique comme Janusz Pozomiek — n'osait poser de questions, à cause de tout le bien qui était fait, de toutes les vies qui étaient sauvées.

Il semblait pourtant que Mama avait récemment décidé de mener le jeu à sa guise. Les indices que Zazi avait semés, son désir de démythifier les croyances aveugles, le dossier réunissant les histoires de cas... Elle avait bien dit : « Mama veut que vous en preniez connaissance. »

Les dossiers que Janie avait examinés, sauf une exception, justifiaient le scepticisme de Zazi de Lisle. Il y avait eu des rémissions, possiblement, mais on ne pouvait affirmer rien de plus. Ou bien ces rémissions pouvaient avoir été causées par un regain d'optimisme et d'espoir à la suite de l'intervention de Mama. Ou bien elles avaient un caractère spontané, ce qui laisserait entendre qu'elles seraient survenues de toute façon.

Janie devait s'incliner devant une évidence : Mama ne correspondait pas à l'image que voulait imposer la fondation Krzysztof. Elle était quelqu'un d'autre, quelqu'un d'entièrement différent, qui était entouré de secrets bien gardés.

Et le plus grand de ces secrets concernait son passé.

Chapitre vingt-cinq

Le jeune Patrice Akonda tenait la main de son frère pour éviter que la pression exercée par la foule derrière eux ne renverse la voiturette. Ils avaient depuis longtemps perdu de vue leur mère et les religieuses. Quand le silence se créa soudain parmi la foule, suivi par des acclamations enthousiastes, les enfants surent que Mama allait paraître. Par-dessus le tumulte, un mot se détachait, crié encore et encore par la foule, qui le modulait à la manière d'une incantation : « Mamamamamamamamamamama ! »

Patrice retenait son souffle, attendant de voir s'avancer, sous un dais aux franges de soie, une dame richement vêtue, couronnée d'or. Il s'imaginait une personne de haute taille, souriante et d'allure imposante. Aussi, quand il aperçut une femme mince et pâle dans sa robe crème, accompagnée d'un homme au crâne rasé, il chercha Mama derrière eux. Il fouilla des yeux la pénombre qui régnait à l'intérieur de la maison. Il en vit sortir deux hommes en uniforme, quelques dames dont l'une portait un chapeau, mais pas celle qu'il attendait.

Il mit deux longues minutes à comprendre son erreur, de sorte que Mama avait presque déjà dépassé la voiturette de son frère quand il se rendit compte qu'il était en train de perdre l'occasion d'attirer son attention. Il voulut saisir l'ourlet de sa robe, mais le tissu lui glissa malheureusement entre les doigts. Plusieurs hommes en robe bleue vinrent se joindre à l'homme chauve, qui ouvrait la voie à Mama à travers la foule en délire. Le garçon tenta en vain de se frayer un chemin dans la cohue. Jean et Patrice, qui occupaient peu auparavant le premier rang, se voyaient maintenant relégués derrière le rempart de dos indifférents que leur opposait la foule désireuse d'entrevoir la dame découverte par les anges.

Patrice se tourna vers Jean, dont les yeux étaient inondés de larmes qu'il essayait en vain de refouler. Il esquissa courageusement un vague sourire à son jeune frère et haussa les épaules, comme pour dire : « Qu'est-ce que ça peut faire ! »

Patrice ne put supporter la douleur muette de son aîné et détourna la tête en serrant les poings :

— Mama, Mama, aidez-nous !

Le cri aigu et désespéré de l'enfant se perdit dans le tumulte.

Chapitre vingt-six

Le fax se déroulait encore sur l'imprimante quand Janie entra dans son bureau, ce mardi matin, une tasse de thé à la main. Elle commença à le lire avant que l'impression soit terminée et le relut après l'avoir détaché de la machine.

Il n'y avait aucune mention de l'expéditeur ni du lieu de provenance. Pas d'en-tête, pas de numéro où acheminer la réponse. Le message était imprimé avec un caractère carré qui donnait une allure autoritaire à la sommation qu'on lui envoyait. Car il s'agissait bel et bien d'une sommation.

> Objet : Projet en cours. Il est vital que vous soyez à Bruxelles le 12. Dante vous attendra au 20, rue des Sables, à 22 heures.

Dante ? Qui était Dante ?

Janie appela Alma Gysemans à sa galerie, à Bruxelles. Elles s'étaient longuement parlé à plusieurs reprises et elles avaient convenu de se rencontrer à Londres un jour prochain. Elles n'avaient somme toute passé que peu de temps ensemble, mais Janie trouvait la compagnie de sa nouvelle amie belge sympathique et stimulante. Elle l'aimait bien et lui faisait confiance. C'est de façon toute naturelle qu'elle recourait à son aide :

— J'ai besoin de votre avis. Est-ce que le nom de Dante vous dit quelque chose ?

Elle fit alors part du fax qu'elle venait de recevoir. Le silence, à l'autre bout du fil, était presque tangible. Alma Gysemans finit par dire, avec une note d'urgence dans sa voix ordinairement calme :

— Je vous rappelle.

Trente minutes plus tard, le téléphone de Janie sonna. Alma semblait essoufflée à l'autre bout de la ligne :

— Veuillez excuser ma brusquerie. C'est que je vous répondais de mon bureau. Je me trouve maintenant dans une cabine publique. Nous pouvons donc parler.

— Je ne pensais pas vous déranger. Vous aviez des visiteurs à la galerie ?

— Non, j'étais seule.

— Votre ligne est sur écoute ? demanda Janie, médusée.

— Oh ! je ne le crois pas vraiment. Mais, étant donné le nom que vous avez mentionné, je devais me montrer prudente.

— Alors vous le connaissez ?

— De réputation.

— Il est dangereux ?

Elle ne pouvait trouver d'autre explication aux précautions étonnantes que prenait sa correspondante.

— Non ! Pas du tout. Mais les gens avec qui il est en relation... Il évolue sur des terrains minés.

— Vous parlez donc de milieux criminels. Serait-il de la police ?

— Non. Il n'y a rien de la sorte. Écoutez, il m'est impossible...

La voix s'était tue.

— Je n'aurais pas dû m'adresser à vous. Je vois que cela vous bouleverse. Je vais voir si je peux obtenir des renseignements ici, en Angleterre.

— Non ! Il vaut mieux ne pas poser trop de questions. Il ne faut pas alerter... les gens.

Janie trouva sa réaction étrange. Elle ne pouvait pas s'imaginer de qui Alma voulait parler.

— S'il a pris contact avec vous, je crois que vous devriez voir ce qu'il veut, lui conseilla Alma.

— Je ne veux rien faire d'inconsidéré ou d'imprudent. Est-ce qu'on peut avoir confiance en lui ?

Alma répondit d'un ton grave :

— Si vous ne pouvez pas faire confiance à cet homme, alors, vous pouvez me croire, il n'y a plus aucun espoir que triomphent la vérité ou la justice.

Le 12 septembre, Janie prit l'Eurostar de seize heures, à Waterloo, avec un billet de première classe. Pendant que le train filait à travers les champs luxuriants du Kent, elle lut les journaux mis à la disposition des voyageurs. Le TGV roulait si doucement, malgré ses presque trois cents kilomètres à l'heure, que le champagne, sur la table éclairée par la lampe à l'abat-jour rose, bougeait à peine dans la flûte. On s'engageait déjà dans le tunnel sous la Manche avant même qu'elle se soit aperçue qu'on y arrivait.

Comme ils atteignaient Lille, le maître d'hôtel, Bryan, déposa devant elle une poitrine de canard dodue et une salade parfaitement assaisonnée. Janie contempla la campagne française éclairée par le soleil couchant.

Sa curiosité serait bientôt satisfaite. Peut-être y avait-il chez elle plus que de la curiosité. Les dernières semaines avaient apporté leur lot de propos étranges, d'accidents curieux, de coïncidences : chaque fois cependant, son enquête avait progressé. Chaque fois, elle avait pu saisir un nouvel élément qui lui permettait de mieux cerner la femme dont elle allait écrire la biographie. Elle avait maintenant une perception sensiblement différente de Mama.

La réaction d'Alma Gysemans avait été très étrange. Dès le premier abord, cette femme l'avait frappée par son intelligence et son calme. Pourtant, au téléphone, elle lui avait paru troublée, pour ne pas dire incohérente. Et puis, à la fin, elle avait insisté pour que Janie vienne chez elle, sans se préoccuper de l'heure tardive à laquelle son rendez-vous avec Dante pourrait prendre fin.

Bryan était de retour avec le café et des chocolats belges contenus dans de minuscules boîtes dorées. Par la suite, Janie se demanda si le calme et l'efficacité qui régnaient dans le train constituaient une préparation adéquate à la rencontre bizarre qui l'attendait. Elle n'aurait cependant pas pu dire quelle sorte de préparation était nécessaire.

Le taxi emprunta un large boulevard périphérique, hideux héritage des années soixante, bordé de hauts édifices en béton grisâtre conçus comme des garages étagés, sans recherche esthétique. Ils le quittèrent enfin pour atteindre bientôt la rue des Sables, déserte et minable. Ni piétons ni automobiles ; maisons à façade décrépite, aux fenêtres brisées. Une pluie fine formait un halo jaunâtre autour des rares réverbères de type ancien. Janie frissonna, même si la voiture était surchauffée.

Le chauffeur arrêta son taxi devant un édifice assez haut. Le Centre belge de la bande dessinée logeait au numéro 20, comme en faisait foi la plaque de bronze fixée au mur près de l'entrée. Comme pour narguer l'obscurité qui régnait dans la rue, toutes les fenêtres étaient brillamment éclairées. Un battant de la double porte était ouvert. Quelque peu rassurée, Janie entra.

Elle se retrouva alors dans un immense vestibule qui, à part la lumière provenant, tout autour, des étages supérieurs, n'était aucunement éclairé. Où qu'elle se tournât, dans ce qu'elle reconnut comme un édifice restauré de la période Art nouveau, elle pouvait apercevoir des colonnes lourdement ornées, des palmiers, des paravents de verre. Quelle avait pu être la vocation première de ce monument d'architecture, elle n'en avait aucune idée. Un magnifique portrait photographique, très fin de siècle, qui occupait presque tout le mur du fond, représentait un homme, de quarante-cinq ans environ, à l'abondante chevelure noire. Sa noble et splendide présence s'imposait dans la pièce entière.

— Madame, s'adressa à elle un portier en livrée marine qui venait de surgir d'une porte.

D'un geste de la main, il l'invita à avancer jusqu'à l'escalier en bois sculpté. Au sommet se trouvait un large palier où l'escalier se divisait en deux volées symétriques. Janie prit celle de droite en se disant que son choix n'avait aucune importance.

En s'engageant dans les dernières marches, elle fut frappée par des bruits insolites. Celui des sabots de chevaux courant au galop ; le martèlement de pas sur le sol, des éclats de rire et d'occasionnels claquements de coups de feu. Une musique de bastringue lui fit penser à ces vieux saloons des films western et elle entendit distinctement le sifflement frileux d'un train.

Une fois parvenue au sommet, elle s'arrêta, étonnée. Dans la demi-obscurité du vaste espace, sous un plafond de verre ouvragé, des dizaines de cartoons se déroulaient sur de petits écrans. Quelques-uns montraient des images fixes, d'autres des dessins animés. Elle entendait la cacophonie des différentes bandes de son. À sa gauche étaient projetés des cartoons western. À l'extrême droite, elle reconnut l'image familière de Tintin et de son chien Milou. Directement devant elle, comme sur un plateau de cinéma, se dressait la caricature, haute en couleur, d'une ville de western : le saloon, le magasin, le salon funéraire devant lequel se tenait le croque-mort vêtu de son lugubre manteau noir. Au premier plan un cow-boy, au double de sa grandeur nature, se mettait habilement en selle sur un cheval qui ruait.

Elle se sentit soudain exposée, dans cette grande salle sombre au plafond de verre. Elle se dirigea vers la section de Tintin. Une succession de murs en carton mince avait été érigée de façon à créer un labyrinthe. Remplie d'appréhension à l'idée de ce qu'elle pourrait y trouver, elle entra. Elle se retrouva dans un étrange pays des merveilles. Elle découvrit d'abord Dupont et Dupond, avec leurs chapeaux melon noirs, parfaitement identiques, et leurs cannes, collés au mur avec un humour surréaliste. Elle trouva ensuite le capitaine Haddock et le distrait professeur Tournesol. Elle aurait souhaité qu'Adam soit avec elle : il aurait adoré ces jouets pour garçons sérieux.

Elle émergea du labyrinthe à l'autre extrémité de la section de Tintin et trouva un escalier plus raide qui conduisait à un troisième niveau au-dessus du vestibule. Elle pensa lancer un cri pour attirer l'attention, mais elle était trop intimidée pour le faire. Elle résolut donc de monter.

Là-haut, c'était encore plus sombre, de telle sorte que les écrans allumés offraient des contrastes plus vifs. Elle porta les yeux sur le plus proche et le regarda avec attention. C'était une série d'images fixes montrant un arum qui croissait jusqu'à atteindre d'énormes proportions. Sur le dernier dessin, la fleur allongeait ses longues étamines orange et entreprenait de pénétrer la femme presque nue qui était couchée, jambes largement écartées, sur un lit aux draps froissés. Janie regarda les autres écrans. Les images avaient été dessinées par des artistes différents à des époques différentes. Quelques-unes, qui se rattachaient nettement aux années trente, présentaient des animaux inconnus, aux couleurs brillantes, évoluant dans des paysages de glace. D'autres montraient des animaux préhistoriques, des dinosaures et d'énormes lézards volants. Toutes ces images étaient très finement dessinées. Toutes étaient clairement pornographiques.

Pour la première fois, elle eut vraiment peur. Alma Gysemans s'était peut-être fait une idée fausse de ce Dante. Elle-même avait sûrement été téméraire de répondre à une invitation, venue de nulle part, la sommant de venir rencontrer un poète mort depuis des siècles. Elle prit alors conscience qu'elle n'avait dit à personne où elle se rendait.

Elle retourna au sommet de l'escalier et fouilla du regard le premier étage. Elle finit alors par voir, totalement absorbé devant un écran, un garçon qui portait des vêtements foncés et dont les cheveux lui parurent négligemment rejetés en arrière. Il avait le menton posé sur ses poings et les coudes appuyés sur la large tablette au pied de l'écran. Janie reconnut la boîte rouge de Coca-Cola déposée à ses pieds. Une fois encore Janie pensa à Adam. Cela la réconforta. Elle descendit trouver le garçon en faisant intentionnellement du bruit. Celui-ci ne sembla cependant pas l'entendre venir.

— Bonjour, le salua-t-elle d'une voix mal assurée.

Pour toute réponse, il agita vaguement la main sans détacher ses yeux de l'écran.

— Dante ?

En s'approchant de lui, elle se rendit compte que ce n'était pas un jeune garçon. Sa chevelure abondante, contrairement à ce qu'elle avait cru voir, était soigneusement coiffée. Sa veste de velours provenait, de toute évidence, d'une boutique élégante.

Il ne tourna même pas la tête pour la regarder. Il restait rivé à l'écran, où un groupe de cow-boys poursuivaient un train empanaché de fumée.

— C'est vous qui avez envoyé ce fax ?

— Mais oui.

Sa désinvolture l'agaça : elle n'avait pas voyagé toute la journée pour qu'on lui réponde par monosyllabes.

— Pourquoi donc suis-je ici ? Qui êtes-vous exactement ?

— Il était d'une extrême importance que j'aie une conversation avec vous, lui répondit-il dans un anglais parfait, aisément articulé et teinté d'un accent américain.

Il regardait toujours fixement l'écran. Elle trouvait son attitude extrêmement irritante.

— Dites quelque chose, en ce cas !

Elle avait parlé du ton que la mauvaise humeur la portait parfois à prendre avec Adam. Elle ne lui laissa cependant pas le temps de répondre :

— Qui vous a donné mon nom ? Où avez-vous obtenu mon numéro de fax ?

Il se redressa cette fois. Avec réticence, pensa-t-elle. Elle remarqua cependant l'extraordinaire souplesse de ce petit homme. Il lui était impossible de deviner son âge. Vingt-six, peut-être vingt-sept ans ? Trop vieux, en tout cas, pour se laisser passionner à ce point par des dessins animés.

— J'ai entendu parler du livre auquel vous travaillez.

— Ce n'est pas précisément un secret.

Elle se rendait compte que ce jeune homme à l'assurance déconcertante avait le don de la mettre sur la défensive.

— Il y a des faits, des circonstances, continua-t-il, que vous devriez connaître. Mais j'ai appris que vous les ignoriez et ça m'inquiète.

Elle se raidit :

— Quoi au juste ? Je ne vois pas comment vous avez pu entendre parler de moi. Je m'imagine d'ailleurs difficilement que l'état de mes connaissances sur le sujet que je traite ait quelque importance pour vous. Connaissez-vous Mama personnellement ? Je n'ai jamais entendu prononcer votre nom par les gens de son entourage ou par ceux qui la connaissent. Seriez-vous l'un de ses fidèles ?

Elle s'était déjà posé la question dans le train. Peut-être, pensait-elle maintenant, qu'il s'agissait d'un agent de publicité.

Il parut amusé malgré son air imperturbable. Elle songea qu'il lui était rarement arrivé de rencontrer une personnalité aussi intimidante, aussi sûre d'elle-même.

— Un croyant ? Sûrement pas. Et vous ?

— Évidemment pas. Je ne suis pas une hagiographe.

— Ce qui veut dire que vous n'écrivez pas l'histoire d'une sainte, n'est-ce pas ? Dois-je déduire qu'à votre avis Mama ne correspond pas entièrement à l'image que s'en font les foules ?

— Si vous voulez savoir ce que je pense d'elle, peut-être devriez-vous attendre et acheter le livre quand il sera publié.

Elle se tourna ensuite pour prendre congé. Il allongea le bras pour la retenir :

— Vous devez me pardonner. Vous avez aimablement fait tout ce chemin pour venir me voir, et je crains d'avoir créé chez vous une mauvaise impression.

— J'ai bien peur que oui, répondit-elle sèchement.

Il sourit enfin :

— Voilà qui est très anglais, de dire que vous avez peur quand c'est bien la dernière émotion que vous ressentez en ce moment. Vous boiriez un Coca-Cola ? demanda-t-il abruptement.

— Volontiers, merci, répondit-elle, prise de court.

Il lui tendit une boîte humide et glacée.

— J'ai besoin de savoir qui vous êtes, reprit-elle. Autrement, je serai forcée de mettre en doute tout ce que vous pourrez me dire.

Elle s'arrêta et attendit qu'il parle. Comme il restait muet, elle ajouta :

— J'ai une amie, dans cette ville, qui n'a pas voulu prononcer votre nom au téléphone. Pourriez-vous, par hasard, me dire pourquoi ?

— Pour vous éviter des problèmes plus tard. Vous verrez en temps et lieu ce que j'ai à vous montrer. Les documents appartiennent à quelqu'un qui serait très fâché si certaines personnes en arrivaient à se douter que je les ai en ma possession et devinaient l'usage que j'en fais. Cependant, si vous ne savez rien de moi, on croira tout naturellement que vos renseignements proviennent d'une autre source.

— Oh ! vraiment ?

Elle avait intentionnellement laissé traîner sa voix en parlant. « Quel poseur ! » se disait-elle. Elle reprit :

— Vous jouez à des jeux bien compliqués.

— Je vous prie de garder présent à l'esprit que j'étais au courant de ce que vous faisiez et que je savais où vous joindre. Je ne suis donc pas dépourvu de ressources. Et c'est précisément la raison pour laquelle je désirais vous parler. J'ai entre les mains une information qui, je crois, devrait être divulguée publiquement et qui ne l'est pas encore.

— Une information qui a un rapport avec les recherches que je fais ?

— C'est vous qui en déciderez. Je crois savoir que c'est la fondation Krzysztof qui commandite votre livre...

Ce n'était pas une question qu'il posait. Janie le regarda avec intérêt : comment le savait-il ? Robert Dennison avait observé une parfaite discrétion sur cette entente. Seulement une poignée de personnes autorisées, chez Odyssey, avaient été mises dans le secret. La Fondation elle-même avait toutes les raisons d'user de la plus absolue discrétion.

— Que voulez-vous insinuer ?

Il haussa les épaules avec mépris :

— La fondation Krzysztof. Le nom paraît tellement respectable. On pense aux prix Nobel, aux bourses et aux dotations universitaires. Puis aux bureaux réputés. Aux en-têtes officielles. Aux levées de fonds.

— Où voulez-vous en venir, à la fin ? demanda impatiemment Janie.

Il posa sur elle des yeux impénétrables :

— Avez-vous eu des entretiens sérieux avec les membres du conseil d'administration ? Avez-vous seulement pu rencontrer cet aréopage disparate ?

— Évidemment, répondit-elle vivement.

Trop vivement. Après tout, elle avait à peine pu leur parler à l'occasion de la rencontre initiale en compagnie de Robert Dennison. Elle avait demandé de pouvoir rencontrer séparément les membres du conseil. Oliver Jodrell avait accepté, l'assurant qu'il prendrait pour elle des rendez-vous, mais les rencontres n'avaient jamais eu lieu. Sauf Lady de Lisle, personne n'en avait encore eu le temps.

Josef Karms avait été retenu par une affaire urgente. Edward Pellingham avait subi une opération à l'hôpital de la Princesse Grace, rue Baker, et il avait par la suite été trop faible pour lui parler. Monica Ziegler était en Floride. Ce projet avait donc avorté. Mais elle ne ferait certes pas cette confidence à Dante.

— Je crois, dit-il, que la Fondation n'est guère plus que l'outil principal d'une stratégie de marketing brillamment conçue. Je pense que vous découvrirez que plusieurs de ses membres sont bien différents de ce qu'ils semblent être.

— Pouvez-vous être plus précis ?

— Karms m'inquiète. L'imposant empire commercial qu'il s'est construit cache dans ses fondations mêmes quelque chose de pas très joli...

Janie se rappela le malaise qu'il avait suscité chez elle, la menace à peine déguisée qu'il avait laissée planer dans l'atmosphère plutôt sereine de la salle de réunion à Londres.

— Comme quoi ? demanda-t-elle.

— Je ne sais pas encore. Je ne réussis pas à mettre le doigt dessus. Mais il y a quelque chose, et qui remonte à loin. Il se dit Hongrois, mais je n'en crois rien. Je n'ai d'ailleurs jamais rencontré un Hongrois qui ait jamais entendu parler de lui ou qui ait eu affaire à lui avant 1950. L'homme n'est quand même pas subitement apparu dans le monde à la fin de la vingtaine. Et Oliver Jodrell, c'est le parfait gentleman anglais pour vous, non ?

Le souvenir de la cravate des gardes royaux, qu'il portait la première fois qu'elle l'avait vu, surgit dans sa mémoire :

— Je suppose, répondit-elle pensivement.

— Il ne s'appelle pas Jodrell. Janasz. Andrzey Janasz. Né en Pologne.

Elle reçut un choc. Devait-elle le croire ? Elle revoyait Jodrell, trop proche d'elle, la main sous son coude alors qu'il la présentait aux membres du conseil d'administration. C'était une attitude très peu anglaise :

— Beaucoup de gens changent leur nom.

— Ce n'est pas ce que je remets en question. Mais peu de gens prennent cette décision sans une raison grave. Quelle était la sienne ?

— Je ne sais pas, dit-elle d'un ton maussade. Mais si ce que vous dites est vrai, j'aimerais la connaître.

La folle chevauchée des cow-boys se termina enfin et Dante s'approcha de l'écran voisin.

— Le prochain sera en noir et blanc, lui fit-il remarquer. C'est un film allemand qui a maintenant cinquante ans. Un travail d'amateur. Vous regarderez une copie, évidemment. L'original est à l'abri. Mais je crois que les images sont suffisamment claires.

Dante enfonça un bouton et l'écran s'illumina. Elle s'attendait à voir un autre cartoon de cow-boys, mais la première image, tremblotante et floue, dissipa ses pensées frivoles.

Les premières prises de vues avaient été réalisées en plongée, et dans l'obscurité. Des lumières balayaient l'écran.

— Une procession aux flambeaux, commenta Dante calmement. Des soldats.

Janie reconnut des métrages de le Seconde Guerre mondiale. Rangée après rangée, des hommes portaient des torches. Ils défilaient, en rangs serrés dans ce qui semblait être un terrain de football. Les flammes éclairaient leurs visages et leurs mains, faisaient luire leurs bottes de cuir, se reflétaient sur leurs casques d'acier, étincelaient sur les éclairs jumeaux de l'emblème SS.

Sur la bande sonore on entendait, faisant contrepoint à la marche triomphale, la voix grave d'une chanteuse allemande, qui rappelait celle de Marlene Dietrich. Son chant était cependant plus triste et plus saccadé. La plupart des mots échappaient à Janie, mais l'émotion qui se dégageait de ce monumental spectacle était irrésistible. On y sentait l'amertume et le désespoir de l'Europe déchirée par des années de guerre. Dans cet étrange édifice Art nouveau, dédié aux cartoons, l'effet était extraordinairement dérangeant : Janie avait l'impression que le passé revivait devant elle. *Wo sind die Kinder...*

Ses notions scolaires d'allemand étaient suffisantes : « Où sont les enfants... » Elle sentit un frisson courir sur son dos : la vérité au sujet de Mama pourrait être plus atroce que tout ce qu'elle avait pu imaginer.

Le défilé des soldats disparut dans l'obscurité. Les plans suivants avaient été pris à la lumière du jour. Les soldats entassés dans des camions ouvraient et fermaient la bouche avec une simultanéité parfaite : ils chantaient, de toute évidence. Plus loin ils portaient des fusils : ils devaient monter au combat. Leurs visages jeunes et durs semblaient excités. Seuls deux ou trois soldats plus âgés laissaient voir, sur leur front et autour de leur bouche, les rides de l'expérience. Le cameraman, de toute évidence, était tout près d'eux. Pour les images suivantes, il était encore dans le camion, filmant en plongée des soldats qui marchaient dans les rues d'une ville. Il y avait de hauts édifices, des magasins, des cafés. Des civils couraient dans toutes les directions. Des militaires avaient encerclé un groupe d'hommes et les assommaient avec la crosse de leur fusil. À droite de l'image on voyait un soldat tirer une femme par ses longs cheveux qu'il avait enroulés autour de sa main pour avoir une meilleure prise. Elle titubait derrière lui, tout près de s'écrouler par terre. D'autres civils s'accrochaient les uns aux autres, saisis de panique. Janie fit un effort pour déchiffrer le nom sur une large devanture : elle crut lire « Wozniak ».

— On est en Pologne ? demanda-t-elle sans attendre vraiment de réponse.

— C'est exact. Nous avons réussi à dater approximativement ces événements : 1943.

— D'où vient ce film ?

Il appuya sur un bouton pour figer l'image :

— Je vous l'ai dit, j'ai des ressources. Certaines personnes passent par moi pour rendre publics...

Il s'arrêta comme s'il cherchait le mot exact :

— ... certains faits embarrassants pour ceux qui y auraient été associés.

— Pourquoi vous ?

— Parce que je suis efficace. Il y a longtemps que je me livre à cette activité.

Janie soupesa cette déclaration. La modestie ne semblait pas être la qualité première de Dante.

— Vous allez voir tout de suite où je veux en venir, ajouta-t-il en faisant avancer rapidement la pellicule. Regardez très attentivement. On est encore en Pologne.

La scène avait changé. Elle ne voulait pas regarder, elle ne voulait plus s'attarder devant l'écran. Elle n'avait pas besoin qu'on lui rappelle ces événements, elle connaissait les camps par des photos, des émissions de télévision, d'anciennes actualités filmées. Tout cela appartenait à la conscience collective du vingtième siècle. Elle pouvait prévoir ce que Dante lui montrerait : des corps squelettiques, dépouillés de toute humanité, des yeux inquiétants enfoncés dans leurs orbites. Les éternelles images de la souffrance pure.

Comme s'il avait deviné ses pensées, il dit :

— Ce n'est pas un camp de concentration. C'est un camp de travail. Une subtile différence, prononça-t-il d'un ton sardonique. Mais néanmoins importante. Dans les premiers, la mort était virtuellement inévitable. Dans les seconds, la survie était faiblement possible. Même si les intéressés ne l'auraient probablement pas cru, acheva-t-il en tournant le dos à l'écran.

Janie se sentit soudain très fatiguée.

— Pourquoi me montrez-vous ça? Je ne vois pas où vous voulez en venir.

Elle en avait assez vu. Le sort de ces gens la laissait indifférente. Tout cela était si loin pour elle. D'autres atrocités la préoccupaient aujourd'hui. De nouvelles guerres. Des blessures fraîches.

Dante sentit son impatience et posa la main sur son bras pour la calmer.

Le film continuait à se dérouler. Une fois ou deux, l'image s'était assombrie, comme si on avait obturé la lentille de la caméra. Les gens avaient la démarche saccadée des personnages du cinéma muet. Des centaines de personnes étaient réunies dans un enclos boueux par groupes d'environ ving-cinq, toutes vêtues de pantalons et de chemises trop amples; les hommes étaient coiffés d'une casquette, les femmes d'un fichu. Ils regardaient droit devant eux. Leurs mains pendaient, vides et inertes, de chaque côté de leur corps. Deux soldats, fusils chargés, étaient postés près de chaque groupe. Leurs bouches s'ouvraient et se fermaient comme s'ils criaient des ordres. Mais la bande sonore ne faisait pas écho à ces cris. On n'entendait toujours que la sombre voix féminine chanter la même mélodie monotone et mélancolique.

La caméra se déplaça vers le haut, et Janie découvrit ce que tous ces gens regardaient : une longue et forte poutre fixée, aux deux extrémités, à des poteaux hauts d'environ deux mètres et demi : une énorme potence. À intervalles réguliers, des cordes — six, sept, huit — à nœud coulant. La caméra se tourna de nouveau vers les prisonniers et prit en gros plan leurs visages exténués et sans expression. Puis elle s'approcha encore une fois de la potence. On utilisait sûrement un appareil portatif, parce que l'objectif plongeait parfois et perdait son sujet, comme si le caméraman trébuchait. Ou ne pouvait plus supporter ce qu'il voyait.

Des corps se balançaient maintenant à la potence, leur tête affaissée dans un horrible angle brisé, le visage défiguré. La vision de ces langues pendantes, de ces yeux exorbités, de ces pieds tournés vers l'intérieur était intolérable. La dernière silhouette était, et de loin, la plus menue. Janie pensa d'abord que c'était une femme. Cependant, l'objectif s'étant attardé sur elle, Janie découvrit avec horreur que c'était un enfant, un garçon de huit ans, neuf tout au plus. Et il était encore vivant, au bout de sa corde. Il s'agitait frénétiquement, ruait et se tordait avec la force du désespoir. Ses yeux étaient grands ouverts et sa langue pendait hors de sa bouche. Une tache sombre et humide, à l'aine, attirait l'attention. Janie porta la main à sa bouche. L'enfant était trop léger. Le poids de son corps était insuffisant pour que la strangulation se réalise. À la vue de cette agonie, qui datait pourtant de plus de cinquante ans, Janie ne pouvait retenir les larmes brûlantes qui inondaient ses yeux.

Alors un gardien s'avança directement sous la potence, saisit les jambes de l'enfant et les tira d'un coup sec, tout en levant le pied droit, ajoutant son propre poids à celui du petit garçon. La corde se tendit, le cou du garçonnet sembla s'allonger, et tout fut terminé. Le gardien recula et laissa l'enfant pendu à la potence. Le corps se balançait de l'avant à l'arrière. À la fin, le corps resta suspendu dans une immobilité presque complète.

— Maintenant, attention ! souffla Dante. Vous voyez ?

Au moment où il s'éloignait, le gardien se tourna vers la caméra. C'est à ce moment précis que Janie se rendit compte que c'est une femme qu'elle avait vue. Une femme qui portait une jupe, un long manteau foncé et des bottes noires. Ses cheveux étaient cachés sous une casquette militaire. Dante immobilisa l'image :

— Là ! dit-il.

Une bande lumineuse courait constamment au bas de l'écran, mais Janie distinguait clairement le visage de la femme. Un visage jeune, aux traits tirés et fatigués, le front assombri par la large visière de la casquette, mais un visage reconnaissable en dépit de tout. Les yeux limpides, clairs et directs, l'inclinaison de la tête, les lignes nettes et fières de la mâchoire et du cou ne pouvaient tromper.

— Encore ! commanda promptement Janie.

Il rembobina un peu de pellicule et remit en marche, au ralenti. Maintenant il n'y avait plus aucune raison de douter. La caméra toute proche laissait voir un visage trop net, faisant ressortir la ressemblance. La bande sonore diffusait la voix féminine, encore plus grave qu'auparavant.

Wo sind die Kinder ?
Verlor – und vergess – ...

« Où sont les enfants ? Perdus et oubliés. »

— Non. Ce ne peut pas être elle. C'est tout simplement impossible !

Janie ne se rendait même pas compte qu'elle avait pensé à haute voix.

Dante hocha la tête.

Il faisait soudain incroyablement chaud dans cette pièce tout en longueur. Janie balaya de la main les cheveux sur son visage. Tout cela était invraisemblable. Elle alla se réfugier dans l'obscurité. Elle eut un haut-le-cœur et crut qu'elle allait vomir. Elle posa le front contre un panneau de verre : la sensation fraîche et douce donnait une impression de propreté, de pureté. Si seulement ce qu'elle venait tout juste de voir avait pu ressembler aux images projetées sur les autres écrans : des fantaisies purement imaginaires, sans lien direct avec l'histoire.

Si l'acte horrible révélé par le film correspondait à la réalité des faits — et l'intuition profonde de Janie la portait à croire que c'était effectivement le cas —, alors Mama était une criminelle de guerre. Une meurtrière. Un monstre. Elle avait tué cet enfant de ses propres mains.

Ce geste seul rendait dérisoire tout ce que cette femme avait par la suite accompli. Il souillait toutes les personnes qu'elle avait guéries, l'espoir qu'elle avait soulevé, chaque vie qu'elle avait touchée. Parce que, si l'assassinat d'un enfant était le pire crime que Mama eût jamais commis, qui peut dire combien d'autres personnes avaient été victimes de sa cruauté ?

Ce geste ignoble rendait dérisoire aussi l'engagement de Janie vis-à-vis de Mama. Janie tirait vanité de son intuition d'intervieweuse, de son aptitude à débusquer la vérité qu'on voulait lui cacher ou que, parfois, on ne voulait pas reconnaître soi-même, jusqu'à ce que, infailliblement, elle la fasse émerger.

Mais avec Mama, son expérience ne lui avait été d'aucun secours. Elle avait succombé au charme de cette femme. Après n'avoir résisté que pour la forme, elle s'était laissé embobiner comme une novice dans le métier. Le jugement très dur que, par accident, elle avait entendu porter sur elle était très juste : elle était sur le déclin. Elle était fichue. Aucun doute là-dessus.

Janie vint retrouver Dante :

— Mama est Allemande, n'est-ce pas ? Mais alors, comment se fait-il que tout le monde, à Świnoujście, se souvenait d'elle ? Ou, du moins, semblait se souvenir, ajouta-t-elle en se rappelant la photo de l'enfant potelée, qui avait soulevé chez elle le premier doute. Je ne comprends pas.

— Non, elle n'est pas Allemande. Il y avait beaucoup de citoyens polonais dans l'armée germanique. Les Allemands avaient fait du recrutement militaire dans les pays limitrophes qu'ils avaient vaincus. À cette époque, où des milliers de civils et de militaires polonais mouraient dans les camps ou au front, on comptait aussi des SS polonais.

— Est-il plausible que Mama se soit trouvée dans ce camp en 1943 ? On affirme qu'elle était alors à São Paulo, mais il n'y a aucune preuve. Je sais seulement avec certitude qu'elle s'y trouvait trois ans plus tard, quand les premiers miracles ont commencé à se produire. Pour chaque cas, on trouve une abondante documentation. Il ne m'est jamais venu à l'idée de chercher à savoir quand elle avait précisément quitté la Pologne. J'ai simplement accepté ce que je lisais, sans poser de question. Tous les articles et toutes les biographies rapportent qu'elle est allée en Amérique du Sud pour travailler comme bonne dans une famille polonaise établie là-bas. J'ai l'impression de perdre pied.

— Avant de voir ce film, quelle raison aviez-vous de remettre ces faits en question ?

— Quelque chose m'agaçait depuis le début. Pendant que je travaillais à ce livre, un vague malaise, que je ne réussissais pas à identifier, me harcelait. J'ai pensé qu'elle simulait peut-être ses visions, ou qu'elle amenait les gens à témoigner dans le sens qu'elle voulait. Je cherchais des indices insignifiants. Une escroquerie, des mensonges, des tours de passe-passe. De la sorcellerie même, comme en faisaient mention les articles délirants publiés dans les journaux des années quarante. J'ai alors appris, au Vatican, que son action était soutenue par des intérêts politiques et financiers. J'ai pensé avoir mis le doigt sur ce qui me gênait, sur ce qui ne tournait pas rond. Mais je n'aurais jamais imaginé pareille abomination, dit-elle en indiquant l'écran.

— Moi non plus, je ne pouvais en croire mes yeux la première fois que j'ai vu ce film. Personne ne vous a confirmé la date à laquelle elle est partie de Pologne ?

— Personne ne semble vraiment sûr. Il faut aussi considérer que ce film a été tourné il y a cinquante ans. On pourrait faire erreur sur la personne.

— J'admets que Mama n'est pas formellement identifiée dans le film. On n'y donne aucun nom, on n'y mentionne aucune armée, aucune unité de combat, rien. Mais plusieurs experts en identification ont examiné les traits de la femme. Nous avons fait des reproductions du visage pour les soumettre ensuite à un processus virtuel de vieillissement. Nous avons utilisé la même méthode que la police pour identifier les personnes disparues depuis longtemps. Voici ce que nous avons obtenu.

Il ouvrit une chemise et étala sur la tablette des reproductions en couleur de 10 cm sur 15 cm. C'était le visage d'une femme dans la soixantaine avancée, encore très belle et dotée de l'étonnante vitalité d'une personne beaucoup plus jeune. On remarquait une légère poche sous le menton, des rides à peine visibles au-dessus de la lèvre supérieure et autour des grands yeux. Le photographe avait utilisé la couleur pour rendre le portrait plus ressemblant. Sur une photo, les cheveux étaient noirs ; sur l'autre, ils avaient la célèbre teinte argentée aux reflets dorés. Les deux clichés rendaient exactement l'extraordinaire couleur aigue-marine des yeux. Dante déposa une troisième photo de Mama, sur laquelle ses cheveux étaient partiellement cachés par le capuchon de sa fameuse robe crème. Les trois images, presque identiques, représentaient sans aucun doute la même femme.

— Le visage qu'on a obtenu à partir du film correspond en tous points à l'apparence actuelle de Mama, lui expliqua Dante. La structure osseuse, la bouche, la naissance des cheveux... que nous ne pouvons pas voir sous la casquette, évidemment.

— Ses yeux avaient le même regard dans le film. Cet étonnant regard clair. Pourquoi n'a-t-elle pas eu recours à la chirurgie plastique pour modifier son apparence ?

— Peut-être aurez-vous à un certain moment l'occasion de lui poser la question. Elle n'a sans doute pas jugé nécessaire de le faire. Elle ne se doutait pas qu'elle avait été photographiée en Pologne. Le film est probablement clandestin.

— On a pourtant vu des films semblables dans certains musées de camps de concentration. À Auschwitz, par exemple.

— Ils ont été montés après coup. On a joint des bouts de films qui provenaient de sources différentes.

Il éteignit le projecteur et retira le film :

— Nous avons dans les mains un film d'amateur qui reste propriété privée. Je présume que c'est un militaire qui l'a tourné, sans autorisation. Rappelez-vous les images dansantes, comme si le cinéaste d'occasion dissimulait l'appareil sous son manteau. Il devait probablement être officier pour avoir réussi un coup pareil. La trame musicale a pu être ajoutée beaucoup plus tard.

— Vous avez parlé d'un bien privé...

— Je ne peux vraiment pas vous révéler qui en est le propriétaire. Disons seulement que quelqu'un, qui sait quel travail je fais, a trouvé ce film après la mort de sa mère. Il était en train de vider l'appartement quand il l'a découvert parmi les papiers. Il n'a jamais connu son père, le présumé caméraman, et il semble y avoir eu une conspiration du silence autour de cet homme.

— C'est malheureux.

— Le propriétaire du film a déduit que son père était peut-être un informateur auprès des Alliés, à qui il aurait même pu le destiner.

— Était-il lui-même Allemand ?

— Un nombre étonnant d'Allemands étaient opposés à ce qui se passait. Surtout à la fin de la guerre, quand ils se sont rendu compte qu'ils avaient cru à un idéal si pervers, qui avait engendré de telles atrocités.

— C'est possible, répondit Janie d'un ton où perçait le doute.

— Une fois la guerre terminée, les Alliés ont trouvé des camps où la plupart des détenus — enfin, ceux qui vivaient encore — n'étaient que des enfants. Les survivants de tous âges représentaient toutes les confessions religieuses, ils étaient de plusieurs nationalités différentes et venaient majoritairement de l'Europe de l'Est. Plusieurs, cependant, étaient des Allemands dont les parents ou les proches avaient protesté d'une façon ou de l'autre contre le régime : tel était le prix qu'il leur fallait alors payer.

— Ce sont des réalités que j'ignorais, reconnut Janie, étonnée.

— Vraiment ? Elles sont pourtant incontestables. On a trouvé des enfants d'officiers et de diplomates. La grande majorité d'entre eux n'ont jamais été rendus à leurs parents.

En l'écoutant, Janie se rendit compte que le visage de Dante restait impassible alors qu'il évoquait ces atrocités. Elle attribua son calme au fait qu'il avait absorbé ces faits, qu'il les avait entendu raconter plusieurs fois et qu'il en avait souvent discuté. Ils faisaient partie de sa propre mémoire.

— À la fin de la guerre, mon père a travaillé avec l'Organisation des Nations unies. Il était responsable du bien-être de l'enfance. L'une de ses tâches consistait à s'occuper des enfants prisonniers dans les camps de concentration. Il m'a dit qu'en Pologne, une fois la guerre terminée, on a découvert d'autres camps dont personne n'avait jamais entendu parler.

— Qu'avez-vous l'intention de faire avec le film?

— Rien. C'est la seule preuve que nous tenions et elle est trop mince pour être présentée en cour. Nous avons mis la main dessus par pur hasard, à l'occasion d'une autre enquête. Si nous voulions préparer un dossier contre Mama, nous aurions besoin de témoins qui corroboreraient ce qu'on voit dans le film. Il nous faudrait aussi réunir de la documentation, fournir des dates précises. Il faut des années pour monter un tel dossier.

— Je crois que personne ne pourrait jurer, à cinquante ans de distance, que Mama et le soldat du film sont une seule et même personne.

Pendant qu'elle parlait, il remettait les photos dans leurs enveloppes de plastique et les rangeait dans la chemise. Elle surveillait ses gestes précis. Il savait exactement où il allait, mais Janie, elle, n'en avait aucune idée. Elle se retrouvait partenaire involontaire dans un jeu complexe et tortueux, introduite malgré elle dans un réseau qui menait une activité secrète depuis la fin de la Deuxième Guerre mondiale. Ces gens détenaient une information qui pourrait éventuellement leur permettre de porter des accusations et d'opposer des preuves formelles aux démentis de leurs ennemis. Dante était chez lui sur ce terrain, tandis que Janie ne pouvait qu'y trébucher.

— Vous pourriez toutefois envisager de solliciter les commentaires de Mama, lui suggéra-t-il.

— J'imagine difficilement qu'elle veuille jamais admettre que c'est bien elle qui apparaît dans la séquence de ce film. Pourquoi le ferait-elle? Vous ne détenez que des évidences de troisième main, fit-elle valoir en pointant du doigt le dossier. N'importe quel avocat pourrait contester l'authenticité de ces photos, du film même, et il gagnerait.

— C'est presque certain. Mais supposez seulement qu'elle se confesse. C'est une personnalité étrange, après tout. Imprévisible. Et supposons que vous utilisiez cette matière dans votre livre. Il est permis de croire que les gens qui la reconnaîtraient se manifesteraient.

Mais, plus que tout, je veux qu'elle sache que certaines personnes sont au courant de son passé.

— Vous voulez m'utiliser?

— Votre expérience, oui.

— Vous misez sur ma valeur potentielle au plan de la publicité, voulez-vous dire.

Il acquiesça de la tête.

— Je ne promets rien, poursuivit-elle. Après ce que j'ai appris ce soir, je ne suis pas certaine de vouloir continuer. Je ne suis pas sûre que je pourrais en supporter les conséquences.

— Ce n'est pas parce que la vérité est cruelle qu'il ne faut pas l'exposer à la lumière, lança-t-il comme un blâme en lui tendant le dossier. Et je ne sollicite aucun engagement de votre part.

Elle sentit que cet homme voué à une cause interpréterait un refus de sa part comme une preuve de faiblesse, d'indifférence même.

— Dois-je vous retourner ce dossier?

Il jeta sur elle un regard incisif, ironique :

— Où pourriez-vous le retourner?

Janie fit une moue qui trahissait son impuissance. Elle était encore trop choquée par la barbarie de ce qu'elle venait tout juste de voir.

— J'ai besoin de temps pour réfléchir. Si je veux vous revoir, comment pourrai-je vous joindre?

Il haussa les épaules et se dirigea avec elle vers l'escalier. Elle comprit qu'elle n'apprendrait rien de plus.

— Comment en êtes-vous venu à vous intéresser aux crimes de guerre? Vous semblez tellement jeune.

Pour la première fois son visage s'éclaira. C'était presque un demi-sourire :

— Les apparences sont parfois trompeuses, madame. J'ai trente-six ans. Quant à mon intérêt pour ces faits horribles, je l'ai hérité de mon père. Il est vieux maintenant. Et je suis très fier de poursuivre ce qu'il a entrepris.

— Dante n'est pas votre véritable nom, n'est-ce pas? lui demanda Janie en descendant le magnifique escalier incurvé.

Elle comprenait qu'il veuille protéger son identité. S'il avançait à découvert sur le terrain miné des crimes de guerre, beaucoup de gens pourraient vouloir le supprimer. Il lui répondit avec une allusion littéraire :

— Le poète Dante a décrit des voyages qu'il aurait faits en enfer et au purgatoire. Le nom me semble approprié.

Une fois qu'ils furent arrivés à la porte, il lui serra gravement la main, sous le regard imperturbable du portier en uniforme.

— Si vous allez dans cette direction, lui dit-il en pointant un large escalier de pierre en retrait de la rue, vous trouverez un taxi. Adieu, madame.

Elle avait monté l'escalier et cherchait un taxi quand elle se rendit compte, avec ennui, qu'elle avait oublié ses notes. Elle voyait avec une netteté absolue son carnet ouvert sur la tablette devant le téléviseur. Elle l'y avait déposé pour examiner les photos. Il contenait les notes de cette rencontre et des numéros de téléphone à côté desquels — vieille habitude de prudence — se trouvaient seulement des initiales. Elle en avait besoin. Elle poussa un soupir de dépit et redescendit en courant.

Il y avait moins de quatre minutes qu'elle était sortie du Centre belge de la bande dessinée. Une fois en bas, elle ne pouvait plus se souvenir de quel édifice elle venait de sortir. Tous les immeubles de la rue étaient plongés dans l'obscurité.

Elle se demanda d'abord si elle avait descendu un escalier différent de celui qu'elle avait monté. Puis elle reconnut le bar abandonné, la façade délabrée de l'imprimerie et, juste à côté, le Centre. Juste au-delà, les fenêtres et la lourde porte étaient hermétiquement closes.

Elle enfonça le bouton de la sonnerie, mais n'obtint pas de réponse. Elle sonna plusieurs fois, sans plus de succès. Une pluie fine se mit à tomber et elle sentit monter en elle l'appréhension. Elle jeta un coup d'œil sur l'horaire affiché au mur : 10 h - 18 h. Il ne lui était pas encore venu à l'esprit qu'un musée — ce qu'était effectivement le Centre belge de la bande dessinée — n'était pas normalement ouvert le soir, à 22 h. Pourtant, il l'était encore il y avait un moment. Et un employé s'y trouvait. Il était impossible qu'on ait, en quatre courtes minutes, éteint toutes les lumières, fermé les volets et verrouillé les portes de ce vaste édifice.

Elle frappa violemment à la porte avec ses poings, déterminée à attirer l'attention de quelqu'un à l'intérieur. Elle était au bord de la panique. Derrière elle, la rue des Sables lui apparaissait comme un décor qu'on aurait planté pour tourner un film inspiré d'un roman de Simenon, comme une scène d'horreurs secrètes et d'espoirs perdus.

Chapitre vingt-sept

Janie parlait. C'était le seul moyen de maîtriser les émotions violentes qui l'avaient secouée au cours des deux dernières heures. Alma Gysemans, debout devant la haute lucarne, les bras étroitement croisés contre son corps, l'écoutait.

La galerie Gysemans, fondée par le père de son mari en 1922, occupait le rez-de-chaussée d'une maison gothique de la rue de l'Écuyer. Les bureaux logeaient au-dessus, alors que les deux derniers étages étaient réservés à l'appartement.

Du séjour, on apercevait le magnifique ensemble formé par les frontons des édifices de la Grand-Place. À cette hauteur, on avait trouvé commode de n'utiliser, pour tout voilage, qu'un rideau à tissage lâche, presque transparent, suspendu à des crochets de laiton. Le jour, Alma Gysemans pouvait voir le faîte des maisons gothiques, Renaissance ou baroques et admirer les statues des anciennes guildes : les Moines ivrognes, le Maure endormi au milieu de son harem, saint Nicolas au sommet de la maison des Merciers, le Renard. Au-dessus de la porte de la maison des Archers, on pouvait voir la Louve et, sur la façade Renaissance, des représentations de la Vérité et du Mensonge, de la Paix et de la Discorde. Au sommet de la maison des Brasseurs, L'Arbre d'Or, se cabrait un énorme cheval doré. Encore plus haut, à l'hôtel de ville, se dressait un saint Michel en cuivre doré qui perçait de sa lance le démon se tordant à ses pieds.

La nuit rendait encore plus extraordinaire cet ensemble architectural. Les projecteurs faisaient ressortir la fragilité des tours de pierre, aussi délicates que de la dentelle. Les colonnes sculptées des façades, recouvertes de feuilles d'or, brillaient dans l'obscurité. Sur la façade de la maison du Cygne, un énorme oiseau au long cou se dressait, les ailes largement déployées.

— Regardez, Janie. Cocteau disait que c'est à Bruxelles qu'on trouve la plus belle place du monde.

L'esprit de Janie était troublé par tout ce que Dante lui avait appris, par les horreurs qu'elle avait vues et qu'elle venait de décrire en détail à Alma, sans pour autant lui révéler que le gardien polonais était sûrement Mama. Elle cherchait avec acharnement une solution à l'énigme qui occupait son esprit :

— Vous avez beaucoup de chance, répondit-elle à son hôtesse, l'air absent.

— Pas toujours, croyez-moi. Pas toujours.

La brève réplique, inattendue, étonna Janie. La vieille dame vint s'asseoir sur une chaise à haut dossier, presque en tâtonnant. Ses mouvements étaient particulièrement maladroits :

— C'est toujours très douloureux pour moi d'entendre ces histoires.

— Je ne voulais pas vous bouleverser, répondit Janie en tendant la main vers elle.

C'était une femme usée par les ans, après tout; elle avait déjà eu son lot de soucis et il fallait la ménager. De plus, il était très tard. C'était plus qu'elle n'en pouvait supporter à son âge.

— Vous ne comprenez pas, chère amie, dit-elle à Janie en acceptant la main tendue. Ce n'est pas votre faute. Je ne vous ai pas mise au courant et vous ne pouviez pas savoir. Vous n'avez rien à m'apprendre sur les camps. Ce serait plutôt à vous de me poser des questions.

Alma s'adossa et commença à parler. D'une voix haletante d'abord, puis plus calmement, comme si elle ne parlait plus d'elle. Il était évident qu'elle revivait le cauchemar encore une fois. Parfois sa voix s'éteignait et elle ne reprenait son récit qu'après une longue pause. Parfois elle essuyait les larmes qui coulaient de ses yeux, d'un geste touchant qui faisait penser à celui d'un enfant.

Janie croyait tout savoir des atrocités de la guerre, des déportations, de la mort.

Elle se trompait. Réfléchir aux souffrances de millions de victimes, en lire la description sur les pages d'un journal, voir des photos, des documentaires, des films, c'était bouleversant, sans aucun doute. À force d'entendre parler de ces horreurs, qui remontaient d'ailleurs à plus de cinquante ans, Janie avait fini par ne plus s'en émouvoir tellement.

Mais apprendre de la bouche même d'une femme, dans la demi-obscurité de son salon, ce qui lui était arrivé à elle, à son mari, à l'enfant qui avait survécu et à celui qui était mort, cela était entièrement différent. D'une voix posée, Alma évoqua les abîmes d'un cauchemar dont elle n'était pas encore sortie.

Dans sa mémoire, les corridors s'allongeaient sans fin entre des portes closes, avec des alternances d'ombre et de lumière.

C'était la première fois qu'elle sortait de son appartement depuis qu'elle avait accouché et elle se sentait bizarre, irréelle. Il n'était pas encore sept heures. Elle portait le bébé et tenait Fernande par la main. Les talons de ses chaussures frappaient sèchement le plancher, tandis que les bottes des deux soldats en uniforme marchant à leurs côtés heurtaient le sol avec le bruit d'une masse s'abattant sur un pieu. Il lui fallait faire trois pas rapides pendant que ces hommes de haute taille n'en faisaient que deux. Elle essayait de ne pas penser à ses appréhensions, à l'officier ou au geôlier qui l'attendait, à ce qui pourrait lui arriver par la suite. Elle se concentrait sur le bruit des chaussures.

Une porte s'ouvrit devant eux et un homme à tête blanche sortit dans le corridor. Il portait des vêtements civils défraîchis et semblait n'avoir pas dormi de la nuit. Il s'appuya contre le mur, les yeux fixés au sol, comme s'il était incapable de décider ce qu'il devait faire. Au moment où ils arrivèrent à sa hauteur, Alma entendit distinctement quelqu'un, à l'intérieur de la pièce voisine, dire en allemand, d'une voix pressée : « ... arrêté Von Falkenhausen... la nuit dernière... Aucun d'entre eux... Reichenau, je crois. Vous savez comment ils... »

On aurait dit une conversation téléphonique. « Non, je n'ai pas... » Quelqu'un, à l'intérieur, fit claquer la porte.

Alma essayait de respirer calmement. Le général Alexander von Falkenhausen avait longtemps été à la tête des troupes allemandes d'occupation en Belgique. Il était reconnu pour être antinazi et sympathique au pays qu'il gouvernait. Avait-il été arrêté? Si c'était le cas, elle préférait ne pas penser aux conséquences de son arrestation.

L'officier de la Gestapo inclina la tête dans sa direction. Il était excessivement poli, il s'était même levé quand on l'avait introduite dans son bureau.

Il la pria de s'asseoir, ajoutant du même souffle qu'elle devait se tenir prête à l'accompagner : elle devait répondre à certaines questions concernant son mari. Elle fut bouleversée à la pensée qu'ils avaient trouvé Viktor.

— Des questions? demanda-t-elle.

— À propos de son travail. À propos des gens qui l'aidaient à propager ses vues politiques.

Alma se rappela les fois où elle était allée porter les articles destinés à être publiés dans le bulletin de nouvelles clandestin auquel il collaborait. Nerveuse mais déterminée, elle amenait Fernande voir les fontaines et glissait la liasse enroulée sous le bras du banc où elle s'asseyait. Au bout d'environ six minutes, l'imprimeur venait faire sa promenade. Une fois, il avait même commencé à soulever son chapeau pour la saluer au moment où elle se levait pour partir, mais il avait heureusement retenu son geste. Il avait pris sa place en l'ignorant de façon délibérée.

Son mari et elle avaient depuis longtemps mis au point l'attitude à adopter s'il lui arrivait un jour d'être interrogée sur cette activité clandestine. Elle haussa les épaules avec indifférence :

— Je ne me suis jamais intéressée à son travail. J'ignore tout de ce qu'il faisait. Il gagnait peu et il s'attendait à ce que je fasse des merveilles avec presque rien. Nous discutions peu de ses affaires. Notre mariage était... dit-elle en secouant la main comme si elle voulait chasser une pensée importune.

Elle demandait intérieurement pardon à son mari : « Je suis désolée, Viktor, vraiment désolée. C'est pour le bien des enfants. »

— Ça ne me regarde pas. J'ai seulement été avisé que vous seriez interrogée.

— Ne pourrais-je dès maintenant subir cet interrogatoire? De toute façon je n'ai rien à vous dire...

— Ce ne sera malheureusement pas possible, madame.

— Où et quand alors?

Il suça pensivement l'intérieur de ses joues :

— Je n'ai pas encore reçu mes ordres. Mais vous devez être prête à quitter votre appartement ce soir, à huit heures. Vous pouvez prendre une valise.

Elle déduisit que, si elle devait préparer sa valise, on ne lui permettrait pas de rentrer à la maison. Était-ce la prison qui l'attendait? Ou un voyage? Elle respira profondément pour reprendre la maîtrise d'elle-même :

— C'est impossible, déclara-t-elle en regardant son tout petit bébé. Il n'a pas encore deux semaines, dit-elle au militaire avec un sourire confiant. Je suis désolée, mais je ne peux pas l'emmener avec moi dans la nuit froide.

— Cela va de soi, répondit-il sans hésiter. Les enfants ne vous accompagneront pas. On s'occupera très bien d'eux. Pendant quelques jours seulement.

Si elle n'avait pas été assise, elle serait tombée. Elle n'avait pas vu venir le coup :

— Je ne peux absolument pas laisser mes enfants derrière moi. J'allaite mon bébé.

— Je suis désolé, madame, mais il sera quand même conduit dans un foyer. Il sera bien nourri, soyez-en sûre. On s'occupera très bien de votre bébé et de votre fille. En attendant que vous reveniez seulement.

— Non, vous ne comprenez pas. Sans moi il ne peut pas manger, se défendit-elle d'un ton suppliant qu'elle détesta.

— Calmez-vous, madame. N'ayez aucune crainte. C'est dans le meilleur intérêt de vos enfants. Nous avons d'excellentes infirmières, vous savez. Elles seront d'ailleurs ici dans quelques minutes.

Elle sentit son courage l'abandonner :

— Déjà ? Ils doivent partir maintenant ?

Elle plaida et protesta sans pudeur. L'officier resta poli. Il gardait sur ses lèvres un sourire qui ne convenait pas à cette situation tragique.

Fernande s'appuya étroitement contre sa mère. Le bébé était au chaud dans le creux de son bras, souriant aux anges, heureux et satisfait. Alma ouvrit la bouche pour demander si les enfants ne pourraient pas être confiés à sa mère, puis la referma aussitôt. Peut-être ignorait-on où était sa mère. Si on l'apprenait, on pourrait aussi l'arrêter.

— Combien de temps ? demanda-t-elle d'une voix faible. Combien de temps resterai-je loin d'eux ?

— Quelques jours, répondit l'agent de la Gestapo en consultant ses papiers d'un air absent. C'est une affaire de quelques jours.

— Où m'envoie-t-on ? Pas loin de Bruxelles, j'espère.

Sa question resta sans réponse.

— Pouvez-vous être plus précis, je vous prie ?

Il secoua négativement la tête. Pendant ce temps, Fernande s'était pressée contre la cuisse de sa mère, le pouce dans la bouche. Pour le bien de sa fille, Alma s'efforça de paraître sereine. La petite commençait à peine à parler, mais son intelligence était très éveillée. Son immobilité absolue donnait à croire qu'elle se rendait compte que quelque chose d'important se passait.

On frappa à la porte et une femme entra. C'était une solide bonne d'enfants, portant un uniforme gris et blanc bien empesé. Elle avait épinglé sa montre en argent sur sa poitrine. Son corps était maternel, mais pas ses manières. Elle posa sèchement à Alma une série de questions pratiques : Est-ce que Fernande mangeait bien ? Avait-elle des problèmes de constipation ? Quelle était la diète du nouveau-né ? Consciente que Fernande se blottissait de plus en plus contre elle, Alma essaya de répondre le plus calmement possible pour ne pas inquiéter la fillette.

La bonne se pencha, comme si elle voulait regarder le bébé, mais avant que la mère puisse réagir, elle le lui arracha des bras. Alma se cabra. Elle fit un grand effort pour ne pas pleurer, pour ne pas essayer de reprendre son enfant, pour ne pas crier, ne pas céder à la panique... Elle s'efforça de rester impassible.

Le femme ouvrit la porte et remit le bébé à une autre bonne qui attendait à l'extérieur. Tout se déroula en silence. Alma se persuada que son fils était tellement jeune qu'il ne se rendrait pas compte de la différence, qu'il serait bien. Mais elle respirait difficilement. Puis la bonne revint sur ses pas et tendit la main à Fernande :

— Viens, chérie, dit-elle d'une voix sans chaleur. Nous partons.

Alma se pencha vers sa fille, boutonna son manteau jusqu'au cou, glissa ses fins cheveux dans leurs barrettes aux couleurs vives :

— Je reviendrai vous chercher bientôt, murmura-t-elle. Cette dame s'occupera de vous : alors sois obéissante, recommanda-t-elle à sa fille en prenant son petit visage entre ses mains. Tu dois te comporter comme une bonne fille pour faire plaisir à maman. Reste avec ton petit frère.

Elle posa un baiser sur les lèvres douces de l'enfant, qui observait intensément le visage de sa mère. Alma n'avait aucune idée de ce que sa fille comprenait. La petite se mit à pleurer seulement quand sa mère se sépara d'elle, seulement quand la femme saisit son poignet. La gardienne attira Fernande vers elle, et alors la petite se mit à crier, d'une voix rendue stridente par la panique. Elle se dégagea et vola vers sa mère, terrorisée.

Et Alma ne pouvait rien faire. Elle restait figée pendant que la femme luttait avec l'enfant, manifestement surprise par sa force. La gardienne réussit enfin à remettre l'enfant sur ses pieds, la saisit fermement par le bras et sortit du bureau. Les cris de Fernande s'atténuaient à mesure que s'accroissait la distance, tandis qu'on l'entraînait sans ménagements dans le corridor.

L'officier paraissait fatigué. Il avait été témoin de scènes semblables auparavant.

— Qu'est-ce que je dois faire pour leurs vêtements? demanda Alma, une fois qu'elle put parler à nouveau.

— Vous pouvez préparer une petite valise pour eux et la prendre avec vous ce soir. Je la ferai suivre à destination.

— Quelle est leur destination? demanda-t-elle faiblement.

— On les amènera à la campagne. Dans un endroit où ils seront en sécurité. Une institution peut-être, dit-il d'un ton ennuyé.

— Mais où ? Où dois-je aller pour les reprendre ?

— On vous les rendra.

— Quand ? Quand vais-je les revoir ? Je vous en prie !

Elle le suppliait sans honte, le visage noyé de larmes.

Cette fois, il n'essaya même pas d'inventer une réponse.

Chapitre vingt-huit

Le camion faisait des embardées sur la route cahoteuse, projetant Alma, en déséquilibre instable, contre la paroi métallique. Elle pressa son visage sur la fissure étroite où deux panneaux se rejoignaient. Elle avait désespérément besoin de l'odeur fraîche de la pluie et d'un peu d'eau sur la langue. Mais le camion la projeta encore une fois par terre, où elle se blessa à l'épaule en tombant sur l'amas de corps que la peur faisait transpirer. La femme âgée près d'elle, drapée dans sa magnifique jaquette de fourrure, avait des haut-le-cœur depuis des heures. Elle s'excusait chaque fois, plaquait un mouchoir brodé contre sa bouche et rejetait ses cheveux en arrière d'une main tremblante.

Alma s'assit sur sa valise, le dos contre la paroi latérale, les genoux serrés l'un contre l'autre. Elle essayait encore de trouver un sens à ce qui était arrivé au cours des derniers jours. C'était impossible parce que, justement, les événements étaient insensés, cruels. Comment pouvait-on punir des enfants innocents ?

Tout se confondait dans une même horreur. Seuls les moments les plus traumatisants se détachaient de la masse abominable : le sourire de l'agent nazi, de fausses promesses enrobées d'un faux sourire ; la confiance innocente de son bébé reposant dans les bras de cette femme ; les cris de Fernande tandis qu'on l'entraînait de force.

Alma savait qu'elle faisait de la fièvre, parce qu'elle se surprenait parfois à murmurer, comme si sa petite fille était avec elle. Elle lui parlait de son papa, de ce qu'ils feraient tous ensemble quand ils rentreraient à la maison. *Nous irons d'abord au magasin pour choisir quelque chose de spécial pour déjeuner.*

Ses seins, gonflés de lait, étaient durs et douloureux. Et chauds. « Oh, mon Dieu ! se disait-elle, ce n'est pas vrai. Il est impossible que ce soit arrivé. Non, pas ça !... »

La femme à côté d'elle cessa enfin d'avoir des haut-le-cœur. Elle était affaissée sur elle-même, les yeux ternes et creusés par l'épuisement. Elles s'appuyèrent l'une contre l'autre pour se porter mutuellement assistance.

De temps en temps, le camion s'arrêtait et les prisonniers étaient invités à descendre, mais la plupart étaient trop terrifiés pour venir boire la gorgée d'eau qu'on leur proposait. Certains avaient osé. Quelques-uns parmi eux, poussés par la faim, avaient essayé de manger de l'herbe. Ils souffrirent ensuite de dysenterie et en furent réduits à croupir dans leurs excréments.

Alma se rendit compte qu'on était encore une fois arrêté, parce qu'elle entendait le moteur tourner au ralenti. Elle réussit à se mettre à genoux et chercha une fissure qui lui permettrait de voir ce qui se passait. Là où elle était, les parois du camion offraient une surface sans failles. Elle sentit de l'humidité sur ses doigts et elle en déduisit qu'il pleuvait. En même temps, elle sentit sur elle la vapeur condensée provenant de la respiration d'une cargaison d'humains entassés les uns sur les autres. Elle finit par repérer une fissure, assez basse pour voir la route cahoteuse derrière le camion. Elle se tapit tout près. Les jambes lourdes d'une femme portant des bas tricotés apparurent dans son champ de vision, puis un enfant s'agrippa aux barreaux de métal et commença à se tortiller :

— Aidez-nous ! cria Alma d'une voix rauque, où perçait l'urgence. S'il vous plaît, aidez-nous.

Un œil clair se colla au trou et Alma reprit son souffle :

— Bonjour, dit-elle plus calmement à l'œil qui l'observait.

La femme s'éloigna et les petits doigts de l'enfant s'agrippèrent encore une fois. Alma les serra entre les siens :

— Aide-nous. Va dire à quelqu'un que nous sommes ici, le supplia-t-elle.

L'enfant tordit les doigts d'Alma pour toute réponse et une voix très jeune cria quelque chose d'inintelligible. Alma sentit le silence s'abattre dehors. L'enfant appela encore, mais il y eut cette fois un soudain accès d'activité, une gifle, un gémissement, et les petits doigts se détachèrent de la barre. La femme lança un seul mot, sec et dissuasif : Dreck ! Un crachat apparut sur le sol devant les chaussures trouées de la femme. Le moteur du camion s'emballa. La femme hurla : Dreck ! Le chauffeur embraya et ils repartirent.

Une pluie plus forte martelait le toit du camion. Alma devait perdre l'esprit, parce que le bruit de l'eau frappait son oreille comme de la musique. L'orchestre de son père jouait du Beethoven. Elle reconnaissait la pulsation profonde et irrégulière, sous les violons, qui faisait écho au rythme affolé de son cœur. Parfois, quand le camion ralentissait pour grimper une côte, un filet de pluie mouillait ses cheveux. La fraîcheur soudaine de l'eau venait lui rappeler qu'elle faisait de la fièvre. À sa gauche, la femme au comportement empreint de dignité frissonnait de façon incontrôlable.

Alma était en nage. Ses seins douloureux ne lui permettaient pas d'oublier un seul instant son enfant : « Oh, mon Dieu ! mon bébé ! » Cette simple pensée provoqua une montée de lait. Elle pressa fermement ses paumes contre ses mamelons pour l'arrêter.

Sa montre était arrêtée. Elle demanda une fois si quelqu'un savait quelle heure il était. Elle n'était toutefois pas certaine d'avoir posé la question à voix haute. Personne ne répondit, mais elle nota que la pénombre obscurcissait l'intérieur du camion.

De toute façon, le temps n'avait pas d'importance. Plus rien ne marquait l'écoulement des heures. Pas même les activités ordinaires de la journée : préparer le petit-déjeuner pour Viktor, conduire Fernande chez sa mère pour la journée, travailler à la galerie, aller à ses cours de musique, faire vite les courses avant de rentrer à la maison. Tout cela semblait loin derrière elle. Elle était incapable de croire qu'elle vivait encore une vie bien à elle quelques jours auparavant.

Elle devinait qu'il était tard, parce qu'elle se sentait désespérément fatiguée. Elle était épuisée et elle ignorait où et quand ce voyage sans fin s'arrêterait. Une voix répétait encore et encore : « Je ne peux pas respirer je ne peux pas respirer je ne peux pas... » Une adolescente de quatorze ans environ, pleurait sans arrêt en se grattant au sang les bras et les jambes. Son visage fermé affichait l'obstination caractéristique de la manie. Et il n'y avait personne pour l'arrêter.

Alma ferma les yeux et tomba immédiatement dans un état voisin du sommeil. Des rêves qui étaient autre chose que des rêves labouraient son esprit, creusant des blessures qu'aucun remède ne pourrait guérir. *Oh! mon petit, mon amour, où es-tu? Comment ai-je pu laisser cela arriver?* Quand elle ouvrit les yeux, l'obscurité totale s'était presque installée. Elle ne reconnaissait plus les gens recroquevillés autour d'elle. La femme si digne n'était plus là.

Malgré les soubresauts du camion, Alma perdit conscience encore une fois. Elle voulait résister, elle savait qu'elle devait résister. Mais il était plus facile de se laisser aller. Plus chaud et plus doux et plus reposant.

Elle s'éveilla dans le silence de leur grand lit, chez elle, rue de l'Écuyer. Elle sentait la chaleur de Viktor contre son dos, elle entendait le roucoulement des pigeons sur le toit, les faibles échos du café, en bas, où l'on disposait tables et chaises sur la terrasse. Puis montèrent, de plus en plus stridents, les cris familiers du vieil homme qui vendait du charbon chargé dans une voiture tirée par un cheval. Ils s'enflèrent jusqu'à devenir un hurlement poussé dans une langue qu'elle ne reconnaissait pas. On faisait trop de bruit, on entassait les chaises métalliques du café dans la chambre...

Les verrous, à l'arrière du camion, glissèrent avec un rude grincement qui força Alma à se réveiller. La chaleur qu'elle avait sentie contre son dos n'était que de l'urine, dont l'odeur franche lui fit monter les larmes aux yeux. Le camion empestait : cent cinquante personnes y étaient enfermées depuis des jours. Le hayon s'ouvrit avec fracas. Il faisait encore nuit, les cirés des hommes qui les attendaient brillaient sous la pluie. Derrière eux se dressait, très haut, un redoutable réseau de fils barbelés, régulièrement balayé par le feu des projecteurs installés sur les miradors. Au milieu d'un concert d'ordres énergiquement aboyés, les prisonniers les plus proches de l'arrière du camion furent tirés dehors et poussés dans les ornières et les mares d'eau de l'espace ouvert où l'on s'était arrêté.

Alma essaya de se tenir debout, mais elle tremblait sous l'effet de l'épuisement et ses jambes semblaient ne pas vouloir la supporter. Entassés dans un espace trop étroit, où ils étaient restés à moitié assis et à moitié couchés pendant des jours, les prisonniers ne pouvaient se déplacer qu'en rampant comme des animaux.

« Papa ! Papa ! »

Un garçonnet aux cheveux bouclés, qui n'avait guère plus de trois ans, essaya tant bien que mal de remonter dans le camion. Il appelait son père et donnait des coups de pied aveugles aux prisonniers qui descendaient. Alma hésita, se pencha en avant pour le retenir. Comment cet enfant se trouvait-il parmi eux, se demandait-elle, alors qu'on lui avait arraché les siens ? Ses parents avaient dû le cacher et partir sans lui. Un gardien agrippa le garçon et Alma reçut un coup brutal sur la tête. Avec le recul du temps, elle s'émerveilla d'avoir été capable de ressentir de la souffrance pour le fils d'une autre femme.

« Szybko ! Szybko ! »

Du polonais ! Ils hurlaient en polonais. Est-ce qu'on se trouvait en Pologne sous cette pluie, dans cette obscurité ? Alma se traîna sur les mains et les genoux, en tirant sa valise derrière elle. Ce qui restait de ses bas de coton pendait en lambeaux ; elle s'était blessée aux genoux en tombant. De petits cailloux incrustés dans sa chair la faisaient cruellement souffrir dans sa laborieuse progression. Elle avait dû aussi se mordre l'intérieur de la joue, car elle avait le goût salé du sang dans la bouche. Elle passa son poignet sur ses lèvres et elle y vit des traces vermeilles.

Déjà elle avait appris à ne regarder personne en face, à garder la tête penchée, à rester anonyme, à obéir instantanément. Aussi le sol fut-il la première image, ou presque, de cet endroit où on l'avait emmenée : devant les barrières, en dehors du périmètre délimité par les barbelés, des rectangles formés de pierres chaulées proprement alignées entouraient des plates-bandes. La terre y était finement ratissée et on avait planté des bâtonnets de bois pour identifier les plantes.

Parce qu'à ce moment-là, Alma n'avait aucune idée de ce qui les attendait, elle et ses compagnons, elle n'avait pas encore évalué la cruauté de leurs geôliers. Elle n'avait donc pas deviné que ces fleurs étaient une tromperie, qu'elles ne correspondaient aucunement à ce qu'elle verrait et vivrait à l'intérieur du camp. Elle n'avait aucun moyen de savoir qu'elle serait encore là pour voir ces plates-bandes se couvrir de neige, puis refleurir au printemps. Elle n'avait par ailleurs aucun indice pour lui indiquer si elle quitterait jamais ce camp. Mais plus tard, pendant des années, ces fleurs roses, rouges et blanches furent les plus fortes images qu'elle garda de ce terrible endroit. Du sang et des fleurs.

Tous leurs effets furent confisqués. On fouilla les valises, on emporta vêtements et bijoux. Alma fut sommée de se départir de la jolie émeraude oblongue que Viktor avait amoureusement choisie pour sa bague de fiançailles, de sa montre en or, du collier de perles, des dormeuses qu'elle n'avait jamais enlevées. Un vieillard, trop âgé pour porter le rude uniforme gris, fit scrupuleusement la liste de tous les bijoux avant de les déposer dans un petit sac de papier kraft.

— Ils seront en parfaite sûreté, la rassura-t-il.

Elle aurait juré qu'il avait répété la petite phrase des milliers de fois.

— Je pourrai les récupérer bientôt ?

— On vous les rendra, acquiesça-t-il d'une voix monocorde où perçait un accent paysan.

Elle savait qu'il mentait, mais elle ne voulait pas l'admettre. L'officier allemand, à Bruxelles, avait utilisé les mêmes mots : « On vous les rendra. » Elle devait croire, quoi qu'il lui en coûte, qu'il disait la vérité, sinon elle deviendrait folle.

Finalement, leurs manteaux et leurs chapeaux furent entassés sur des brouettes. Chacun crut qu'on allait les conduire à l'intérieur, mais on les laissa sous la pluie battante pendant ce qui leur parut des heures. Alma reconnut, dans une brouette qui passait devant elle, le manteau de chinchilla si distinctif : elle chercha en vain la dame qui le portait dans le camion. Des éclats de voix parvenaient à leurs oreilles, mais aucun n'avait de sens pour eux. On les mit en rang, cinq de front, et, pour la première fois, ils entendirent le refrain qui allait ponctuer leurs journées : *Eins, zwei, drei, vier, fünf...*

Quand finalement ils entrèrent à la queue leu leu dans le long hangar, ils auraient été suffisamment humiliés de se faire ordonner d'enlever leurs vêtements détrempés, mais, sans prononcer un seul mot, une gardienne saisit Alma par l'épaule et ouvrit simplement ses vêtements avec une paire de longs ciseaux utilisés pour la tonte des moutons. Tout y passa : son chemisier, sa jupe, sa combinaison, sa culotte tombèrent à ses pieds. Elle aurait été terriblement embarrassée dans d'autres circonstances. Mais dévoiler malgré elle son corps vulnérable et endolori à la suite de l'accouchement, avec le lait qui coulait de ses seins, rendait la situation humiliante au-delà de tout ce qu'elle aurait pu imaginer.

La file de prisonniers nus et tremblants de frayeur fut poussée dans une pièce sombre. Alma aperçut alors un appareil à rayons X : deux techniciens en blouse blanche allaient radiographier leurs poumons. Juste au moment où elle reprenait confiance parce que ce souci pour leur santé lui paraissait de bon augure, la pire des choses commença. Elle put voir, en effet, qu'on rasait les femmes qui la précédaient. Les autres, derrière elle, découvrant ce qu'elles devraient subir, se mirent à s'agiter et à murmurer. Alma regarda anxieusement autour d'elle pour trouver quelqu'un auprès de qui elle protesterait et vit derrière la porte deux SS polonais armés. Leurs armes l'intimidèrent moins que leurs bottes cirées et leurs casquettes rabattues sur leur front de telle manière qu'elle ne pouvait pas voir leurs yeux. Quelle protestation pouvait-elle exprimer, dans son état?

Les femmes affectées au rasage semblaient être des prisonnières, elles aussi; elles travaillaient soigneusement et avec célérité, indifférentes plutôt que méchantes. L'une d'elles coupa d'une main mal assurée les longs cheveux d'Alma à petits coups de ciseaux, jetant les mèches dans un grand sac, à ses pieds. Puis elle passa la tondeuse sur ce qui restait. Elle signifia ensuite à Alma de lever les bras et lui rasa rapidement les aisselles. Elle s'attaqua ensuite sans avertissement à la toison du pubis. Alma tressaillit, rouge de colère et de honte.

Elle entendit avec soulagement le mot « bain » qui circulait d'une bouche à l'autre vers l'arrière de la queue. Mais elle n'était pas préparée à entrer dans cette cuve de béton répugnante remplie d'un liquide qui ne pouvait pas être de l'eau. On les poussait l'une après l'autre par-dessus le rebord peu élevé. Le fond de la cuve était glissant et rendait l'équilibre précaire. Une odeur dégoûtante de produits chimiques, de vomi et de fumier montait de l'eau infecte qu'elle sentit s'infiltrer entre ses cuisses et sous ses aisselles rasées. Quand une main se posa sur son crâne chauve, elle ferma instinctivement la bouche et les yeux. Puis on la laissa émerger alors qu'elle suffoquait sous l'effet du choc et du froid.

Les gardiennes polonaises ordonnèrent ensuite aux femmes rasées et grelottantes de courir dans un tunnel aux murs rugueux : *Szybko, szybko!* Elles débouchèrent dans une grande salle sans fenêtres où étaient empilés des vêtements gris, qu'on leur distribua sans qu'un seul mot soit prononcé.

Ce n'était que le commencement.

Les hommes et les femmes conduits au camp dans le même camion qu'Alma furent dirigés vers une baraque basse, sans fenêtres, plongée dans une totale obscurité. Ils étaient peut-être cent quatre-vingts dans cette masure dont le toit n'était pas encore terminé, de sorte que la pluie filtrait au travers d'une bâche inadéquate. Ils durent s'asseoir sur le plancher, car il n'y avait pas de chaises. Un petit poêle se trouvait au centre de la baraque, mais il n'y avait rien pour l'allumer, rien à brûler. Ils attendirent donc qu'on leur apporte des lits, ou du moins des couvertures. Mais les gardiens leur firent signe d'utiliser leurs mains comme oreiller, fermèrent la porte et tournèrent la clé dans la serrure. Le plancher était couvert de flaques d'eau. On ne leur donna pas de nourriture et il était évident que les prisonniers resteraient sur leur faim cette nuit-là. Tout le monde était transi de froid, quelques-uns pleuraient. Ceux qui, parmi eux, avaient quelque sens pratique s'étendirent sur les espaces secs du plancher et se collèrent les uns contre les autres pour trouver de la chaleur.

Alma s'arrangea pour trouver le plus de confort possible. Elle grelottait, comme la dame au chinchilla dans le camion. Elle pensa que cette femme avait dû mourir au cours de cette interminable soirée.

L'image du garçonnet en larmes remonta dans sa mémoire. Elle ne l'avait plus revu. Et sa pensée fut ramenée à son bébé perdu, au lait inutile qui gonflait ses seins.

Elle était incapable d'évaluer le temps qui s'était écoulé depuis qu'on avait emmené ses enfants. Quatre jours ? Cinq ? Elle mit sa tête entre ses mains, repassant les événements pour la millième fois, essayant de les retracer dans leurs moindres détails.

Et Viktor. Qu'avait-on fait à Viktor ?

Pour la première fois, Alma pleura sur tout ce qu'elle avait perdu.

C'était un camp de travail, et le travail était invraisemblablement dur. Des équipes de femmes et d'hommes âgés travaillaient seize heures par jour. Sous le regard vigilant des gardes SS, ils brisaient, avec un simple pic comme outil, des pierres qui servaient à construire des chemins. Ces voies droites et blanches conduisaient au cœur des sombres forêts polonaises de pins et de sapins qui s'étendaient à perte de vue autour d'eux.

Alma croyait parfois voir des gens circuler parmi les arbres. Elle y remarqua une fois un garçon de six ou sept ans qui les surveillait ; une autre fois c'était une femme, dont les cheveux très noirs pendaient jusqu'à la taille. Ils étaient mal vêtus et on pouvait voir la crasse incrustée dans leur peau. Alma souriait à ce souvenir : malgré leur saleté, les prisonniers n'étaient pas aussi sales que cette femme. Eux, qui n'osaient jamais s'adresser à ces silencieux observateurs parce que les gardiens tiraient à la moindre alerte, décidèrent que c'étaient des gitans. De temps à autre, ces gens laissaient la moitié d'un pain dans un endroit où il serait facile de le trouver. Un jour, mémorable entre tous, Alma aperçut non loin d'elle, alors qu'elle se redressait péniblement, un tricot de laine soigneusement plié sur une pierre. Elle se l'appropria avec joie malgré la propreté plus que douteuse de l'article.

Les prisonniers portaient toujours le même uniforme gris à rayures bleues, taillé dans un coton rêche, qui avait déjà appartenu à bien d'autres personnes. Ce vêtement était trop chaud en été et totalement insuffisant en hiver. Un grand nombre de prisonniers, dont Alma, portaient au bras un triangle de couleur permettant d'identifier leur statut. Celui d'Alma était rouge : à cause de Viktor, elle faisait partie des prisonniers politiques.

Les journées s'étiraient interminablement. Y succédaient des nuits trop courtes, durant lesquelles les prisonniers étaient enfermés dans des baraques où la lumière du jour n'entrait jamais. On leur avait finalement fourni des couchettes étagées qui s'élevaient jusqu'au plafond. Des couchettes d'à peine plus de soixante centimètres de largeur et très rapprochées les unes des autres, dans lesquelles dormaient quand même deux ou trois personnes. La maigreur des prisonniers rendait cette promiscuité possible, mais lorsqu'un des occupants d'une couchette se tournait, il forçait les autres à faire de même. Cependant, comme on ne leur fournissait pas de combustible pour le poêle, la chaleur de leur corps était bienvenue. Alma dormait peu, malgré sa fatigue chronique.

On avait aménagé, au fond de la salle, un petit coin où ils pouvaient se laver avec un soupçon d'eau froide. Un peu plus loin, des rangées de latrines sans portes répandaient leur odeur nauséabonde. La saleté et la puanteur écœurante étaient encore pires à supporter que la faim et la fatigue. Incapables de se laver convenablement ou de nettoyer leurs vêtements, ils ne tardèrent pas à souffrir de démangeaisons et d'ulcères à la surface de la peau. Alma eut bientôt la gale comme tous les autres et souffrit de démangeaisons irrépressibles la nuit, à mesure que son corps se réchauffait un peu.

Les poux constituaient la pire menace. Transparents, jaunâtres, assez gros pour qu'on puisse les saisir entre les doigts, ils pondaient leurs œufs microscopiques dans les coutures des vêtements et propageaient ainsi la maladie. Le soir, les prisonniers passaient de longues heures à les chercher, dégoûtés de les sentir ramper sur leur peau, de les débusquer sous leurs ongles. Il fallait néanmoins leur déclarer une guerre sans merci pour survivre, car ils transmettaient le typhus. Jusque-là, le camp avait été épargné. Mais certains prisonniers, témoins des ravages causés par ces parasistes dans d'autres camps, multipliaient les mises en garde. La température des victimes pouvait se maintenir à quarante et un ou quarante-deux degrés pendant plus d'une semaine. Puis venaient le délire et les hallucinations et, sauf pour les plus résistants, une mort horrible.

Tous les matins, à quatre heures, ils étaient réveillés pour l'appel, dans la cour où étaient dressées les potences. On les comptait deux fois plutôt qu'une. *Eins, zwei, drei, vier, fünf.* On les retenait parfois sans raison pendant deux heures, ou même six, quand le commandant en donnait l'ordre : « Repos ». Certains s'écroulaient sur place, morts. Les prisonniers plus robustes les emportaient au loin. D'autres fois, on les amenait assister aux pendaisons. Ou aux corrections publiques. On administrait vingt-cinq coups de fouet à ceux qui avaient été surpris à voler de la nourriture. Seulement un ou deux prisonniers avaient survécu à ce traitement, tellement ils étaient tous faibles et maigres.

Le matin, à cinq heures, on leur servait un bol de ce liquide amer qu'on appelait café. Le soir, on leur distribuait une lourde tranche de pain de seigle accompagnée d'une simple tasse d'eau. Entre ces deux collations, ils avaient droit à un seul repas au milieu de la journée, après un second recomptage. *Eins, zwei, drei, vier, fünf.* Ils mangeaient debout. Au fil des jours, l'expérience avait appris à Alma à s'insérer dans la file au bon endroit. Les premiers servis recevaient une ration sans consistance. Puis les portions devenaient de plus en plus solides, à mesure qu'on approchait du fond du grand chaudron. Mais il fallait éviter de se trouver trop loin dans la file d'attente, parce qu'il arrivait qu'on manque de nourriture pour les derniers arrivants. On risquait alors de ne rien recevoir dans sa *Schüssel* d'acier.

Une fois qu'elle avait mangé, dans les minutes d'apaisement physique que lui apportait sa maigre pitance, elle fermait ses oreilles aux rumeurs de la baraque ; elle se soustrayait aux bruits furieux des estomacs affamés de ses compagnons ; elle oubliait leurs odeurs et leurs quintes de toux. Elle fermait les yeux et se faisait croire que ce cauchemar n'avait jamais eu lieu et que sa petite famille était en sécurité. Incapable de trouver le sommeil, elle se demandait si demain serait le dernier jour qu'il lui serait donné de vivre.

Ce n'était jamais le dernier. En dépit de la faim, du travail et de la misère extrême, elle survivait. Elle découvrit qu'elle portait dans ses veines la volonté de vivre.

Chapitre vingt-neuf

Les deux femmes étaient assises dans la chaleur du luxueux salon, discrètement éclairé. Au matin, pensait Janie, la vie reprendrait dans la rue de l'Écuyer et tout autour. Les gens vaqueraient à leurs affaires, prendraient des décisions, feraient des choix, des erreurs et même l'amour. Ils n'auraient aucune idée du gouffre qui s'était naguère ouvert sous les pieds d'Alma Gysemans et de tant d'autres malheureux comme elle. Au mieux, ces événements fourniraient de la matière aux historiens; au pire ils seraient considérés comme des faits ayant perdu leur capacité d'émouvoir ou d'attirer la curiosité. Mais la femme à côté d'elle avait survécu à ces atrocités qui avaient coûté la vie à des millions de personnes et bouleversé celle de millions d'autres.

Comme si elle avait lu dans les pensées de Janie, Alma dit :

— Le pire, à propos de tous les faits que j'ai essayé de vous décrire objectivement, c'est la façon méthodique, ordonnée dont tout cela a commencé. Vous voyez des films, vous lisez des livres, vous imaginez des sbires sadiques dans leurs vêtements de cuir, rendus fous par la haine, faisant irruption dans votre appartement, le revolver dans une main, la cravache dans l'autre. Ce n'était pas comme ça. Ce n'était pas ça du tout, acheva-t-elle en faisant une grimace douloureuse. Vous pouvez être certaine que j'ai été envoyée en Pologne par un bureaucrate du gouvernement qui avait ajouté mon nom à sa liste, avant de retourner à la maison le soir, pour atteindre le nombre qu'on lui avait prescrit ou, plus bêtement, à cause de mes initiales. Le personnage que j'imagine, ce n'est pas un nazi en bottes d'équitation, loin de là, mais un minable petit fonctionnaire à lunettes. Il devait peut-être établir scrupuleusement son budget domestique, avoir deux enfants, craindre sa femme et payer ses taxes dans les délais requis.

— Seigneur ! C'est ce que vous pensez vraiment ? Penser qu'un homme ordinaire peut commettre une injustice aussi odieuse augmente l'horreur du drame.

— Mais ce qu'il a fait, le rôle qu'il a joué, n'était pas odieux. Il a seulement mis un nom sur une liste. Il a obéi à une consigne, appliqué une politique qui visait à instaurer rapidement un ordre nouveau. L'homme qui m'a reçue, ce fameux jour de 1943, n'était qu'un pion. Et l'agent SS qui a organisé l'enlèvement de mes enfants exécutait simplement les ordres qu'on lui avait donnés. Et on avait dit au commis qui supervisait le départ des camions, cette nuit-là, à quel endroit les chauffeurs devaient attendre. Ceux-ci ont simplement obéi à l'ordre reçu. Il ne leur revenait pas de demander pourquoi.

— Mais ils auraient pu suspecter quelque chose d'anormal. Ils auraient pu deviner.

— Beaucoup de personnes ont deviné, beaucoup ont essayé de faire quelque chose... et beaucoup d'entre elles ont trouvé la mort. Vous pensez qu'il n'y avait pas d'hommes politiques allemands dans les camps ? Pas de libéraux, de journalistes ou de médecins ? Pas de prêtres ou d'artistes ? Pas de gens qui se donnaient la peine de réfléchir et dont les amis s'évanouissaient dans la nuit sans jamais être retrouvés ? Vous pensez qu'ils ne se sont pas présentés à la police pour poser des questions ? Bien sûr qu'ils ont réagi. Et ils ont eux-mêmes été arrêtés pour la peine qu'ils s'étaient donnée.

— Comment avez-vous réussi à survivre ? lui demanda Janie en frissonnant.

Alma aspira une bouffée de cigarette avant de répondre d'une voix neutre :

— J'ai souvent regretté que nous ne les ayons pas exécutés nous-mêmes avant qu'ils ne nous détruisent. Mais nous ne pouvions tout bonnement pas croire que le mal atteindrait vraiment des gens comme nous. Après tout, nous étions des gens intelligents, éduqués ;

nous menions une vie décente et même raffinée. Seigneur ! nous étions tellement *innocents* ! acheva-t-elle dans un rire qui se changea aussitôt en sanglots.

Elle retira ses lunettes et regarda Janie, qui nota ses paupières rouges et gonflées.

— Tellement innocents, reprit-elle. Nous n'étions pas préparés à cette descente aux enfers. Quand pareille horreur a pu être perpétrée, peut-on encore croire à l'innocence ?

Chapitre trente

Guidée et protégée par les disciples du Calice, Mama touchait les mains suppliantes tendues vers elle. Elle prit dans ses bras un bébé qu'on lui présentait pour qu'elle le bénisse. Elle posa la main sur la tête d'enfants qu'on avait placés sur son passage, sourit à une vieille mendiante toute ratatinée. À son signal, l'homme au teint basané qui se tenait toujours derrière elle ouvrit la portière de la voiture. Elle se pencha pour ramasser les plis de sa robe, se redressa, leva la tête et tendit l'oreille. Elle pivota sur elle-même en fronçant les sourcils et scruta la foule devant elle. Son garde du corps vint aussitôt se placer à ses côtés, regardant tout autour d'un air intrigué. Il lui parla et écouta attentivement sa réponse. Ils portèrent ensuite leur regard vers la maison du Calice et Mama dit encore quelque chose en hochant énergiquement la tête, comme pour insister. Ensuite elle monta dans la voiture. Les gens se pressèrent autour du véhicule, leurs visages suppliants écrasés contre les glaces. L'escorte de Mama forma aussitôt un cercle autour d'elle pour tenir la foule en respect. Le garde du corps fendit de nouveau la foule, en direction de la maison du Calice cette fois, jouant des épaules comme un joueur de football.

Le jeune Patrice Akonda était assis sur la voiturette à côté de Jean. Il avait sali son tee-shirt et son short blancs, sous la véranda, en rampant sur la terre rouge. Il était triste et il avait terriblement soif. Dans une minute il tirerait son frère jusqu'à l'autocar, où les attendaient leur mère et les religieuses. Pour l'instant, il se sentait trop abattu pour bouger; il ne voulait même pas voir la limousine qui emmènerait Mama au loin pour toujours.

Patrice, découragé, avait les yeux fixés au sol quand il aperçut dans son champ de vision deux pieds énormes, chaussés de sandales de cuir et pointés dans sa direction.

Le garçon releva lentement la tête, notant au passage l'étoffe rude de la robe bleu-violet, les yeux sombres sous les sourcils noirs et, enfin, le crâne rasé.

L'homme se pencha pour dire quelque chose à Jean. Puis il le prit dans ses bras tandis que Patrice se levait en toute hâte. L'homme souleva sans effort l'adolescent et le transporta à travers la foule, qui s'écartait respectueusement sur son passage, alors que Patrice trottait derrière lui. Quand il atteignit la voiture où Mama attendait, quelqu'un ouvrit la portière, de sorte qu'il put déposer Jean sur le plancher recouvert d'une moquette épaisse. Il allait se retirer quand Mama leva la tête. Patrice ne pouvait voir ses yeux à cause des lunettes noires qu'elle portait. Elle lui fit signe d'avancer.

Le garçon était terrifié par les événements qu'il avait provoqués, mais cela ne l'empêcha pas de se précipiter dans la voiture : son frère avait besoin de lui.

Chapitre trente et un

C'était une journée resplendissante qui donnait au paysage une présence exceptionnelle. La courbe du Brooklands Road, qui aboutissait à l'église St. Peter, s'étirait sur presque un kilomètre une fois dépassée la gare de Sale, au Cheshire. Janie avait senti renaître ses préventions contre les charmes douteux de la banlieue en passant devant les haies soigneusement taillées et les garages, tous identiques, prévus pour deux voitures. Elle ne pouvait cependant s'empêcher d'apprécier les maisons d'apparence confortable, le souci d'ordre de leurs propriétaires et l'impression de sécurité qui se dégageait de cet environnement. Rien de tragique ne pouvait se produire en ces lieux.

Elle gara sa voiture devant l'église. Sa compagne, une femme au doux visage et aux cheveux grisonnants coupés au carré, la précéda sous le monumental portail à voussure dont les murs étaient tapissés de posters. Sur le plus grand on pouvait lire en grosses lettres : JÉSUS NOUS REND LIBRES. Les autres montraient des enfants qui s'ébattaient dans des terrains de jeux, des personnes âgées photographiées près d'un car d'excursion et d'autres illustrations d'animation paroissiale. Une fois le portail franchi, les deux femmes se retrouvèrent dans le cimetière. Le lot vers lequel elles se dirigèrent, situé dans une nouvelle section, était surmonté d'un ange de marbre dont les ailes projetaient leur ombre sur le gazon fraîchement tondu.

À la mémoire de notre bien-aimée petite Penny, qui s'est endormie pour toujours le 12 février 1967, à l'âge de neuf ans et onze mois.

On entendait le vacarme provenant d'une cour d'école avoisinante : les cris aigus de petites filles, le bruit sourd de balles de tennis rebondissant contre un mur et une voix d'adulte rappelant les enfants à l'ordre.

Karen Caldwell dit pensivement :

— Elle aurait dépassé ses quarante ans maintenant. Elle serait plus âgée que je l'étais lorsqu'elle est morte. Ça me chavire le cœur d'y penser.

Elle se pencha pour arracher une fleur fanée à la primevère plantée à côté de la pierre, couchée sur le sol au pied du lot et sur laquelle on pouvait lire :

Nous t'avons eue durant un temps si court...

Et tu nous manqueras pendant si longtemps.

Quand Janie eut reconduit Karen Caldwell chez elle, elle resta assise dans la voiture pendant un long moment, essayant de mettre de l'ordre dans ses pensées.

Cette mère qui avait perdu sa fille avait tout de même dit à Janie, alors qu'elles quittaient le cimetière :

— Nous avons pu garder notre Penny deux années de plus, vous savez. Grâce à Mama.

— Pensez-vous vraiment qu'elle ait pu prolonger la vie de Penny ?

Mme Caldwell n'avait pas hésité une seule seconde :

— Oh ! oui. Mama l'a tenue contre elle, et je jure que j'ai vu quelque chose se produire. Les médecins nous avaient prévenus qu'elle n'en avait plus pour longtemps. Mama n'a pas prononcé un seul mot, j'en suis certaine. Mais c'était comme si... comme si j'avais vu l'ange de la Résurrection embrasser ma fille.

Pauvre petite Penny, qui avait manqué de peu son dixième anniversaire. Peut-être que ces deux années de grâce dont elle avait joui correspondaient bel et bien à un miracle. Mais que fallait-il penser de tous les autres cas où aucune amélioration ne s'était produite ? Même avant d'entendre les révélations de Dante, Janie avait atteint le point où, en dépit de ses sérieux efforts pour ne pas céder à son scepticisme instinctif, il lui était devenu impossible de partager l'universelle confiance vouée à Mama.

Elle avait mené une carrière brillante fondée sur un talent indéniable pour déceler les failles chez ceux qui s'enorgueillissent de leurs succès. Les interviews qui lui avaient valu sa réputation se signalaient par l'habileté avec laquelle elle détectait d'abord les points les plus vulnérables de ses victimes, pour leur porter ensuite des coups perfides. Désormais, Mama prêtait aussi le flanc à ses attaques dévastatrices.

Pourtant, si Dante avait raison, ainsi qu'elle le craignait, est-ce que cela changeait quoi que ce soit aux réalisations de Mama ? Est-ce que Karen Caldwell aurait refusé ces deux années de rémission pour sa petite Penny si elle avait pu voir le film de Dante ?

Le *Times* avait une fois utilisé une expression qu'elle ne pouvait se rappeler sans se sentir embarrassée de ne pas l'avoir alors trouvée absurde. Ce n'était qu'une formule journalistique, facile mais bien choisie, qui avait une grande force de suggestion : la *« superstar de Dieu »*.

Ce n'était qu'une image, mais une image qui occultait une terrible réalité : Magda Lachowska avait autrefois commis des actes impardonnables. Par la suite pourtant, une fois devenue Mama, elle avait répandu l'espoir et l'amour à travers le monde entier. Que s'était-il passé pour qu'une même personne ait pu avoir, au cours de sa vie, deux comportements radicalement opposés ?

Chapitre trente-deux

Sur la carte postale, un improbable ciel bleu s'étendait au-dessus des pentes enneigées. *Aviemore, Scotland.* La seule fois qu'elle s'était trouvée dans les environs, pour interviewer un poète écossais célèbre pour ses abondants favoris, ses whiskys pur malt et ses femmes éphémères, un publiciste enthousiaste lui avait fait visiter les installations de ski. Elle avait gardé le souvenir de rochers noirs pointant sous la mince couche de neige et d'un vent humide soufflant du massif des Cairngorms. Arrivé depuis à peine deux heures, Adam déclarait que tout — le refuge, les couchettes, le personnel, la nourriture — était infect. Plus tard au cours de la semaine, le groupe partirait en excursion. Les garçons coucheraient dans des grottes et ils apprendraient à descendre en rappel.

Adam se trouvait depuis une semaine avec les élèves de son école dans un centre de plein air. Janie, qui se montrait excessivement prudente depuis qu'elle et Paul étaient séparés, s'était inquiétée. Elle jugeait son fils trop jeune pour vivre une expérience aussi difficile. « Les montagnes d'Écosse sont tellement hautes, avait-elle protesté, et l'eau est glacée dans cette région. » Mais Paul avait appuyé la requête pressante du garçon. « Il a besoin de donner sa mesure, avait-il écrit dans l'une des brèves notes non signées au moyen desquelles il communiquait de façon réticente avec elle. Il va apprendre à assumer des responsabilités et acquérir de la maturité. » Janie ne voyait pas que ce fût nécessaire ou même désirable, mais n'avait pas les moyens de tenir tête au père et au fils à la fois. Elle avait équipé

Adam d'un anorak, de deux épais chandails, de bottes fourrées et d'un sac de couchage militaire. Elle épingla la carte postale sur le tableau d'affichage de la cuisine. On était mercredi.

Le samedi matin, elle se leva tôt. Elle allait passer sous la douche quand elle entendit sonner à la porte. Il était à peine sept heures. Elle enfila son peignoir et descendit en courant. C'était le facteur. Dès qu'il l'aperçut à travers la vitre, il déposa un carton sur le perron. Elle crut que c'était le papier d'imprimante qu'elle avait commandé et laissa la boîte là où le facteur l'avait posée : puisqu'elle était descendue, elle prendrait dès maintenant son petit-déjeuner. Tout en mangeant, elle lut le *Times*. C'était l'édition de la veille, car elle habitait trop loin du village pour qu'on lui livre le journal à domicile.

Après avoir rincé sa tasse et son assiette sous le robinet d'eau chaude, elle prit le temps de s'étirer voluptueusement devant la fenêtre, par où entrait à profusion la lumière radieuse et déjà chaude du soleil matinal. Elle se rappela alors la boîte qui l'attendait devant la porte et alla la prendre. Elle fut étonnée, en la soulevant, de ne pas la trouver plus lourde. Elle l'apporta dans la cuisine, trouva les ciseaux et s'attaqua aux bandes de papier collant qui la gardaient hermétiquement fermée.

Pendant deux ou trois secondes, elle en considéra le contenu avec perplexité. La boîte était remplie de vêtements qu'on y avait jetés pêle-mêle : un jean, un lainage, un sous-vêtement de coton blanc, une chaussette orpheline. Elle reconnut les effets d'Adam, qui voulait probablement les faire laver, bien qu'elle ne comprît pas pourquoi. Rassurée, elle sortit un tee-shirt sérieusement taché. Qu'est-ce qu'Adam pouvait bien avoir fait pour l'avoir sali ainsi? Elle examina encore le contenu du carton.

Elle se retourna vite pour vomir dans l'évier.

— Couverts de sang. Tous ses vêtements. Oh! mon Dieu, Paul.

La voix, à l'autre bout, était désespérément calme :

— Y a-t-il une lettre? Un message?

— Rien. Je ne suis pas capable de déchiffrer l'oblitération. Le facteur m'a livré le colis ce matin.

— As-tu appelé l'école?

— Mr Candon n'était pas là, mais son assistant n'avait entendu parler d'aucun accident ni, d'ailleurs, du moindre problème. Il m'a donné le numéro de téléphone du centre de plein air pour que je puisse appeler moi-même. Je n'ai pu y joindre qu'une bonne femme qui m'a dit que tout le monde était parti en camping. S'il y avait eu un accident, m'a-t-elle assuré, on aurait communiqué avec elle.

— Et la police?

Janie avait la gorge sèche :

— On m'a demandé si j'avais pu reconnaître des fragments de membres humains. On m'a interdit de toucher à la boîte. Quelqu'un va venir bientôt. Il n'y a que deux hommes de service aujourd'hui. On va procéder à des analyses pour vérifier s'il s'agit de sang humain. À quoi devons-nous nous attendre? Oh! Paul, s'il fallait...

— Je pars tout de suite. Je serai chez toi dans quatre heures environ. Ça va?

Elle éprouva un grand soulagement :

— Oh! oui. S'il te plaît. Conduis prudemment, lui recommanda-t-elle comme au temps de leurs amours.

La journée se poursuivit de façon plus ou moins échevelée. Un policier à l'air ennuyé, venu enregistrer sa déclaration, était reparti en emportant les vêtements avec lui. Puis elle avait commencé à nettoyer le living-room. Elle ne pouvait pas se concentrer, de sorte qu'elle laissait dans son sillage les feuilles flétries des plantes, de vieilles enveloppes, des pages arrachées à des magazines.

Elle prépara un tian d'aubergine pour son déjeuner. Quand elle l'eut glissé au four, les souvenirs de leurs dernières vacances familiales à Palma, où ils avaient loué une villa, refluèrent. Elle revoyait le fragile dos nu d'Adam, étendu sur le dallage brûlant pour observer un lézard. Une odeur âcre la ramena à la réalité : le bord des aubergines était déjà carbonisé.

Claudia appela à la fin de la matinée en réponse au message que Janie avait laissé plus tôt sur son répondeur. Elle était consternée :

— Je ne sais pas quoi dire. Il n'y a pas de mots pour exprimer ce que je ressens. Veux-tu que je vienne? Est-ce que je peux faire quelque chose?

— Je ne crois pas. Paul doit bientôt arriver. De toute façon, jusqu'à ce que nous ayons des nouvelles du centre de plein air, il n'y a qu'à attendre.

— Mais qui peut bien avoir fait ça? Ce ne serait pas une plaisanterie?

— Une plaisanterie? Qui pourrait être assez tordu pour s'amuser de cette façon? Sûrement pas les amis d'Adam, ce ne sont que des gamins de onze ans.

— Tu as raison... Je ne voudrais pas tomber dans le mélo, mais tu n'aurais pas d'ennemis, par hasard? Tu as parfois manifesté beaucoup d'agressivité au cours de certaines interviews. Peut-être que quelqu'un... Mais non, je suis ridicule. Oublie ce que j'ai dit.

— Je n'ai égratigné personne depuis presque deux ans. Et les gens que j'ai pu indisposer seraient davantage du genre à m'intenter un procès qu'à...

Elle n'alla pas jusqu'au bout de sa pensée.

— Il faut peut-être regarder ailleurs, dit Claudia. Je me demande si, peut-être, il n'y aurait pas un lien entre ce qui arrive aujourd'hui et l'explosion survenue à la Petite Grange...

Janie regarda par la fenêtre. Traumatisée par le choc qu'elle avait subi, elle avait mis des semaines avant de revenir à la campagne. Il y avait encore des tas de briques dans la cour de la ferme, des sacs de ciment, des tuiles. Il faudrait encore des mois avant qu'elle puisse absorber les effets du coup qu'elle avait encaissé.

— Je pense que tu as raison.

— J'ai seulement émis l'hypothèse que l'explosion pouvait avoir été causée volontairement, précisa Claudia. Je n'ai pas dit qu'on veut te tuer. De toute façon, il était évident que ta maison était vide la nuit de l'explosion. Mais si on a voulu te faire peur... le colis de vêtements correspond peut-être à la même intention.

— Tu crois donc que tout cela serait lié au livre que j'ai entrepris d'écrire?

— Ce n'est pas impossible. Cette femme détient un immense pouvoir. Et elle peut avoir beaucoup à perdre si tu creuses trop profond. Mais ces gestes irresponsables me paraissent tellement contraires à son caractère. J'ignore toutefois si tu as récemment mis la main sur des informations compromettantes. Aurais-tu appris quelque chose qui expliquerait qu'on s'en prenne à toi ?

— Oh ! oui. Et j'ai bien peur que tes craintes ne soient fondées. Je vais te rappeler bientôt. D'accord ?

Les soupçons de Claudia secouèrent Janie. Même avant de rencontrer Dante, elle avait pris connaissance de certains faits qui l'avaient amenée à remettre en question l'intégrité de Mama. Trop prise par ses recherches, elle ne s'était pas arrêtée à se demander si l'information qu'elle avait accumulée, au cas où elle serait divulguée, pouvait entraîner quelque danger pour elle.

Ce qu'elle avait appris avant sa visite à Bruxelles suffirait à discréditer Mama. Elle pouvait prouver que la Magda Lachowska vénérée dans une ville portuaire de Pologne ne correspondait ni à l'enfant ni à l'adolescente renfrognée qui y avait vécu. La visite qu'elle avait rendue au frère de Mama, le major Lachowski, confirmait les soupçons qui étaient nés chez elle lors de son voyage à Świnoujście.

Et puis il y avait l'histoire de la pseudo-résurrection. L'Église elle-même semblait reconnaître les événements miraculeux survenus à São Paulo en 1946. Et pourtant, Janie avait maintenant en main des éléments qui lui permettaient de les expliquer rationnellement. Si Magda Lachowska devait effectivement son retour à la vie à une conjonction fortuite de phénomènes naturels, la foi qu'on mettait en elle risquait d'être minée.

Et si Janie devait en plus porter à la connaissance du public ce que Dante lui avait révélé... Elle ferma les yeux. Si Claudia avait raison, si un proche de Mama se rendait exactement compte de ce que Janie était en train de découvrir, elle devait considérer l'envoi du carton rempli des vêtements d'Adam comme un avertissement. Ou pis encore, une menace. Cette pensée la fit frémir.

Avant de rencontrer Dante, Janie n'aurait jamais cru Mama capable de faire du mal à qui que ce soit, et encore moins à un enfant. Elle n'entretenait plus ces illusions. Sa pensée se tourna vers les mystérieux membres du conseil d'administration de la fondation Krzysztof. Quel rôle jouaient-ils exactement ? Elle se rappelait le ton presque menaçant de Josef Karms. Elle se souvenait aussi du malaise qui s'était emparé d'elle par la suite, de sa conviction que cet homme se cachait derrière un masque.

Puis la scène presque intimiste qu'elle avait surprise par la porte entrouverte au Waldorf-Astoria remonta à sa mémoire : Mama et Karms semblaient étonnamment à l'aise ensemble.

Comme elle avait été stupide de ne pas voir le danger auquel elle s'exposait en poursuivant son enquête ! Elle s'était conduite en amateur. Elle aurait dû se rendre compte bien plus tôt qu'elle devait se montrer prudente.

Elle avait mal évalué ceux à qui elle avait affaire. Elle avait sous-estimé le pouvoir de ces gens. Et maintenant, ils avaient entrepris de lui faire savoir de quoi ils étaient capables.

Le temps avait changé avec la rapidité coutumière en ce pays au relief accidenté. La pluie tambourinait sur la fenêtre à tabatière de la chambre à coucher et résonnait à son oreille comme un mauvais présage. Elle s'allongea quelques minutes et eut la surprise de se rendre compte, quand elle se releva, que presque une heure avait passé. Elle s'étonna de se retrouver encore nue sous sa robe de chambre et décida de s'habiller. En choisissant ses vêtements, elle prit conscience qu'elle écartait systématiquement les couleurs claires. Elle mit un pantalon et un tricot noirs.

Quand elle redescendit, elle aperçut une bouteille de whisky bien en vue sur la table. Elle avait promis de ne jamais plus y toucher, mais elle la gardait comme une assurance, au cas où son besoin deviendrait intolérable. Elle ne se rappelait pas être allée la chercher au fond du placard sous l'escalier. Était-ce elle qui l'avait mise là ? Il lui était arrivé deux ou trois fois, récemment, d'avoir des trous de mémoire, brefs mais radicaux. Il n'y avait pas si longtemps, après avoir déjeuné ensemble, Claudia et elle avaient décidé de prendre une après-midi de congé bien méritée et d'aller voir un film. Elle se souvenait d'être sortie du cinéma, mais elle n'avait plus le moindre souvenir du film qu'elles avaient vu. Elle n'en avait parlé à personne, mais elle savait que ce genre d'incident était courant chez les alcooliques.

Elle n'était pourtant pas alcoolique. Elle frissonna en se demandant si elle ne se mentait pas à elle-même. Elle se fit croire un instant que le whisky appartenait à l'un des ouvriers, avant d'admettre que ces hommes étaient de toute évidence des buveurs de bière. Elle s'empara joyeusement de la bouteille : si jamais elle avait eu besoin d'un verre, c'était bien maintenant. Elle l'avait déjà débouchée quand la honte la retint. Adam était peut-être en danger, blessé, mort peut-être. Et voilà qu'elle pensait à s'humecter le gosier ! C'est alors qu'elle entendit une voiture rouler dans la cour. Elle se précipita à la porte arrière de la maison et accueillit Paul au moment où il sortait de sa vieille Saab.

Ils se regardèrent sans parler. Elle savait qu'elle avait l'air terrible, mais il était encore pire qu'elle. Elle avait coutume de taquiner Paul pour le soin méticuleux qu'il apportait à son apparence. Il portait toujours des complets de flanelle grise impeccablement coupés. Elle reconnaissait à peine cet homme, devant elle, en pull-over mal ajusté, dont le jean s'affaissait sous la ceinture. Elle le trouva pâle et amaigri. Ses cheveux en désordre, plus longs que de coutume, bouclaient de façon anarchique autour de sa tête. Il n'avait pas pris la peine de se raser. Ses yeux étaient rougis et cernés par la fatigue.

Elle avait à peine dit quelques mots que Paul l'interrompit :

— Attends, laisse-moi entrer dans la maison.

Il ne semblait pas avoir remarqué les gravats, les murs écroulés et les bennes remplies d'ardoises brisées.

Une fois dans le séjour, il lui dit d'une voix incertaine :

— Tout va bien aller.

Son manque de confiance en lui-même l'avait souvent irritée, à l'occasion de leurs interminables discussions au cours des derniers mois, et lui avait fourni une raison additionnelle pour se détacher de lui. Avec un pincement au cœur, elle reconnut que ce n'était toutefois qu'un prétexte.

— Tout est ma faute, Paul ! C'est ma faute. C'est moi qui suis à blâmer. Je...

Il l'interrompit d'une voix lasse :

— Je n'ai que faire de tes sentiments pour l'instant.

Elle vit ses yeux posés sur la bouteille de whisky et elle se hérissa, maintenant sur la défensive. Rien n'avait changé.

La police appela juste après l'arrivée de Paul. On avait appris que le groupe avec lequel Adam était parti en excursion d'alpinisme rentrait au camp principal le soir même. Un policier serait sur place au moment de l'arrivée.

— Nous ne saurons rien avant la fin de la soirée, dit Janie à Paul sans lâcher le combiné. Peut-être faudra-t-il attendre jusqu'à demain.

Puis elle reprit son dialogue avec le policier à l'autre bout du fil :

— Est-ce que nous devrions nous rendre là-bas ? ... Oh ! je vois. Très bien, alors. Nous y serons.

Elle raccrocha de façon délicate, comme si elle n'avait voulu brusquer personne :

— À la police, on croit que nous ferions mieux d'attendre à la maison. Le temps est mauvais là-bas. Le brouillard est dense. Des policiers sont déjà sur les lieux.

— Pourquoi ces maniaques de l'escalade ne sont-ils pas équipés d'un téléphone cellulaire ? Pareille virée, avec des enfants ! Ils doivent avoir perdu la tête. De quoi t'accusais-tu tout à l'heure ? demanda-t-il sans transition. Qu'est-ce qui est ta faute ? Quelle faute ?

— Je crois que ce qui a pu arriver à Adam a quelque chose à voir avec mon travail. Avec le livre auquel je travaille, plus précisément. J'ai récemment mis la main sur des informations très compromettantes concernant Mama. Je pense qu'on veut que j'arrête de fouiller. Autre chose encore : Claudia croit que l'explosion de la Petite Grange était intentionnelle.

— Tu veux dire qu'on a essayé de te faire sauter avec la maison ?

Il avait l'air horrifié. Sa réaction la réconforta.

— On savait apparemment que j'étais absente. Claudia croit qu'on a voulu me faire peur pour m'amener à mettre un terme à mes recherches et m'empêcher de publier les résultats.

— Te faire peur ? Dieu du ciel ! On croirait qu'une bombe est tombée sur la maison ! S'il s'y était trouvé des gens, ils auraient pu être tués. Qui pourrait être derrière cette machination ?

— La fondation Krzysztof.

Paul prit une expression incrédule et dit sur un ton persifleur :

— Vraiment ! Tu crois sérieusement qu'une riche organisation multinationale va se comporter comme la mafia à cause de ce que tu aurais pu dénicher dans ses dossiers ? Tu te donnes beaucoup d'importance. C'est la Fondation qui finance ton livre. Elle n'a qu'à te couper les vivres pour te faire taire. Elle n'a pas besoin de te menacer. D'ailleurs, qu'est-ce qui pourrait bien justifier pareils gestes ? Tu as découvert que les miracles de Mama sont des supercheries ? Ou bien qu'elle pratique la sorcellerie ?

Elle l'interrompit. Son attitude méprisante la blessait, mais elle résista à la tentation de se quereller avec lui :

— Rien de la sorte. J'aimerais bien que ce soit le cas cependant.

Elle lui résuma sa rencontre avec Dante. Pendant qu'elle parlait, Paul écoutait avec une attention croissante. Quand elle en arriva à la pendaison de l'enfant, dans un camp nazi, il tressaillit, avala sa salive et lança un juron.

— J'ai peine à le croire, finit-il par dire d'une voix sourde. Mais je suis porté à admettre que ces faits ont bien eu lieu. Personne ne pourrait les avoir inventés. Et tu es sûre que la séquence filmée est authentique ?

— Je suis convaincue qu'elle l'est. On peut facilement maquiller un film, mais je pourrais jurer que celui-là n'a pas été retouché. Tout paraissait vrai. Les vêtements, les visages.

— Tu sais qui est ton informateur ?

— Je lui fais confiance, et tu en ferais autant. C'est un homme sérieux. Ces faits comptent beaucoup pour lui, ils sont devenus l'objet premier de ses préoccupations et de son travail.

— Quel travail ?

— C'est un avocat. Il sait ce qu'il fait.

— J'espère bien. Parce que tu ne peux pas utiliser pareille information sans être absolument certaine de ce que tu avances.

— Tu n'as pas besoin de m'en convaincre. Tout à fait par chance, j'ai sous la main un témoin dont je réponds. Et il y en aura d'autres.

Il secoua la tête avec admiration :

— Tu as toujours été très forte. Et tu l'es encore.

Elle rougit de plaisir. Malgré les griefs qui les opposaient et l'amertume qu'ils nourrissaient l'un envers l'autre, ils se vouaient une admiration mutuelle pour leur compétence professionnelle. L'éloge qu'il lui faisait était absolument sincère. Elle aurait voulu lui dire à quel point son appréciation la touchait, mais le seul mot qu'elle prononça fut :

— Merci.

Il vint près d'ajouter quelque chose, mais changea d'idée. Il aurait aimé lui dire qu'elle n'était plus la même. Elle paraissait plus grande, probablement parce qu'elle avait perdu du poids. Elle semblait avoir acquis de la maturité, de la force, de la détermination. Il constatait cependant avec tristesse à quel point la vie n'avait pas été facile pour elle dernièrement :

— Répète-moi qui fait partie du conseil d'administration de la Fondation.

Janie énuméra les noms, en les comptant sur ses doigts. Il lui adressa un regard d'intelligence quand elle mentionna le nom de Josef Karms et l'interrompit quand elle nomma Monica Ziegler :

— Je ne sais rien de la veuve, mais on n'aurait pas donné le bon Dieu sans confession au vieux Ziegler.

— Je croyais savoir qu'il avait récolté des millions en vendant des pilules fabriquées avec des edelweiss et de la bouse de vache.

— C'était un de ces hommes dont on ne sait jamais comment ils ont gagné leur premier million. On a toujours répété qu'il a mis la main sur de l'argent caché en Suisse durant la Deuxième Guerre mondiale. Il aurait aussi raflé de l'or provenant d'anneaux de mariage et de prothèses dentaires. Personne n'a pu le prouver, mais l'odeur de merde flottait toujours autour de ses affaires. Qui encore ?

Quand elle prononça le nom de Zazi de Lisle, il demanda, comme si la question s'adressait à lui-même :

— Qu'est-ce que je peux bien savoir à son sujet ?

— On la connaissait autrefois sous le nom de Zazi Castellòn, une poule en vue et chère. Devenue trop vieille pour que la chirurgie plastique réussisse une fois de plus à lui redonner une énième jeunesse, elle a épousé de Lisle il y a vingt-cinq ans, de la même façon que d'autres prennent leur retraite.

— Il y a autre chose, dit-il en se grattant le crâne. Non, je ne peux pas m'en souvenir. Continue.

— Les autres ne représentent rien d'intéressant. David Preston, un *back-bencher* conservateur qui n'ouvre jamais la bouche en Chambre. Il a cependant été mêlé à un scandale, il y a plusieurs années. Un enfant illégitime avec sa recherchiste. Et Jarvis, un de ces vérificateurs-comptables installés dans des bureaux aux murs lambrissés et au mobilier d'époque. Vivian Arnold est avocat : il semble qu'il sache où mettre les pieds. Ah ! j'allais l'oublier : Dennis Whitely, professeur à Surrey.

— L'historien ? J'ai vu son nom cité dans une autobiographie que je lisais récemment. Il semble qu'il ait essayé de faire de la politique après la Deuxième Guerre mondiale. Très jeune à l'époque, évidemment : vingt-quatre ou vingt-cinq ans. De toute façon, on lui a bien vite indiqué la sortie. Il aurait violé le secret professionnel. On dit que son père s'est arrangé pour étouffer l'affaire, mais il est resté marqué. Par la suite, il n'a rien fait qui vaille la peine d'être mentionné.

Paul était pédant. Claudia le lui avait fait remarquer, après leur séparation, et Janie avait alors admis une vérité qu'elle n'avait jamais voulu reconnaître.

— Ben oui, je sais tout ça, dit-elle en essayant de contenir son impatience. Mais aucun d'entre eux n'est vraiment dangereux. Ils sont incapables de commettre un crime crapuleux, surtout si la victime est un enfant.

— Les gens sont capables de n'importe quoi s'ils se sentent menacés. Et nous savons ce que Mama cache dans son placard. Ces gens m'inquiètent. La plupart d'entre eux ne semblent rien avoir à dissimuler, mais ils ont tous un point vulnérable. J'avoue que je m'étais trompé. Il semble que tu représentes une véritable menace non seulement pour Mama, mais aussi pour la Fondation. Je ne m'imaginais pas que tu mettais le doigt sur des manigances aussi louches. Il y a tout lieu de croire qu'ils ont essayé de t'acheter.

— Mais ils savaient qui j'étais ! À quoi s'attendaient-ils donc ?

— Ils escomptaient que tu leur remettrais un habile collage de coupures de journaux, quoi d'autre ? On t'a choisie précisément à cause de ce que tu étais et de ce que tu étais devenuc.

— Vraiment ? Et qu'est-ce que j'étais devenue ? demanda-t-elle d'une voix dangereusement basse.

— Une journaliste qui avait fait son temps. Ils se sont commodément imaginé que tu serais heureuse de composer la mosaïque à leur place et ont pris les mesures voulues pour décourager toute tentative extérieure de publier une biographie non autorisée.

Il regardait avec étonnement son visage furieux. Il poursuivit d'un ton légèrement amusé :

— Tu n'as certainement pas été dupe de la manœuvre, j'espère... Et moi qui te prenais pour une cynique ! Mon Dieu, Janie, ce que tes yeux peuvent être verts lorsque tu es en colère !

Elle ne tint aucun compte de sa dernière remarque :

— Pour l'instant, je m'en contrefous. Je vais tout envoyer à la déchiqueteuse s'il s'avère que mes recherches sont la cause de toute cette sinistre farce.

— Déchiqueteuse ou non, tu n'oublieras pas de sitôt ce que tu as déterré.

— Il se passe quelque chose d'anormal. J'ai peur et toi aussi, je pense. Je crois que nous devrions éloigner Adam de l'école pendant quelques semaines. Il ne prendra pas de retard, j'en suis sûre.

Janie s'arrêta de parler et resta la bouche ouverte, les lèvres tremblantes : pour cela, il fallait qu'il revienne d'abord. Elle songea que les circonstances exigeaient peut-être qu'elle utilise un « si » avant de faire des projets. Paul l'appuya :

— J'aurais dû y penser moi-même. Mais il ne doit rester ni avec toi ni avec moi durant cette période. Si nos soupçons sont justifiés, on ne mettra pas beaucoup de temps à retrouver sa trace. Et je ne tiens pas à ce que nous engagions un garde du corps. Peut-être que ma mère pourrait l'héberger...

— Ou la mienne. Mais tu imagines ce pauvre Adam, avec l'une ou l'autre de ses grand-mères, pendant des semaines...

La perspective les fit pouffer de rire.

— Pourquoi pas Lou ? Personne ne penserait à aller le dénicher au Northamptonshire.

— Brillant. Il va adorer son séjour là-bas. Il pourrait même aller à l'école du village avec ses cousins. Vas-tu mettre Louise au courant de ce qui se passe ?

La voix de Janie trahissait la lassitude :

— Je ne me sens pas capable de prendre une décision maintenant. Attendons de voir ce qui va se passer ce soir. J'ai fait le lit pour toi dans...

Elle se sentit incapable d'achever sa phrase. Elle n'avait cependant pas besoin de préciser, Paul savait. Il se dirigea vers la chambre d'Adam, mais s'arrêta en route et se retourna brusquement :

— Tu as dans les mains une fameuse histoire. Sauf que tu ne pourras peut-être jamais la raconter.

— J'imagine que Mama tomberait de son piédestal si mes découvertes étaient publiées.

— Tu plaisantes ? C'est sûr !

— On dit que chaque saint a un passé et que chaque pécheur a un avenir. Peut-être Mama a-t-elle expié ses crimes par la façon dont elle a vécu par la suite. Peut-être que les gens ne réagiraient pas comme on le prévoit.

— Va donc défendre cette idée devant les survivants des camps de travail de Pologne...

La journée semblait ne devoir jamais finir. Maintenant qu'ils avaient discuté de la situation une douzaine de fois, ils en étaient réduits à se parler par monosyllabes. Depuis des mois, l'idée de leur divorce empêchait toute réelle communication entre eux. Paul gardait ses distances avec une dignité affectée. Ce système de protection qu'il avait adopté enrageait Janie. Il s'en était rendu compte et la réaction de sa femme l'encourageait à garder cette attitude. Pendant longtemps, Adam avait été le seul sujet de discussion raisonnable entre eux. Tout le reste — la vente de la maison de Putney, le partage des biens, le choix d'une école pour leur fils — donnait lieu à des affrontements.

Leur mariage avait été détruit au-delà de toute possibilité de régénération. Quand il était devenu évident qu'ils ne pouvaient plus supporter de vivre ensemble — avant que les avocats entrent en jeu et rétablissent un semblant de civilité dans leurs rapports — ils s'étaient dit des choses impardonnables, ils s'étaient lancé au visage les vérités les plus perfides. Ils étaient maintenant trop épuisés pour la rancune ou pour la comédie. Ils étaient plus éloignés l'un de l'autre que des étrangers.

Il y eut d'autres appels téléphoniques : le directeur et son assistant vinrent tour à tour aux nouvelles. Paul, assis sur le canapé, sombra dans un sommeil agité, la tête penchée dans un angle inconfortable. Janie lui retira des mains sa tasse vide et plaça un coussin sous sa tête pour la soutenir. Il se déplaça docilement en marmottant. Incapable de se concentrer sur quoi que ce soit, Janie sortit les photos d'Adam et les examina jusqu'à en avoir mal aux yeux, comme si cela avait pu avoir pour effet de le protéger.

Paul ne tarda pas à se réveiller et vint troubler sa rêverie avec une voix encore pleine de sommeil :

— Il y a des nouvelles ?

— Non.

Il aperçut les photos et elle le vit réprimer l'envie de parler. Le téléphone sonna, et elle décrocha avant la deuxième sonnerie. Elle se nomma, puis écouta son correspondant :

— Non, répondit-elle. Non, sûrement pas. Nous allons attendre votre appel. Merci.

Elle se tourna vers Paul :

— C'est effectivement du sang humain. On a tenté d'envoyer un échantillon par hélicoptère, mais le mauvais temps ne l'a pas permis. On va nous appeler aussitôt qu'on en saura davantage.

Elle se mit à rassembler les photos et dit d'une voix à peine audible :

— Le sang appartient au groupe A.

— Comme celui d'Adam.

— Ils le savent déjà.

Elle fit un geste de la tête en direction du téléphone :

— Il semble que ça ne signifie pas grand-chose : presque la moitié de la population est du groupe A.

Avant la tombée de la nuit, ils sortirent à tour de rôle pour respirer un peu d'air frais. Ils marchaient d'un pas rapide dans le sentier de gravier longeant le champ voisin. La pluie avait cessé et les nuages s'étaient dispersés, découvrant un ciel d'un bleu profond.

Janie, qui était sortie la deuxième, revint alors que la nuit était tombée. Elle avait négligé de mettre ses bottes, de sorte que ses souliers étaient détrempés, de même que le bas de son pantalon. Elle monta se changer et en profita pour enfin passer sous la douche.

Quand elle descendit, elle s'installa sur le canapé pendant que Paul était à nouveau sorti pour se détendre. Elle aurait terriblement voulu dormir, pour le répit que le sommeil lui aurait apporté. Mais elle était incapable de se laisser aller, par loyauté envers Adam, qui était peut-être gravement en danger. Non, il ne fallait pas du tout penser à cette éventualité. Si Adam s'était trouvé dans une situation difficile, on l'aurait avertie, le centre de plein air de Cairngorms aurait communiqué avec elle...

Chapitre trente-trois

Elle se réveilla à plusieurs reprises, dérangée par le bruit rauque de sa propre respiration. Puis elle émergea d'un cauchemar en gémissant.

— Qu'est-ce qu'il y a ? demanda Paul, qui se tenait à la fenêtre derrière elle.

— Je voudrais que ce ne soit qu'un mauvais rêve. Oh ! Paul, je voudrais tant que ce ne soit pas vrai !

Elle serra sa tête dans ses mains, comme pour contenir les épouvantables pensées qui agitaient son cerveau.

— Calme-toi, dit-il. Attendons d'avoir des nouvelles de la police avant de perdre la tête.

Il quitta le séjour brusquement, en laissant la porte claquer derrière lui.

Elle attribua sa désinvolture à l'indifférence. L'instant d'après, elle pleurait à chaudes larmes, comme si elle avait déjà pris le deuil de son fils. Bouleversée par un vif sentiment de culpabilité et par un désespoir profond, elle avait perdu toute maîtrise d'elle-même. Les sanglots s'échappaient violemment de sa gorge en faisant entendre, encore et encore, la même note lancinante.

Paul apparut devant elle, le visage blême, les sourcils froncés :

— C'est assez ! Tu deviens hystérique, dit-il d'un ton ferme.

Comme elle ne s'arrêtait pas, il la prit par les épaules et la secoua violemment, en lui criant de se calmer.

Elle le regarda avec des yeux mornes et se tut soudain, comme si l'épuisement avait eu raison d'elle. Elle poussa un grand soupir en frissonnant et enfouit son visage dans ses mains. Elle resta ainsi sans bouger pendant un long moment. Elle pouvait entendre Paul arpenter nerveusement la pièce.

— Ce n'est pas le moment de perdre la tête, insista-t-il une fois calmé lui-même. Peut-être que nous nous inquiétons pour rien, tu ne crois pas ?

Il parlait avec cette gravité étudiée qu'elle connaissait si bien et qu'il utilisait chaque fois qu'elle s'énervait. Toutes les fois, reconnut-elle honnêtement, qu'elle avait vraiment trop bu. Cette nuit-là cependant, ce ton l'enrageait, à tel point qu'elle ne supportait plus de l'entendre. Elle le regarda de façon hébétée, renversée par le calme stoïque qu'il affichait.

— Adam est peut-être...

Le mot « mort » s'était arrêté sur ses lèvres. Elle poursuivit néanmoins :

— Comment peux-tu être à ce point...

Elle allait dire « indifférent », quand Paul la devança :

— Indifférent ? Tu penses que je suis indifférent au sort de mon propre fils ?

— Oui ! je le pense ! Tu es trop viscéralement anglais, rien ne peut t'atteindre. Tu n'as pas de sentiments, tu as un bloc de glace à la place du cœur.

— Laisse-moi te dire...

Paul se déchargea le cœur. Sa voix dure tremblait sous l'effet de la colère. En l'entendant, Janie savoura un triomphe qui la ramena au passé : elle avait toujours été capable de le faire sortir de ses gonds, de faire tomber le masque impassible qu'il portait devant les autres. Elle était encore capable de le fragiliser. Cependant Paul ne désarmait pas :

— C'est vers moi qu'il se tournait toujours. Quand tu prenais l'avion pour aller faire tes maudites interviews au bout du monde, penses-tu que le temps s'arrêtait pour nous jusqu'à ton retour ? Que nous restions figés sur place jusqu'à ce que tu daignes réapparaître pour nous manipuler comme des marionnettes ? Tu peux bien aller au diable ! C'est moi qu'on appelait toujours, au bureau, quand il survenait une crise à la maison. C'est moi qui l'ai conduit à l'hôpital quand on a cru qu'il s'était brisé la jambe, à l'école. J'étais toujours là quand tu courais après les grands de ce monde et les vedettes du spectacle.

— Je travaillais. Je gagnais ma vie ! protesta-t-elle.

— Et qu'est-ce que je faisais, moi ? Je rapportais à la maison des bagatelles ? Nous aurions très bien vécu même si nous n'avions compté que sur mon salaire, et tu le sais. Tu ne gagnais pas ta vie : il fallait que tu sois la meilleure, il fallait que tu t'affirmes à chaque minute, il fallait qu'on applaudisse tes réussites. Ne viens surtout pas me dire que, si tu nous as négligés, Adam et moi, c'était pour gagner ta vie. Gave-toi d'illusions si tu veux, mais n'essaie pas de me les faire avaler, garce !

— C'est toi qui te racontes des histoires. Tu as perdu depuis longtemps toutes tes ambitions. Tu te contentes maintenant de tuer le temps, comme quantité d'autres tâcherons. Tu es heureux d'être un rien du tout et tu voudrais que je devienne comme toi.

Il leva la main comme s'il allait la frapper, mais il rabattit rudement son poing sur le dossier d'un fauteuil :

— Eh bien, si c'est comme ça que tu me vois, si c'est vraiment ce que tu penses...

— Quoi d'autre ? Regarde-toi objectivement, bon Dieu ! Tu savais comment j'étais quand tu m'as épousée. Si tu voulais une jolie poupée sans cervelle asservie à sa cuisine, tu t'es trompé de candidate. Tu n'avais qu'à me laisser là où j'étais, et j'aurais continué à mener ma vie comme je l'entendais. Regarde ce que tu as fait de moi.

— Ce que j'ai fait de toi ? Et toi, qu'as-tu fait de moi ? Tu as sapé l'estime que j'avais de moi-même, tu m'as réduit à ce que je suis devenu... Je n'ai jamais éprouvé autant de ressentiment contre quelqu'un. Je hais cette rancœur qui m'empoisonne, et c'est à toi que je la dois. Tu voulais que je sache que tu avais des aventures, que je sache aussi que tu n'avais plus besoin de moi, pour quoi que ce soit.

Il suffoquait. Janie rétorqua :

— Tu as vu juste : je n'avais pas besoin de toi. Et, encore maintenant, je n'ai pas besoin de toi. Tu ne peux pas me ramener Adam, hein ? Tu es inutile, tout à fait inutile... Je te déteste... Tu es ici chez moi : alors va-t'en, sors !

Il se mit à crier, lui aussi :

— Et toi, tu n'es pour rien dans ce gâchis ? Je vivais avec toi comme j'aurais vécu avec un bon copain, qui aurait partagé le même appartement, point. Les derniers mois ont été terribles. Jamais un mot tendre, jamais une caresse... Je suis allé te chercher à l'aéroport après une journée démentielle, et tout ce qui te préoccupait alors, c'est que j'aie pu garer ma voiture au mauvais étage du parking. Tu ne t'es jamais demandé quels sentiments peut éprouver celui qu'on laisse toujours tomber ? celui à qui on donne l'impression qu'il est un minus...

— N'essaie pas de me faire porter le blâme. Je ne suis pas responsable du peu d'estime que tu as pour toi-même...

— Tu n'as jamais voulu créer un véritable foyer pour nous. La plupart du temps, tu ne remarques même pas ce qu'Adam peut faire. Tu ne penses qu'à toi et à ton foutu travail. Ma foi ! tu as plus de testostérone dans ton système que tout le personnel masculin de la salle des nouvelles réuni !

— Il y a au moins un homme dans la famille, espèce de poule mouillée. Va-t'en ! Va-t'en maintenant. Je ne veux plus jamais te revoir.

Ils ne cherchaient plus qu'à se blesser l'un l'autre. Douze années de mariage leur avaient permis de découvrir leurs points sensibles, là où la blessure ferait le plus mal. Ils se lançaient des énormités qu'un reste de décence aurait dû retenir au fond de leur gorge. Ils s'affrontaient comme deux belligérants sans scrupules maniant des armes destructrices. Un observateur sensé aurait pu raisonnablement croire que jamais ils ne se relèveraient de ce combat dément.

Leur querelle finit par aller au-delà des mots. Elle profita de ce qu'il avait retroussé ses manches pour lui planter ses ongles dans les bras et les labourer des coudes aux poignets. Une lutte éperdue s'engagea alors entre eux. Paul saisit le bras droit de Janie et le ramena rudement derrière elle. Janie le griffa au cou tandis qu'il s'efforçait d'immobiliser l'autre bras. Se voyant hors de combat, elle lui cracha vicieusement au visage. Il riposta en lui tordant douloureusement les poignets. La haine les unissait encore plus étroitement que ne l'avait jamais fait l'amour. Elle lui donna alors des coups de pied, que l'absence de souliers rendait anodins. Il la fit basculer de telle manière qu'elle tomba lourdement sur le bord du canapé, pour glisser ensuite sur le plancher, entraînant son opposant dans sa chute.

Elle tremblait de colère et de peur. Elle sentait le cœur de Paul battre follement contre elle. Ils restaient accrochés l'un à l'autre, essoufflés, épuisés.

Puis la violence qui les gardait rivés l'un à l'autre prit, de façon tout à fait imprévue, une dimension sexuelle. Janie avait cru que le désir qui les avait autrefois attirés l'un vers l'autre était mort à jamais. Mais elle se rendait compte avec stupéfaction que leur querelle venait de raviver la flamme de leur passion.

En proie à tellement d'émotions contradictoires, elle s'étonna d'être capable de laisser libre cours à une pulsion aussi soudaine qu'inattendue. Elle avait soif de sa bouche et de ses mains posées sur elle. Sans lui, elle était totalement désorientée.

Paul l'attira dans son giron et la berça. Elle se demanda s'il se rappelait avoir souvent fait le même geste avec Adam, à l'âge où il perçait ses dents et que rien d'autre ne réussissait à le calmer. Puis elle songea que ce soir, Paul cherchait probablement un peu de réconfort pour lui-même.

Elle se plaqua contre lui et lui caressa le dos. Son odeur n'avait pas changé. Il l'enserra étroitement, comme s'il avait voulu l'empêcher de sombrer. Elle leva vers lui ses yeux noyés de larmes et il éprouva pour elle à cet instant une immense tendresse. Il glissa sa main sous sa chemise blanche et la pressa contre son sein.

— Je crois que je mourrai si Adam ne revient pas, murmura-t-elle.

Pour toute réponse, il pencha la tête pour poser un baiser sur sa joue :

— Ça ira mieux. Tu n'es plus seule maintenant.

Ils partagèrent sans arrière-pensée la peine insupportable qui les réunissait une fois de plus, comme ils avaient partagé tellement de choses au cours des ans : jeunesse et ambition, amour et colère ; Adam.

Elle se redressa vivement : elle trouvait répugnant d'utiliser le sexe comme anesthésique, même si elle éprouvait pour lui un intense désir. Mais elle comprit aussitôt que c'était le seul remède à leur douleur. Alors, elle prit le visage de Paul entre ses mains et plongea la langue dans sa bouche.

Ils avaient été séparés si longtemps que leurs corps ne se reconnaissaient plus. Ils tâtonnaient, se cherchaient, aussi gauches que des novices, qui feraient l'amour pour la première fois.

Les premières caresses, hésitantes, ramenèrent à leur souvenir les étreintes d'autres partenaires. Ces fantômes leur inspirèrent des gestes inusités chez eux. Puis ils s'éclipsèrent dès que Paul et Janie reconnurent le goût de leur peau et les sensations qui, au cours de leurs premières années de vie commune, avaient été insupportablement excitantes et voluptueuses. Puis elle avait voulu se libérer de sa dépendance envers son mari et elle avait cherché auprès d'autres hommes ce qu'elle ne recevait que de lui. Maintenant qu'elle était de retour dans les bras de Paul, elle avait peine à croire que leurs corps retrouvent aussi facilement les gestes qui exprimaient autrefois leur tendresse et faisaient naître leur plaisir.

Ils firent l'amour en silence. Ils firent l'amour avec leurs yeux, leurs mains et leurs bouches. Et quand, à la fin, l'attente devint insupportable, ce n'est pas un étranger de passage qui se glissa en elle, mais un exilé de retour chez lui.

— Tu es la seule qui ait réussi à donner un sens à ma vie. C'est avec toi que j'ai vécu le meilleur de mon existence. Et le pire, ajouta-t-il d'un ton lugubre.

— Tu ne me l'as jamais dit. Tu aurais dû le faire.

— Bon Dieu ! tu devais bien savoir quels sentiments j'éprouvais pour toi. Quand nous nous sommes épousés, je croyais que je coulerais dorénavant des jours heureux.

— Comme dans un conte de fées. Mais nous avons tous deux perdu le fil de l'histoire, dit-elle en souriant dans l'obscurité.

— Je n'ai pas supporté de te perdre, lui confessa-t-il en frottant sa joue contre la sienne.

Elle goûta le sel de ses larmes sur ses lèvres :

— Ne pleure pas, je t'en prie. Je suis une telle chipie.

— Merde ! c'était aussi ma faute. Douze ans... Il est bien normal que nous ayons eu des mésententes, mais nous avons eu tort de ne pas les reconnaître. Nous avons laissé la hargne nous empoisonner au point qu'il était devenu impossible de l'ignorer. Je tenais pour acquis que tu continuerais à vouloir de moi, même si je ne le méritais pas. Je m'attendais tout bêtement à être aimé.

— De mon côté, je n'ai pas fait beaucoup d'efforts non plus. Au lieu de mettre de l'eau dans mon vin, je fuyais. C'est là que je me suis trompée.

Elle lui avait souvent reproché cette attitude orgueilleuse qui l'amenait à se croire parfait. Et maintenant, de façon paradoxale, son humilité la chagrinait.

— Je pense que je n'ai jamais cessé de t'aimer. C'est seulement... que tu étais là. Je ne croyais pas devoir m'inquiéter ; j'étais persuadée que tu ne changerais pas, que tu ne partirais jamais. J'avais sottement imaginé que mon activité professionnelle était une partie de ma vie totalement étrangère à toi et à Adam.

L'allusion à leur fils les replongea dans le silence.

Juste après vingt-deux heures, le téléphone sonna. Elle sauta sur le combiné : c'était Adam, tout excité. Le soulagement fit vaciller Janie, qui dut s'asseoir sur le plancher.

— Nous venons tout juste de rentrer. Je suis au bureau de Mr McLeish. Il m'a demandé de t'appeler pour te dire tout le plaisir que nous avons eu. J'ai descendu toute la hauteur d'une montagne en trente secondes environ...

— Tu ne peux savoir à quel point c'est bon d'entendre ta voix ! Tout s'est bien passé alors ? Aucune histoire ?

— Simon s'est brisé la cheville et nous avons manqué de saucisses.

Paul apparut dans l'embrasure de la porte. Elle se retourna vers lui, radieuse.

— Écoute, mon chéri, papa est ici avec moi et il veut te parler. Quand tu seras de retour à l'école, nous irons te voir sans tarder.

— Je serai revenu à l'école demain soir. Et j'aurai un cadeau pour toi. Je ne te dis pas ce que c'est.

Il y eut un court silence, au bout duquel il ajouta, incapable de garder le secret :

— C'est de la poterie, ou quelque chose du genre, ça a quatre pattes et une masse de cheveux.

— J'ai hâte de voir cette merveille ! Oh ! j'allais oublier : as-tu égaré des vêtements ? On m'en a fait parvenir quelques-uns...

— J'ai perdu le chandail bleu que tu venais juste de m'acheter, répondit-il d'un ton confus. Et autre chose aussi. Je suis désolé.

— Ne t'inquiète pas, c'est probablement déjà à la maison. À très bientôt !

Puis elle tendit le combiné à Paul.

Quand Janie s'éveilla, au petit matin, elle s'aperçut qu'ils avaient dormi enlacés, comme naguère, la tête de Paul posée au creux de son épaule et une jambe passée par-dessus les siennes. Il dormait encore. Elle évita de bouger, confortablement installée tout contre lui.

L'évolution harmonieuse d'un couple repose sur le dosage équilibré du doux-amer. Il leur avait fallu partager la même angoisse au sujet de leur fils pour que Janie comprenne à quel point ils étaient liés l'un à l'autre. Elle ne pourrait jamais tourner le dos à Paul ou se séparer de lui, même s'ils ne pouvaient maintenir jour après jour la même ferveur amoureuse. Ils resteraient toujours ce qu'ils avaient été avant de s'épouser : des amis, des collègues, des collaborateurs qui s'admiraient mutuellement pour leur talent, leur ardeur au travail et leur honnêteté intellectuelle. Cela, rien ne pourrait le changer.

— Ne me quitte pas.

Elle crut qu'il avait parlé dans son sommeil mais, en tournant la tête, elle croisa son regard.

— Ne me quitte plus jamais, répéta-t-il en passant convulsivement sa main sur la courbe de sa hanche.

— Jamais plus, jura-t-elle, la main sur le cœur.

Elle allongea son corps nu tout contre le sien et posa son bras sur sa poitrine. Elle sentit son membre se gonfler contre sa cuisse, mû par un désir dont elle s'était crue privée pour toujours.

Quand il pénétra en elle, elle retrouva sa plénitude.

Chapitre trente-quatre

Le lendemain matin, à l'aube, Janie bâillait dans la cuisine en attendant que l'eau bouille. Elle ne pouvait se rappeler tout ce qui avait pu être murmuré au cours de cette nuit aussi longue que dramatique. Il lui semblait cependant que Paul et elle avaient pris plusieurs décisions.

Ils avaient convenu d'aller chercher Adam au cours de la matinée et de le conduire chez Lou, avec qui il resterait tout un mois. Durant ce temps, ils auraient tout le loisir de penser à l'avenir. *Leur* avenir. Paul avait insisté pour qu'ils s'installent immédiatement à Londres. Son appartement était certes trop petit, mais il suffirait pour l'heure. Sans présumer de l'avenir, il jugeait qu'elle ne devait pas rester seule à la Petite Grange.

Elle posa ses coudes sur le solide appui de pierre de la fenêtre, récemment refaite à neuf, et contempla la cour encombrée d'équipement et de matériaux de construction. Si les conditions le permettaient, ils reviendraient peut-être tous les trois en août, comme ils l'avaient toujours fait. Mais que se passerait-il si la police élucidait entre-temps le mystère des vêtements d'Adam tachés de sang ? Et qu'adviendrait-il si, de son côté, elle parvenait à prouver l'implication de Mama ou de la Fondation dans l'incendie de sa maison ?

Pour lutter contre l'anxiété qui s'emparait d'elle, elle ouvrit la fenêtre, aspira profondément une bouffée d'air frais et s'appliqua à se convaincre qu'elle devait prendre les journées une à la fois. Le ciel s'éclaircissait de minute en minute ; la crête bosselée des Pennines ondulait au-dessus de longues bandes de brouillard, comme un monstre difforme émergeant d'une mer oubliée.

Elle sortit du placard une boîte de biscuits : Paul aimait en croquer un le matin. Mais elle était agitée par des sentiments mêlés. D'une part cette vieille habitude de gamin la charmait ; d'autre part elle répugnait à endosser sans plus de réticence son rôle d'épouse. Déroutée par l'idée qu'inconsciemment elle ne demandait pas mieux que de se retrancher dans la sécurité de son foyer, de devenir une émule de Louise, elle referma la porte du placard avec fracas. Et pourquoi pas ? se dit-elle après ce geste de révolte. C'était un rôle qu'elle pouvait aussi bien jouer, elle aussi. Elle s'arrangerait cette fois pour assumer les deux rôles à la fois.

Elle avait inconsciemment souhaité le retour de Paul. Elle avait besoin de lui. Elle avait mis du temps à découvrir quelques petites vérités sur elle-même. Elle y était douloureusement parvenue au cours des dernières heures. Et si la souffrance l'avait forcée à se regarder sans complaisance, elle le devait sûrement à Mama.

Pendant qu'elle observait la brume matinale se dissiper au-dessus des collines, beaucoup de choses étaient devenues claires pour elle. Elle réalisait que le destin ne dépendait pas uniquement de la simple conjoncture d'événements extérieurs. Il était en grande partie déterminé par ce qu'elle était au plus profond d'elle-même, par ses aspirations et par sa volonté. Il était déjà inscrit dans ses gènes. Ce qu'elle avait vécu depuis sa naissance était en grande partie le résultat de ce qu'elle avait intensément voulu.

Elle aimait Paul. Et elle venait de redécouvrir que le bonheur est simple. L'air lui-même lui paraissait d'une merveilleuse pureté, comme si elle le respirait à nouveau après des années passées au fond d'un cachot. Elle ne s'était jamais sentie aussi bien depuis ce jour étrange et adorable dans la vallée, quand le cerf majestueux lui était apparu comme la licorne sortie miraculeusement de la surface étroite de la tapisserie.

Le même matin, à l'aube, Alma Gysemans, bien au chaud dans son épais cardigan, se tenait devant la haute fenêtre de son appartement bruxellois. Elle y avait passé toute la nuit, installée dans son fauteuil de velours. Les réverbères étaient allumés sur la place encore plongée dans l'ombre. Plus haut, cependant, les pignons et les pinacles dorés des édifices médiévaux étincelaient dans la lumière du soleil levant.

Pendant plus de cinquante ans, Viktor et Alma avaient tu le long martyre qu'ils avaient subi dans les camps nazis. Une fois passés les premiers mois qui avaient suivi leur retour, ils avaient, d'un commun accord, cessé d'en parler même lorsqu'ils se trouvaient seuls ensemble. En effet, ils n'avaient guère mis de temps à découvrir qu'il y a des souvenirs trop pénibles pour qu'on puisse les partager. Ils avaient donc vécu pendant un demi-siècle sans faire une seule allusion aux infâmes traitements qu'ils avaient subis.

Puis son mari était mort. Par la suite, Dante était venu frapper à sa porte pour recueillir son témoignage, qui viendrait enrichir sa documentation historique. Et le hasard avait voulu peu après qu'elle ait Janie Paxton comme voisine dans l'avion qui la ramenait de Toulouse. Dans cette conjoncture, il lui était enfin paru opportun de lever le voile sur ce tragique épisode de sa vie. Elle ne s'était cependant pas doutée que ces confidences auraient pour cruel effet de rouvrir des cicatrices qu'elle croyait définitivement fermées.

Chapitre trente-cinq

Alma Gysemans ferma la porte de la salle à manger pour assourdir le son du rock *heavy metal* :

— Trop c'est trop, s'exclama-t-elle avec humeur en versant d'autre café aux convives. J'adore Richard, mais après une semaine à entendre cette musique...

Elle était dans la maison de ville de Marylebone, où sa fille Fernande vivait avec son mari, Justin Savory, et le plus jeune de leurs fils. Dans la grande pièce vert foncé du rez-de-chaussée, éclairée par les hautes fenêtres qui s'ouvraient sur un élégant petit square, s'achevait le déjeuner dominical.

Janie avait été initiée à l'hospitalité belge avec un repas traditionnel : *mosselen* — des moules — servies dans des cassolettes individuelles. Les mollusques, cuits à la vapeur dans un bouillon aillé, étaient accompagnés des meilleures frites qu'elle eût jamais goûtées. Une bière belge au discret parfum de framboise avait arrosé le copieux repas, qui s'était terminé avec des *manons,* friandises belges faites de chocolat pur fourré à la crème fraîche. Janie se promettait déjà de ne manger que des fruits durant toute la semaine.

À sa droite, Karel, le fils d'Alma, s'adressait poliment à elle :

— Est-ce que je peux...

Il secoua alors sa main dans les airs, comme si la suite de sa pensée, à demi formée, pouvait s'y trouver suspendue :

— ... vous offrir du fromage ?

Janie se mit à rire :

— Je ne pourrais pas avaler une bouchée de plus. Je crois que j'ai mangé pour trois jours.

Fernande, assise en face d'elle, la désapprouva gentiment :

— C'est important de manger. Un bon repas ne se ramène pas à la simple consommation d'aliments. C'est un luxe vital, un plaisir partagé...

— Ou le prélude au plaisir, la taquina son mari en lui baisant la main.

Justin et Fernande, semblait-il, avaient l'habitude de terminer les phrases l'un de l'autre. Janie se fit la réflexion qu'ils étaient mariés depuis au moins vingt-cinq ans et que, visiblement, ils avaient su entretenir bien vivants le mystère et la ferveur de leur intimité. En les observant, Janie prit une résolution qui les concernait, Paul et elle-même.

— Comme je le disais avant d'être brutalement interrompue, reprit Fernande en regardant tendrement son mari, partager un repas est une nécessité et un rite que nous négligeons à nos risques et périls. C'est une occasion privilégiée de nourrir le corps et l'esprit. Ce n'est pas par accident que, dans toutes les grandes religions, on sert des plats spéciaux à l'occasion des différentes festivités.

Contrairement à Alma, elle parlait anglais sans accent, même si l'on notait chez elle l'espèce de formalisme linguistique de ceux qui parlent dans une langue qui n'est pas la leur. Cela mis à part, mère et fille étaient incroyablement pareilles : même taille, même qualité de présence, même intelligence. Elles étaient aussi élégantes et montraient autant d'aimable dignité l'une que l'autre.

Karel taquina sa sœur en lui faisant remarquer, sans se départir du ton plaintif qui lui était habituel :

— Moi, j'ai simplement demandé à ton invitée si elle désirait du fromage, ma chère Fernande, et non pas si elle voulait un sermon.

Tout le monde rit et Karel sourit à Janie. Même dans cet étroit contexte familial, elle sentit, à la façon dont il se mêlait à la conversation ou plaisantait, qu'il était extrêmement timide. Elle trouva ce trait de caractère plutôt curieux chez un homme d'aussi belle apparence. Haut de taille, Karel avait des cheveux blonds, mêlés de fils blancs, qui détonnaient dans cette famille où tous les autres avaient une chevelure foncée. Janie se rappela qu'Alma lui avait raconté qu'elle se faisait teindre les cheveux de la couleur des siens quand il était enfant. Elle lui avait aussi confié que Karel était un passionné de navigation à voile et que, assez bizarrement, il possédait le regard d'un marin habitué à scruter l'horizon. Ses yeux bleu acier étaient légèrement bridés, ce qui lui donnait de façon permanente un air amusé le faisant paraître beaucoup plus jeune que ses cinquante ans.

Janie venait tout juste de faire sa connaissance. Durant le repas, elle avait plus d'une fois surpris le regard anxieux d'Alma posé sur lui. Elle avait d'abord cru qu'ils s'étaient disputés. Mais elle changea d'avis : Alma paraissait plutôt inquiète, comme si elle redoutait qu'il fasse soudain un geste imprévisible. Janie nota qu'il se penchait attentivement vers sa mère, devant qui il était assis, chaque fois qu'elle parlait. Le lien d'affection et de respect qui les unissait était tangible.

Elle fut arrachée à ses pensées quand les convives autour de la table commencèrent à se lever. Fernande et son mari partaient conduire leur fils, qui devait rendre à un ami la batterie de rock qu'il lui avait empruntée. Cette perspective plaisait de toute évidence à Alma. Puis Karel prit congé de Janie. Il s'inclina gracieusement devant elle et, avec une courtoisie tout à fait surannée, lui baisa la main. Elle se demanda s'il n'était pas homosexuel : son air jeune, les liens intimes qui le liaient toujours à sa mère... Puis elle trancha en se disant que son problème était plus complexe et ne dépendait pas uniquement de son orientation sexuelle.

Alma raccompagna son fils. Un peu plus tard, Janie se rendit à la salle de bains. En montant, elle les aperçut devant la porte. Karel écoutait ce que sa mère lui disait, les jointures entre les dents, comme s'il réprimait ses émotions. En redescendant dans la salle à manger, elle surprit les mots qu'ils échangeaient à voix basse :

— ...ce qu'il faut ? Tu as les médicaments ?

— Oui, oui, maman. J'ai toujours l'ordonnance de Heffner. Ça suffit, je suis parfaitement capable...

Janie ferma discrètement la porte. Quand Alma revint, elle paraissait épuisée. Elle avait glissé ses mains dans les manches de son tricot de cachemire gris, comme si elle avait froid. Elle s'assit au bout de la table, alluma une cigarette et joua avec le briquet :

— Je m'inquiète pour lui, soupira-t-elle, comme si elle avait besoin de s'épancher.

— Pour Karel ? Pourquoi ?

— Il est dépressif. C'est de soins qu'il a besoin, et non de médicaments : il a dépassé ce stade depuis longtemps. Il faudrait l'hospitaliser, mais il s'y refuse. Il faut trouver le moyen de le persuader. Si seulement il avait quelqu'un dans sa vie, je ne m'inquiéterais pas autant. Bien sûr, il y a des femmes. Il m'est arrivé une fois ou deux d'être certaine qu'il se marierait, mais ses amours ne durent jamais longtemps. Je ne peux pas toujours...

Alma contempla la place qu'il avait occupée à table. Celle-ci était désespérément propre, alors qu'on voyait partout ailleurs le réconfortant désordre laissé à la fin d'un repas agréable. La fourchette et la cuillère qu'il n'avait pas utilisées étaient impeccablement disposées, son verre de vin vide exactement dans la ligne du verre d'eau, le couteau à fromage bien posé dans l'assiette, sa serviette méticuleusement repliée.

Alma fit un effort pour s'arracher à sa morosité :

— Je ne vous ai pas vue depuis que vous êtes venue à Bruxelles. Est-ce que le livre progresse ?

— Je pense que je vais abandonner le projet. Je ne sais vraiment pas si je pourrai continuer. Depuis ma rencontre avec Dante, je vois d'un œil différent tout ce qui entoure le personnage de Mama. Je ne parviens tout bonnement plus à me faire une image précise de cette femme. Je suis complètement déroutée. Je suis incapable d'écrire un livre dont l'objet me laisse aussi perplexe.

— Décider de ne pas l'écrire serait peut-être la manière facile de vous défiler.

— C'est plus ou moins ce que Dante m'a dit.

— Il a évidemment ses propres échéances.

Après avoir hésité durant un moment, Alma poursuivit :

— J'espère que ce que je vous ai confié cette nuit-là ne vous a pas dissuadée. C'est bien la dernière chose que je souhaiterais. C'était la première fois, depuis tellement d'années, que je m'étais permis de faire ce retour en arrière. De me remémorer le tourment et la terreur.

— Je suis vraiment désolée, Alma.

La vieille femme était sans aucun doute capable de comprendre l'angoisse de Janie :

— Non, non, il n'y a pas lieu pour vous de l'être. J'ai beaucoup réfléchi récemment. Le fait de vous avoir rencontrée m'a obligée à regarder en face une réalité que j'avais voulu nier pendant trop longtemps.

— C'est parfois préférable d'oublier le passé.

— Mais, voyez-vous, il ne s'agit pas seulement du passé. Et ce n'est pas moi qui suis concernée.

Chapitre trente-six

Les miradors se dressaient tous les deux cents mètres juste à l'intérieur du périmètre formé par une double ceinture de barbelés. Au-delà s'étendaient de vastes champs incultes bordés au loin par la forêt. Trois sentinelles armées, postées au sommet de chacune des solides tours de bois, exerçaient leur surveillance vingt-quatre heures sur vingt-quatre.

Un potager avait été aménagé à l'intérieur de l'enceinte. Les prisonniers y cultivaient les oignons, carottes, pommes de terre et autres légumes destinés aux cuisines des SS, rattachées à leurs propres baraquements. De temps à autre, à la faveur de l'obscurité, quelques détenus se risquaient à courir jusqu'au potager y arracher une feuille de chou, ou n'importe quoi d'autre, pour calmer leur faim. Les sentinelles, qui les voyaient presque toujours faire, auraient pu tirer sur eux sans avertissement, parce qu'il était interdit de pénétrer dans cette zone « neutre ». Une zone neutre qui n'en était pas une, puisqu'elle était propriété exclusive des oppresseurs.

Il arrivait à Alma de voir certains de ses compagnons d'infortune porter longuement leur regard au-delà des barbelés. Si elle avait pu voir leurs yeux, elle n'y aurait pas décelé le moindre rêve de liberté puisque, pour eux, le monde n'existait plus en dehors du périmètre de sécurité. Mais elle y aurait lu la haine, le désespoir et l'éternelle interrogation de tous ceux qui croupissaient dans ce camp : combien de temps pourraient-ils encore supporter leur lente agonie ?

Les gens mouraient de diverses façons dans ce camp maudit.

Bon nombre de prisonniers étaient tourmentés et brutalisés jusqu'à ce qu'ils en crèvent. Plusieurs étaient fusillés ou assommés pour un seul mot échappé ou, au contraire, à cause de leur silence. Les gardes avaient inventé un jeu criminel : ils ordonnaient à un prisonnier de lancer sa casquette dans un champ. On le sommait ensuite d'aller la chercher. S'il obéissait, on lui tirait dans le dos pour « tentative d'évasion ». S'il refusait, on le tuait pour désobéissance.

On avait raconté à Alma qu'il arrivait parfois, lors des pendaisons, que les pieds d'un condamné touchent le sol parce qu'il était trop grand ou la corde trop longue. Un gardien grattait alors la terre sous la potence, avec le talon de sa botte, jusqu'à ce que la victime puisse enfin pendre au bout de la corde et mourir.

Un certain nombre de détenus choisissaient leur propre mort. Un homme avait ramassé le corps de son frère et avait embrassé son visage. Puis il avait couru à toute vitesse vers un gardien. Il n'avait pas eu le temps de se rendre jusqu'à lui : une rafale de mitraillette l'avait abattu.

Certains trouvaient le moyen d'en finir dans l'obscurité de la nuit. Avec le courage du désespoir, ils montaient sur une boîte, attachaient solidement leur ceinture à une poutre du toit et faisaient basculer d'un coup de pied l'escabeau de fortune. Ils mouraient à petit feu, suffoqués. On comptait ainsi chaque nuit trois ou quatre suicides.

D'autres perdaient espoir. Alma avait appris qu'il n'est pas vrai que l'espoir soit la dernière part de soi à mourir. Malgré la faim et la maladie, on ne renonce pas aussi aisément à la vie : chacun doit attendre son heure. Les prisonniers déambulaient donc à travers le camp comme des morts en sursis, les yeux vides, le visage blafard, mais ils entretenaient au fond de leur cœur une petite flamme qui leur permettait de survivre.

Alma était au courant de tout ce qui se passait. Sans qu'elle ait à prêter l'oreille aux chuchotements de ses infortunés compagnons, les rumeurs faisaient leur chemin jusqu'à elle. Elle communiait à la révolte, à la rage que ces murmures portaient jusqu'à ses oreilles. Quand elle eut passé trois mois au camp, elle se convainquit que les gestes extrêmes équivalaient parfois à une victoire. Par contre, la mort de certains de ses compagnons d'infortune lui avait enseigné que le suicide était aussi une défaite. Dès lors, elle essaya de survivre à tout prix. Sinon pour elle — car elle ne s'inquiétait plus de ce qui pouvait lui arriver personnellement —, du moins pour ses enfants. Où qu'ils puissent être.

Le sort de ses petits la tourmentait. D'en être privée lui causait une souffrance perpétuelle. Elle avait réussi à la supporter en s'accordant deux heures par jour pour penser à eux. Elle craignait de devenir folle si elle passait ses journées à se tourmenter à propos de ce qui avait pu leur arriver. Une intuition profonde l'avertissait qu'elle mourrait si elle permettait à la douleur de la ronger trop profondément. Elle s'employa alors avec énergie à obtenir assez de nourriture pour subsister, à chasser les poux de ses vêtements, à trouver assez de chaleur pour survivre aux nuits glacées de l'hiver, à se tenir loin des gardiens les plus imprévisibles, à éviter les remontrances de la surveillante de chambrée.

Jusqu'à son internement, sa famille avait été le centre même de sa vie. Fernande l'avait comblée au cours des trois dernières années. Alma connaissait chacun de ses cils, chacune de ses dents; c'est tout juste si elle ne connaissait pas chacun des pores de sa peau. Elle retrouvait maintenant Fernande dans ses rêves; c'était l'image de sa petite fille qui faisait le bonheur de ses nuits.

Quant au tout-petit, sa douleur était différente : ce n'est pas seulement son cœur qui avait mal. Durant le voyage qui l'avait emmenée loin de Bruxelles, elle avait été consciente du lait qui s'accumulait dans ses seins. Cependant, une fois qu'elle fut arrivée en Pologne, l'impossibilité d'allaiter était devenue un problème aigu. À la fin de la première semaine au camp, la fièvre s'empara d'elle : ses seins étaient alors devenus désespérément gonflés et tendus. Elle ne pouvait dormir et tremblait continuellement.

Ses compagnes l'avaient aidée. Il s'agissait de femmes qui avaient elles-mêmes des enfants et qui savaient quoi faire. Elles lui recommandèrent d'exprimer elle-même le lait avec ses mains pour diminuer la pression. Elle ne put y réussir, parce que ses seins étaient trop engorgés. Quelqu'un s'avisa d'appliquer des compresses d'eau chaude, mais il n'y avait rien pour chauffer l'eau, qui leur était d'ailleurs mesurée chichement. Malgré son délire, elle entendit ses compagnes parler des graves dangers occasionnés par une montée de lait incontrôlée. Elle comprit que la mort la menaçait sérieusement. L'effroi, noir et glacial, s'empara alors d'elle.

Dans les heures suivantes, la souffrance et le désespoir nourrirent son délire : que devenait son bébé? Pouvait-on le nourrir? Pleurait-il? Mourait-il de faim pendant qu'elle restait clouée au lit par la fièvre?

Dans ce camp, trop de gens pleuraient que personne n'entendait. Mais quelqu'un vint vers Alma : Nita, une Polonaise dans la trentaine, aux yeux noirs très expressifs. Ses cheveux repoussaient, sur son crâne rasé, comme de délicates petites plumes noires. Les femmes, dans le quartier d'Alma, s'étaient demandé si elle n'était pas gitane. Elles n'avaient cependant pas tardé à conclure que c'était impossible, parce qu'alors les Allemands l'auraient gardée dans une autre baraque. Nita avait demandé à une autre femme de lui servir d'interprète :

— Quand avez-vous nourri votre bébé la dernière fois?

— Une semaine, peut-être plus, répondit Alma en faisant un effort pour se souvenir. Je suis incapable de le dire de façon précise.

— Voulez-vous faire passer votre lait?

— Non, oh non! Il faudra que je nourrisse mon bébé quand je... quand il... oh, mon Dieu!

La femme caressa le front d'Alma. Elle parla doucement, imitée en cela par l'interprète :

— On m'a arrêtée dans la rue. Mes enfants se sont enfuis. Ils sont assez grands maintenant. Je leur ai dit d'aller se réfugier chez ma sœur. Laissez-moi voir maintenant.

Elle examina les seins enflés d'Alma avec le savoir-faire d'une infirmière, elle palpa avec délicatesse l'épiderme distendu :

— Je peux vous aider. Je vais d'abord faire quelque chose moi-même, deux ou trois fois. Par la suite, vous exprimerez chaque jour le lait avec vos doigts, vous me comprenez? Pas beaucoup, juste assez.

Alma soupira :

— Oui, c'est ce que je ferai.

— Vous me permettez donc ?

Alma ne savait pas ce que la femme ferait, mais elle lui accordait sa confiance :

— Oui.

Nita congédia l'interprète. Elle s'étendit sur l'étroite couchette tout contre Alma, de façon à ce que son dos fasse écran et leur assure un peu d'intimité. Son corps chaud avait une odeur de clou et de transpiration. Elle murmura quelque chose, couvrit un sein de ses longs doigts et pencha la tête.

La sensation fut si intense qu'Alma haleta lourdement et tenta de la repousser. Mais le bras passé autour de sa taille la retenait fermement et elle était trop faible pour se débattre. Elle pensa s'évanouir. Elle sentit la bouche de la femme téter voracement le mamelon. Pour ne pas la blesser, la Polonaise recouvrit ses dents de ses lèvres. Malgré la douleur de ses seins et les élancements dans sa tête, Alma se sentit envahie par une charge érotique insupportable. Elle en éprouva de la honte et de l'embarras. Elle sentait au fond de ses entrailles un tiraillement qui lui rappelait ce qu'elle avait ressenti au cours de la période qui avait immédiatement suivi ses deux accouchements. Il n'y avait que Viktor qui se fût jamais prêté à cet acte sur elle, et Viktor... Viktor... Elle gémit à son souvenir.

Nita relâcha le mamelon et la regarda :

— *Co te jest ?* Qu'est-ce qui se passe ?

Alma secoua la tête, et les larmes qu'elle ignorait avoir versées glissèrent sur ses tempes. Elle posa la main sur les cheveux de Nita, aussi fins que ceux d'un enfant, et les caressa tout en pressant son visage contre elle :

— Je vous en prie, continuez. Aidez-moi.

Elle prenait clairement conscience de l'innocence du geste, de la chaleur confortable d'un corps souple allongé contre le sien, du plaisir qu'on éprouve à se laisser choyer. Elle tomba alors dans un étrange demi-sommeil. Elle avait l'impression que c'était son bébé qui tétait son lait et que tout le reste n'était qu'un horrible cauchemar.

La douleur s'évanouissait au fur et à mesure que la pression se relâchait à l'intérieur de ses seins. Soulagée, Alma découvrait avec reconnaissance que c'était une autre dimension de l'amour que cette femme avisée venait de lui révéler.

— Ça ne vous gêne pas? Vous en êtes sûre? finit-elle par demander.

La femme ne comprit pas, puisque Alma avait parlé allemand. Mais Nita releva la tête et lui adressa un sourire complice. Alma saisit sa main et la porta à ses lèvres avec émotion :

— Merci, murmura-t-elle.

Violette Roussel était parmi les prisonniers amenés de France. Quand la Gestapo l'avait arrêtée, elle rentrait à la maison après son travail. Elle était serveuse dans un petit café de Reims et n'avait jamais su pourquoi on l'avait jetée en prison, puis envoyée dans ce camp. C'était probablement un cas d'erreur d'identité. Au moment où on l'avait arrêtée, son fils de cinq ans l'attendait à la porte de l'école. On ne lui avait pas permis de lui envoyer un message.

Durant les onze mois qu'elle avait passés en Pologne, elle avait cru que l'enfant était en sécurité avec son père. La pensée que son fils et son mari étaient ensemble en France lui donnait du courage. C'est alors qu'elle reçut une lettre de son mari, qui avait finalement appris où elle se trouvait. Il écrivait qu'il lui expédiait un colis de vivres et de vêtements. Et un manteau chaud pour leur fils. Elle n'avait jamais reçu le colis. Cela, bien sûr, n'avait aucune importance, comparé à l'affreuse nouvelle qui venait de détruire d'un seul coup tous ses espoirs.

Ce n'est qu'après la mort tragique de Violette qu'Alma entendit raconter cette histoire. Elle ignorait tout de la jeune femme qui, un après-midi, semblait courir dans sa direction alors que, répondant à l'appel, elle se dirigeait vers le lieu de rassemblement. Il était si inhabituel de voir quelqu'un courir — ils étaient trop épuisés, trop affamés pour pouvoir se hâter le moindrement — qu'Alma s'arrêta sur place. Elle eut à peine le temps de noter que les mains, le visage et le devant de la blouse de la jeune Française étaient tout mouillés et que celle-ci ne courait pas vers elle, mais plutôt en direction de la clôture électrisée, qu'elle avait presque atteinte. Les bras étendus devant elle, le visage bouleversé, elle courait comme si elle allait se jeter dans les bras d'un amant.

Alma n'eut pas le temps de détourner les yeux, même si elle devinait que le pire allait se produire. Les gardes postés au sommet des tours crièrent. Alma ne sut jamais s'ils avaient poussé des cris d'avertissement ou d'encouragement. Le femme n'hésita pas une seule fraction de seconde. Elle se jeta sur les fils et s'y agrippa désespérément.

Alma entendit distinctement un bruit de friture, aussitôt suivi du cri épouvantable poussé par la désespérée. Des centaines de volts traversèrent son corps, qui se contracta et s'agita frénétiquement avant d'être projeté en arrière.

Alma fit un pas en avant, mais une main ferme la retint. Une cruelle odeur de chair brûlée avait déjà envahi ses voies respiratoires.

Violette Roussel était étendue sur le dos à un peu plus d'un mètre de la clôture, une jambe tordue sous elle, les bras en croix. Les paumes de ses mains déchirées étaient carbonisées. Une galoche reposait à côté de sa tête et ses grands yeux semblaient fixer le bleu implacable du ciel.

On la crut morte. Comme elle se trouvait dans la zone neutre, personne ne pouvait ramener son corps sans qu'on en ait reçu l'ordre. Il resta oublié sur place pendant presque deux heures. Finalement, une des rares gardiennes de l'établissement, qui avait terminé son quart de travail, jeta en passant un regard distrait sur le corps.

Quelque chose capta son attention, car elle s'accroupit pour regarder plus attentivement. Puis elle ordonna à deux prisonniers d'aller chercher une civière. On conduisit la Française dans la grande baraque qui servait d'infirmerie aux prisonniers.

Violette Roussel ne reprit pas conscience. On vit seulement ses muscles se contracter occasionnellement et des tremblements passagers agiter ses membres. Ses yeux tantôt ouverts, tantôt fermés, tressaillaient continuellement. Elle mourut juste avant l'aurore.

Alma avait veillé sur elle jusqu'à la fin. La semaine précédente, on l'avait en effet envoyée travailler à l'infirmerie, les deux seules vraies infirmières du camp ne suffisant pas à la tâche.

On n'avait pu faire grand-chose pour Violette. Alma avait demandé au médecin s'il pouvait bander ses mains brûlées. Des lambeaux de chair étaient tombés de ses doigts, découvrant ainsi les os. Le médecin, un Polonais toujours tellement fatigué qu'il lui arrivait parfois de tomber endormi pendant son travail, secoua la tête. Il ne disposait ni de médicaments, ni de morphine, ni de pansements. Il expliqua à Alma qu'il ne pouvait plus rien pour la pauvre femme, dont les muscles mêmes étaient brûlés :

— Elle est en état de choc et en deçà de la douleur.

Alma resta auprès d'elle. On avait posé la civière sur une mince couche de paille étendue sur le sol et recouverte de toile à sac. Elle ne pouvait lui offrir rien d'autre que sa présence. C'était inutile, mais elle trouvait que l'histoire de cette femme ressemblait tellement à la sienne.

Violette Roussel vivait encore quand on sonna le couvre-feu. Ou, plutôt, elle n'était pas encore morte. Alma était en train d'humecter ses lèvres avec un linge humide, quand la gardienne qui l'avait envoyée à l'infirmerie entra. Les talons de ses bottes de cuir résonnèrent durement sur le plancher de bois. Alma ferma les yeux : elle se rappelait le son de ses propres talons, dans le corridor sans fin, le jour où on lui avait pris ses enfants.

Quand elle les rouvrit, la gardienne était près du lit. Elle s'appelait Krolak. Mais, derrière son dos, tout le monde l'appelait Petit Ange. C'est parce qu'elle était grande qu'on la désignait dérisoirement comme quelqu'un de petit. Et on l'appelait « Ange », parce qu'on savait de quoi elle était capable.

On avait raconté à Alma comment Petit Ange avait pris l'initiative d'achever de ses propres mains un jeune garçon lors de la pendaison collective d'un groupe de détenus qui avaient dérobé de la nourriture aux cuisines. Alma leva donc vers elle des yeux effrayés : qu'est-ce qui lui valait cette visite ?

Le visage presque entièrement caché par la visière de sa casquette grise, la gardienne se pencha au-dessus de la jeune mourante et examina ses mains carbonisées.

— Pas encore morte ? demanda-t-elle dans un grossier dialecte allemand qu'Alma avait de la difficulté à comprendre.

— Pas encore, madame, répondit Alma en étirant les voyelles comme le bas peuple, pour ne pas provoquer l'antagonisme de la jeune femme.

Petit Ange retira sa casquette, révélant ainsi la courbe délicate de sa mâchoire et de ses pommettes, l'arrondi de ses sourcils. « Mais ce n'est encore qu'une jeune fille ! » s'étonna Alma.

Dix-sept ans, dix-huit tout au plus. Les quelques autres gardiennes étaient des femmes aux traits grossiers, arrogantes, qui approchaient de la trentaine quand elles ne l'avaient pas dépassée.

— Êtes-vous malade ? lui demanda brusquement Petit Ange.

— Non, madame. Je travaille ici.

Elle n'osa pas ajouter les mots qu'elle rêvait de crier : « Bien sûr que je suis malade ! Nous sommes tous malades. Il n'y a pas assez de nourriture pour nous empêcher d'être toujours malades. Nous souffrons d'éruptions cutanées, nous perdons nos cheveux. Nous avons mal aux jointures, nos yeux coulent, nos dents pourrissent. Nous avons la diarrhée à répétition, des infections, des ulcères. Et il ne s'agit là que de problèmes mineurs. Un bon nombre de détenus souffrent de tuberculose. La scarlatine frappe à gauche et à droite. C'est cependant la typhoïde qui est la pire menace. Nous sommes démunis devant la violence de cette maladie : elle tue invariablement. Et la plupart d'entre nous ne reçoivent aucuns soins, rien du tout. »

— Êtes-vous une infirmière diplômée ?

— Non, *Fräulein.*

Elle se demandait pourquoi Krolak lui posait toutes ces questions, et cela l'effrayait. Les gardes ne parlaient que rarement, sinon pour donner des ordres.

Alma laissa prudemment tomber une autre goutte d'eau sur les lèvres desséchées de la mourante.

— Vous savez aussi vous occuper des enfants.

C'était une déclaration, cette fois. Sa remarque paraissait hors de propos à cette heure et en ce lieu, mais elle fournissait à Alma une occasion qu'elle s'empressa de saisir en déclarant d'une seule traite :

— J'ai des enfants à moi. Je dois trouver où ils sont. On me les a enlevés à Bruxelles, il y a des mois. Je n'ai plus eu de nouvelles d'eux. Pouvez-vous, pourriez-vous...

— Je ne peux rien faire pour retrouver vos enfants, l'interrompit la gardienne d'un ton indifférent.

Alma nota toutefois sur son visage une cxpression qui l'encouragea à persister :

— Je veux seulement savoir s'ils vont bien. Mon bébé est si petit. Il n'a que douze semaines. Madame, je suis désespérée.

— Vous avez dit douze semaines? demanda-t-elle sur le ton d'une conspiratrice. Lui donniez-vous le sein?

Alma acquiesça énergiquement d'un signe de tête.

— Pourquoi me le demandez-vous, *Fräulein*?

La gardienne ignora la question et mordilla ses lèvres, perdue dans ses pensées, le regard fixé sur les rangées de formes endormies, blotties les unes contre les autres :

— C'est de la folie, lui reprocha Krolak. Même si on vous rendait votre enfant, vous ne pourriez pas le nourrir après tout ce temps. Ici, il mourrait. Il est beaucoup mieux là où il est. Les foyers, les *Kinderheime,* sont mieux équipés pour s'occuper des enfants.

— Mais je pourrais. Je pourrais! protesta Alma, qui s'était levée. J'ai encore du lait. Je ferais n'importe quoi, n'importe quoi pour revoir mes enfants. Il y en a d'autres dans le camp, pourquoi pas les miens?

Ses derniers mots étaient sortis comme une plainte déchirante.

Petit Ange tapa impatiemment du pied. Le bref espoir d'Alma s'évanouissait. Elle se laissa couler sur la paille, en gémissant :

— Je vous en prie. Rendez-moi mon bébé. Je vous en supplie!

La gardienne tourna sur ses talons et se dirigea vers la porte. Une fois sur le seuil, elle hésita. Alma pensa qu'elle reviendrait sur ses pas pour lui parler. Mais elle sortit en faisant claquer la porte derrière elle.

Chapitre trente-sept

Petit Ange se planta devant Alma avec, dans les bras, ce qui semblait être un paquet de vêtements. Lentement, en regardant la prisonnière droit dans les yeux, elle fit tomber une jupe d'uniforme, puis une petite couverture. Alma vit le visage d'un bébé apparaître nettement sous la froide lueur de la lune.

La surprise cloua Alma sur place.

Basia Krolak lui tendit l'enfant :

— Prenez-le. Il est à vous.

Les yeux d'Alma allèrent du bébé à la gardienne. Elle hésita une fraction de seconde, puis secoua la tête.

— Prenez-le, répéta la jeune femme.

Alma, le visage fermé, baissa la tête.

— Vous vouliez un bébé, bon sang ! murmura furieusement la gardienne. Je vous en ai apporté un. Prenez-le, maintenant.

Alma leva la tête, et les deux jeunes femmes se dévisagèrent.

— Non. C'est mon bébé que je veux. Pas celui d'une autre femme. Le mien !

— Le vôtre est peut-être mort.

— Non. Il n'est pas mort, répliqua Alma en serrant les dents.

— Vous n'en savez rien. Personne ne le sait. Il est probablement mort. Et, s'il vit, vous pouvez ne jamais le retrouver.

Les yeux d'Alma se remplirent de larmes : les mots qu'elle venait d'entendre correspondaient si cruellement à ses propres pressentiments. La gardienne sentit qu'elle avait pris l'avantage :

— Occupez-vous de ce bébé. C'est un garçon, comme le vôtre.

Alma ne broncha pas.

— Si vous ne vivez pas assez longtemps pour quitter ces lieux, vous l'aurez perdu de toute façon, reprit Petit Ange.

Elle appuya le bébé contre son épaule et l'y maintint en place avec sa main gauche. Puis elle posa les doigts de sa main droite sur la gorge d'Alma. C'était un geste terrible.

— Allez-vous me tuer? bredouilla Alma.

— Je le peux. Vous savez que je le peux.

Les deux femmes se dévisagèrent et Alma n'eut bientôt plus la force de résister. Elle en avait assez. Elle ferma les yeux et dit avec lassitude, sans se soucier d'attirer l'attention des prisonniers autour d'elles :

— Alors faites-le. Faites-le, maintenant!

Elle avait parlé avec résignation. Mais Petit Ange avait interprété l'injonction d'Alma comme un défi. Elle était prise au piège de sa menace inconsidérée; elle avait besoin que cette femme vive pour donner le sein à l'enfant.

La prisonnière sentit le désarroi de Krolak et un élan de courage dont elle ne se croyait plus capable la poussa à tenir tête à la gardienne :

— Je n'en veux pas, trancha-t-elle. Il n'est pas à moi.

Dans la quasi-pénombre, Petit Ange examina avec inquiétude la frêle silhouette devant elle. Les vêtements d'Alma Gysemans étaient souillés, la peau de son front était encrassée sous le fichu qu'elle portait pour cacher ses cheveux coupés ras. Elle sentait la transpiration, ses ongles étaient sales. Mais elle se tenait droite comme un arbre impossible à déraciner. La sagesse et l'expérience étaient inscrites sur son visage. La gardienne polonaise sentait la force de sa volonté.

— C'est un garçon en santé, essaya-t-elle encore une fois.

— C'est de la folie. Comment puis-je m'occuper d'un bébé dans cet endroit? Je suis une esclave, et non pas une bonne d'enfant. Ramenez-le à sa mère, pour l'amour de Dieu. Je sais ce qu'elle doit endurer. Rendez-le-lui.

— C'est impossible. Vous devez le prendre.

— Sa mère est morte, n'est-ce pas? Et vous souhaitez que l'enfant meure aussi.

— Vous ne comprenez pas. Au contraire, je veux qu'il vive. Je vous ferai placer aux cuisines. Demain. Vous pouvez garder le bébé avec vous.

— Vous devez être folle, se récria tout haut Alma. Les enfants des prisonniers n'ont aucune chance de survivre. Les bébés meurent les uns après les autres, vous ne le voyez donc pas ?

Krolak leva une main menaçante et Alma baissa le ton :

— Il tombera peut-être malade, reprit-elle calmement.

— Peut-être que oui. Peut-être que non. Mais c'est une question de jours maintenant, avant que...

La gardienne s'interrompit soudain. Puis elle ajouta comme pour désavouer ce qu'elle était venue près de dire :

— J'ignore ce qui arrivera.

Alma plissa les yeux comme pour mieux saisir les sous-entendus contenus dans les propos de Petit Ange. Des rumeurs de plus en plus persistantes circulaient dans le camp : les Alliés étaient entrés en Europe de l'Est, en Ukraine; ils avaient fait une avancée en Pologne... Le Reich était peut-être sur le point de s'effondrer. Le monde au-delà des barbelés serait-il en train de changer ? Si seulement elle pouvait décoder les mots qui avaient échappé à Petit Ange, elle pourrait donner un sens à la renversante information qui circulait de baraque en baraque.

Krolak interpréta le long silence d'Alma comme de l'obstination. Elle ne pouvait pas supplier une prisonnière et elle ne savait pas comment lui arracher son consentement :

— Il a besoin de lait ! répéta-t-elle avec véhémence. Il mourra si on ne lui trouve pas de nourrice. Vous avez du lait, vous me l'avez dit. Et vous êtes la seule !

Pour toute réponse, Alma croisa défensivement ses bras sur sa poitrine.

Petit Ange eut soudain très chaud. Ses jambes tremblaient tellement qu'elle avait peine à se tenir debout. Sa vision périphérique s'obscurcit. Seuls le visage d'Alma et le corps minuscule et frêle qu'elle tenait dans ses bras avaient quelque réalité pour elle. Le désespoir et un vif sentiment d'urgence s'emparèrent de Basia Krolak, qui s'efforça de trouver au fond d'elle-même toute la passion, toute la force de conviction dont elle était capable. Comme elle ne pouvait prononcer le seul mot qui s'imposait, c'est son visage qui exprima l'instante supplication qui restait figée sur ses lèvres.

Alma Gysemans, qui venait de plonger son regard dans les yeux de la jeune femme, se demanda comment il était possible qu'elle ne les ait jamais remarqués auparavant. Même dans l'ombre, ils avaient tout à la fois une pâleur et une profondeur qui semblaient appartenir à un autre monde et donnaient une force singulière à sa requête. Alma ne pouvait plus ignorer la douleur qu'elle y lisait et elle ne pouvait pas non plus laisser ce bébé mourir.

Lentement, très lentement, elle s'approcha et tendit de mauvaise grâce ses mains ouvertes, enflées, crevassées.

Une fois dans ses bras, l'enfant geignit faiblement. Elle se pencha sur lui, respira le sommet de sa tête, ainsi que l'aurait fait un animal, et perçut la pulsation rapide de la fontanelle. Avec des mains soudain devenues avides, elle rabattit la couverture pour examiner de plus près le petit être encore tout chiffonné qui tremblait de froid. Elle s'empressa de recouvrir le bébé en murmurant, émerveillée :

— Un nouveau-né !

Dans cette enceinte de la mort, une naissance était un miracle. Où Petit Ange avait-elle trouvé cet enfant ?

Alma eut alors un éclair d'intelligence et regarda plus attentivement Basia Krolak. Elle nota sa veste mal boutonnée, le geste brusque avec lequel elle récupérait la jupe d'uniforme dans laquelle elle avait dissimulé le bébé. Elle cachait cet enfant, cela allait de soi. Alma remarqua les cheveux roux qui s'échappaient de la casquette, le visage blême, les paupières enflées et les lèvres fendillées. Elle avait devant elle une femme à bout de ressources.

Pendant un bref moment, elle pensa encore une fois à refuser. Mais, avant même d'avoir pu formuler un mot, elle sentit l'enfant remuer dans ses bras. Sa vivante chaleur avait déjà commencé à calmer la douleur qu'elle portait depuis si longtemps. Malgré la situation navrante où elle se trouvait, Alma éprouva pour la jeune Polonaise un sentiment de compassion, vite remplacé par un mouvement de colère :

— Que Dieu vous prenne en pitié !

Chapitre trente-huit

— Comment aurais-je pu refuser ? demanda Alma à Janie. Puis elle ouvrit la bouche sans proférer un son, comme si n'importe quelle réponse était en soi un non-sens.

— L'enfant était innocent, reprit-elle. Je ne pouvais pas laisser mourir un petit bébé alors que j'avais la possibilité d'assurer sa survie. Je pensais que, si je consentais à sauver cet enfant, une âme charitable sauverait peut-être aussi le mien. Si je m'occupe de lui, me disais-je, si je fais ce que je peux pour lui, ce n'est pas trop demander en retour. Oh, mon Dieu ! soupira-t-elle en se couvrant le visage avec ses mains.

— Pourquoi vous a-t-elle donné ce bébé ? Pourquoi se préoccupait-elle de son sort ?

— Il est difficile de comprendre les motivations des autres. L'âme est un abîme, déclara-t-elle avec une passion que Janie n'enregistra que plus tard.

— Qu'est-il ensuite arrivé au bébé ?

Alma se leva et marcha jusqu'à la fenêtre. On avait donné de la lumière dans la maison d'en face et elle y voyait les gens aller et venir comme s'ils se trouvaient sur une scène.

— Vous avez justement été assise à côté de lui pendant deux heures.

— Vous voulez dire... bégaya Janie. Karel ? Karel n'est pas votre propre fils ?

Alma secoua affirmativement la tête et pressa ses paumes contre ses joues d'un air absent. Puis elle répondit indirectement à Janie, comme s'il lui était trop douloureux d'affronter une réalité pénible :

— Petit Ange avait raison. À l'époque où elle m'a donné l'enfant, l'Allemagne était déjà à genoux devant l'ennemi. Au bout de trois semaines, les Russes sont entrés dans notre camp. Trop tard pour Violette Roussel. Et, d'une certaine manière, trop tard pour moi aussi, ajouta-t-elle avec une amertume que Janie ne lui connaissait pas. Je n'avais pas revu mon mari, je savais seulement qu'il était vivant. Ma mère avait voulu venir immédiatement de Belgique pour me voir. Mais elle n'a pu obtenir de sauf-conduit : il fallait supplier les autorités pour obtenir la moindre chose. Il n'y avait d'ailleurs pas de transport. Seuls les Américains avaient du pouvoir, mais ils ne savaient encore rien du sort qu'on avait réservé aux enfants des prisonniers. Le SS avait pris les miens, mais cette mesure infâme n'avait pas été consignée et il n'y avait personne auprès de qui me renseigner. Plus tard, les Nations unies ont affecté des brigades spéciales chargées de retrouver les enfants déplacés. Ma mère et moi avons passé des semaines, sinon des mois, je ne saurais le dire précisément, à chercher mes enfants. Il y en avait tant et tant, murmura-t-elle, la voix brisée.

Puis elle poursuivit d'un ton plus ferme :

— Vous ne croiriez pas ce que nous avons vu. Nous avons trouvé dans les camps des enfants de tous âges et de toutes races. Ukrainiens, russes, polonais. Quelques enfants allemands aussi, dont les pères avaient été accusés de trahison envers Hitler. Vous ne pouvez imaginer l'enfer qu'ils ont dû vivre. Arrachés de force à leur famille, ils vivaient ensemble comme de petits animaux. Une fillette allemande, âgée de six ou sept ans, est venue vers moi en me tendant un morceau de pain blanc qu'on venait de lui donner. J'ai alors pensé qu'elle voulait me l'offrir, mais elle m'a simplement dit : « C'est bon ! Qu'est-ce que c'est ? »

Les gens essayaient d'aider et d'encourager les victimes des camps. Ils leur répétaient la même chose qu'on m'avait dite à moi : « Vous oublierez, tout cela deviendra un mauvais rêve. » On voulait nous rasssurer, voyez-vous. On pensait que le temps arrangerait tout. Mais on se trompait. Nous n'avons jamais oublié.

— Est-ce que vos enfants ont été...

— Ils n'étaient pas dans les camps. Et je ne savais pas par où il fallait commencer à les chercher. Mes enfants m'avaient été arrachés en Belgique, comme je vous l'ai dit. Mais, comme j'avais été envoyée en Pologne, je pensais qu'ils avaient pris le même chemin. Ma pire crainte était qu'ils aient été emmenés en Allemagne. Comme le pays avait été plus tard dévasté par les bombardements, ils auraient pu y être tués... Il y avait un tel marasme, en Europe, à la fin de la guerre. Tout y était désorganisé. Les lignes téléphoniques étaient coupées, les trains ne circulaient plus, les routes étaient bloquées. La poste et le télégraphe ne fonctionnaient plus. Pendant des mois, ce fut le chaos total. Et partout s'allongeaient les colonnes de réfugiés, se multipliait le nombre de sans-abri et d'affamés. Comment retrouver deux petits enfants dans toute cette pagaille? Deux petits qui avaient peut-être changé de nom? Les enfants dont les parents avaient été arrêtés par la Gestapo étaient souvent confiés à des orphelinats. Ma mère et moi avons trouvé Fernande dans l'un de ces endroits, en Autriche. La guerre était terminée depuis plus de six mois quand j'ai enfin ramené Fernande à la maison. On l'appelait Geisner, là-bas. Elle avait sans doute oublié son vrai nom. Personne ne savait qui étaient ses parents ou de quoi on les avait jugés coupables. Cependant, quand les Allemands changeaient le nom d'un enfant, ils lui en donnaient un autre assez semblable. Ce sont des gens méthodiques. En consultant les listes, nous avons aussitôt soupçonné que Geisner était un bon substitut pour Gysemans. Et, bien sûr, quand nous avons vu l'enfant, il s'agissait bel et bien de Fernande.

— Et votre bébé?

— Nous ne l'avons jamais retrouvé. Des organismes nous ont aidées. Par exemple, c'est le Bureau des personnes déplacées qui nous a réunis, Viktor et moi. Mais partout où je m'adressais pour retrouver nos enfants, on me renvoyait à un autre bureau, on exigeait un certificat différent. Mon Dieu! soupira-t-elle en prenant sa tête entre ses mains, c'était infernal! Quelques semaines après que nous eûmes retrouvé Fernande, les Alliés ont fermé les foyers pour enfants. Les *Kinderheime*. Les enfants qui n'avaient pas été réclamés ont été donnés aux gens des environs.

— Que voulez-vous dire ? demanda Janie, qui pensait avoir mal compris.

— Distribués comme de petits colis. Certains ont été adoptés, d'autres ont simplement été accueillis comme des membres à part entière de la famille. Quelques-uns ont été utilisés comme domestiques non salariés. On en avait fait des esclaves, quoi. Vous n'avez aucune idée du nombre d'enfants perdus. Des milliers. Des milliers, répéta-t-elle en regardant sa jeune amie. Il n'y avait plus aucune trace de mon bébé. D'ailleurs, si je m'étais par hasard trouvée devant lui, en Allemagne, en Autriche ou en Pologne, je ne l'aurais pas reconnu : la dernière fois que je l'ai vu, il n'avait que deux semaines.

— Comment votre mari a-t-il réagi ?

Alma se tourna vers la fenêtre et prit le temps de réfléchir avant de répondre :

— Des mois se sont écoulés avant que nous nous retrouvions, Viktor et moi. De longs mois ont ensuite passé avant qu'il puisse sortir de l'hôpital. Fernande, revenue à la maison, avait tout naturellement accepté le bébé comme son frère. Je n'ai jamais avoué à Viktor qu'on m'avait arraché Karel. Au moment de son arrestation, le bébé qu'il avait connu avait à peine deux semaines. Quand nous nous sommes retrouvés en famille, le petit avait déjà presque un an. Il était donc impossible que mon mari reconnaisse l'enfant, soupira-t-elle. Si, par une chance inespérée, notre propre fils avait été retrouvé au cours des mois ou même des années suivantes, la situation aurait été différente. Mais cela ne s'est jamais réalisé.

— Alors votre mari n'a jamais su que le bébé n'était pas son fils ? demanda Janie, incrédule.

— J'ai voulu lui épargner une souffrance insoutenable. Honnêtement, je ne crois pas qu'il aurait pu affronter cette tragique réalité. Parce que, voyez-vous, puisque cet enfant n'était pas le sien, il aurait été forcé d'admettre que son fils était perdu quelque part, ou peut-être mort. Ou pis encore, murmura-t-elle d'une voix tremblante. Viktor avait subi des sévices bien plus terribles que moi, et de loin. Il a été malade des mois et des mois. Je n'oublierai jamais son visage, quand il nous a vus après cette longue et douloureuse séparation... Je me suis sentie incapable de lui asséner un autre coup.

— Vous l'avez pourtant assumée, vous, cette perte.

— Je l'avais méritée. C'était ma faute. Je les ai laissés emmener mon bébé.

— Ce n'est pas vrai !

— Non ? Il y a une part de vérité pourtant. Si je m'étais battue pour lui, si j'avais crié, hurlé... qui sait ? Même après ces longues années, je rêve encore que je marche dans ce corridor qui n'en finit plus et j'ouvre la porte de cette pièce où l'on m'a enlevé mon bébé. J'entre, il est là et on me le rend. Alors je me réveille : où est mon tout petit garçon ? Et la peine me fait encore hurler.

Janie vint se placer près d'elle. Alma pressa sa main sur ses yeux, comme si elle ne voulait plus voir les horribles images de son passé.

— Karel sait qu'il n'est pas votre fils ?

Alma fit un effort visible pour se reprendre :

— J'ai été incapable de le lui dire quand il était encore jeune. À cause de Viktor, en bonne partie. C'était un petit garçon refermé sur lui-même, qui avait vieilli avant l'heure. Je ne voulais pas en plus le priver de ses racines. Un enfant sans passé, c'est tragique. Plus tard, d'autres raisons m'ont empêchée de lui révéler la vérité. Il avait déjà assez de problèmes. Vous l'avez observé. Vous avez pu le constater. Si je pensais qu'il puisse y gagner une plus grande connaissance de lui-même, une meilleure compréhension de ce qu'il est, je le ferais. Je crois que son mal est héréditaire. Devrais-je en plus l'accabler avec des parents qui n'avaient pas voulu de lui ? Dieu sait quelles terreurs nouvelles j'aurais réveillées chez lui. Au moins, ajouta-t-elle sans s'apitoyer sur elle-même, en gardant les choses comme elles sont, je suis seule à en assumer le poids.

Elle revint s'asseoir et poursuivit :

— Je me sens toujours coupable de duplicité. Je tourne constamment la question dans ma tête, parce que tout le monde a le droit de connaître ses origines. Ai-je eu raison de le prendre alors qu'il n'était qu'un tout petit bébé ? Est-ce que son désarroi chronique s'explique par ce qui s'est passé il y a cinquante ans dans un autre pays ? Un jour je décide que, demain, je lui apprendrai d'où il vient. Et alors la panique s'empare de moi. Nous sommes une famille très unie, nous nous aimons tous profondément. Mais si, en dépit de notre amour, il se sent déjà indécis, menacé, comment réagira-t-il s'il se met dans la tête que je le rejette? Ai-je le droit, par souci de vérité, de détruire les seules certitudes sur lesquelles il peut s'appuyer?

Elle se releva pour aller fermer les tentures, comme si ce geste mécanique pouvait avoir le don de la calmer.

— Adopter l'enfant d'une autre femme en de pareilles circonstances, poursuivit-elle, n'est pas si étonnant après tout. Mon propre fils était probablement mort et, même s'il avait été encore vivant, je l'avais irrémédiablement perdu. Au moins, je tenais encore une fois un bébé dans mes bras, déclara-t-elle en lissant avec soin les plis du velours. Pour moi, c'était un petit miracle.

Chapitre trente-neuf

Le jeune Patrice s'assit en tailleur sur le plancher de la voiture. Il n'avait jamais rêvé d'un luxe pareil. La moquette était plus douce que la fourrure. Même s'ils roulaient à bonne vitesse, le moteur ronronnait doucement, comme un chat. Les yeux grands ouverts, il observait Mama et son frère.

Jean restait calme, malgré le caractère exceptionnel de ce qui lui arrivait. On l'avait installé par terre en face de Mama, la tête et les épaules appuyées contre la cloison qui les séparait du chauffeur et de l'homme au crâne rasé. Sans prononcer un mot, Mama se pencha lentement vers l'adolescent et posa sa main délicate sur la jambe malade. Elle palpa le tibia sous le mince tissu du pantalon. C'était l'os au sujet duquel les médecins avaient discuté tout bas avec inquiétude ; l'os que Patrice savait maintenant être mort.

Fasciné, le jeune garçon regardait le visage de Mama. Il se dit qu'elle était la plus vieille personne qu'il eût jamais vue et la plus belle aussi. Il s'étonna de ne pas avoir deviné qui elle était dès le moment où elle était sortie de la grande maison blanche du Calice. Ses yeux clairs et remplis de sagesse avaient une couleur qu'il n'aurait su nommer, tout comme il était incapable de décrire la couleur de l'eau claire ou de la pluie.

Jean aussi la regardait, avec une expression que Patrice reconnut, même s'il ne l'avait pas vue depuis longtemps sur son visage : l'espoir. Et la crainte. La femme soutenait son regard. Patrice sentit un courant passer entre eux et rejoindre cette part d'eux-mêmes qui n'était gouvernée ni par l'intelligence ni par la raison, mais seulement par le cœur.

À la fin, Mama soupira, frissonna et retira sa main de la jambe de Jean. Puis elle posa ses paumes contre ses joues comme pour reprendre ses esprits, comme si elle avait été sur le point de s'évanouir. Puis elle fit un effort évident pour parler, d'une voix qui paraissait fatiguée, en laissant tomber les mots un à un.

— Suis le chemin du Seigneur.

Puis elle se laissa retomber contre le dossier de la banquette. Des larmes brillaient dans ses yeux et elle ne fit même pas mine de les essuyer. Elle sortit d'on ne sait où des lunettes de soleil à monture d'argent et s'en couvrit les yeux. Aucun des deux garçons ne bougea ni ne parla. Mama sembla tomber dans un sommeil léger.

La voiture roula encore quelques kilomètres avant de stopper. L'homme chauve aida Mama à sortir. Ils étaient arrêtés devant un immeuble haut et brillant qui épata les enfants. Toutes les fenêtres étaient illuminées. Il y avait des arbres à l'intérieur même de l'édifice. Les hommes portaient de beaux costumes aux boutons dorés et tout le monde avait des chaussures aux pieds.

Mama descendit de voiture et s'éloigna sans se retourner pour prendre congé des garçons. Son garde du corps donna un ordre au chauffeur. La voiture fit demi-tour et, vingt minutes plus tard, les enfants étaient de retour à la maison du Calice.

Ils racontèrent leur merveilleuse aventure. Les religieuses étaient évidemment heureuses que Mama se soit intéressée à leur protégé, mais leur formation et leur expérience les rendaient tout de même prudentes. Leur mère émerveillée ne cessait de répéter : « Patricc, qu'est-ce que je vais faire de toi ? » De son côté, Jean était confondu : « Comment savait-elle que c'était celle-là, ma jambe malade ? Comment pouvait-elle le savoir ? Elle ne me l'a même pas demandé ! »

Chapitre quarante

Perchés au sommet de colonnes sculptées, deux énormes aigles de pierre semblaient garder l'entrée du domaine. De toute évidence, ils dataient d'une autre époque. Sous leur froid regard, les mauvaises herbes de toutes sortes prospéraient dans l'allée, qui avait dû en des temps révolus être scrupuleusement entretenue et ratissée. Janie vira à angle droit pour entrer dans la propriété et roula jusqu'au sommet d'une petite colline offrant une vue d'ensemble sur le domaine.

Devant elle, derrière un bouquet d'arbres, une maison ancienne était blottie, à l'abri des grands vents, au fond d'une cuvette creusée par les glaciers préhistoriques dans la campagne brumeuse du Lincolnshire. Au cours de l'histoire, la demeure s'était modifiée selon les goûts des générations qui s'y étaient succédé — une tourelle ronde à un angle, une sévère tour carrée à un autre, une large fenêtre à meneaux en façade, une gloriette victorienne — sans que l'incontestable solidité de sa masse impressionnante soit atténuée. Sur un côté de la maison se trouvait une terrasse de pierre, dont le large escalier descendait vers les pelouses. Au-delà, Janie aperçut le ruban argenté d'une pièce d'eau, que ternissait par endroits l'ombre projetée par les arbres.

Juste comme elle garait sa voiture devant la maison, la porte s'ouvrit et une vieille femme, dont les cheveux disparaissaient sous un fichu, passa la tête dans l'embrasure :

— Me semblait bien avoir entendu un moteur. Venez, j'ai pas toute la journée devant moi, malgré ce qu'on peut dire.

Elle ouvrit la porte toute grande et apparut dans une salopette à fleurs démodée, qui dissimulait mal son corps trapu et sans grâce. Le visage de la vieille était sillonné de rides et sa bouche, marquée de plis verticaux.

La domestique fit claquer la porte derrière Janie, qu'elle précéda ensuite dans la maison mal éclairée. Dans le vestibule aux poutres apparentes, il y avait, sur une grande table qui avait connu de meilleurs jours, un bol d'étain rempli de boutons d'hortensias séchés. Contre la cage de l'escalier, se dressaient deux armures dont les gantelets de fer étaient refermés sur des hallebardes. Il flottait une âcre odeur de chats, de papier peint humide et de livres aux reliures moisies. La vieille se hâtait en traînant ses savates sur le sol dallé. Elle écarta d'un coup de pied une botte de caoutchouc qui se trouvait sur son chemin. Elle ouvrit brusquement une porte et annonça Janie sans cérémonie :

— Elle est ici, madame.

Zazi de Lisle était agenouillée devant une magnifique cheminée de marbre sculpté où brûlaient quelques bûchettes. Entourée de journaux et de coupures de presse, de ciseaux et de colle, elle était occupée à faire un montage d'articles, la plupart illustrés de photos, où il était question d'elle. Elle s'assit sur ses talons et salua gaiement sa visiteuse de la main. Elle paraissait exactement la même qu'à Londres, guindée et habillée comme si elle allait accueillir ses invités à un déjeuner de dames patronnesses. Elle portait un tailleur bourgogne assorti d'un corsage de satin noué au cou. Sa toilette ne convenait pas à la campagne, mais elle avait néanmoins du chic.

— Je suis heureuse de vous revoir, minauda-t-elle.

Janie n'avait pas oublié sa voix à la fois caressante et stridente. Puis Zazi fit claquer ses doigts :

— Le thé, s'il vous plaît, Nanny. N'oubliez pas les sandwichs. De petits sandwichs, ajouta-t-elle d'un ton péremptoire.

La vieille femme lui lança un regard venimeux, murmura quelque chose entre ses dents et referma brutalement la porte.

— Asseyez-vous, Miss Paxton, je vous prie. Nanny s'est autrefois occupée de Crispin.

Janie cilla. Quel âge avait donc cette incroyable bonne d'enfants ? La télévision montrait occasionnellement Crispin de Lisle en train de débattre, à la Chambre des lords, d'obscurs sujets d'intérêt rural (et avant tout de betterave fourragère, avait malicieusement mais judicieusement fait remarquer un commentateur parlementaire). Il avait toujours paru vieux en dépit de ses postiches.

— J'apprécie que vous trouviez le temps de me recevoir, dit Janie en s'asseyant dans un petit fauteuil placé juste sous l'affreux portrait d'un personnage qui ne pouvait être qu'un ancêtre.

Le velours du fauteuil s'effilochait, les couleurs du tapis persan étaient affadies. L'ameublement et la décoration étaient désespérément anglais. À sa droite, les portes-fenêtres à la française donnaient sur la terrasse et, au-delà, sur le jardin, où un ouvrier au dos voûté poussait une brouette lourdement chargée.

— Pas du tout. Vous avez raison, elle pourrait parler. De femme à femme, précisa-t-elle pensivement.

De quoi Zazi parlait-elle ? se demanda Janie. Elle sut bientôt à quoi s'en tenir quand elle entendit la suite :

— Vous avez eu une seule conversation avec Magda, n'est-ce pas ?

— Oui. À New York. J'ai un autre rendez-vous, mais ce n'est pas avant un mois. J'ai pensé que vous pourriez peut-être intervenir en ma faveur.

Lady de Lisle fit un geste si large qu'on aurait dit qu'elle mimait une ballerine :

— Naturellement. Vous avez besoin de passer plus de temps avec elle. Je vais en parler immédiatement à Jodrell pour qu'il puisse vous fixer rapidement un rendez-vous. Quelles avenues vous reste-t-il à explorer ? De quoi souhaitez-vous discuter avec elle, la prochaine fois que vous la verrez ?

— Je crains de ne pas pouvoir vous le dire, répondit Janie d'un ton volontairement cassant.

— Ah ! bon. Vous avez découvert des zones grises dans la vie de Magda ? Des situations que vous ne comprenez pas ? Je pourrais vous aider à clarifier certains points. Vous savez, Magda et moi avons parcouru ensemble un si long chemin...

— Je le sais, vous me l'avez déjà dit. À propos, quand avez-vous précisément fait sa connaissance ?

Comme la première fois, Zazi de Lisle éludait les questions auxquelles elle ne voulait pas répondre. Elle dit, comme si Janie n'avait pas parlé :

— La fondation Krzysztof tient à ce que vous ayez une perception juste de Mama.

— Et elle craint que je ne sois en train de faire fausse route, dit sèchement Janie.

Zazi jeta sur elle un regard qui donnait à entendre qu'elle connaissait la direction que prenait le travail de Janie. Celle-ci reprit d'un ton on ne peut plus calme :

— Si la Fondation voulait un porte-parole pour promouvoir ses intérêts, pourquoi m'a-t-elle choisie ?

— Non, non, non ! réagit vivement Zazi. Vous vous méprenez. Mais nous nous inquiétons un peu de la qualité de vos sources. Vous avez recueilli une foule d'opinions. Par exemple, vous avez parlé à beaucoup de gens qui l'ont connue.

— C'est exact.

— Et qu'avez-vous appris ?

— Oh, rien d'extraordinaire. Je suis convaincue qu'une grande partie de l'information tient de... l'hagiographie. On m'a répété des choses qu'on aime croire vraies. Des choses plausibles, anodines, honorables, opportunes.

— Que voulez-vous insinuer ? demanda Zazi en arquant les sourcils.

— Tout simplement que je trouve certains témoignages incroyables.

— Ou, plutôt, vous avez décidé de ne pas les croire ?

Janie haussa les épaules :

— Il ne s'agit pas de décider. C'est une affaire d'intuition : les témoignages sont vraisemblables ou pas. Et, je dois l'avouer, beaucoup me dérangent.

— Vous dérangent ? Comment ?

— On m'a raconté des choses difficiles à accepter. Des choses terribles.

Lady de Lisle jeta sur elle un œil torve :

— Terribles ? Expliquez-vous.

— Je dois d'abord en discuter avec Mama. Le sujet est trop grave.

— De quoi parlez-vous ? Je ne vous comprends pas.

Janie nota que Lady de Lisle n'était pas surprise. Elle était préparée à entendre ce discours.

— J'imagine que vous vous plaisez à dramatiser votre histoire.

« C'est une chipie condescendante », pensa Janie. Mais elle répondit plutôt :

— Je crois que votre imagination s'emballe. Ce que j'ai appris n'a pas besoin d'être davantage dramatisé. Jusqu'à ce que j'aie l'occasion de m'entretenir avec Mama, qui pourra alors infirmer ou confirmer ce que j'ai appris, je ne peux qu'avoir ma propre vision des faits. Et jusqu'à preuve du contraire, je me vois forcée de vous dire que je ne suis pas certaine de pouvoir continuer à écrire ce livre.

— La Fondation sera déçue. Elle n'appréciera pas du tout que vous brisiez votre contrat.

— Je me fous qu'elle apprécie ou pas.

L'exaspération rendait Janie téméraire, de sorte qu'elle oublia toute prudence :

— On a délibérément et systématiquement fabriqué un portrait de Mama que les gens trouveraient sympathique. Un personnage que les foules seraient d'emblée disposées à soutenir. Je crois que, par l'intermédiaire de ce personnage de fiction, la Fondation amasse des tas d'argent. Je souhaite de tout cœur qu'on le dépense comme on le prétend, parce que...

La porte s'ouvrit, brutalement poussée par le postérieur fleuri de Nanny, qui arrivait avec un grand plateau. Janie s'arrêta de parler pendant que la bonne assemblait tasses et soucoupes.

— Merci, Nanny, je servirai moi-même, dit la maîtresse de la maison.

Déçue, Nanny se retira en faisant le plus de bruit possible pour protester. Il était évident que ces deux femmes se détestaient cordialement.

Lady de Lisle se pencha au-dessus de la théière d'argent ternie. Janie accepta la tasse que lui tendait son hôtesse aux ongles carmin. La peau, à la base du pouce, portait une ancienne cicatrice d'assez vilaine apparence.

— Dites-moi, comment va votre petit garçon ?

Au grand étonnement de Janie, elle avait complètement changé le sujet de la conversation. Elle ne lui laissa pas le temps de répondre et poursuivit :

— J'ai entendu dire qu'il fréquentait un pensionnat des environs de Chester. Je ne comprendrai jamais rien à cette contrainte sociale anglaise.

Elle parlait de façon tout à fait détachée, son attention apparemment concentrée sur le service du thé.

Décontenancée par ce changement subit de direction, Janie répondit d'un ton neutre :

— Il va bien. Il est très heureux dans cette école.

Pendant qu'elle parlait, elle réfléchissait avec une extrême rapidité. Elle n'avait parlé d'Adam à personne de la Fondation et elle était certaine que Robert Dennison n'aurait jamais commis d'indiscrétions sur sa vie privée. Pourtant, cette femme savait quelle école Adam fréquentait. Tout comme le savait la personne anonyme qui lui avait fait expédier ses vêtements tachés de sang.

Rien ne donnait à croire, Dieu merci, qu'on avait appris que son fils se trouvait maintenant avec la famille de Lou.

Elle devait s'interdire désormais de se trouver seule à la Petite Grange.

La question que lui posa ensuite Lady de Lisle n'éveilla guère d'intérêt chez elle :

— Alors, à part moi, quels sont les membres de la Fondation à qui vous avez parlé ?

— Je crains de ne pas m'en souvenir.

— Vous ne pouvez vraiment pas ?

Janie resta silencieuse. Son hôtesse braquait sur elle des yeux inquisiteurs :

— C'est une façon de me dire que ça ne me regarde pas. Je dois avouer que j'ai mérité cette rebuffade. Cependant, reprit-elle aimablement, si vous aviez parlé à Josef Karms, vous vous en souviendriez. Ce n'est pas un homme qu'on oublie facilement.

Zazi de Lisle avait laissé tomber le nom de Karms comme un appât, pour tenter de découvrir ce que Janie savait. Sa visiteuse ne mordit pas à l'hameçon. Janie se demanda encore une fois d'où venait cette femme, quels étaient ses antécédents et finit par conclure qu'on pouvait fort bien croire les histoires scandaleuses qui circulaient sur son compte. Elle avait du chic, elle jouait parfaitement son rôle de femme du monde, mais son rire guttural évoquait les bas-fonds :

— Que savez-vous de lui ? À part ce qui est évident, les entreprises qui lui appartiennent, etc. Je parle de sa vie personnelle. Par exemple, vous connaissez sa nationalité ?

— Il est Hongrois. Il ne s'en cache pas.

— Non, mais c'est pour cacher autre chose. On peut se demander pourquoi cet homme, habituellement si discret, insiste pour que tout le monde sache qu'il est Hongrois. Seriez-vous surprise d'apprendre qu'il est Polonais ?

Janie haussa les épaules. Ce détail n'était pas important :

— Cette supercherie lui évite peut-être de payer des impôts. Ou une pension alimentaire.

Lady de Lisle répéta, sur le ton de la confidence :

— Il est Polonais, comme Magda.

Elle portait sur Janie un regard intense, attendant une réaction.

— Un lien les rattacherait donc : c'est ce que vous voulez me faire comprendre ?

— Mama voulait que vous le sachiez, répondit Zazi de Lisle en hochant affirmativement la tête.

Janie était décontenancée. Mama voulait... Pourquoi ? Et pourquoi avait-elle choisi de passer par l'intermédiaire de cette femme ?

— Magda m'a chargée de vous dire qu'elle tient à ce que vous sachiez toute la vérité. Elle croit que c'est lâche de sa part de cacher certains faits. Elle est prête à s'exposer au jugement qu'on pourra porter sur elle.

— Quel jugement ? À propos de quoi ?

Janie avait posé la question, mais elle savait fort bien qu'il s'agissait des faits que Dante lui avait révélés. Lady de Lisle connaissait-elle cette tranche peu glorieuse du passé de Mama ? Cela paraissait improbable : l'attitude imperturbable de la lady allait à l'encontre d'une telle possibilité.

Avant qu'elle ait pu répondre à la question de Janie, Zazi s'était levée, avec la grâce et la légèreté d'une femme ayant la moitié de son âge, pour répondre au téléphone.

— Allô ? Oui. Oui. Je veux bien. C'est le bureau de Magda, dit-elle à Janie en couvrant de sa main le récepteur. Ce ne sera pas long. Oui, dit-elle en parlant de nouveau dans l'appareil, c'est elle-même qui répond.

Janie feuilleta les pages d'un numéro de *Country Life*. Après un moment, intimidée par le silence, elle leva les yeux au-dessus du magazine.

Zazi de Lisle, le récepteur collé contre son oreille, pleurait. Puis elle laissa tomber le téléphone, qui valsa au bout de sa corde, et fit entendre une plainte déchirante d'animal blessé. Elle sortit ensuite de la pièce, en trébuchant avec une lourdeur qui étonnait chez elle.

Janie attendit en se demandant si elle devait la suivre. Elle marcha jusqu'à la fenêtre et jeta un coup d'œil sur la terrasse. Une porte claqua et Zazi réapparut dans l'escalier qui menait au jardin. Elle marchait maladroitement, ses talons hauts labourant l'herbe drue. Elle se dirigeait de façon déterminée vers l'étang.

Janie essaya d'ouvrir la porte-fenêtre, mais celle-ci était verrouillée et la clé avait disparu. Tandis qu'elle songeait à ce qu'elle pouvait faire, elle aperçut Nanny qui courait à une vitesse surprenante derrière sa maîtresse. Une fois qu'elle l'eut rejointe, elle saisit son bras et voulut la forcer à faire demi-tour. Les deux femmes se mirent alors à tirer toutes deux dans des directions opposées. Zazi faisait des efforts déments pour se dégager et poursuivre son chemin. Mais elle n'était pas de taille à lutter contre la forte et solide Nanny. Constatant son impuissance, elle rejeta la tête en arrière et lança un cri sauvage et désespéré :

— *Tomas ! Madre de Deus... Tomas !*

Alors ses genoux fléchirent et elle s'effondra dans les bras de Nanny. La servante resserra son étreinte et lui caressa doucement le dos pour la calmer.

Elles restèrent ainsi longtemps dans les bras l'une de l'autre. Enfin, les deux silhouettes mal assorties rebroussèrent chemin vers la terrasse, le bras protecteur de Nanny passé autour des minces épaules de Zazi.

Janie attendit environ quinze minutes sans que personne ne s'occupe d'elle. Elle rangea son enregistreuse et retrouva son chemin jusqu'au vestibule :

— Lady de Lisle ? appela-t-elle. Ohé !

Son appel resta sans réponse. Une odeur de pommes de terre et de chou, qui lui rappelait ses déjeuners à l'école, la guida jusqu'à la cuisine, dont la porte était entrouverte. Elle y passa la tête et embrassa d'un seul coup d'œil le dallage de pierre, les murs jaunâtres, le vieil évier de pierre sous une haute fenêtre et, dans un coin, le vaste buffet de cuisine noir.

Les deux femmes étaient assises à une table de bois, sur laquelle étaient empilés des plats et des verres. Lady de Lisle était prostrée, le visage enfoui dans ses bras croisés sur la table. Nanny lui caressait les cheveux en lui parlant à voix basse.

— Est-ce que je peux faire quelque chose ? demanda Janie en s'avançant de quelques pas.

Lady de Lisle se contenta de renifler doucement. Nanny posa sur Janie un regard où se mêlaient la tristesse, le mépris et l'impatience. Ce n'est qu'à ce moment que Janie sentit derrière elle la présence du jardinier. Il avait enlevé sa casquette, découvrant ainsi une couronne de cheveux blancs. Il retirait ses gants de travail quand il aperçut les deux femmes dans la cuisine. Prenant alors la mesure de la situation, il recula d'un pas et tint la porte grande ouverte pour Janie :

— Je dois vous demander de partir ; dès maintenant, dit-il d'une voix qui trahissait trop de distinction et d'autorité pour être celle d'un simple jardinier.

Janie jeta un dernier regard derrière elle. C'est en voyant Zazi enfouir son visage dans la chemise du jardinier qu'elle comprit qui il était.

Ce soir-là, Janie partagea avec Claudia un repas de dinde froide directement sorti des cuisines de Marks and Spencer, puis elles regardèrent les informations de neuf heures à la BBC. Le quatrième sujet portait sur Mama. La veille, elle avait présidé une réunion de prière dans une salle publique de Bukit Timah Road, à Singapour. La foule en délire s'était pressée pour la voir et la toucher au moment où elle quittait les lieux, et une section de la barrière de sécurité avait cédé. Les prises de vues permettaient de voir comment les chants de joie s'étaient transformés en cris de panique, alors que les gens des premiers rangs s'étaient mis à tomber sous la poussée de la cohue. Ainsi qu'ils le faisaient d'habitude, les hommes en robe bleu-violet avaient entouré Mama. Janie et Claudia purent les voir resserrer leurs rangs et former une chaîne en accrochant leurs bras, pour contenir la foule et donner ainsi à Mama le temps de monter dans sa voiture.

Certaines images crevaient le cœur : une mère, assise par terre, berçait le corps inerte de son fils adolescent; un homme éploré serrait convulsivement dans ses mains une chaussure d'enfant.

« Jusqu'ici on a rapporté sept morts, disait la speakerine. Et on s'attend à ce que le nombre grossisse quand on aura compté ceux qui ont été conduits à l'hôpital. Parmi les morts se trouvent deux membres de l'ordre du Calice. L'un d'eux, connu sous le nom de Tomas, était le premier des collaborateurs de Mama. Il vivait dans son entourage depuis le temps où il n'était qu'un tout jeune garçon. Mama l'avait guéri de l'épilepsie... »

Sur la photo qu'on montrait à l'écran, Janie reconnut le garde du corps qu'elle avait vu lors de sa première rencontre avec Mama, à la maison du Calice de l'*East End* londonien. Sur la séquence filmée, qui avait visiblement été empruntée à un reportage antérieur, on l'apercevait comme toujours à deux pas derrière elle.

« Il semble que Tomas ait été écrasé alors qu'il essayait de protéger Mama de la pression de la foule. Mama est en état de choc. Tomas était considéré comme le candidat favori pour prendre la direction de l'Ordre quand Mama déciderait de se retirer. Fait sans précédent, tous ses engagements pour la semaine prochaine ont été annulés. »

Janie resta éveillée cette nuit-là après que Paul fut tombé endormi. Son esprit passait et repassait les événements de la journée comme la reprise d'un film. Sa dernière rencontre avec Zazi de Lisle avait été marquée par toutes sortes de sous-entendus qu'elle interprétait rétrospectivement comme autant de menaces.

Zazi de Lisle lui avait avoué à demi-mot qu'elle lui avait fait parvenir — à l'instigation de la fondation Krzysztof, cela allait de soi — le carton rempli de vêtements tachés de sang. La lady, qui n'avait rien d'une dame, lui avait rappelé ce qui pourrait lui arriver si elle ne se pliait pas à ce qu'on attendait d'elle.

Janie était certaine que la vieille amie de Mama était sur le point de lui faire d'autres révélations.

« Magda tient à ce que vous sachiez toute la vérité... Elle est prête à s'exposer au jugement qu'on pourra porter sur elle. »

Pourquoi Mama faisait-elle cela? Et pourquoi avait-elle choisi une personne aussi invraisemblable que Lady de Lisle pour lui servir d'intermédiaire?

Janie revoyait l'immense douleur de Zazi de Lisle alors qu'on venait tout juste de lui annoncer la mort violente de Tomas à Singapour. Pourquoi la disparition de cet homme la touchait-elle autant?

La réflexion de Janie s'égarait dans différentes avenues. Elle s'imaginait les mouvements de la foule et la mort épouvantable de Tomas. La blessure au pouce de Lady de Lisle et son cri de détresse lui revenaient en mémoire. Elle revoyait l'empressement de la vieille Nanny à consoler sa maîtresse comme elle l'aurait fait avec... un enfant.

Et alors tout s'éclaira. Elle dut se contraindre à ne pas bouger pour ne pas réveiller Paul, tellement sa surprise était grande. Comment n'avait-elle pas encore trouvé le lien, pourtant évident. Elle comprenait enfin pourquoi Mama avait choisi Zazi de Lisle comme émissaire : leurs vies avaient été étroitement entrelacées depuis les événements de São Paulo.

Le premier témoin de la mort et de la résurrection de Mama avait été Cuci Santos. Celle-là même dont la main coincée sous le pied-de-biche de la machine à coudre avait été guérie presque instantanément par Magda Lachowska. Cuci Santos avait suivi Mama dans sa retraite de la montagne et, quelques années plus tard, elle s'était évanouie sans laisser de trace, emmenant avec elle son fils, Tomas.

Chapitre quarante et un

Au cours des deux semaines qui suivirent, Janie et Paul envisagèrent ce qu'ils feraient si Janie écrivait la biographie de Mama de la façon qu'elle l'envisageait maintenant. Elle voulait dire la vérité ou, du moins, une bonne part de la vérité. La fondation Krzysztof réagirait très certainement. C'est pourquoi ils devaient être prêts à disparaître jusqu'à ce que la poussière soit retombée.

Janie toucherait des sommes considérables. Assez pour que Paul puisse prendre un congé sans traitement. Ils auraient les moyens de vivre à l'abri pendant au moins deux ans. L'idée de trouver une ferme isolée, en Toscane, pour y écrire la pièce de théâtre dont il rêvait depuis longtemps, enchantait Paul. Adam apprendrait l'italien et poursuivrait ses études avec un tuteur. Un peu plus réaliste, Janie pensait qu'un changement de nom et un pavillon dans un village du Dorset suffiraient à les faire oublier.

Quelques jours plus tard, Janie envoya à Robert Dennison un résumé de l'ouvrage qu'elle entendait écrire. Elle y traçait le portrait de la femme remarquable qui, selon toute vraisemblance était décédée dans un misérable appartement de São Paulo, était revenue à la vie en vertu d'un miracle dont elle avait par la suite témoigné. Elle rappelait les vies que Magda Lachowska avait sauvées, celles qu'elle avait transformées. Elle dressait un bilan des miracles qu'on lui attribuait. Elle évoquait les rencontres importantes que Mama avait eues avec les principaux leaders du monde. Elle décrivait l'horaire exténuant auquel elle s'astreignait, ce qui ne l'empêchait néanmoins jamais de tenir la main d'un agonisant pendant des heures.

Janie y relatait aussi ce qu'elle savait du camp polonais où Mama avait servi au cours de la Deuxième Guerre mondiale et du rôle qu'elle avait joué dans la mort d'un garçonnet. Elle attirait finalement l'attention de l'éditeur sur l'obligation qu'elle s'imposait de proposer ce plan à Mama. Ses références échappaient à toute contestation. Et elle joignait à son ébauche la conclusion qu'elle envisageait d'écrire :

> Cette femme, qui a volontairement servi un régime pervers, a probablement expié toute sa vie le rôle qu'elle a joué dans les camps. Jusqu'ici, elle a échappé à la justice des tribunaux civils. Elle aura cependant été pour elle-même un juge impitoyable, puisqu'elle s'est ensuite consacrée entièrement à l'humanité souffrante. Elle a transformé, par sa présence et les soins qu'elle a prodigués, la vie de beaucoup de gens et souvent même leur mort. Elle est devenue un symbole d'espérance dans un monde de plus en plus cynique. Autrefois malfaisante, elle a employé par la suite toutes ses énergies à réaliser le bien. Par son action, elle nous enseigne que, peut-être, l'ombre et la lumière sont indissociables.
>
> Telle est donc l'histoire étonnante et magnifique de cette femme. J'ai vu Mama à l'œuvre. J'étais présente quand elle a posé la main sur l'épaule d'un jeune homme qui a peu après recouvré l'usage de la parole, perdu depuis des années. Qu'on soupçonne là une forme de charlatanisme, ce jeune homme n'en a cure, puisque sa guérison est peut-être due à un miracle. Après tout, Mama, déjà largement reconnue comme une sainte, l'est peut-être effectivement. Elle est indubitablement une ascète qui a renoncé au confort et à presque tous les plaisirs qu'offre la vie moderne.
>
> Que Rome décide de la canoniser, à plus ou moins brève échéance après sa mort, importe peu. Ses fidèles ont compris avant elle que sa main pouvait soulager, sa parole guérir, sa pensée les soutenir. Elle a entendu l'appel des pauvres et y a

répondu avec compassion et amour. En retour les gens, sans distinction de race, de religion ou de culture, lui vouent une indéfectible vénération.

Il fut un temps où elle n'avait pas la foi. Elle n'était pas convaincue de l'existence de Dieu. Plus tard, même après avoir acquis la certitude qu'un Être infiniment bon veillait sur elle, cette femme a traversé de longs déserts où elle n'entendait que le silence de Dieu. En dépit de cela, sa vie est devenue une admirable louange offerte à la gloire du Père.

Robert Dennison prit connaissance du manuscrit et téléphona immédiatement à Janie :

— Tu te rends compte que la Fondation n'acceptera jamais ton point de vue ? On attendait l'histoire rassurante d'une sainte moderne et tu t'apprêtes à faire des révélations qui vont bouleverser le monde entier.

— Je le sais. Et j'en suis désolée, ajouta-t-elle sans conviction.

— Désolée ? Désolée ? De quoi parles-tu ? Quand le prochain rendez-vous avec la vieille bonne femme est-il prévu ?

— Dans deux semaines.

— Formidable ! Tu vas tout de go lui jeter ça sous les yeux et voir ce qu'elle en dit. Prends bien soin de tout enregistrer. Entretemps, je consulterai nos avocats pour savoir ce qui nous attend si tu déballes tout ton arsenal, qu'elle soit d'accord ou pas. Heureusement, le fait que la Fondation ait caché autant de choses peut invalider le contrat. Si c'est le cas, nous remboursons les sommes qu'elle a déjà versées et nous publions nous-mêmes. Et, surtout, bouche cousue ! Ton histoire, c'est de la dynamite.

Ainsi que Janie l'appréhendait, l'optimisme de Robert Dennison n'était pas fondé : le contrat rédigé par la Fondation ne présentait aucune faille, de sorte que la maison Odyssey ne pouvait le dénoncer. D'un autre côté, Janie ne pouvait plus satisfaire les attentes de la Fondation et écrire la biographie aseptisée qu'on souhaitait.

Par un curieux hasard, le rendez-vous que Janie devait avoir avec Mama fut annulé. On lui fit savoir qu'elle portait encore dans la solitude le deuil de Tomas. Après un temps qu'elle jugea raisonnable, Janie sollicita un autre rendez-vous. On lui répondit cette fois que Mama était trop occupée. Janie insista encore, et on invoqua alors des raisons de santé et, plus tard, d'importantes rencontres que Mama ne pouvait remettre. Tous les prétextes étaient bons.

Un soir, Paul revint à la maison avec une primeur :

— La société mère de tes éditeurs a été acquise par De Groots. La nouvelle va être annoncée ce soir.

— Le conglomérat hollandais ? Je n'en connais que le nom.

— C'est une énorme entreprise qui se montre fort discrète sur les affaires qu'elle brasse. Elle a investi des sommes considérables dans les mines d'or et le pétrole.

— Les choses vont certainement changer chez Odyssey. Je parie qu'on va y parachuter une éminence grise de leur siège social pour tout superviser. Pauvre vieux Bob !

— Et devine quoi : il semble que Josef Karms siège au conseil d'administration du conglomérat. Il détient une grande partie des actions.

Les yeux de Janie s'agrandirent et elle additionna deux et deux :

— Karms fait partie du conseil d'administration de la fondation Krzysztof, qui tient à se débarrasser des cadavres que j'ai déterrés. Et voilà qu'une compagnie où il joue un rôle important achète mon éditeur. Je crains bien d'être bientôt touchée par cette transaction.

Trois semaines plus tard, l'entreprise hollandaise passa à l'action. Janie reçut de l'avocat de la compagnie une lettre dans laquelle on lui proposait de lui remettre la totalité de la somme qui devait lui être versée pour la rédaction du livre, plus les redevances qu'elle aurait touchées sur les revenus de la vente de l'édition courante et de l'édition de poche. On établissait clairement que Mama gardait ses droits sur la matière qui, après tout, appartenait à sa vie. En échange, Janie s'engageait à remettre le manuscrit dans son état actuel ainsi que toutes ses notes et sa documentation. Elle se rendait compte maintenant que le livre ne verrait jamais le jour. La Fondation faisait en sorte de protéger ses arrières.

Janie accepta.

À sa grande surprise, cette mesure ne la bouleversait pas. Elle était alors trop heureuse pour regretter que le projet avorte : Paul et elle s'étaient redécouverts l'un l'autre et ils étaient déterminés à réussir leur union, cette fois. L'influence de Mama avait transformé Janie : tout ce qu'elle avait appris et découvert dans son sillage lui avait permis de mettre sa propre vie en perspective. L'aventure n'avait rien changé aux ambitions personnelles qu'elle nourrissait, mais elle refuserait maintenant de faire passer sa vie privée en second. Elle ne voulait pas s'assurer une brillante carrière au détriment de sa vie familiale.

Paul mit son appartement en vente. Le jour où il accepta une offre d'achat, il fut nommé éditeur administratif du *Daily Mail.* Avec Janie, il acheta une maison étroite à trois niveaux, à Maida Vale, et Adam revint vivre à la maison.

Le compte rendu de la longue entrevue qu'elle avait eue avec Lauren Bacall l'année où Adam était né lui valait, quelque douze ans plus tard, de se voir offrir un contrat inattendu : une maison d'édition anglo-américaine lui offrait d'écrire la biographie du regretté Humphrey Bogart.

Quant à la biographie de Mama, elle continuerait à languir dans les limbes. Des rumeurs, des hypothèses circulaient sur son contenu et sur les raisons pour lesquelles elle n'avait pas encore paru. Selon le sentiment général, les commanditaires voulaient que l'auteur supprime quelques faits inavouables entachant le passé de Mama. Les chroniqueurs des feuilles à sensation y allaient de leurs allusions perfides. Un certain nombre de journaux à diffusion internationale — le *Herald Tribune,* le *New York Times* et l'*Allgemeine Zeitung* — publièrent de brefs commentaires. Les tabloïds britanniques firent brièvement état de la rumeur et le *Private Eye* publia un article fielleux. Personne ne mit la main sur les révélations que Dante avait faites à Janie. Par contre, deux journalistes révélèrent un présumé scandale mettant en cause Mama et une vieille dame en phase terminale, dans l'un de ses hospices européens, qui l'avait suppliée de hâter sa fin. La fondation Krzysztof intenta sans tarder deux poursuites en diffamation, qui se réglèrent hors cour.

Tout ce remue-ménage déclencha un phénomène inattendu. Les médias apprirent, à leurs dépens, qu'en général la population acceptait mal qu'on s'attaque à la réputation de Mama. Même les journaux ayant rapporté des faits qui égratignaient à peine l'image de Mama virent leur tirage baisser. Les standards téléphoniques des chaînes de télévision furent inondés d'appels de protestation. Le public, ordinairement intéressé à voir déboulonner les idoles, semblait refuser, dans le cas de Mama, de voir détruire l'objet de son admiration. Les potins désobligeants se firent de plus en plus rares et disparurent même rapidement des feuilles les moins respectables.

Janie comprit quc la réputation de Mama garantirait la survie de toute la structure mise en place au cours des ans : le sanctuaire de Świnoujście, les foyers et les hôpitaux. Mais surtout le Calice des vignes du Père survivrait, en dépit des intrigues douteuses, et sa mission première se poursuivrait.

Mama avait encore accompli un prodige.

Chapitre quarante-deux

Sa radio, ouverte à la chaîne 3 de la BBC, diffusait une musique aux harmonies insaisissables qu'elle ne connaissait pas. Le soleil matinal réchauffait ses jambes nues et elle venait tout juste de se verser une deuxième tasse de thé, quand le téléphone sonna.

La joie rendait Claudia presque incohérente :

— J'essaie de ne pas perdre la tête, s'exclamait-elle. Ça ne veut peut-être rien dire, mais elle s'est mise à regarder la télé. C'est peut-être par mimétisme... Et ce n'est pas tout, Janie. Elle m'a serrée très fort dans ses bras ! Lucy a couru vers moi, m'a regardée dans les yeux et m'a si étroitement enlacée que je ne pouvais plus respirer ! Je ne peux pas le croire. Elle n'a jamais, jamais fait ça auparavant.

Janie était tout aussi excitée. Elle se fit raconter lentement et de long en large ce qui venait de se passer.

— D'accord. Dis-moi ce qu'elle a fait ensuite. Où est-elle maintenant ?

— Elle n'a rien dit... comme c'est souvent le cas, d'ailleurs. Elle est montée à l'étage. Maintenant elle écoute de la musique. Chostakovitch, je pense : elle se complaît dans le dramatique.

Claudia éclata alors de ce rire sans retenue qui avait toujours surpris Janie. Elle poursuivit :

— Ce qui est survenu tout à l'heure est peut-être quelque chose d'exceptionnel, qui ne se reproduira plus. Mais, oh mon Dieu ! elle l'a fait ! Je l'ai sentie tout contre moi, elle m'a regardée comme si elle me voyait vraiment. Penses-tu qu'on a pu poser un diagnostic erroné ? Que ce n'est pas d'autisme qu'elle souffre, mais qu'elle aurait plutôt été victime d'une incapacité temporaire dont elle serait en train de sortir ?

Janie ne pouvait se rappeler la dernière fois qu'elle avait entendu l'espoir vibrer ainsi dans la voix de son amie.

— En as-tu parlé à Lewis ? Qu'en pense-t-il ?

— Il est à côté de moi, en train de manger. Il dit que s'il ne l'avait pas vu, il n'aurait pas cru ce que je viens de te raconter. Janie, poursuivit-elle d'une voix brisée, c'est si peu de chose. Une étreinte... une simple étreinte. Mais c'est peut-être, je dis bien *peut-être* un commencement. Nous avons le sentiment d'avoir reçu un merveilleux cadeau.

Quand elle eut raccroché, Janie finit de boire son thé tout en pensant à la conversation qu'elle avait eue avec Mama à New York, dans la cathédrale St. Patrick. Mama lui avait expliqué que le processus de guérison était parfois très long. Des mois pouvaient passer avant qu'on puisse constater la moindre amélioration. Ce jour-là, elle avait deviné les problèmes de Lucy en l'apercevant sur une photo qui ne laissait rien deviner de sa maladie. Elle avait passé son doigt sur le visage radieux de l'enfant. Puis elle avait immédiatement caché ses larmes derrière ses verres fumés, comme chaque fois — avait-on rapporté à Janie — qu'elle faisait un miracle.

Janie reprit son bon sens. Cette rencontre remontait à trop longtemps. Et les miracles ne se produisaient pas aussi simplement. Pas dans la vraie vie.

C'est parce que Claudia avait exprimé le souhait de manger chez Fenwicks qu'elle put, une semaine plus tard, soulever encore un peu plus le voile de mystère qui entourait Mama. Même si elle n'en avait pas pris conscience sur le moment.

À une table à laquelle Janie tournait le dos, deux femmes blondes, minces et élégantes, mère et fille semblait-il, étaient engagées dans une dispute sans fin à propos d'un tailleur de daim crème que la plus jeune convoitait. Selon la mère, la jupe était trop courte, la veste trop ajustée, l'ensemble peu pratique et hors de prix.

Claudia et Janie prêtèrent une oreille indiscrète à la discussion, en mangeant leur poulet, puis oublièrent les deux femmes jusqu'à ce qu'elles se retrouvent derrière elles dans l'escalier roulant. La jeune fille se retourna soudain, et Janie eut le souffle coupé en apercevant son visage.

La jeune femme, dont les cheveux blond clair étaient ramassés en chignon serré sur sa nuque, était le vivant portrait de Mama à l'époque de sa jeunesse. Janie crut rêver. Le même front large et serein, la même bouche généreuse, les mêmes yeux, sans leur mystère toutefois. Quand la mère se tourna à son tour, Janie constata que sa fille avait son regard. « Tu es folle, se dit Janie. C'est le jeu de la lumière qui te joue un tour. »

Pendant les jours qui suivirent, une image s'incrusta au fond de sa pensée. Cela l'ennuyait, l'irritait comme un grain de sable dans l'œil. Elle était tourmentée par cette vision qui surgissait à tout propos.

— Tu trouveras dans le journal de demain un article qui va sûrement t'intéresser, lui dit Paul au dîner du jeudi suivant. L'équipe du cahier des affaires a mené une longue enquête sur Josef Karms. Nous avons examiné aujourd'hui l'information qui a été recueillie, pour être prêts lorsque la maison d'édition Odyssey ira grossir le consortium dominé par Josef Karms. J'ai retenu un détail intéressant : notre bonhomme détient un passeport établissant qu'il est Hongrois. Nous avons envoyé quelqu'un à Kelebia, où Karms est censé être né. Son nom apparaît au registre des baptêmes de la paroisse, mais c'est tout. Aucune trace de sa famille ou de quelqu'un qui l'aurait connu. Kelebia est un patelin, traversé par une voie de chemin de fer, qui ne compte que deux rues. Tout cela paraît suspect.

Paul avala une bouchée et poursuivit :

— Il semble aussi que le financier ait vécu à São Paulo à un moment donné. C'est là que, soutenu par un partenaire, il avait établi sa première entreprise de produits chimiques, peu de temps après la fin de la Deuxième Guerre mondiale. Ce qui suppose qu'il s'était installé au Brésil avant ou durant la guerre. Nos recherchistes ont mis la main sur quelques articles de journaux qui parlent de lui comme d'un Polonais. Cela ne prouve pas grand-chose. Ta Lady de Lisle paraissait cependant bien sûre de son affaire en soutenant qu'il était Polonais.

— Elle l'était, confirma Janie en faisant un calcul rapide. Karms devait bien se trouver quelque part à la fin de la guerre. Il approchait alors de la trentaine. Peu importe qu'il soit Hongrois ou Polonais, mais il aurait dû se trouver sous les drapeaux de son pays. Il y a quelque chose de suspect chez lui. Non, je pense qu'il a fui l'Europe pour échapper à la mobilisation. Ou peut-être a-t-il simplement fui la justice. Mama a travaillé pour une famille polonaise à São Paulo. Au domicile d'un homme d'affaires. Je n'ai jamais pu trouver son nom. J'ai vraiment soupçonné Magda Lachowska d'avoir été la maîtresse d'un ancien nazi... Serais-tu porté à le croire, Paul ?

— Combien de Polonais pouvaient vivre à São Paulo à cette époque ? Pas tellement, je pense. Soit dit en passant, la photo de sa fille paraît dans le *Standard,* ce soir.

Il repéra la chronique mondaine et tendit le journal à Janie au-dessus de la table. Elle reconnut la jeune fille qu'elle avait récemment aperçue au restaurant : le visage étonnant, si familier et pourtant inconnu. Le nom de Karms se détachait sur la première ligne de l'article :

> Nuala Karms, dix-huit ans, fille du magnat des produits chimiques et de sa troisième femme Susanne, charmera le public ce soir alors qu'elle participera au défilé de mode à l'occasion de la plus importante soirée de charité organisée à Londres cette année.

— La fille du Fenwicks ! s'exclama Janie.

La jeune beauté de l'escalier roulant. Nuala Karms.

Karms. La scène qu'elle avait découverte dans une porte entrebâillée du Waldorf-Astoria, à New York, remonta dans les souvenirs de Janie. Elle avait eu la curieuse impression qu'il existait une profonde intimité entre Mama et Karms. Elle avait eu la sensation de s'introduire de façon indiscrète dans la vie privée de ces deux personnes.

— Te rappelles-tu qu'une fois revenue de New York, je t'avais affirmé être certaine que Mama et Karms se connaissaient depuis fort longtemps? Regarde cette photo encore une fois, lui dit-elle en lui retournant le journal. C'est le portrait de Mama. C'est elle quand elle avait son âge.

Paul était médusé :

— Tu penses que Karms et Mama... Non, Nuala est trop jeune pour être la fille de Mama.

— Pas sa fille. Mama a travaillé dans une famille polonaise au Brésil, rappelle-toi. Elle m'a dit qu'elle avait émigré dans ce pays après l'entrée des Alliés en Pologne. Magda est simplement venue rejoindre sa propre famille.

Janie ne tenait plus en place. Paul semblait confondu :

— Je ne te suis plus.

— Mama avait deux frères plus âgés qu'elle. Ils ont tous deux joint les rangs de l'armée polonaise. L'un d'eux a été tué quand les Allemands ont envahi la Pologne. Du moins, c'est ce que tout le monde a pensé.

— Où veux-tu en venir? lui demanda-t-il, de plus en plus abasourdi.

Janie lui sourit, forte de sa certitude :

— Josef Karms et Mama sont frère et sœur.

Chapitre quarante-trois

Le mardi suivant, deux photos faisaient la une des journaux. On voyait sur la première le visage méfiant et apeuré d'une fillette blonde de sept ou huit ans. Sa main droite ensanglantée était retenue dans une attelle de fortune. Un ambulancier en blouse blanche, portant la kippa, immobilisait son épaule. La légende disait que la petite fille, sa sœur et son père étaient traités, à l'hôpital Hadassah de Jérusalem, pour blessures causées par des armes à feu.

Sur l'autre photo, apparaissaient des jeunes femmes arabes portant le tchador, le visage contracté par la haine, qui encourageaient des garçons à lancer des pierres aux soldats israéliens. Les incidents auxquels se rapportaient ces photos se déroulaient à Hébron, l'une des plus vieilles villes du monde, située dans l'ancienne Judée.

Hébron était la dernière des sept villes, à l'ouest du Jourdain, à passer sous l'autorité palestinienne, conformément aux accords d'Oslo. Cent mille Palestiniens vivaient dans l'agglomération, au cœur de laquelle trois cent cinquante Juifs étaient établis. Ils s'y trouvaient pour des motifs religieux ou historiques, ou encore parce qu'ils bénéficiaient de subsides et d'exemptions de taxes consenties par le gouvernement pour encourager les Juifs à s'installer dans la région avant que les Palestiniens n'en prennent le contrôle. Tout le monde savait, à travers le monde, que ces colons circulaient dans les rues avec leurs armes. Ils considéraient leurs voisins palestiniens comme des terroristes. De plus, ils jugeaient qu'ils avaient été trahis par leur gouvernement quand les troupes israéliennes avaient cédé une grande partie du territoire aux autorités palestiniennes. Ils avaient alors fait de sombres prédictions annonçant le massacre des colons juifs.

Quinze de ces familles juives vivaient dans une enclave au cœur de la ville d'Hébron. Juste en face, il y avait une école palestinienne fréquentée par les filles. Un matin, les écolières avaient aperçu une inscription peinte en lettres rouges sur la façade blanche de leur école : FILLES DE CHIENS. Ce jour-là, à la sortie des classes, elles avaient essuyé une pluie de billes lancées par de jeunes garçons juifs armés de frondes. Les billes de verre constituaient une arme féroce : une fillette de douze ans avait perdu un œil.

Pour se défendre, les écolières ripostèrent en lançant des pierres. C'est alors que des colons israéliens s'en prirent à elles. Des femmes et des garçons arabes prêtèrent main-forte aux fillettes. C'est alors que des soldats israéliens arrivèrent et procédèrent à plusieurs arrestations.

Cette nuit-là, Joseph et Rébecca Avigdor, avec leurs trois enfants, revenaient à la maison. Ils vivaient près du village palestinien de Surda, sur le territoire israélien de Beit El. Sur la route obscure de Ramallah, ils virent venir en sens inverse une voiture dont, à première vue, ils n'avaient pas raison de se méfier. Au moment où les deux véhicules se croisèrent, des hommes déchargèrent leurs armes automatiques sur eux. Rébecca Avigdor fut tuée sur le coup. Son fils de trois ans mourut dans l'ambulance. Les balles effleurèrent les deux petites filles, ne leur causant que des égratignures. Joseph Avigdor reçut une balle dans l'épaule et perdit le contrôle de sa voiture, qui quitta la route pour foncer dans un troupeau de chèvres.

Durant toute la journée du lendemain, les caméras de télévision du monde entier s'attardèrent sur les graffitis peints sur les murs de l'école d'Hébron et sur les fillettes assaillies par les colons juifs qui, à leur tour, essuyaient une pluie de pierres lancées par les Palestiniennes en tchador et leurs fils. Une autre séquence d'images faisait voir la voiture accidentée près de Surda ; un petit corps sur une civière, le visage couvert de pansements ; des petites filles et leur jeune père hébété penché sur le cadavre de sa femme.

Au cours de l'après-midi, la maison générale du Calice, à Rome, annonça que Mama s'était envolée vers le Moyen-Orient pour prendre part à d'urgents pourparlers entre le leader palestinien et le nouveau premier ministre israélien. On avait le sentiment que la médiation de Mama contribuerait à mettre fin aux missions suicide palestiniennes en Israël. Elle avait déjà, en deux occasions, intercédé avec succès en faveur de la paix.

Une semaine plus tard, Janie Paxton reçut un appel téléphonique de Mama :

— Voulez-vous faire quelque chose pour moi ? lui demanda-t-elle sans préambule. Je suis en route pour Israël. J'aimerais que vous veniez m'y retrouver.

— Mais vous ne voulez même pas me parler, répondit Janie tout étonnée. Pourquoi voulez-vous me voir maintenant ?

— Je ne comprends pas, dit-elle après un silence gêné. Je n'ai jamais refusé de vous rencontrer.

— Eh bien, c'est pourtant le message que m'a retransmis la Fondation.

Mama soupira, puis laissa s'exprimer sa mauvaise humeur :

— Ah oui ? Je vois. On a agi à mon insu. Mais ne nous laissons pas troubler pour si peu, il y a des choses beaucoup plus importantes pour l'instant. C'est d'ailleurs la raison pour laquelle je veux que vous veniez.

— Vous devez savoir que le livre ne sera jamais terminé ? Jamais publié ?

— Bien sûr que je le sais, répondit Mama comme si cela n'avait aucune importance. Quelle est votre décision ?

Janie mâchouilla le bout de son pouce avant de répondre :

— M'accorderez-vous une entrevue ? Accepterez-vous de me parler en tête à tête ?

Janie ne savait trop pourquoi elle faisait cette demande. Peut-être était-ce pour elle-même, et pour toutes les Alma Gysemans de l'univers, qu'elle voulait obtenir des réponses à ses questions.

— Oui, oui. Je vais arranger ça. Alors, vous viendrez ? Au comptoir El Al, à Heathrow, il y aura un billet pour Jérusalem à votre nom. Vous devez vous présenter à quatre heures, cet après-midi.

— J'y serai.

Chapitre quarante-quatre

Son guide israélien, ostensiblement armé, fit traverser la ville d'Hébron à Janie pour la conduire à son rendez-vous avec Mama. Ils dépassèrent quelques Arabes d'âge moyen, vêtus de la robe traditionnelle, qui regardèrent d'abord le guide, puis Janie. De l'autre côté de la route, trois jeunes hommes en jean reluquèrent Janie avant de tourner leur regard vers l'Israélien et le mauser bien calé dans le creux de son bras.

On avait réservé à Mama l'usage d'une maison aux limites de la ville, plutôt isolée mais facile à surveiller. Malgré ses protestations, les services de police israélien et arabe avaient insisté pour qu'une garde de douze hommes lui soit assignée. On avait donc formé un détachement d'Arabes chrétiens, ce qui donnait à croire que Mama pouvait compter sur leur indéfectible loyauté.

Alors que Janie et son guide approchaient de la porte, deux jeunes et robustes policiers s'avancèrent vers eux. Le premier fit passer son arme de l'épaule droite à l'épaule gauche et leva la main de façon impérative. Le chauffeur lui présenta le sauf-conduit et retourna le revers de sa chemise pour montrer son badge. Janie, à son tour, remit son propre permis de séjour, qu'il examina attentivement. L'autre soldat pointa du doigt son sac :

— Laissez-le à la porte.

— J'en ai besoin, dit Janie en sortant son bloc et sa petite enregistreuse.

Le soldat ouvrit la machine, retira le ruban, et examina l'un et l'autre soigneusement. Puis il lui indiqua avec son pouce qu'elle pouvait entrer.

Un homme en robe bleu-violet ouvrit la porte de la maison blanche. Pendant un moment, elle le confondit avec Tomas.

— Soyez la bienvenue, la salua le disciple du Calice.

Puis il resta au garde-à-vous à côté d'elle.

Le mobilier se réduisait à une longue table basse, qui n'avait pas encore été débarrassée des restes du repas : des dattes et des noix, ainsi que de petites tasses blanches dans lesquelles avait été servi le café turc. Trois membres de l'ordre du Calicc étaient encore assis en tailleur sur le tapis, autour duquel brûlaient trois lampes minuscules. Dans un coin, un grand téléviseur muet diffusait un épisode de *Dynasty*. La journaliste reconnut Krystle parée de ses plus beaux atours.

— Janie ? l'appela une religieuse de l'Ordre, qui venait d'apparaître au sommet d'un escalier à pente raide. Venez, je vous en prie.

Janie la suivit dans une chambre très simple, puis dans un escalier qui débouchait sur le toit. C'était plus frais là-haut, grâce à un faible vent venu des collines. Un parapet les protégeait contre d'éventuelles chutes ; des citronniers et des lauriers fleurissaient dans de grands bacs. Au centre du toit, un grand tapis parsemé de coussins invitait à la détente. Il y avait du pain dans un plateau, du fromage de chèvre, des dattes fraîches et les noyaux d'une douzaine d'olives laissés au fond d'un petit ramequin. Comme toujours, Mama avait mangé frugalement. Au-dessus de cet îlot, un auvent à rayures brunes et noires avait été replié. D'agréables odeurs de viandes rôties, d'huile d'olive et de coriandre parfumaient l'air. On entendait le tintamarre des radios syntonisées à des stations différentes. On y distinguait cependant les modulations que chantait une femme à la voix sensuelle.

Mama, debout devant le parapet, semblait contempler le paysage. Janie fut encore une fois frappée par le paradoxe vivant de cette femme modeste qui pouvait demander et obtenir de rencontrer chefs d'États et leaders spirituels. Et pourtant, il émanait d'elle une impression de solitude absolue. En jetant un regard circulaire autour d'elle, Janie découvrit d'autres sentinelles sur les toits adjacents. Un oiseau roucoula doucement. Elle ressentit alors une angoisse, aussi profonde qu'instinctive, qu'elle s'efforça d'ignorer.

En l'entendant venir, Mama se tourna vers elle. Elle ne souriait pas, mais elle affichait plutôt ce regard méditatif que Janie avait déjà noté à la cathédrale St. Patrick. Elle semblait avoir perdu du poids, mais les traits de son visage et la souplesse de son corps traduisaient une énergie peu commune à son âge. La lueur du crépuscule creusait ses orbites et y jetait des taches d'ombre. Plus que jamais, elle incarnait la sainte vénérée universellement. Janie éprouva un sentiment voisin du désespoir : comment pouvait-elle seulement penser à se mesurer à une femme pareille ?

— Je suis heureuse de vous revoir, dit chaleureusement Mama. Je dispose d'une heure, après quoi je dois me reposer. Je dors mal ces jours-ci, c'est pourquoi j'accueille la possibilité de m'étendre paisiblement comme une vraie bénédiction.

Elles parlèrent d'abord de la ville d'Hébron et de son maire, à qui cette maison appartenait, des rencontres qu'elle avait eues au cours de l'après-midi. Puis son assistante apporta sur un plateau deux grands verres remplis d'une boisson claire, deux cuillères et du sucre, qu'elle posa délicatement entre elles sur le parapet.

— C'est une infusion de camomille, précisa Mama. Vous en voulez ?

Janie choisit son moment avec prudence pour aborder le sujet qui lui tenait à cœur et fit un effort pour parler très calmement :

— J'ai bien peur de jouer les trouble-fêtes, mais je dois vous dire que je sais tout à propos de la Pologne. Je suis au courant du rôle que vous avez joué au camp de travail.

Il sembla à Janie, une fois qu'elle eut osé montrer ses cartes, que le silence avait tout envahi. Les bruits de la rue se perdirent dans le néant. Les bavardages, les radios et les téléviseurs, dans les maisons voisines, semblèrent s'arrêter. Même le chant de la femme à la voix troublante restait inachevé.

Un éclair traversa les yeux de la vieille femme, ses traits se crispèrent et son dos se raidit. Elle leva des bras aux mains tremblantes devant elle, comme si elle avait voulu repousser un spectre. Janie commençait à se demander si elle avait provoqué sa colère, quand Mama lui parut avoir recouvré son calme coutumier.

Mais la jeune femme avait perçu un signal d'alarme. Des membres de l'ordre du Calice étaient réunis au rez-de-chaussée. Des gardes armés veillaient à l'extérieur de la maison. D'autres soldats, sur les toits voisins, se tenaient prêts à faire feu à la moindre alerte. Mama avait seulement à crier, à donner un ordre, et c'en était fait de Janie. L'explosion survenue à la Petite Grange et les vêtements de son fils, tachés de sang, étaient des avertissements dont elle n'avait pas tenu compte. Ce serait aujourd'hui un jeu d'enfant de la supprimer, dans un endroit aussi dangereusement explosif.

Elle maudit sa légèreté. Personne, en Angleterre, ne savait exactement où elle était. Elle présuma que la fondation Krzysztof devait être au courant de sa présence en Cisjordanie. Mais, à la réflexion, elle conclut que non. Mama avait elle-même organisé cette rencontre, ce qui était tout à fait insolite. Le billet d'avion lui avait été remis par une femme de l'Ordre, qui s'était approchée d'elle au moment où elle allait atteindre le comptoir d'El Al.

Elle n'avait pas eu le temps de téléphoner à Claudia avant son départ. Elle avait laissé un court message sur le répondeur de Louise, sans donner de détails. Quand elle l'avait appelé à son bureau, Paul était parti déjeuner. Elle avait alors demandé à sa secrétaire de prévenir son mari qu'elle faisait un voyage éclair en Israël et qu'elle serait de retour dans quarante-huit heures. Elle s'était bien gardée, pour des raisons de prudence, de prononcer le nom de Mama. Elle avait ensuite oublié d'appeler à la maison. S'il lui arrivait quoi que ce soit, elle ne serait pas la première journaliste à disparaître dans ce pays sans laisser de traces.

Tandis que Janie hésitait, essayant d'évaluer le risque qu'elle courait, Mama prit son verre d'une main qui ne tremblait plus et vint s'asseoir sur un coussin. En la voyant se déplacer, Janie revint à la réalité et la vie se remit à battre autour d'elle. Mama leva vers Janie des yeux qui traduisaient candeur et franchise, confiance et humilité :

— Que voulez-vous savoir de moi ?

Janie la regarda avec stupéfaction. Elle ne s'attendait pas à ce que Mama se rende aussi facilement. En dépit des allégations de Zazi de Lisle, qui soutenait que Mama était prête à s'exposer au jugement qu'on porterait sur elle, Janie avait interprété les fins de non-recevoir qu'on avait opposées jusqu'à présent à ses demandes d'entrevue comme un changement dans les dispositions de Mama. Aussi prévoyait-elle une dénégation véhémente. Ou, du moins, une explication, un essai de justification ou un silence glacial. Mais elle n'avait jamais prévu un acquiescement aussi simple, aussi peu réticent.

Elle avait en mémoire les images du film que Dante lui avait montré et les révélations qu'Alma lui avait faites. Elle souhaitait intensément que la confession de Mama concorde avec les révélations exceptionnelles qui lui avaient été faites. Elle commença néanmoins par lui demander :

— Dites-moi d'abord qui vous êtes.

Mama hésita, comme si la vérité était enfouie dans un coin presque inaccessible de sa mémoire. Elle faisait de visibles efforts pour en exhumer des souvenirs qu'elle y tenait cachés depuis tellement longtemps.

Après quelques phrases hésitantes, ils émergèrent plus facilement, comme si elle avait su depuis toujours que le moment viendrait où elle devrait les libérer. Janie l'écoutait si attentivement qu'elle avait l'impression d'être devenue invisible, comme s'il n'y avait eu, sur le toit de cette maison palestinienne, qu'une vieille femme se racontant à elle-même sa propre vie.

Mama parlait d'une voix calme. Son histoire, parfois décousue, démontrait une étonnante franchise. Les termes simples et directs qu'elle utilisait donnaient à son récit une incontestable force de conviction. Parfois, cependant, son élocution hésitante ou ses silences mêmes semblaient vouloir cacher une autre vérité, bien différente. Janie se demandait si Mama ne jouait pas avec elle-même une partie de cache-cache.

Basia Krolak était née à Metno, petite ville polonaise sans charme ni cachet particulier, au nord de Cedynia, non loin de l'endroit où l'Oder se jette dans la baie de Stettin. La ville était située aux frontières de l'Allemagne, de sorte que les habitants étaient bilingues, même si leur allemand était un dialecte presque inintelligible : le *plattdeutsch.*

Les soldats russes envahirent les premiers la Pologne. C'étaient des paysans sans bottes, dont les pieds nus étaient enveloppés de chiffons. Après leur départ, tout le monde eut des histoires d'atrocités, de meurtres et de viols à raconter. L'occupation russe fut une période d'épouvante : les enfants se retrouvèrent adultes du jour au lendemain.

Un an plus tard, les Allemands traversèrent la frontière polonaise. Les troupes étaient arrivées dans des camions ouverts, en bas desquels les soldats sautaient pour matraquer les protestataires, arracher les enfants à leurs parents, tirer les femmes par les cheveux sur la voie publique. Son frère, qui avait joint les rangs de l'armée polonaise, disparut au cours d'un combat. Personne ne sut jamais où il avait perdu la vie. De son côté, Basia venait de perdre son seul véritable ami.

Sa mère était une femme usée, taciturne et profondément dépressive. Elle avait la main leste, ne se rappelant ses enfants que pour les battre. Ils vivaient tous trois dans un minable logement et la pauvre femme prenait le travail qui se présentait, qu'il s'agisse de faire du porte-à-porte pour vendre des galoches, de laver le linge des autres ou quoi encore.

La mère avait depuis longtemps commencé à perdre contact avec la réalité. Elle restait la plupart du temps enfermée dans la maison, où elle retenait sa fille. Sa propre mère avait elle-même été mentalement dérangée vers la fin de sa vie, et elle croyait être héréditairement atteinte de ce mal. Il arrivait à la mère de Basia d'entendre des voix, de délirer et de hurler des passages bibliques où il était question du châtiment divin, des feux de l'enfer et de la damnation. Ces accès de folie étaient ordinairement suivis d'un sommeil lourd et agité.

Basia Krolak n'avait que dix ans quand elle comprit le sens des commentaires qu'on faisait à son sujet dans le voisinage : elle était une enfant illégitime et sa mère avait souhaité la tuer dans son ventre. Profondément troublée par cette découverte, elle commença à souffrir d'énurésie, ce qui fournit à sa mère un autre prétexte pour la corriger. Elle n'osa pas poser de questions, mais elle se mit à fantasmer sur son père : c'était un jeune homme riche, amoureux de sa mère, qu'il avait fini par abandonner à cause des pressions exercées sur lui par sa famille altière et sans cœur. Ou bien un fermier prospère qui quitterait un jour ses terres pour s'occuper d'eux. Puis elle commença à s'interroger à haute voix. Avait-il les cheveux roux comme elle ? Possédait-il sa propre maison ? Sa mère faisait semblant de ne pas entendre ou entrait dans une rage folle à propos d'une peccadille. Puis, un jour, elle se tourna vers sa fille et déclara d'un ton froid :

— Il ne s'est pas arrêté assez longtemps pour me dire son nom.

Les mots ouvrirent un gouffre sous les pieds de l'enfant. Ils balayèrent d'un seul coup son rêve : son père ne viendrait jamais la chercher pour l'installer dans une maison confortable et bien chauffée, où il l'aurait comblée de cadeaux.

La vérité brutale que sa mère lui avait assénée lui fit comprendre qu'elle ne comptait pour personne. Beaucoup plus tard, après que son frère eut été déclaré mort, elle se convainquit que plus rien ne l'attachait à Metno. Elle n'avait personne à aimer et personne ne l'aimait. Il s'écoula encore cinq ans avant qu'elle trouve le courage de partir. Elle s'en alla sans bagage, sans un mot d'adieu.

Elle alla se fondre dans la multitude des gens que la guerre avait entièrement dépossédés. Même si on l'avait cherchée, on ne l'aurait jamais retrouvée. Sous l'occupation allemande, les filles débrouillardes trouvaient toujours des moyens de survivre. Beaucoup de jeunes femmes se vendaient pour un peu de nourriture, un sac de café, des cigarettes. Mais l'idée même du sexe la terrifiait. La rumeur courait que les Allemands parcouraient les rues pour y enlever de jeunes Polonaises blondes et les emmener en Allemagne, où elles étaient engrossées par les soldats en vue d'augmenter la population aryenne du Troisième Reich. Elle décida donc de teindre ses cheveux en brun foncé pour paraître plus terne. Puis elle se déclara orpheline et affirma avoir perdu ses papiers au moment où elle avait voulu échapper aux soldats russes qui, à ses dires, avaient tué sa mère et brûlé leur maison. Ce qui lui permit de mentir facilement au sujet de son âge, parce qu'elle était grande et mince. Puis elle joignit les rangs de l'armée allemande.

Elle fut envoyée à Dantzig, dans un centre de rééducation pour les conscrits des pays qui avaient des frontières communes avec l'Allemagne. Le camp de Matzkau, établi au sommet d'une colline abrupte, avait pour mission d'apporter un « correctif idéologique » à ces recrues, de leur inculquer l'authentique esprit nazi. Basia se retrouva dans un milieu brutal où on s'employa à réformer son naturel gentil et candide. Elle y perdit toutes ses aimables dispositions de caractère.

C'est une jeune fille nerveuse qui s'était présentée à Matzkau. C'est une fière soldate bien sanglée dans son uniforme gris et chaussée de bottes de cuir noires qui retourna en Pologne. Elle était particulièrement fière de ses bottes ; elle n'avait jamais rien possédé d'aussi beau. Elle n'avait alors pas tout à fait seize ans.

En écoutant ce récit, Janie se disait que Mama ne serait jamais délivrée de son passé. Chaque fois qu'elle l'avait rencontrée, elle l'avait toujours vue parfaitement maîtresse d'elle-même. Pour la première fois, Janie notait chez elle un teint cendreux et des lèvres pincées. Son visage crispé trahissait une conscience ravagée, tourmentée. Jamais elle n'avait paru aussi déconcertante.

Mama décrivit ensuite la mort d'un garçon de huit ans, celui-là même que Janie avait vu dans le film de Dante, un soir qu'elle n'oublierait jamais. Basia Krolak se libérait enfin du sentiment de culpabilité qui l'étouffait depuis tellement longtemps.

— Rien ne pouvait le sauver. Sa cause était sans appel. C'est ce que je me répète sans cesse, dit Mama d'une voix rauque. Mais, au fond de moi, je sais que, si j'ai aidé cet enfant à mourir, c'est parce que je n'ai pas eu le courage de l'aider à vivre. Ce souvenir me ronge, avoua-t-elle avec dégoût. Chaque jour de ma vie, j'ai été torturée par un sentiment accablant de honte pour ce que j'avais fait. Pouvez-vous le comprendre ? Le pouvez-vous ? Les gens se jettent à mes pieds, touchent mes vêtements, murmura-t-elle en levant vers Janie des yeux éteints. Je ne mérite pas leur dévotion. J'entends ce qu'on dit de moi ; on répète que je suis une sainte. La vérité, c'est que je suis un animal. Moins qu'un animal, insista-t-elle en frottant son cœur d'un geste circulaire, comme pour en extirper le mal qui s'y trouverait logé. J'ai tué mon semblable pour survivre. On a fait plus tard de moi une personne qui n'existe pas.

Un lourd silence tomba entre les deux femmes. C'est Janie qui le rompit la première :

— Votre honte ne vous a pas précisément maintenue à l'écart, fit-elle observer d'une voix dont elle perçut la dureté.

— Pourquoi pensez-vous que je me sois retirée dans les montagnes durant des années? Sept longues années. J'étais résolue à ne jamais les quitter, mais on m'a trouvée.

— Qui?

— Deux des témoins de ma mort. Cuci Santos et son fils, Tomas. Elle croyait que j'avais guéri son fils de l'épilepsie, et lui aussi en était persuadé. Ils sont restés avec moi, refusant de partir même quand nous étions à deux doigts de mourir de faim. Peu après, des femmes de la région sont venues à moi. Elles s'étaient convaincues que je pouvais les aider à accoucher plus facilement. Puis il y a eu les gens des favelas. Je leur ai dit qui j'étais. Ce que j'étais, corrigea-t-elle farouchement. Je refusais de faire ce qu'ils exigeaient de moi. Je n'essayais même pas de les aider, d'améliorer leur sort ni de guérir leurs enfants. Mais ils n'acceptaient pas mon refus, ils disaient se ficher de ce que j'avais fait. Ils disaient que j'étais déjà morte, une fois, pour expier mes péchés, acheva-t-elle d'une voix faible.

— Vous avez finalement accédé à leur désir.

— Oui. J'avais peur. Je redoutais le monde et l'influence qu'il pouvait exercer sur moi. Mais, en même temps, j'étais attirée par lui.

Il était clair qu'elle avait cédé contre sa propre volonté : on le sentait dans sa voix incertaine. Elle s'était rendue à leurs arguments parce qu'elle avait fini par admettre que c'était sa destinée et que son action lui permettrait de réparer ses fautes.

— Alors, poursuivit-elle, j'ai essayé de devenir la servante de tous ces gens. J'ai fini par comprendre que, si Dieu avait voulu que je meure, il n'aurait pas permis que je revienne à la vie le jour de ce terrible ouragan. Il m'avait de plus accordé le don de clairvoyance.

Au fil des jours, j'apprenais que j'avais parfois accompli ce que certaines personnes appellent des miracles. J'ignore si ces miracles sont réels, dit-elle en soupirant. Je vous ai dit, quand nous nous sommes rencontrées à St. Patrick, que je ne comprenais pas ce qui se passe vraiment dans ces occasions. Mais la Bible déclare qu'aucun homme ne peut faire de miracle à moins que Dieu ne soit avec lui. Alors j'essaie de me convaincre que Dieu me tient la main.

— Tous les événements qui se succèdent dans notre vie seraient-ils liés entre eux ? demanda Janie, que cette idée troublait. On dit que tous les saints ont un passé. Peut-être avez-vous consacré votre vie aux plus démunis à cause de ce que vous avez été autrefois. Peut-être que votre vie présente ne s'explique que par votre passé...

— Nous traînons tous nos crimes avec nous. Quelqu'un que j'ai aimé, avoua-t-elle d'une voix brisée par l'émotion, me disait que les camps transforment les êtres en bêtes ou en saints.

Elle secoua la tête, incapable de poursuivre. Janie acheva pour elle :

— Et ils ont fait de vous l'un et l'autre.

Janie fut parcourue d'un frisson. Le passé de Mama lui paraissait incompréhensible, sans rapport aucun avec sa propre expérience de petite-bourgeoise anglaise. Cette femme avait commis des actes inhumains. Elle avait tué un enfant.

C'est alors qu'une vérité froide et impitoyable lui revint à l'esprit : « Moi aussi, j'ai tué un enfant. »

Janie fut troublée de découvrir seulement maintenant qu'elle n'était pas dans une position pour juger Mama. Cette pensée ne l'avait même pas effleurée après qu'elle eut commis l'irrémédiable. Elle prit douloureusement conscience qu'une moralité élastique et toute relative régissait son existence :

— Alors, demanda-t-elle, qui était donc Magda Lachowska, cette jeune fille qui a vécu à Świnoujście et que les gens vénèrent ?

— Une jeune fille, tout simplement. Une jeune fille que j'ai rencontrée après avoir quitté la maison familiale. Les soldats l'avaient laissée monter avec eux dans le camion qui les transportait à Metno, pas très loin de Świnoujście. Nous avions à peu près le même âge.

Nous avons voyagé ensemble durant quelques jours. Je n'ai guère mis de temps à me rendre compte qu'elle était écervelée. Elle m'a dit qu'elle avait quitté la maison parce qu'elle était enceinte et que sa mère la tuerait quand elle l'apprendrait. Nous avions faim et nous étions entourées d'hommes. Elle couchait avec eux pour une tasse de café, pour un peu d'argent. Contrairement à moi, elle n'avait jamais peur. Pauvre enfant stupide ! Je ne me rappelle rien d'elle, si ce n'est son nom et le triste sort qui a été le sien. C'est curieux, il me semble me souvenir qu'elle louchait.

— Que lui est-il arrivé ?

— La nuit, nous allions nous réfugier dans les granges lorsque c'était possible. Un matin, je l'ai trouvée dehors, étendue sur le sol, ses jupes relevées par-dessus la tête. Elle avait la gorge tranchée, acheva-t-elle en faisant un geste rapide avec son doigt sur son cou.

— Et le frère de Magda, le vieux Romuald ?

— Il n'est au courant de rien. Je ne l'ai d'ailleurs jamais rencontré. Comment l'aurais-je pu ? Il se serait tout de suite aperçu que je n'étais pas sa sœur. J'aurais dû lui dire ce qui s'était passé. Personne n'a jamais pleuré la mort de cette pauvre fille.

La supercherie qui s'exerçait aux dépens de tellement de gens mettait Janie en colère :

— Vous vous décidez un peu tard, non ? Tout ce qu'on trouve à Świnoujście n'est que mensonge. Avez-vous planifié cette tromperie ?

— Je n'y suis jamais allée. Je n'ai absolument rien eu à voir dans cette mise en scène.

— La maison est devenue un lieu de pèlerinage. D'innombrables photos vous montrant telle que vous êtes aujourd'hui, une foulc dc souvenirs de votre enfance y sont entassés. Sauf que ce ne sont pas vraiment les vôtres. Et puis la photo d'une petite fille qui n'est ni vous ni Magda. Je suppose que la fondation Krzysztof est derrière tout ça. J'imagine que ce n'est pas plus mal que d'exposer à la curiosité du public les détails, parfois inventés de toutes pièces, de la vie des stars. Sauf que vous n'êtes ni actrice, ni chanteuse, n'est-ce pas ? On attend plutôt de vous une intégrité au-delà de tout soupçon.

Janie se montrait de plus en plus irritée.

— Pardonnez-moi, dit calmement Mama. Je ne les ai pas empêchés de faire cette mise en scène, c'est vrai. Mais c'est moi qui ai demandé à la Fondation de verser une allocation mensuelle au frère de Magda. Je suppose qu'en échange on a obtenu de lui qu'il répète la leçon qu'on lui avait apprise.

— Et un échange honnête n'est pas du vol, repartit Janie d'un ton qu'elle voulait dur.

— Je n'ai rien pris à Magda Lachowska, parce qu'elle avait déjà tout perdu. Je n'ai jamais sali le nom que je m'étais approprié quand je me suis enfuie de Pologne.

— Racontez-moi comment vous êtes arrivée à São Paulo.

Mama parla lentement, faisant suivre chaque phrase d'une pause assez longue. Son visage restait totalement inexpressif :

— J'ai été emmenée dans un autre camp. Comme prisonnière. Quelqu'un — je n'ai jamais su qui c'était — s'est occupé de me faire partir pour le Brésil. La Croix-Rouge m'a procuré un passeport.

— Personne ne se voit tout bonnement remettre un passeport par la Croix-Rouge, l'interrompit Janie. Qu'aviez-vous raconté pour l'obtenir ?

— J'avais reçu des papiers d'identité. Faux, bien sûr.

— De qui ?

— Un prêtre, répondit Mama d'un ton qui soulignait l'aspect cocasse de l'affaire. Un prêtre catholique. Je n'ai pas posé de questions. Je les ai juste pris. La traversée de l'Atlantique, en bateau, a duré une éternité. Quelqu'un m'a accueillie au Brésil. On m'avait trouvé du travail dans une famille d'immigrants polonais.

Elle s'arrêta, les yeux fixés sur un fil perdu de sa robe.

— Dans la famille de mon frère, ajouta-t-elle. Vous l'avez déjà rencontré.

— Josef Karms.

— J'y suis restée longtemps. Jusqu'à ce que je tombe malade et qu'il me demande de quitter la maison. Je souffrais d'une affection cutanée, et il avait peur pour ses enfants... Je ne lui en ai pas voulu. Il s'est assuré que je ne manquerais pas d'argent. Et je souhaitais d'ailleurs voler de mes propres ailes. Je n'avais encore rien compris, dit-elle d'une voix véhémente. J'ai seulement pensé que j'étais désormais libre.

Ces confidences s'annonçaient particulièrement révélatrices. Malheureusement, Janie se sentit prise de fatigue. Elle n'avait pas mangé depuis qu'elle était descendue de l'avion et elle n'avait pas dormi depuis presque vingt heures. Elle était étourdie, exténuée.

— Je suis désolée, s'excusa-t-elle d'une voix éteinte, en penchant la tête.

Mama vint auprès d'elle et mit pour la première fois une main compatissante sur le bras nu de la jeune femme :

— Ainsi vous attendez un enfant, dit-elle comme s'il s'agissait d'une certitude.

— Non, protesta Janie. C'est seulement que la journée a été très longue.

Il était impossible qu'elle soit enceinte. Pas maintenant. Puis la lumière se fit dans sa tête : elle aurait dû avoir ses règles la semaine précédente. Elle se concentra pour trouver la date. Le vingt et un. Elle avait douze jours de retard. Douze jours. Comment ne l'avait-elle pas remarqué ? Depuis qu'ils vivaient de nouveau ensemble, Paul et elle n'avaient jamais discuté de la possibilité d'avoir un autre enfant. Avant leur séparation, des essais infructueux répétés les avaient amenés, en vertu d'un accord tacite, à éviter d'aborder ce sujet trop douloureux. Elle imaginait maintenant ce qu'il dirait, la joie qu'il ressentirait quand elle lui annoncerait la nouvelle. Son cœur se mit à battre plus vite à cette seule pensée.

Puis elle se demanda comment Mama avait pu le savoir, puisqu'elle-même l'ignorait. Elle porta à son nez la saignée de son bras et reconnut l'odeur si particulière de la grossesse, légèrement plus laiteuse, plus douce. Alors elle sut hors de tout doute que Mama avait raison. Cette odeur était un signe plus sûr que n'importe quel test, plus convaincante que n'importe quel diagnostic médical.

Mama lui offrit un verre d'eau et la regarda le boire :

— Du moins, je le crois, insista-t-elle. Et, cette fois, ce sera différent.

Janie passa la langue sur ses lèvres, tous ses sens maintenant en éveil. Seules Louise et Claudia connaissaient le secret de son avortement. Elle n'en avait jamais parlé à Paul. Pourtant, les inflexions de la voix de Mama montraient clairement qu'elle était au courant non seulement de son état, mais aussi de l'avortement subi quelques mois plus tôt.

Mama posa encore une fois sa main sur son bras. Sa paume était douce et sèche. Janie pensa qu'elle aurait normalement dû éprouver de la répulsion à ce contact. Mais, au contraire, elle y perçut un témoignage particulier d'affection.

Comme si elle avait lu dans ses pensées, Mama déclara d'une voix triste, qui semblait à la fois exprimer ses excuses et ses regrets :

— Nos mains répandent et le bien et le mal, Janie.

Celles de la vieille femme, pensa Janie, avaient achevé un enfant en le tirant au bout de la corde à laquelle il était pendu. Elles avaient par ailleurs adouci l'agonie d'une femme. « Le mal et le bien ne sont séparés que par un fil ténu. C'est l'explication la plus satisfaisante que je pourrai trouver, pensa Janie. Et peut-être la seule. »

Une demi-heure à peine après avoir entretenu des craintes pour sa propre sécurité, Janie découvrit, à sa grande surprise, à quel point elle se sentait bien, dans la douceur du soir, en compagnie de Mama. Elle n'avait pas prévu lui poser la question tout de suite, mais, encouragée par le climat amical qui s'était établi entre elles, elle lui demanda de but en blanc :

— Dites-moi. Le bébé que vous avez donné à Alma Gysemans, au camp de travail, celui à qui vous avez ainsi sauvé la vie, à qui était-il ?

Mama laissa retomber sa main. Elle se leva lentement et retourna s'installer devant le parapet. Elle y resta un bon moment, puis laissa échapper un lourd soupir et revint vers Janie d'un pas mal assuré. Son visage avait perdu toute couleur et elle semblait subitement avoir vieilli de cinq ans. De toute évidence, la question qu'elle venait de poser avait profondément bouleversé Mama. Mais Janie sentit s'établir entre cette femme et elle une communion d'esprit, une complicité, une compréhension peu communes. C'est ce qui lui permit d'insister :

— À New York, quand nous nous sommes parlé dans la cathédrale, vous m'avez dit que vous aviez déjà tenu dans vos bras un enfant mort-né... qui s'était cependant mis à vivre sous vos yeux...

Alors Mama mit son âme à nu. Elle ne cacha rien de ses émotions, de ses pensées les plus intimes, de ses craintes profondes. C'est dans ce climat de confiance absolue que la vérité apparut enfin.

Chapitre quarante-cinq

Dans la chambre 224 d'une baraque militaire, une femme en combinaison de coton blanc était couchée sur son lit. Ses remarquables cheveux étaient attachés en deux épais bandeaux qui, tout en soulignant son extrême jeunesse, accentuaient ses pommettes saillantes. Elle avait une beauté simple et sans raffinement qui n'attirait pas particulièrement l'attention.

La baraque était l'une de celles qu'on avait construites en grand nombre, en Pologne, au cœur des forêts de conifères. C'était une construction tout en longueur, se trouvant à quelque distance des dortoirs des détenus; elle était exclusivement occupée par les troupes polonaises de l'armée allemande. On avait aménagé sous les combles de minuscules chambres basses, à peine plus larges que les lucarnes, réservées aux plus jeunes gardes du camp. La jeune femme qui occupait la chambre 224 se nommait Basia Krolak.

La lumière du soleil pénétrait directement dans la pièce, où régnait maintenant la chaleur étouffante de la fin de l'après-midi. Basia Krolak n'osait cependant pas se lever pour ouvrir la fenêtre, de crainte de faire du bruit et d'attirer l'attention. Trop de gens habitaient cette baraque. Non seulement les gardes du camp, mais aussi les membres des unités de réserve des Waffen-SS stationnées dans le voisinage. Il ne s'y trouvait pas d'officiers de rang supérieur, car ceux-ci étaient logés avec femme et enfants dans des maisons individuelles entourées d'un jardin. Plusieurs des gardes logeant au même étage que Basia étaient des femmes plus âgées et plus expérimentées qu'elle.

Les murs répercutaient le moindre bruit dans ces baraques de construction plutôt légère. Elle pouvait donc parfois entendre les voix des condamnés qui vivaient leurs dernières semaines dans les cellules du sous-sol. On ne disait jamais qui étaient ces détenus, mais elle avait deviné à leurs chants que plusieurs d'entre eux étaient prêtres.

D'autres sons voyageaient aussi. Au petit matin, elle entendait occasionnellement des gémissements de plaisir. On ne semblait pas se préoccuper que les voisins entendent. Peut-être même que cette éventualité augmentait la jouissance. À en juger par les observations salaces qu'elle entendait au petit-déjeuner, elle n'était pas seule à savoir ce qui se passait dans les chambres voisines.

Mais personne, strictement personne, ne devait percevoir les sons qui pourraient s'échapper de sa chambre au cours des heures à venir. Ces dernières semaines, elle s'était plainte de violents maux de tête et elle était allée plusieurs fois à l'infirmerie demander des comprimés d'aspirine, qu'elle n'avait d'ailleurs jamais avalés. Le soir précédent, quand elle avait senti les premières douleurs, elle s'était rendue au bureau pour obtenir l'autorisation de prendre la journée de congé qu'elle avait gagnée heure par heure depuis des semaines. Elle avait ensuite soigneusement fermé sa fenêtre et calfeutré le bas de sa porte avec de vieux vêtements. Maintenant, si elle se tenait bien tranquille, les occupants des chambres voisines pourraient croire qu'elle était sortie. Elle avait verrouillé la porte de l'intérieur, tout en sachant bien qu'il y avait au bureau un passe qui permettrait aux responsables d'entrer s'il y avait lieu. Mais elle croyait cela peu probable.

Elle avait tout planifié avec un soin méticuleux. Elle avait mis de côté des pièces de coton propres qu'elle pourrait couper en bandes. Elle avait en réserve un peu de nourriture : des biscuits, deux pommes et — luxe incroyable — une tablette de chocolat. Elle disposait d'un lavabo, où elle puiserait l'eau pour boire et se laver. Elle n'avait aucune idée du temps qu'il faudrait, mais elle supposait que la naissance d'un premier bébé demandait beaucoup de temps, peut-être même des jours. Mais elle n'avait pas tout ce temps devant elle. Elle devrait faire vite, sinon on découvrirait son secret...

Elle avait eu la bonne idée de se munir d'un bout de câble qu'elle cacha sous son lit. Elle pourrait y mordre quand elle aurait trop mal. Sa grand-mère lui avait déjà dit que c'est ce que faisaient toutes les femmes quand elles passaient par les douleurs de l'enfantement.

Elle avait senti les premières douleurs plusieurs heures auparavant. Des élancements légers qui disparurent complètement. Elle ne savait pas trop à quoi s'attendre par la suite. Elle avait passé des heures à somnoler et à se morfondre. Une mouche bourdonnait contre la fenêtre de la chambre surchauffée quand elle sombra dans un lourd sommeil. Alors que ses muscles se relâchaient, sa main s'ouvrit et laissa tomber sur le drap blanc le mince collier de perles de verre qu'elle serrait dans ses doigts.

Des douleurs atroces la réveillèrent. Elle se sentit déchirée de part en part; il lui semblait que ses os se disloquaient un à un. Elle était en nage. Sa propre odeur de transpiration envahissait son odorat. Elle serra les mâchoires, elle enfonça ses ongles dans ses paumes pour provoquer une douleur qui lui ferait oublier l'autre.

Sa méthode lui parut efficace, car ses muscles se détendirent peu à peu. Soulagée, elle ouvrit les yeux et constata, d'après l'obscurité qui régnait dans la chambre, qu'elle avait dû sommeiller durant des heures. Elle s'assit, s'appuya contre son oreiller et souleva sa combinaison. Pendant sa grossesse, elle n'avait pas osé se regarder, comme si elle avait voulu nier son état.

Au cours des dernières semaines, cependant, le bébé lui avait imposé sa présence. Il n'était plus possible maintenant de l'ignorer. L'enfant bougeait beaucoup et ses mouvements énergiques la réveillaient la nuit.

Sur le point d'accoucher, elle caressait le monticule qu'était devenu son ventre. Des fibrillations faisaient onduler la surface tendue de sa peau. Elle examina ses seins pleins et ronds, marbrés de veinules bleues. Avant sa grossesse ils étaient petits et fermes comme des citrons. C'est ce qu'il lui disait, en les tétant.

Au bout d'un certain temps, elle glissa une main entre ses cuisses, espérant sentir ce qui s'y passait. Son sexe lui parut gonflé, distendu et gluant. Elle ramena sa main et vit que ses doigts étaient tout luisants d'humidité : elle en conclut qu'elle avait dû perdre ses eaux.

Elle sentit alors venir la contraction suivante. Cela commença tout doucement, au plus profond de ses entrailles. Elle respira calmement, refusant de reconnaître la peur qu'elle ressentait. Une douleur de plus en plus aiguë s'enfla et devint bientôt intolérable.

Elle mordit énergiquement dans le chanvre pour assourdir ses cris. Le câble poussiéreux lui asséchait la bouche et elle eut bientôt terriblement soif. De toute sa vie, elle n'avait jamais éprouvé un besoin aussi aigu. Le lavabo se trouvait malencontreusement à l'autre extrémité de la chambre. Elle se leva en soutenant de ses mains son ventre endolori et traversa péniblement la distance qui la séparait du lavabo. Épuisée, elle s'agrippa au robinet et vomit.

La contraction suivante la surprit avant que ses haut-le-cœur soient terminés. La douleur était tellement forte que Basia se laissa crouler sur ses genoux. Elle tremblait de fatigue. Elle devait s'allonger sans tarder, sinon elle tomberait. Elle se laissa glisser sur le plancher, où elle se retrouva étendue sur le côté gauche. Elle ne pouvait plus se mouvoir sur cette surface dure et inconfortable, et son lit lui semblait aussi loin que la lune. Il lui apparut alors qu'elle méritait ce qui lui arrivait. Rien ne pourrait la soustraire à son destin. Cet enfant naîtrait, quoi qu'elle fasse. Sans qu'elle ait pu le prévoir, elle se mit à sangloter sans retenue, faisant fi des mesures de prudence qu'elle s'était imposées. Heureusement pour elle, le hasard voulut qu'à cette heure l'étage où elle logeait soit complètement désert. Il ne s'y trouvait donc personne pour entendre les sanglots qu'elle était incapable de contrôler.

Elle avait écarté les jambes pour lui avec le sans-gêne d'une putain et, plutôt que de se faire payer, elle lui avait accordé son amour.

Au début, il avait été apparemment indifférent à ses approches maladroites. Les soldats allemands estimaient qu'ils appartenaient à l'élite et, pour cette raison, ils méprisaient les conscrits des pays occupés. Ces gens, pensaient-ils, ne pouvaient pas devenir d'authentiques nazis. Basia était persuadée qu'il partageait cette opinion, mais elle dut bientôt admettre qu'elle se trompait. Son comportement distant était dû à une extrême et maladive timidité. Ce complexe, déjà sérieux dans son enfance, avait atteint un niveau pathologique.

Avant la guerre, il était professeur de sciences naturelles à Hambourg, sa ville natale. Il s'était volontairement enrôlé pour joindre les rangs de l'*Afrika Korps* de Rommel. Au bout de dix-huit mois, il avait été grièvement blessé. Une fois rétabli, il s'était retrouvé parmi les effectifs militaires des camps de concentration. Il avait peu à peu pris conscience de la vraie nature du rôle qui lui était confié. Sans doute parce qu'il était plus âgé, plus mûr et plus instruit que les autres, il remettait en question le credo nazi. Il croyait que les nations, tout comme les individus, se rendaient parfois coupables d'actes méprisables. C'était un homme de science. C'est pourquoi il ne pouvait admettre que la nature produise des êtres intrinsèquement mauvais. Cette théorie contredisait les lois de l'évolution. Il en vint à se mépriser lui-même et à mépriser ses chefs, parce que ses actions démentaient ses convictions. Il n'en continuait pas moins cependant à traiter les gens qu'il était chargé de surveiller comme des déchets de l'humanité.

Bien qu'au début de la trentaine, il était aussi gauche qu'un adolescent. Il avait le dos légèrement voûté, une calvitie naissante qui n'empêchait pas une mèche foncée de tomber négligemment sur son front. Avant qu'il soit blessé au cours de la campagne d'Afrique, le mince écart entre ses incisives centrales faisait valoir la régularité de ses traits. Depuis, il osait à peine se regarder dans le miroir en se rasant. Il avait maintenant deux profils : le gauche, normal, et le droit, hideusement défiguré, la peau décolorée luisant sur la pommette d'une joue durement abîmée par sa blessure. À quoi il fallait ajouter les cicatrices livides de ses horribles brûlures au cou, que le col noir et argent de son uniforme ne réussissait pas à cacher entièrement.

Elle était vierge lorsqu'ils s'étaient rencontrés et elle s'imaginait qu'il était l'homme le plus extraordinaire de l'univers. Il avait été surpris qu'elle le distingue, parce qu'il avait presque le double de son âge et qu'il était déjà marié. Il ne devina pas que c'était justement ces atouts qui procuraient à cette jeune personne un sentiment de sécurité. Comme beaucoup de timides, il préférait la compagnie des jeunes filles à celle des femmes de son âge. Il était donc à l'aise avec elle et il se plaisait à écouter son bavardage. C'est d'ailleurs elle qui avait montré le plus de passion, qui lui avait envoyé des billets doux, qui l'avait poursuivi de ses avances. Comme il leur était très difficile de se retrouver ensemble, leur désir s'en trouva exacerbé.

De son côté, des blessures morales le torturaient plus encore que sa chair meurtrie. Il se trouvait hideux, il avait perdu son assurance sexuelle. Il maudissait ce qu'il était devenu. Il lui fallut des mois avant d'admettre que ce n'était pas la pitié qui attirait la jeune fille.

Leur liaison se détériora rapidement. Tout d'abord, il découvrit qu'elle n'était qu'une adolescente de dix-sept ans qui avait menti sur son identité après avoir fui sa famille. De son côté, il se retrouvait très loin de sa femme et de ses enfants. Basia et lui souffraient donc tous deux de solitude et c'est peut-être la vraie raison qui les avait rapprochés.

Il la vit changer progressivement durant les quelques mois que dura leur relation amoureuse. Il avait remarqué qu'elle accomplissait son travail avec compétence et rigueur. Elle affichait souvent un air fatigué et renfrogné; elle restait constamment sur ses gardes. Avec lui cependant, elle était douce, elle s'épanouissait.

Elle avait traversé les étapes de sa formation militaire et assimilé l'endoctrinement politique avec un succès qu'il avait été loin d'atteindre. Il ne pouvait toutefois pas lui reprocher de s'être laissé intoxiquer : quand on l'avait envoyée à Matzkau, elle n'avait que quinze ans.

Les jeunes recrues vivaient entassées dans des baraques d'une malpropreté repoussante, sous la surveillance constante de gardiens SS. Ces nouveaux soldats étaient durement initiés au métier des armes tout au long de la journée, qui commençait dès cinq heures. Les femmes elles-mêmes devaient ramper sur le sol en s'aidant de leurs coudes. Alors que les SS responsables de l'entraînement mangeaient bien et ne manquaient ni de viande ni de légumes, les recrues mouraient presque de faim et de froid.

Comment la blâmer si, une fois de retour en Pologne après des mois d'un tel régime, elle avait servi la même médecine aux prisonniers? Mais sa hargne le troublait. Un jour, alors que les gardiens avaient rassemblé tous les prisonniers pour qu'ils assistent à une pendaison collective, il avait observé ses réactions du début à la fin. Les corps qui se tordaient au bout de leur corde l'avaient apparemment laissée indifférente.

Une autre fois, il l'avait vue frapper du revers de sa main gantée le visage d'une vieille femme épuisée. La malheureuse s'était écroulée au sol. Il avait déjà été témoin d'actes de brutalité cent fois pires, mais la froide violence de sa maîtresse, ce jour-là, l'avait blessé autant que s'il avait vu sa propre fille se comporter ainsi.

Il avait essayé de lui faire voir la cruauté inutile de sa conduite. Quand ils se trouvaient seuls ensemble, il lui parlait avec le sérieux et l'autorité qui lui venaient de sa profession d'enseignant. Il lui avait expliqué comment ils se trouvaient entraînés dans les rouages d'une politique fondée sur la haine. Il tentait de lui faire comprendre que le destin de chaque individu est important; que les hommes et les femmes ne sont ni la propriété ni les esclaves de personne; que les prisonniers politiques avaient les mêmes droits humains qu'elle et lui; que personne n'avait droit de vie ou de mort sur son prochain.

Les convictions morales de son amant étaient difficiles à concilier avec l'enseignement qu'elle avait reçu en Allemagne. Elles contredisaient tous les principes qui dictaient sa conduite : la racaille criminelle et sans morale qui se trouvait derrière les barbelés viciait tout ce qu'elle touchait. Le traitement qu'on infligeait à ces gens était nécessaire et mérité. Elle travaillait à implanter la nouvelle idéologie et, pour réussir, elle devait elle-même avoir la force et l'efficacité d'une lame forgée dans le plus pur acier. Elle devait se vouer corps et âme à l'idéal proposé par le führer.

Elle savait qu'il courait un risque en lui tenant ces propos, tout comme elle s'exposait au danger en les écoutant. Parce qu'elle l'aimait et l'admirait, elle essayait toutefois de se convaincre qu'il avait raison.

Inconfortablement installée sur le plancher de sa chambre, elle se rappelait le temps où son corps avait volontiers servi d'oreiller au père de cet enfant encore à naître.

Le couvert des pins assurait leur intimité ; son arme posée sur le sol garantissait leur sécurité. Ils se dévêtaient l'un l'autre avec une tendresse mêlée d'avidité. Il avait honte de son corps brûlé et il avait mis beaucoup de temps avant d'accepter qu'elle touche ses vilaines plaques violacées. « Je vais te guérir, lui promettait-elle. Je vais faire disparaître ces cicatrices. » Il se surprenait à y croire presque, tellement elle paraissait sûre de ses pouvoirs.

Il finit par lui apprendre, bribe par bribe, ce qui lui était arrivé au désert. Il décrivit pour elle les convois de tanks en feu, il lui raconta l'agonie des soldats dévorés par les flammes qui continuaient de crier jusqu'à ce que la mort les délivre enfin. Elle était la seule à qui il pouvait parler de cet enfer.

Bras et jambes entremêlés, ils parvenaient à la communion parfaite de leurs corps. Ils murmuraient des mots qui n'avaient de sens que pour eux et se laissaient emporter par leur délire amoureux.

Il l'écrasait sous son poids, mais elle l'accueillait avec ferveur, elle jouissait de l'intense silence qui accompagnait l'acte. Il lui confia, une fois, que toutes les femmes avec qui il avait fait l'amour avaient toujours crié avec force. Ce n'était pas son cas à elle : elle se cambrait sous lui et, quand il la pénétrait, elle fermait hermétiquement les yeux pour ne rien laisser échapper de son plaisir.

Elle s'épanouissait dans ses bras. Au cours de cette brève période, elle embellit de façon remarquable. Ce qui, pour lui, n'était au début qu'un plaisir furtif, devint une véritable passion. Il était désormais obsédé par les humeurs, les silences, les sourires aussi enchanteurs que spontanés de sa jeune maîtresse. Il aimait son corps long, blanc et robuste allongé sur les aiguilles de pin, l'étonnante masse de ses cheveux roux tout imprégnés de son odeur, l'intense luminosité de ses yeux après l'amour.

Chapitre quarante-six

Pendant longtemps, elle ne se douta pas qu'elle était enceinte. Le travail au camp était exténuant et ses règles avaient toujours été irrégulières. Sa mère lui avait dit que c'était normal, parce qu'elle n'avait que la peau et les os. Cette fois, après un retard de trois mois, elle avait saigné un peu, puis elle avait cessé de s'inquiéter. De toute façon, il se retirait toujours avant d'éjaculer, de sorte qu'elle se croyait protégée.

Quand elle se rendit compte qu'elle ne pouvait plus attacher la ceinture de sa jupe d'uniforme, elle était enceinte de quatre mois. Trop tard, elle le savait, pour tenter d'expulser le fœtus, ce qui ne l'empêcha pas cependant d'essayer. Les bains chauds ne donnèrent pas le résultat escompté. Elle subtilisa une bouteille de schnaps qu'elle vida d'un trait, mais elle ne réussit qu'à se rendre malade. Elle avait entendu parler de plantes servant à concocter des potions abortives, mais elle n'avait aucune idée desquelles il pouvait s'agir.

Un après-midi, elle le mit au courant de sa grossesse. Il faisait si froid que, pour éviter de s'étendre sur le sol gelé, ils avaient sorti la banquette de la jeep. Ils avaient gardé la plus grande partie de leurs vêtements. Il souleva sa jupe et posa sa joue sur la légère protubérance de son ventre, juste au-dessus de la toison dorée de son pubis. « Tu es en train de devenir une grosse bonne femme. Je devrai trouver une fille plus jeune. » Elle s'était alors empressée de lui annoncer la nouvelle. La révélation qu'elle lui avait faite resta suspendue dans l'air pendant ce qui lui avait paru une éternité.

C'était un homme faible. Ni cruel ni indifférent, seulement faible. Et elle venait tout juste de s'en aviser. Il était plus âgé, mieux renseigné, d'un rang supérieur au sien. Son profil gauche si énergique le faisait paraître fort, invincible. Mais ce n'était qu'une apparence. Elle se rendait compte seulement maintenant qu'il était habité par la peur. C'est pourquoi il parlait avec autant de conviction des droits de l'homme, tout en continuant par ses actions à priver de leurs droits des milliers de personnes innocentes. Moralement, c'était un poltron. Elle ne pourrait jamais compter sur lui, surtout pas maintenant.

Il ne voulut même pas entendre parler du bébé : il avait déjà trois enfants. Et une épouse qu'il se rappela soudain. Il fit valoir à Basia qu'un homme dans sa situation...

Les oreilles de la jeune fille restaient fermées aux raisons qu'il invoquait. Elle rajusta ses vêtements pendant qu'il la priait d'être raisonnable et de se comporter comme une adulte. Il jurait en rentrant le pan de sa chemise dans son pantalon. *Gott in Himmel,* elle devait se résigner à se débarrasser du bébé.

— Non, dit-elle en secouant la tête. Il est trop tard, ma grossesse est trop avancée. Je pourrais en mourir.

La peur allumait dans les grands yeux de Basia une étrange lueur. Pendant un moment elle le vit hésiter et crut qu'il se raviserait. Mais il lui dit, plutôt froidement :

— Dans ce cas, tu dois retourner chez ta mère.

— Il faudrait d'abord que je puisse quitter l'armée, répondit-elle avec mépris. Et il faudrait aussi que ma mère vive encore et accepte de m'accueillir. Et surtout, il faudrait que je veuille retourner à la maison.

Il réinstalla la banquette dans la jeep et ils rentrèrent au camp. Ses mains étaient crispées sur le volant tandis qu'il conduisait sans dire un mot. Juste au moment où les miradors apparurent à un tournant, il laissa tout simplement tomber :

— Il faut donc nous dire adieu.

Elle ne trouva rien à lui répliquer, mais elle savait qu'ils se séparaient pour toujours. Comme d'habitude, elle descendit avant qu'ils atteignent l'entrée du camp, pour faire seule à pied le dernier bout de route. Il ne fit aucun geste pour la retenir. Il la regarda s'éloigner sur la route enneigée construite de leurs mains nues par les prisonniers qu'ils étaient l'un et l'autre chargés de surveiller.

Dix jours plus tard, il quitta le camp. Elle n'essaya pas de connaître sa nouvelle affectation. Elle continua comme d'habitude à s'acquitter de ses tâches quotidiennes. Elle s'était interdit de penser à son état et de penser à lui.

La veille, elle avait ressenti les premières douleurs. Des heures s'étaient écoulées, lui avait-il semblé, avant qu'elles se dissipent tout à fait. Puis elles étaient revenues, atroces, insoutenables. Elle gisait sur le sol, en restreignant le plus possible ses mouvements, parce que ses muscles, ses tendons, ses os la faisaient intensément souffrir. Elle se sentait déchirée de part en part et elle était déshydratée. Elle avait l'impression que le travail avait déjà trop duré, que les choses étaient en train de se gâter. Elle sentait la mort rôder autour d'elle.

Elle savait qu'elle devait pousser pour expulser le bébé, mais elle voulait le retenir à l'intérieur d'elle. Elle avait occulté sa grossesse durant tous ces longs mois et, maintenant qu'elle était parvenue à son terme, elle regrettait de n'avoir pas été attentive à ce petit être qui se formait dans son sein. Pour l'empêcher de sortir, elle contractait tous ses muscles. Mais ses efforts étaient inutiles : le bébé était sur le point de naître. Elle haletait lourdement comme un animal pris au piège. Elle avait mal. Une contraction irrépressible, puissante, lui arracha un long cri strident, sauvage, qui la saisit elle-même.

Le bébé était là.

Elle se souleva sur ses coudes et vit apparaître la tête entre ses cuisses. Puis les épaules émergèrent après une autre contraction douloureuse. C'est alors qu'elle aperçut l'épais cordon violacé autour du cou de l'enfant, dont les paupières mauves restaient fermées. Le petit corps inerte lui rappelait un oisillon mort.

Mamusia! Mamusia! murmurait une voix accusatrice.

Oui, c'était sa faute parce que, depuis des mois, elle comprimait son ventre dans ses jupes étroites. Elle n'avait pas accepté sa grossesse, elle avait souhaité détruire cette vie qui s'épanouissait en elle.

Et pourtant, aujourd'hui, elle désirait désespérément que son enfant vive.

Pendant un long et terrible moment, un autre visage se superposa à celui de son enfant. Elle revit les yeux révulsés du jeune garçon qui se débattait au bout de sa corde, elle entendit de nouveau le bruit rauque qui s'échappait de sa gorge, dans un effort ultime pour respirer. Elle n'avait pas pu le secourir. Serait-elle aussi impuissante à sauver son propre enfant?

Elle tâtonna frénétiquement pour essayer de détendre le cordon enroulé autour de la gorge du bébé. Elle avait besoin de ciseaux pour le couper. Elle fit un effort surhumain pour s'agenouiller sans blesser le bébé maintenant dégagé jusqu'à la taille et allongea la main jusqu'au rebord du lavabo où elle les avait laissés, puis se laissa retomber sur le sol.

Quand elle eut cessé de trembler, elle donna un coup de ciseaux dans la bordure de dentelle de sa combinaison et l'arracha d'un seul coup. Elle en fit un garrot autour du cordon, le plus près possible de l'ombilic, et entreprit de le couper. Les ciseaux étaient malheureusement trop petits pour le trancher rapidement. Elle eut alors l'idée d'utiliser une lame comme elle l'aurait fait avec un couteau : le cordon céda enfin. Le sang gicla beaucoup plus abondamment que prévu, mais les pulsations ne cessèrent pas pour autant.

Elle déroula nerveusement le cordon, puis voulut vérifier si l'enfant vivait, mais une autre douleur la surprit et les hanches finirent par passer. Il était enfin sorti.

La peau bleuâtre faisait paraître plus inquiétante encore la rigidité du petit corps. Elle prit l'enfant dans ses mains, trop effrayée pour oser autre chose. C'était un garçon, beaucoup plus petit et fragile que la poupée qu'on lui avait offerte lorsqu'elle était enfant.

Elle s'appuya contre le mur et serra étroitement contre elle le bébé, qui ne donnait aucun signe de vie. Il était sans doute mort, et elle ne pouvait s'y résigner. Seule dans cette chambre obscure, alors qu'elle était totalement démunie, elle trouva de façon instinctive les gestes qu'il fallait faire. Elle mit la tête molle sous son menton, plaqua une main contre le dos fragile et l'autre sous le petit derrière. Toute douleur disparut et une chaleur bienfaisante se répandit en elle.

Elle eut l'impression que chaque cellule de son corps était chargée d'une énergie sauvage et d'une mystérieuse puissance. Jamais elle n'avait éprouvé pareille sensation. Elle n'avait pourtant pas prié, car elle n'aurait pas su comment. Mais une impulsion profonde, obscure et primitive la guidait. Elle perdit conscience d'elle-même, comme si son âme s'était échappée.

Elle ne pouvait pas savoir qu'elle se retrouverait dans cet état de nombreuses fois au cours de sa vie. Elle y entrerait invariablement de la même façon, sans avertissement, sans qu'elle l'ait voulu, sans qu'elle puisse offrir la moindre résistance.

Juste à cet instant, l'enfant bougea de façon convulsive sur son sein. Osant à peine respirer, elle se pencha pour le regarder, toucha ses doigts minuscules, qui se crispèrent immédiatement autour des siens. Puis le bébé ouvrit la bouche et bâilla. Il vivait ! Elle versa alors des larmes de bonheur, de gratitude et d'épuisement.

Pendant dix interminables minutes, elle craignit d'accoucher d'un second bébé. Mais elle n'évacua qu'une masse spongieuse de la grosseur d'un foie, au centre de laquelle était attaché le reste du cordon ombilical. L'idée d'avoir eu cette chose repoussante à l'intérieur de son corps — le placenta était pour elle une réalité insoupçonnée — lui répugna et l'inquiéta, parce qu'elle craignit d'avoir perdu une partie vitale de son organisme.

Elle s'accorda un peu de repos. Quand sa montre indiqua neuf heures, elle fit l'effort de se lever. Elle flageolait sur ses jambes. Elle sentit de la raideur dans son dos, dans ses épaules et dans son cou. Mais le temps pressait : elle devait se hâter. Elle déposa le bébé sur le lit et le nettoya du mieux qu'elle put à l'eau froide du robinet. Le bébé pleura pour la première fois. Elle lui passa une robe informe qu'elle avait cousue dans le tissu moelleux d'une vieille chemise de nuit. Elle l'enveloppa ensuite dans un morceau de couverture, trempa un coin de drap dans l'eau et le lui donna à téter. Elle entendit alors un énergique bruit de succion qui l'étonna.

Elle but elle-même deux verres d'eau pour étancher sa soif. Trop rapidement : elle vomit presque aussitôt.

Elle lava ensuite le sang sur ses cuisses. Le siège du plaisir, avait-il coutume de dire. Elle se promit de ne jamais plus coucher avec un homme. Du moins pas si elle devait revivre pareille expérience. Elle laissa couler l'eau fraîche et apaisante sur son corps. Elle glissa ensuite une serviette entre ses jambes et la maintint en place avec une petite culotte bien ajustée. Son ventre était aussi gros que si le bébé s'y était encore trouvé. Elle essuya les ciseaux tachés de sang. Puis elle s'agenouilla pour faire disparaître toute trace de sang et de mucus sur le plancher.

Elle enveloppa le placenta dans un chiffon. Comme la masse semblait trop grosse pour la jeter dans les toilettes, elle l'enroula dans le drap taché et l'enfouit dans sa valise, qu'elle poussa sous la penderie. À la première occasion, elle le jetterait dans la grande lessiveuse à l'extérieur de la baraque.

Puis elle enfila ses épais bas gris et sa jupe d'uniforme. Elle chaussa péniblement ses bottes, endossa son chemisier et son blouson, puis les boutonna avec ses doigts tremblants.

Elle s'examina ensuite dans la glace. Elle reçut un choc : la fièvre colorait son visage blême; la fatigue agrandissait ses yeux; la sueur avait plaqué ses cheveux contre son crâne: elle trouva à peine la force d'y piquer les deux épingles qui les maintiendraient en place sous sa casquette.

Elle enveloppa le bébé dans une de ses jupes d'uniforme et le cala sous son bras. Elle s'obligea à respirer normalement et sortit.

Puis elle revint sur ses pas et s'enferma encore une fois dans sa chambre. Elle s'agenouilla à côté de son lit et défit délicatement le paquet. Elle contempla avidement ce fils, qu'elle ne reverrait plus jamais. La peau fripée et toute rose était tendue sur des os minuscules. Un duvet blond recouvrait le crâne du nouveau-né. Le petit corps nu tremblait de froid sur le drap gris.

L'enfant était de toute évidence un mâle. Les testicules, dans leur bourse diaphane, ainsi que le pénis paraissaient hors de proportion avec le reste de son corps, comme si le sexe était l'attribut le plus important de sa personne.

Elle l'enroula dans le châle de fortune, en prenant soin de bien lui couvrir la tête. Elle sourit au visage fripé et à l'amusante petite bouche ramassée en avant comme celle d'un vieillard. Elle posa tendrement son index sur sa joue, ce qui lui fit, crut-elle, ouvrir les yeux.

Elle reconnut alors les yeux du père. Non seulement leur couleur — les nouveau-nés n'avaient-ils pas tous les yeux bleus? —, mais aussi la paupière supérieure légèrement bridée qui lui donnait l'air malicieux. Elle en eut le souffle coupé, comme si l'homme s'était soudain trouvé dans la chambre avec eux. Elle regarda l'enfant plus attentivement. Il n'était né que depuis un quart d'heure à peine et, pourtant, la même lueur d'intelligence brillait dans ses yeux, qui ne voyaient sûrement pas encore.

Juste après onze heures, Basia Krolak descendit l'escalier. Chaque pas ravivait sa douleur. Quand elle ouvrit la porte du mess, elle fut assaillie par le bruit et par la fumée de cigarette. Un sergent qui sortait passa tout près d'elle sans même lui jeter un regard et se hâta vers l'urinoir, les doigts défaisant déjà les boutons de sa braguette. Il ne l'avait même pas vue.

Elle quitta la baraque sans attirer l'attention et se dirigea vers les dortoirs des prisonniers. Elle portait son colis sous le bras droit. Elle s'efforçait de marcher de façon déterminée, comme si elle allait prendre son quart de travail. Elle s'arrêta plusieurs fois pour les contrôles d'identité. Un de ses collègues polonais la salua : « *Czy Jest spok oj?* » Est-ce que tout va bien? « *Tak* », se contenta-t-elle de répondre.

Quand elle fut certaine d'être hors de vue de son compatriote, elle ouvrit la porte d'un des grands dortoirs. L'air vicié de la nuit, auquel s'ajoutaient la puanteur des latrines rudimentaires et l'odeur fétide d'un grand nombre de corps mal lavés, la prit à la gorge.

D'une voix dure et autoritaire, elle appela le numéro matricule d'Alma Gysemans.

Chapitre quarante-sept

Une fois rentrée dans sa chambre d'hôtel, ce soir-là, Janie téléphona à Bruxelles :

— Vous avez toujours su que le bébé était celui de Mama, n'est-ce pas ? Mais vous m'avez toujours caché qu'elle était la mère de Karel.

Le silence, à l'autre bout du fil, était accentué par la distance.

— Oui. Vous devez me pardonner mon manque de franchise.

L'honnêteté toute simple de cette excuse fit sourire Janie. Elle n'en devina pas moins la tristesse qu'elle masquait. Ce qui ne l'empêcha pas d'essayer d'en savoir plus :

— Vous vous inquiétez tellement pour Karel. Mama aurait pu vous éclairer. Le père...

— Non ! l'interrompit rudement Alma. Je ne veux recevoir rien d'autre de cette femme. Rien, vous m'entendez ?

Elle avait presque hurlé. Cette colère soudaine, chez une femme aussi pondérée, était étonnante :

— Quel parti pourrais-je tirer des révélations terribles qu'elle me ferait ? Qu'arriverait-il à mon Karel si elle lui assénait une vérité qu'il ne pourrait pas supporter ? Qu'est-ce qui se passerait alors ?

Janie n'osait répondre. Elle avait encore présentes à l'esprit les confidences de Mama, qui semblait encore terrifiée par les malédictions d'inspiration biblique que proférait sa mère dans son délire.

Janie dut admettre une fois de plus que l'intuition d'Alma Gysemans était sûre. Elle ne voulait rien savoir des origines de

Karel. Elle refusait qu'on risque de lui donner d'autres raisons de craindre une hérédité tarée. Elle craignait qu'une telle révélation les éloigne, elle et celui qui était à tous points de vue, sauf par le lien du sang, son fils chéri.

Janie avait été profondément touchée par la douleur d'Alma, qui lui avait décrit comment on lui avait arraché des bras son propre fils. Le visage torturé de la pauvre femme et les mains posées sur ses yeux, comme pour échapper à une vision d'horreur, surgissaient souvent dans son esprit. Elle comprit soudain que c'était elle qui avait organisé sa rencontre avec Dante, à Bruxelles. C'était la seule explication possible de ce mystérieux rendez-vous.

Cette Alma Gysemans dont elle avait fait connaissance lors d'un voyage en avion, cette veuve âgée aux manières raffinées, profondément attachée au fils qu'on lui avait donné dans un camp de travail cinquante ans plus tôt, ne voudrait pas que le passé coupable de Mama soit exposé au public. Elle voulait éviter que le rapport de filiation entre Karel et la femme universellement connue puisse être découvert.

Mais il y avait une autre Alma Gysemans, celle à qui on avait enlevé ses enfants, qui avait longtemps souffert dans ce camp où tant d'autres étaient morts, l'épouse qui avait vu revenir son mari physiquement et psychologiquement brisé. Celle-là ne pouvait pas rester impassible pendant qu'une journaliste encensait Mama.

Janie ressentit un immense soulagement. Si elle avait écrit la biographie de Mama, elle aurait été obligée de dire toute la vérité et de dévoiler ses crimes.

Mais Janie devait se rendre à l'évidence. La vérité n'était pas seule en cause. En levant le voile sur le passé de Mama, elle aurait détruit les espoirs et peut-être brisé la vie de tous ces gens qui dépendaient d'elle ou de l'ordre du Calice des vignes du Père. Si Janie avait divulgué ses antécédents, six mois plus tôt, la vieille itinérante que Mama avait consolée et soutenue dans le refuge de l'*East End,* serait probablement morte dans les rues de Londres. Et un jeune homme aurait probablement fini ses jours sans jamais recouvrer l'usage de la parole.

Il y avait encore beaucoup de choses que Janie aurait dû taire. La véritable identité de Mama, par exemple. Trop de personnes l'ayant connue au camp polonais ou au cours des années antérieures se souviendraient de Basia Krolak ou de Petit Ange. Elle aurait aussi dû garder le secret sur la naissance du fils de Basia, pour empêcher qu'on puisse le retracer, comme elle l'avait accidentellement fait elle-même.

Elle se serait d'ailleurs sentie incapable d'apprendre au monde, même par les plus vagues insinuations, que cette femme universellement honorée du titre de Mama était aussi une mère naturelle. Ce n'est pas pour protéger Mama que Janie aurait caché ces faits cependant. Cette femme de plus de soixante-dix ans, se serait-elle dit, était bien différente de la jeune fille sans expérience qui s'était retrouvée gardienne dans un camp de travail nazi. Elle se serait alors astreinte à la discrétion pour épargner deux personnes innocentes : un homme de nationalité belge, au début de la cinquantaine, dont l'équilibre mental était déjà précaire, ainsi que la femme qu'il connaissait et aimait comme sa mère.

Chapitre quarante-huit

La faible bruine qui tombait au début de la journée avait cessé vers dix heures. Des gradins avaient été installés presque au sommet d'une colline peu élevée située juste à l'extérieur de la ville d'Hébron. Sur un espace plat, on avait installé deux grandes tables devant lesquelles les représentants désignés de chaque partie s'installeraient pour signer le traité. Derrière, deux larges drapeaux pendaient en attendant qu'un peu de vent souffle.

Le choix du site était symbolique, car l'endroit avait été déclaré territoire neutre. Dans quelques minutes, les chefs d'État israélien et palestinien se serreraient publiquement la main et signeraient le pacte depuis longtemps attendu par les deux peuples. L'entente avait été élaborée par plusieurs équipes de négociateurs et le texte final n'avait été arrêté que trois heures auparavant. Il y aurait par la suite de nombreuses signatures à apposer, en dehors des fastes officiels, dans les ambassades ou les bureaux gouvernementaux.

Au cours des négociations, les deux parties avaient été conseillées par des équipes d'experts venus de divers pays. C'est pourquoi, à part les représentants officiels des Jordaniens et des Israéliens, on comptait parmi les invités des diplomates mandatés par l'Égypte et la Syrie. Les médiateurs américains ayant pris part aux interminables négociations préliminaires étaient aussi présents. Il y avait aussi des représentants de la France, de la Grande-Bretagne et de la Suède.

Tous les intéressés admettaient que cet accord, auquel on était finalement parvenu après des années de promesses violées par les deux parties, ne se serait jamais matérialisé sans l'intervention de Mama.

Janie trouva une place parmi les quelque cent cinquante ministres, conseillers politiques, observateurs internationaux et journalistes accrédités. L'excitation, entretenue par les fébriles espérances que suscitait cet événement historique, était à son comble. Des douzaines d'équipes de cameramen étaient installées de façon à bien capter les mains qui apposeraient les signatures. Les éclairs de magnésium crépitaient déjà; les reporters des télévisions internationales étaient postés à des endroits stratégiques d'où ils pourraient guider les caméramen.

Même en ce jour où leurs chefs allaient sceller une entente entre leurs deux communautés, Arabes et Juifs étaient regroupés chacun de leur côté, derrière les tribunes officielles. Des écoliers accompagnés de leurs maîtres étaient venus assister à cette cérémonie historique. Quelques étudiants portaient des bannières. Janie repéra, dans la foule des Israéliens, des jeunes à la peau claire qui portaient le long manteau de soie noir, le chapeau rond et les bouclettes des Juifs de stricte observance.

Un policier palestinien essaya vainement de faire avancer un groupe indiscipliné et bavard de femmes arabes venues avec leurs enfants qui, pour la plupart, n'étaient pas d'âge scolaire. Un policier palestinien, vêtu de l'uniforme olive et du béret, les avait refoulées par deux fois, mais elles étaient revenues. Au cours des derniers jours, il y avait eu recrudescence des troubles à Hébron : Israël n'avait pas encore restitué aux Palestiniens les parcelles de terre qu'on leur avait promises; les Israéliens continuaient de contrôler le centre de la ville. Malgré tout, en cette matinée, l'atmosphère était à l'espoir, et le policier semblait enclin à l'indulgence.

Janie nota qu'une toute petite fille et un garçonnet d'environ cinq ans s'étaient éloignés des autres. Le garçon, avec de larges gestes, poussait un tank miniature dans la poussière en imitant le bruit d'un moteur. La fillette le regardait en suçant son pouce. Ils jouaient dans le large corridor créé d'un côté par les policiers palestiniens et, de l'autre, par les soldats israéliens.

L'attention de Janie fut détournée des enfants par l'arrivée du premier ministre d'Israël, saluée par les applaudissements de son peuple. C'était un sabra, c'est-à-dire un Israélien d'origine. Il était petit, toujours en mouvement, et paraissait plus jeune que ses quarante-deux ans. Ses cheveux clairs et bouclés, qui commençaient à se faire plus rares, attiraient sur lui l'attention alors que, encadré par deux gardes du corps à la carrure imposante et aux yeux perçants, il avançait vers son fauteuil. Le président venait immédiatement derrière lui. C'était un homme brun et costaud, usé par une vie mouvementée qui l'avait amené de l'Europe de l'Est au kibboutz. Pour l'occasion, ils avaient l'un et l'autre troqué la chemise à manches courtes et à col ouvert, habituellement endossée par les politiciens israéliens, au profit de l'habit.

Le leader palestinien, un homme trapu et d'apparence imposante, avait posé sur sa tête le *shmaq* à carreaux bien connu. Pour montrer sa bonne volonté, il avait suivi le conseil de Mama et portait aussi, pour la première fois en public, costume de ville et cravate. Il avait mis de côté, pour la circonstance, la tenue de combat et les lunettes noires grâce auxquelles on le reconnaissait dans le monde entier. Aux yeux de ses partisans, il manifestait ainsi ses bonnes dispositions d'une façon qui valait n'importe quelle signature. Juste à côté, la main fraternellement posée sur l'avant-bras du leader palestinien — et de façon soigneusement calculée — marchait le nouvel envoyé spécial américain au Moyen-Orient. C'était un géant, manifestement bien nourri, qui resplendissait de santé et de confiance en soi.

Le roi Hussein de Jordanie, qui accusait maintenant son âge, avançait avec sa dignité coutumière. Mama, visiblement plus grande que lui, l'accompagnait. Elle paraissait plus mince que jamais et sa robe crème accentuait sa pâleur. Plusieurs gardes du corps veillaient sur elle à proximité.

Janie, comme tous les autres, avait les yeux rivés sur ces personnalités réunies au sommet de la petite colline. Il était impossible d'entendre les propos qu'elles s'échangeaient, mais le langage du corps permettait de voir avec quelle déférence Mama était écoutée et avec quelle attention, de son côté, elle écoutait. Janie se rendait compte plus que jamais du prestige dont cette dame jouissait : elle était en quelque sorte la sage-femme qui avait fait naître une nouvelle entente. Janie crut voir un air de jubilation sur le visage de Mama.

Les soldats, l'arme à la main, gardaient l'œil braqué sur les dignitaires et la foule. Les Palestiniens d'un côté de la colline, les Israéliens de l'autre. Tout le monde savait que les chars israéliens et des véhicules blindés dans lesquels se trouvaient des tireurs d'élite étaient embusqués hors de portée des regards. Les hélicoptères de combat étaient prêts à décoller. Tous ces renforts avaient été amenés à pied d'œuvre quelques jours plus tôt. On voulait se prémunir contre la possibilité d'attaques terroristes de la part des fondamentalistes du Hamas et contre les démonstrations de force qu'ils seraient tentés de faire contre le mouvement de libération du Fatah, qui appuyait l'entente.

Le leader palestinien se dirigea vers le micro pour prononcer son discours, saluant au passage, sous l'œil de la caméra, le premier ministre d'Israël. Tous les regards étaient tournés vers les deux chefs.

C'est alors qu'une voix d'homme lança soudain un cri d'avertissement qui fit tout basculer : « *Dir ballack!* » Les femmes arabes, prises de panique, se mirent à crier et se dispersèrent. Elles se retrouvèrent mêlées à un groupe d'adolescents en jean ou en pantalon de combat.

Quand l'homme eut crié, un de ces garçons, le corps entier habité par la rage, allongea son bras en arrière et, avec une force étonnante, lança une pierre en direction des soldats israéliens. Un deuxième adolescent se détacha du groupe et imita son compatriote. Les soldats israéliens se mirent en position de combat. Un ordre rudement aboyé leur interdit de tirer : même si on utilisait des balles de caoutchouc, faire feu aurait causé de terribles dommages parmi la foule.

La police palestinienne referma les rangs et se déplaça pour servir de tampon et gêner les agresseurs, mais les femmes arabes nuisirent délibérément à leur travail. La police hésitait toujours à utiliser la force contre des jeunes, parce qu'elle risquait de se mettre à dos toute la population arabe. Et les jeunes exploitèrent la situation. La présence des caméras les incita particulièrement au grabuge. « Collaborateurs ! » hurla en arabe l'un d'eux au moment où un policier lui passait les menottes.

Une voix stridente de femme s'éleva au-dessus des cris d'alarme et de rage : les deux enfants que Janie avait vus plus tôt s'éloigner du groupe étaient absorbés par leur jeu, indifférents à la volée de pierres qui tombaient non loin d'eux. Les adolescents, dispersés parmi les femmes et regardant au-dessus de leurs têtes pour voir les soldats israéliens, leurs cibles, étaient inconscients de la présence des deux petits.

Tout le monde était sidéré par la soudaine montée de violence. Tous les regards s'étaient détournés de la cérémonie pour se porter sur l'échauffourée. Mama s'était levée bien avant que l'attention soit attirée du côté des provocateurs et elle descendait la colline en direction des enfants avant même que les cris angoissés de la mère ne parviennent à ses oreilles.

Un policier palestinien l'interpella et allongea le bras pour la retenir. Deux soldats israéliens s'avancèrent pour lui bloquer le passage. Mama repoussa le capuchon de sa robe pour découvrir sa chevelure argentée si distinctive. Les soldats, qui l'avaient ainsi reconnue, hésitèrent à lui barrer le chemin, qu'elle parcourut d'un pas étonnamment souple et rapide pour une personne de son âge.

Indifférents à ce qui se passait tout près, les deux enfants continuaient à s'amuser dans le no man's land qui séparait les deux groupes. Le garçonnet poussait son tank pour lui faire franchir un tas de pierres.

Au moment où Mama allait les atteindre, Janie aperçut du coin de l'œil les caméramen qui faisaient faire demi-tour à leurs appareils de façon à l'avoir dans leur champ de vision. Comme si elle avait été consciente qu'on filmait ses mouvements — Dieu sait comment, se demandait Janie —, Mama se tourna en direction des caméras juste au moment où elle rejoignait les enfants. Elle étendit les bras dans ce geste généreux et protecteur que les photographies hongroises avaient rendu célèbre.

Mama se pencha ensuite et ramassa la petite fille d'un seul mouvement. L'enfant, toute menue, était habituée à être portée, de sorte qu'elle accepta placidement de se retrouver dans les bras de cette étrangère. Puis Mama saisit la main du garçon et l'entraîna de toute sa force, de telle sorte que les pieds du gamin portaient à peine à terre. Dans le silence environnant, on l'entendit protester pendant qu'il était entraîné de force loin de son jouet. Mama ne lâcha pas prise et entreprit de remonter avec les deux enfants.

Elle regardait où elle mettait les pieds sur ce sentier caillouteux, tout en se déplaçant le plus rapidement possible. Pas plus que tout être humain, elle ne voulait mourir. Elle accomplissait en ce moment l'acte le plus dangereux qu'elle eût jamais osé de toute sa vie. Elle priait : « Ne me laisse pas céder à la crainte en ce moment où j'affronte les forces du mal. »

Ils avaient maintenant parcouru presque la moitié du chemin au bout duquel ils seraient hors de danger. La fillette était suspendue au cou de Mama, mais le petit garçon se traînait les pieds en se lamentant. Il voulait son tank, il voulait retourner à son jeu où l'on simulait la mort.

Il sembla à ceux qui regardaient la scène que Mama avait reçu un coup violent à la nuque. Elle rentra la tête entre les épaules dans un réflexe défensif, hésita un moment, puis reprit sa marche. Un gros caillou rond roula derrière elle. Puis un autre, énorme celui-là, heurta sa poitrine. Cette fois, tout le monde avait vu. Le coup l'avait atteinte aux côtes, assez durement pour causer une sérieuse fracture. Elle fit alors entendre un râle sinistre que la foule entière sembla percevoir.

Ses yeux magnifiques et lumineux s'agrandirent démesurément sous le choc. Son visage perdit toute couleur et une expression de pur étonnement apparut sur son visage. Janie eut l'impression qu'elle voyait, entendait, trouvait enfin ce qu'elle avait cherché toute sa vie et qui lui avait toujours échappé. Jusqu'à ce moment précis.

Mama trébucha sur les cailloux, perdit pied et se rétablit. Elle avait toujours la petite fille suspendue à son cou et tenait la main de son frère solidement enfermée dans la sienne. Elle fit quelques pas, la main gauche servant de bouclier à la tête du garçonnet. Une pierre vint s'écraser contre son poignet et lui causa une autre fracture.

Plus tard, les médecins se demandèrent comment elle avait pu tenir debout et continuer à avancer. La première pierre avait produit une fracture à la base de son cerveau : des gouttes du fluide cérébrospinal s'écoulaient déjà de son oreille droite. Le coup sur la poitrine lui avait brisé les deux premières côtes à deux endroits, sur le côté gauche, de sorte que les os lui comprimaient le poumon. Elle était virtuellement déjà morte.

Le garçon, devenu sage maintenant qu'il était trop tard, tremblait à côté d'elle. Finalement, comme si on les avait libérés de l'envoûtement de l'horreur, les gens convergèrent vers elle pour lui prêter secours.

Mama s'immobilisa, chancelant légèrement sur ses jambes, et attendit. Son regard n'avait pas perdu sa luminosité, malgré que ses pupilles, maintenant toutes grandes, se soient assombries et que sa peau soit devenue grise. L'enfant libéra alors sa main de la faible prise de Mama et courut vers sa mère aussi vite qu'il le put.

Les mains de Mama, maintenant vides, pendaient le long de son corps. Un sergent de la police palestinienne arriva le premier auprès d'elle et prit la petite fille, dont les jambes étaient frénétiquement serrées autour de sa taille.

Mama prononça un seul mot d'un ton pressé. On ne put saisir dans quelle langue elle avait parlé, mais plus tard on pensa que ce devait être du polonais.

Elle s'affaissa sur ses genoux et bascula lentement sur le côté.

Le chant ne s'apparentait pas à celui des chœurs qui, dans les églises ou les salles de concert, nous émeuvent parfois jusqu'aux larmes. Ces voix d'hommes et de femmes harmonieusement fondues qui accompagnaient son agonie traduisaient l'angoisse et la douleur tout comme la bonté et la miséricorde divines. Elles étaient à la fois humaines et surhumaines. Graves et douces, elles sortaient de profondeurs que Mama n'avait encore jamais atteintes. La musique se déversa sur elle jusqu'à l'immerger. Elle se dissolvait dans ces harmonies ; elle était elle-même devenue musique.

Puis la musique se confondit avec le grand silence blanc pour devenir un océan de paix sur lequel reposait l'âme de Mama. Plus rien n'avait d'importance maintenant. Rien ne pouvait l'atteindre désormais. Elle n'appartenait déjà plus au monde des vivants.

La femme, affolée, s'accroupit en tenant sa petite fille dans ses bras. Son fils se tapit à son côté, perplexe et silencieux, conscient d'être de quelque manière à la source de toute cette agitation, mais ignorant ce qu'il avait bien pu faire pour la provoquer.

Hébétée, Janie observait la mère et ses enfants. Elle se rappelait que le cardinal Norberto Uguccioni, préfet de la Congrégation pour les causes des saints, lui avait parlé des premiers martyrs, qui avaient souvent été lapidés. *« Le concept de martyre est large, avait-il écrit dans un article. Il est possible d'être un martyr de la charité. Donner sa vie pour en sauver une autre, par exemple, ou mourir pour la paix et la justice est une forme de martyre pour l'avènement du Royaume. »*

La mère éplorée se balançait sur ses genoux. Elle avait ramené son voile noir devant son visage et scandait une interminable incantation : « Rab al-alamin... Rab al-alamin... »

— Que dit-elle ? demanda Janie à la journaliste arabe qui se trouvait à côté d'elle.

— « Dieu de l'univers, mes enfants ont été sauvés par un miracle », traduisit-elle. Mama a fait un miracle en notre faveur.

Chapitre quarante-neuf

Magda Lachowska se rappelait l'obscurité qui avait régné dans sa chambre de la rue Santa Rita et la vision dont elle avait alors bénéficié.

L'obscurité était revenue une fois de plus. Elle ouvrit les yeux tout grands, mais il lui sembla que la bénédiction céleste lui était cette fois refusée. Elle ne voyait rien. Ses yeux ne portaient pas plus loin qu'à l'intérieur d'elle-même.

Et alors elle le vit. Comme dans l'ancien rêve. Il lui apparut aussi resplendissant et glorieux qu'autrefois. Il brillait encore du même feu intérieur dont le souvenir était toujours resté imprimé dans sa mémoire. Cette fois, cependant, son visage divinement lumineux était tourné vers elle et il ne le détourna pas.

Son corps offrait toujours cet aspect paradoxal d'immatérialité et de densité qui l'avait antérieurement frappée. Ses bras étaient de nouveau ouverts dans un même geste généreux de compassion, comblant enfin son insatiable désir.

Elle ne se rassasiait pas de contempler ce visage dont elle ne mettait pas en doute la divinité. Elle s'émerveillait encore une fois devant les ailes diaphanes aux reflets opalins qui se déployaient puissamment derrière ses épaules. Mais quelque chose avait changé. Les couleurs, toujours aussi magnifiques, étaient moins flamboyantes, plus subtiles. Comme si l'objet de sa vision avait été épuré au cours des ans.

La première apparition, qui s'adressait à une femme jeune, encore en route vers la maturité, avait un caractère spectaculaire. Celle-ci allait à l'essentiel. Elle était destinée à une femme qu'une longue vie de renoncement et de don de soi avait préparée à une communion privilégiée avec la divinité.

Les larges ailes se replièrent autour d'elle et elle poussa un cri de joie. Il chuchota à son oreille de façon pressante et elle sentit son corps tout entier secoué par la réverbération de sa divine parole.

Ils se transportèrent dans un espace désert où la pureté du ciel laissait présager d'éternelles aurores. Elle retrouva les pics des montagnes, auréolés de nuages blancs, qui lui avaient autrefois inspiré de se retirer pendant sept longues années, dans une retraite isolée au pied des Andes, pour y expier ses péchés.

Le remords et le regret l'habitaient encore. Peu importe les sacrifices, le bien qu'elle avait pu faire aux quatre coins du monde, la bienveillance et l'amour qu'elle avait manifestés à ses frères humains, elle avait autrefois pris part à un crime d'une cruauté insupportable. Elle avait depuis ardemment désiré le pardon. Elle avait fait tout ce qui lui était possible pour obtenir grâce. Elle avait consacré ses jours à la recherche de son âme. Et maintenant, l'heure de sa mort, qui était celle du Jugement, était arrivée. Elle ne pouvait plus rien cacher, puisque rien n'échappait à l'œil de l'Ange de la mort.

Les montagnes mystiques s'estompèrent, le brouillard recouvrit tout autour d'elle.

La fin et le commencement se rejoignaient dans l'éternité.

Chapitre cinquante

Trois mois après la mort violente de Mama, les deux frères Akonda pouvaient de nouveau jouer ensemble au football.

Le personnel médical de l'hôpital dirigé par les religieuses avait examiné la jambe plusieurs fois. On avait fait de nombreuses radiographies. Un spécialiste avait été appelé en consultation. L'os était sain, la jambe solide. Les sœurs et les médecins reconnaissaient que c'était une guérison inexplicable, puisque la régénération osseuse est chose impossible.

Chapitre cinquante et un

Exactement un an et un jour après la mort de Mama, un jeune Polonais de vingt et un ans nommé Leszek Sikora travaillait à réparer sa motocyclette devant chez lui, à Metno. Le soir tombait quand un éclair traversa le ciel sans nuages et illumina la maison située de l'autre côté de la rue. C'était une petite construction en pisé, d'aspect minable, datant d'un autre siècle et depuis longtemps inhabitée. Elle brillait d'une lumière vive, comme si le feu l'éclairait de part en part.

Leszek Sikora se redressa et aperçut au-dessus de la maison un nuage violet et rouge foncé aussi éclatant qu'un coucher de soleil. Puis le nuage lui parut descendre et s'enfoncer lentement dans le sol, duquel émergea, pour se projeter sur le mur de la maison, l'image lumineuse d'une femme aux traits flous apparemment vêtue d'une robe claire.

Les dix ou douze personnes témoins de cette apparition déclarèrent, avec une belle unanimité, avoir reconnu Mama pleurant sur un monde qui se détournait de plus en plus de Dieu.

Le soir suivant, environ cinquante personnes se regroupèrent dans l'espoir que le flamboiement embrase encore une fois la maison. Une femme médecin, qui avait toujours affiché ouvertement son cynisme à l'égard du culte dont Mama était l'objet, posa sa main à l'endroit précis où, selon les témoignages, le visage était apparu. Son bras fut instantanément secoué d'un tremblement incontrôlable, comme si un choc électrique l'avait traversé. Elle confessa immédiatement sa foi retrouvée.

Le nombre de visiteurs augmenta chaque soir; ceux-ci laissaient des bouquets ou des pièces de monnaie sur le trottoir. Le visage de Mama n'apparaissait qu'en de rares occasions, mais la maison brillait tous les jours durant au moins une heure. Parfois la foule, composée de malades en fauteuil roulant, de jeunes filles en robe de communiante, de familles entières, était tellement dense qu'elle empêchait les riverains de rentrer chez eux.

Comme toutes les chambres inoccupées de la localité étaient louées, on ouvrit deux campements, aux limites de la ville. Les pèlerins s'y entassaient dans des tentes ou des caravanes. Les offices religieux, célébrés en plein air parce qu'il n'y avait en ville aucune salle assez vaste pour accueillir ces foules, étaient diffusés par des haut-parleurs.

Les circuits téléphoniques surchargés devinrent pratiquement inutilisables. Les gens vinrent d'abord de tous les coins de la Pologne. Il en vint bientôt de toute l'Europe. Des centaines de sidéens affluèrent.

Des membres du Calice s'établirent à Metno pour encadrer les pèlerins. La police dressa des barrières de sécurité et imposa des sens uniques pour faciliter la circulation. On fit intervenir des cavaliers en uniforme, pour disperser les foules qui bloquaient les rues. Bientôt naquit un commerce lucratif de statuettes de plâtre, de porte-clés à son effigie, de photos, format cartes postales, où elle apparaissait avec divers chefs d'État, et même de reliques de sa robe à capuchon. Les gens manifestaient le plus bel enthousiasme, comme s'ils participaient à une grande fête.

Comme il fallait le prévoir, les événements déclenchèrent une certaine hystérie. On rapporta qu'au moment des apparitions, une odeur à la fois capiteuse et suave enveloppait les pèlerins, dont certains perdaient conscience. Un visiteur installé dans l'un des deux campements était tombé et s'était fracturé une jambe, qui se serait trouvée immédiatement guérie.

Personne ne put jamais expliquer pourquoi Magda Lachowska, qui n'était pourtant jamais venue dans cette petite ville sans importance, l'avait choisie pour y apparaître.

Les adeptes de Mama déclarèrent que les événements de Metno n'étaient qu'une autre manifestation du miracle qu'elle incarnait elle-même. C'était aussi une preuve qu'elle avait été une deuxième fois enlevée par les anges, puis transportée jusqu'au ciel.

Tous les soirs, une procession défilait pieusement devant la célèbre maison, les innombrables bougies formant un collier de perles incandescentes dans la nuit. Les pèlerins s'immobilisaient devant le célèbre portrait de Bown pour contempler le visage impénétrable, la bouche tendre, les yeux énigmatiques remplis de lumière. Et, derrière sa tête, les rayons du soleil couchant formaient une flamboyante auréole.

Remerciements

Je tiens à exprimer ma reconnaissance aux personnes et aux organismes suivants :

Le National Chilbirth Trust. Watts & Co. Ltd., Ecclesiastical Furnishers. Maria da Graças Fish, des Services culturels de l'ambassade du Brésil à Londres. Richard Lazynska. Mary Craig, pour les précieuses lumières qu'elle m'a apportées sur les phénomènes de caractère miraculeux.

Il me faut ajouter, comme toujours, les noms de Jo Goldsworthy et Caradoc King. Et, enfin, de Francesca Liversidge.

Dans la même collection

Bernstein, Marcelle	*Corps et Âme*
Bernstein, Marcelle	*Le Pacte du silence*
Blair, Leona	*Le Bal de la traversée*
Boucher, Line Véronic	*L'Inavouable*
Chamberlain, Diane	*Enfances meurtries*
Delinsky, Barbara	*Le Jardin des souvenirs*
Erskine, Barbara	*Le Secret sous la dune*
Esstman, Barbara	*Laissez courir les chevaux*
Gage, Elizabeth	*Tabou*
Gascoine, Jill	*L'Emprise*
Goudge, Eileen	*Révélations*
Grice, Julia	*Suspicion*
Guest, Judith	*Ces beaux étés*
Henry, Alexandra	*Cœurs en otage*
King, Tabitha	*Chaleurs*
King, Tabitha	*L'Histoire de Reuben*
LLewellyn, Caroline	*Les Ombres du passé*
Muller, Marcia	*La Course contre la mort*
Muller, Marcia	*Les Mains liées*
Norman, Hilary	*Fascination*
Norman, Hilary	*Hedda ou la Malédiction*
Norman, Hilary	*Laura*
Norman, Hilary	*Le Serment*
Norman, Hilary	*Susanna*
Roberts, Nora	*Ennemies*
Rosenberg, Nancy Taylor	*Au-delà de la peur*
Spencer, LaVyrle	*Qui j'ose aimer*
Thayer, Nancy	*Trois femmes, trois destins*
Thomas, Rosie	*Libérer le passé*
Thomas, Rosie	*Tous les cœurs ont leur part secrète*
Whitney, Phyllis A.	*La Disparition de Victoria*
Whitney, Phyllis A.	*L'Empreinte du passé*